U0745100

郭文斌精选集

郭文斌研究

（上）

闻玉霞　主编

山东教育出版社
·济南·

图书在版编目（CIP）数据

郭文斌研究：全2册 / 闻玉霞主编. — 济南：山东教育出版社，2021.10
（郭文斌精选集）
ISBN 978-7-5701-1761-1

Ⅰ.①郭… Ⅱ.①闻… Ⅲ.①郭文斌 — 人物研究
Ⅳ.① K825.6

中国版本图书馆 CIP 数据核字 (2021) 第 127093 号

郭文斌研究　闻玉霞 主编
GUOWENBIN YANJIU

策　　划：张　虎
责任编辑：尹攀登　董　晗
责任校对：任军芳
美术编辑：徐国栋
装帧设计：王承利　王耕雨

主管单位：山东出版传媒股份有限公司
出 版 人：刘东杰
出版发行：山东教育出版社
地　址：济南市市中区二环南路 2066 号 4 区 1 号
邮　编：250003
电　话：(0531)82092660
网　址：www.sjs.com.cn
印　刷：山东临沂新华印刷物流集团有限责任公司
开　本：880 mm × 1240 mm　1/32
印　张：30.25
字　数：579 千
版　次：2021 年 10 月第 1 版
印　次：2021 年 10 月第 1 次印刷
印　数：1-2000
定　价：239.00 元
（如印装质量有问题，请与印刷厂联系调换，电话：0539-2925659）

郭文斌

著有畅销书《寻找安详》《农历》等十余部，有精装七卷本《郭文斌精选集》行世。长篇小说《农历》获第八届“茅盾文学奖”提名，在最后一轮投票中名列第七。短篇小说《吉祥如意》先后获“人民文学奖”“小说选刊奖”“鲁迅文学奖”。作品签约二十多个国家。

央视540集纪录片《记住乡愁》文字统筹、撰稿、策划，观众达170亿人次，被中宣部领导誉为弘扬社会主义核心价值观最接地气的精品力作；由海口电视台录制的52集人文节目《郭文斌解读〈弟子规〉》被中国教育电视台等多家媒体播出，被“学习强国”学习平台推送。提出安详生活观、安全阅读观、底线出版观、祝福性文学观；受邀到北京师范大学、北京大学、清华大学、复旦大学等高校及多省市演讲，受到欢迎。

十多年来，奔走于全国各地，推动中华优秀传统文化的创造性转化和创新性发展，同步捐赠逾三百万码洋图书。

现任宁夏作家协会主席、中国作家协会全委会委员；全国宣传文化系统“四个一批”人才，享受国务院政府特殊津贴；被宁夏回族自治区党委、政府授予“塞上英才”称号，被评为“60年感动宁夏人物”。

序

诗意叙事及其意义

李建军

五年前，在2003年第8期的《上海文学》上，我发表了一篇题为《论第三代西部小说家》的文章。针对年轻的第三代小说家的问题，我说过这样一段话："如果用严格的尺度来衡量，第三代西部小说家的写作还存在许多需要超越的局限和需要解决的问题。例如，从整体上看，他们的作品虽然不乏新意和诗意，不乏朴实的情感和健康的道德内容，但是，缺乏境界阔大、思想成熟、技术圆练的大作品。更为严重的情况是，他们写到一定程度，一旦被社会认可，就不自觉地在已经形成的模式里进行复制性的写作，写出来的作品给人一种彼此雷同、似曾相识的印象。这几乎是所有那些已经成名的青年作家身上共有的问题。"

在这篇文章的最后部分，我这样表达了对第三代西部小说家的理解和肯定："是的，第三代西部小说家还走在路上，还没有达到理想的高度。他们之所以值得关注，并不是因为他们的成就可以被当作普遍有效的经验模式，而是因为他们的写作，是一种有价值的启示，给我们认识自己时代的文学提供了一种参照。他们的写作是一种面对大地的写作，是一种向他人开放的写作。他们自觉地抵抗来自第二代作家的消极写作的影响，从不靠大胆的粗俗和对人性、道德的肆意凌辱来吸引读者的注意力。在他们身上，也很少看到都市的'先锋'写作卖弄技巧的花哨和个人化写作渲染欲望体验的俗气，因此，不管他们的写作存在多少问题，他们是担得起人们的赞许和期待的。"

坦率地说，在写《论第三代西部小说家》的时候，郭文斌还没有进入我的批评视野。那时，他的小说创作还处于一种艰难探索的"自在状态"，还停留在对中国的并不成熟的"先锋文学"的模仿阶段，还没有实现化蛹为蝶的转化和飞跃。

在郭文斌过去的小说中，我们时或可以看见他的缺乏内在深度的调侃，可以看见缺乏价值重心和可靠方向的形式主义倾向——这是我们在中国的幼稚的"先锋文学"中常常可以看见的文学景观。阅读中国"先锋主义"作品，我们也许会吃惊于他们想象的诡异和行文的恣纵，但是，更多感受到的，是价值观上的虚无主义，是面对文学的玩世不恭，是对人物的冷漠和无情。

不知从什么时候开始，我们不再温柔地怜悯，不再优雅地感伤，不再对诗意化的写作表现出虔诚的态度。我们的眼睛不是向内关注灵魂的拯救，而是向外渲染感官的刺激；不是向上追寻精神的光芒，而是向下寻求庸俗的满足。我们背叛了《红楼梦》的诗情化的叙事传统，继承了《金瓶梅》和《肉蒲团》的色情化叙事的衣钵。在我们时代的某些试图变革文学秩序的激进分子看来，文学本质上乃是一种消极的精神现象，它所关注的焦点，就是“私人”和“肉体”，因此，谁越是用粗俗、大胆的方式表现“欲望”，渲染“黑暗”，谁的创作就越具有“先锋性”，就越是接近不受道德羁绊的“纯文学”。

然而，在我看来，当代文学之所以缺乏力量感和影响力，其中一个重要的原因，就是因为它缺乏诗意，缺乏对于善的朴实而坚定的态度。要知道，在任何时候，作为破坏性的力量，冷漠和冷酷都是瓦解人类内心生活的；在任何时候，作为诗意的对立物，庸俗和粗俗都是降低文学的价值和尊严的。

好在，郭文斌意识到了反诗化写作的问题和危险，他走出了“先锋文学”的歧途，蹚出了属于自己的路子，或者用一位大师的话来说：“找到了属于自己的句子。”他成功地摆脱了过去的那种阴暗、畸形的写作模式的影响，选择了诗意化和善意化的写作路径。以美载善，以美启真，这就是郭文斌为自己确立的新的写作原则和文学纲领。

车尔尼雪夫斯基在一篇影响巨大的评论文章中说，托尔斯泰的小说之所以充满“优美迷人的特殊魅力”，是因为他在写作的时候，“始终保持着少年的十足的天真和纯洁”，“心理生活隐秘变化的深刻知识和天真未凿的道德情感的纯洁性——这是现在赋予托尔斯泰伯爵的作品以特殊面貌的两个特点，它们（永远）将是他才华的基本特征，不管他的才华在今后发展中表现出怎样的新的方面。”其实，车尔尼雪夫斯基所揭示的，乃是所有真正伟大的文学作品共同的品质和特征。

道德情感的纯洁性以及由此而来的诗意性，显然也是郭文斌后期创作的自觉追求。他把眼光转移到了孩子身上，因为他们最能体现人性的美好和心灵的纯洁。孩子，这快乐的精灵，这给生活带来快乐和希望的天使，乃是郭文斌后期小说中具有核心意义的文学形象。他无疑相信这样一个事实，那就是，孩子的纯真可爱和纯洁无瑕，可以成为照亮这个时代的精神之光，可以成为澡雪人心的净化力量。郭文斌笔下的农村孩子，虽然生活在困窘的家庭，常有冻馁之虞，但是，苦难、贫穷、饥饿从来不曾改变他们内心的纯洁和善念，恰恰相反，他们的心灵常常因为苦难而显得更加美好。他们的纯洁有助于人们培养一种大地一般稳定的心情态度，那就是对生活的平静而热烈的爱，那就是对未来的乐观而自信的态度。

当中产阶级化写作模式业已成为主宰模式的时候，当许多“著名作家”的写作沦为“社会订货”的奴隶的时候，当商业化和娱乐化成为普遍的文学时尚的时候，郭文斌的意义显得尤为重要。我们应该研究郭文斌的诗意化叙事对于中国当代文学的特殊意义；应该研究为了实现创作的突破他克服了什么样的困难，付出了什么样的努力；应该通过他的创作经验的研究，来考察伦理境界与文学诗意的关系；应该研究在以后的创作中，他需要解决的问题和必须应对的考验。

关于文学，几乎每一个命题，都可以找到几乎完全对立的理解，几乎都存在着截然不同的判断。长期以来，人们对这种文学观上的分歧甚至对立，采取一种相对主义的态度，认为在文学认知上，永远不可能找到一种普遍有效的“共识”和“真理”。然而，寻求一种普遍有效的“共同标准”乃是文学批评和文学研究工作的重要内容。文学批评和文学研究的一个任务，就是通过对伟大的经典作品的阐释，来确立这一标准。

钱锺书先生在《谈艺录》的序文中说：“东海西海，心理攸同；南学北学，道术未裂。”可见，从人类精神生活的共同性来看，确立这样的标准，不仅是需要的，而且是可能的。在我看来，研究郭文斌的创作的经验和需要警惕的问题，就有助于我们理解和认识那些重要的“常识”和基本的“标准”。

在我看来，研究郭文斌的创作，既有助于我们了解写作的艰难和快乐，也有助于我们认识那些重要的“常识”和基本的“标准”。许多批评家之所以对郭文斌的创作产生兴趣，其原因盖在于此；我们之所以编选这部批评文集，其缘故亦在于此。

谨序。

（此文为李建军先生主编的《郭文斌论》一书序言，宁夏人民出版社 2008 年 10 月出版）[①]

①为方便读者阅读，本书选文均进行了适当修改。

目 录

一个新的文学潮流的兴起

——复旦大学郭文斌创作研讨会纪实

时间：2019 年 4 月 6 日

地点：复旦大学光华楼

主办：复旦大学中国当代文学创作与研究中心

开幕式

主持人：栾梅健（复旦大学中文系教授）

栾梅健：在周末这么好的天气里，我们在复旦大学中国当代文学创作与研究中心举办郭文斌创作研讨会。这个研讨会是陈思和老师去年秋天就提议的，他说，我们现在有非常好的作家，当代文学创作与研究中心应当关注。活动筹备了半年的时间。今天讨论的内容，除了《农历》之外，还包含郭文斌先生其他所有的作品，除了小说，还有他的散文，都在我们讨论的范围内。

有请这次研讨会的倡导者、发起人陈思和老师致辞，并做主题发言。

陈思和 （复旦大学图书馆馆长）：

郭文斌的创作早就在全国评论界的视野中了，《农历》出版以来，呼声一直很高。西北地区的作家中，他是有代表性的。大约十年前，我还在主编《上海文学》，就有幸发表过他的作品，当时就有个奇怪的想法：中国经济发展不平衡与文化发展不平衡，其轨迹好像是反着的。就是说，从经济上着眼，沿海城市的确发展非常快，像长三角地区，近二十年来像进入魔幻世界，不断地变化，不断地发展。但是如果从文化的原创力来看，平心而论，真是乏善可陈。我一直都有这种感觉，中国的西北地区，经济上可能不是发展得那么快，但是在西北地区，文学发展得却非常好，不仅非常单纯，而且很有力度。作家、艺术家们创造了一种没有杂念的虚构的精神世界，显示出很澄清很大气的文学状态。那种文学状态也是精神状态，慢慢地就会呈现出文化的力量。这是我的感受。

这种澄清大气的文学状态溢出了文学的范围，朝着精神文化的方向转变、发展，是值得我们关注的现象。沿海城市经济发达、学院林立，教师忙着申请科研经费、举办学术会议、轮流出国进修等，不停地跟着社会风气转，真正有思想的学术成果却少得可怜；作家也是这样，沉溺在小窝似的街景一角，一杯咖啡、一顿早餐，都可以变成所谓的文学；而在大西北，我们面对着一大批作家，他们的文学身份似乎很难做细致的界定，因为他们不仅仅是作家，写文学作品，有的还在走学者的道路，甚至在文化、思想等多方面都有追求，他们的视域广阔得多。

我随便说几个作家，都不是单纯的文学家，他们关怀社会的视野比我们沿海城市的学者开阔得多，对当代中国之命运的思考也深入得多。这样，如果以时间顺序来排列，进入我们视野的第一个作家是张承志，他曾经是知青作家、寻根作家，从作家的角度看还是很有限的，可是读他后来的著作，完全给我们一种新的精神世界的展现。

第二个是雪漠。雪漠早期的几部长篇小说都在上海出版，而且还获过奖，都是写沙漠里的故事。后来他转向思想、哲学等领域，探索人生问题，在社会上有很大的影响。记得有一次我请雪漠到复旦演讲，演讲厅里坐着的很多人都不是复旦的学生，而是校外听到消息特意赶来听雪漠讲演的听众。现在，雪漠写的不再是单纯的文学作品，他对古代哲学，包括老子的学说，都有专著出版。

第三个我注意到的就是郭文斌。郭文斌不像前两位作家，文斌的探索比较接近现世的宗族伦理，偏重传统农业文化的自然法则、宗法社会的伦理道德，包括人性、人道、底层人们的生活习俗等。这些方面，文斌做了大量工作。他不仅写作，而且利用当下新媒体，拍摄纪录片，身体力行地传播他的思考和探索。我看他这次寄来的七卷本《郭文斌精选集》，文学创作并不多，主要是思想性的文章。这也是文斌思想探索的结果。可能是他感觉到，小说形式已经包容不下他的思想探索，所以他必须要冲破小说，冲破故事，冲破人物，自己要走到读者群体中去，直接表达对当下社会的看法。

文斌比较入世，有一种对当下世界的关注，我把他的这种关注理解为重新构建社会秩序的努力。与很多人关注未来世界不同，文斌比较关注现实世界，至于未来世界应该怎么样，也是从构建当下世界的角度来理解的。

我读了文斌的散文集，他对当下中国社会充满了温情，充满了建设性，特别是在精神建构上，他关注较多，这也是当今社会迫切需要的。中国正处在大变化之中，一方面，原来认为的真理还需要在实践中做进一步的检验；另一方面，社会转型带来了前所未有的新问题，一切都没有现成答案。但我觉得，在今天这样一个大时代，中国处于日渐崛起的关键时刻，每个人都有这样的责任，为国家的未来有所担当，这也是一种人类终极关怀。我们的未来应该怎么样，取决于我们今天应该怎么样。我想，文斌也是出于这样一个大视野吧。他为了拍摄《记住乡愁》系列纪录片，几乎走遍全国各地，从最小的起点，关注一个古镇、一个村落、一个家庭，甚至是一个人的完善，都是从最小处做起，来展现中国的大未来。

这也是中国传统的文化思路。从个人的修身养性，再到治国平天下。

回过来说创作。我最初读文斌的小说，几年前读《农历》，我的感受还没有这么深。这也是一个学习的过程。当时我把它仅仅当作小说看。这本书让我联想到当年废名的小说，如《桥》。当时是五四时期，作家们站在启蒙的立场上，对中国农村文化的衰败、民众的愚蠢，都持强烈的批判态度。但是废名比较特殊，废名的小说里有更多的人性温暖的元素。他笔下呈现出农村生活的另一面，那种我们一般看不到的，特别是在一些小儿女、小孩子的日常生活当中，找到了很多的诗意和温暖，很难用五四主流的批评话语去涵盖。我觉得文斌的小说里就有一种废名式的田园抒情，《农历》就是在复活当年废名的创作风格。我这次比较系统地读了文斌的文集，他后来写的那些散文、随笔、演讲，等等，让我懂得了很多。我没有北方农村生活的经验，小说里讲，那个灯是用荞麦面做的，我怎么也想象不出灯怎么会是荞麦面做的。后来看他的散文就明白了，很多的民族文化习俗，都被他容纳到美学思考中去了。

这样的小说创作和散文，包括他的理论探索，都是在互动中相互影响。文斌有他自己的思想承载和探索，探索当然有多种可能，有些成功，也有些不成功。但我想，作为西北地区一个文学的重镇，文斌的努力和追求值得我们重视，尤其值得我们那些身居沿海城市，自以为是的文化工作者重视和反思。文斌的创作态度是非常谦虚的，在谦虚的背后，则充满了自信，有他自己的一种底蕴。

最后，简单地期望，还是期望文斌能够从思想探索再回到文学创作。我还是相信歌德说过的话，理论都是灰色的，生活之树常青。文学创作是借助生活本身来滋养的。希望文斌能创作出比《农历》更上一个境界的大作品，把所探索的思想文化熔铸到艺术创作中去，让思想建立在更加感性、更加扎实的生活内容之上。思想毕竟有一种教训的意义，但是进入文学创作就不一样了，可以更加丰富、更加含蓄，因而也更加感人，可以感动千百万的读者，感动未来。

栾梅健：

中国当代文学的发展史中，这四十年匆匆而过，一个潮流接着一个潮流，一浪推着一浪。我们可以发现，从粉碎“四人帮”之后的伤痕文学，到反思、改革、寻根、现代派的文学，再到新写实主义的文学，一路下来，变化其实是很紧密的，与我们的时代，与我们社会的变迁相关联。每个作家都走在时代的前沿，想做时代的代言人，为时代留下我们的所思所感。相对来讲，到了最近的十年，这个潮流的涌动显得更加多元化了，嘈杂了，也可以说非常丰富多样了，我们很难概括潮流到底会走向何方，到底哪一个作家或者哪一批作家会成为主流。现在，哪个作家能够代表我们2019年的文学趋势，想来想去好像真没有。我们的文学事实上进入了一个众声喧哗、多元共生的阶段，很难用像“改革”“反思”这样的词来概括当下文学的特征乃至走势。不过细细想来，变化虽然不是很明显，但是依然有。原因主要来自两个方面。

第一个方面是生产力的极大提高，物质资料的极大丰富。可以发现，物质越来越被强调，而精神方面的东西越来越被边缘化了，或者说被物质所遮蔽了。现在，大家显得越来越浮躁，不知道整天在干什么，不知道人的灵魂到哪里去找寻，很多人整天处于彷徨、无助当中。这其实是有规律的，马克思在《巴黎手稿》中，就很清醒很敏锐地发现了这个问题，这就是工业化对人的异化问题。工业化让人成为流水线上的一个螺丝钉，让人越来越被机器所支配、所调控。前几天我看到一篇文章，印象深刻。说是现在中国有一部分的男人，晚上回家，把车停进车库，先不下车，而是在汽车里坐五分钟，然后再回家。我感觉，这样的人蛮多的。我也是这样的。有时候拖着疲惫的身躯，回到家后还要面对各种各样的事情：小孩的事情，太太的事情，长辈的事情，左邻右舍的事情。什么时候才能安静？什么时候才能找到自我？就在地下车库里，在黑暗中静坐五分钟，把心静一静，然后再上去。我觉得这个就是马克思所讲的人的异化的问题。工业化使人变得非常忙碌，忙碌之后找不到自我，那么就需要一种安慰，需要一种调节，让我们重新找到自己的一种本真。这其实是工业化带来的问题。

第二个方面，我觉得要从我们中国的传统来讲。改革开放四十年，我们大开国门，八面来风，欧风美雨，很多小孩子从小开始，看的是西方的动漫，玩的是迪士尼，等等，事实上给我们展示的是一种强势的西方文化，是一种让人越来越自我的文化。几十年来，我们发现，中国的传统文化被边缘化了，大家以西方的标准、国际的惯例等来看我们中国、看我们中国的文化，甚至我们的小说好不好，也要西方的所谓汉学家来定。中国现在处于一种无根的、无助的感觉当中，我们没有了根，更没有了文化。

在这样的两个背景之下，我们可以发现我们的文学潮流隐隐约约地显现出一个趋势、一个苗头来了。刚才讲过，第一个背景是工业化带给我们人性的恍惚，第二个背景是中国传统文化的断裂带给我们的无根、无助的感觉。那么，在这样的背景下，怎样才能找回我们的自信，重建我们的文化，让我们活得越来越自信，越来越饱满，越来越有责任感？

非常高兴在复旦举行郭文斌创作研讨会。我们关注郭文斌很多年了，发现他这十几年来持之以恒地写了很多小说，也写了很多的随感。在他的创作中，有很多中国传统典籍的思想，比如《论语》《孟子》的思想，他还从中国民间的信仰、民间的风俗、传统的伦理道德、传统的礼仪当中汲取营养，给我们展示了一个丰富的、饱满的、酣畅淋漓的中国传统文化之源、之根，非常精彩。在当下，这无疑是非常重要的一剂精神良药，可以安妥我们的灵魂，可以让我们在面对工业化对人的异化时，让我们在西方强势文化面前，给我们一种中华文化的自信。

我个人认为，他孜孜以求的文学探索，其实已开创了一种很有意义的文学潮流。它的价值与意义，可谓与伤痕文学、改革文学等类似。

研讨会（第一场）

主持人：张新颖（复旦大学中文系教授）

汪 政 （江苏省作家协会副主席）：

关于文斌的创作，我和他昨天已经说的很多了，今天只讲两点。

第一点，文斌是一个有信仰的写作者，是相信自己的写作者，是相信自己所写文字的写作者。表面上看，这好像没什么道理，但我确实认为，在中国当代文学，特别是在当下，这还真是个问题。如果你问哪个作家，或者搞一个调查，大概没有哪个作家说他不相信他自己写的。但实际上，我可以说，有好多作家并不相信他自己的所写。而文斌通过诗歌，通过小说，通过散文，现在又走向传统经典解读，走到当下当代的文化现场，走到社会公益的现场，这样的文学生活轨迹在他那儿是有道理的。他之所以从文字一路走来，走到了文字以外，从文学走到文化，特别是走到实践这一块，就是因为他相信自己写的东西。他不但相信自己所写的，而且把自己所写的变成自己的行动。能够将自己的文字变成自己的行动，足以证明他是一个有信仰的写作者，是一个相信自己的文字的写作者。我和文斌讲，你非常幸运，不是每个作家，特别是在当下的文化境遇中，能够有这样的自信，能够走进自己所信的世界，能够心安理得地写自己的东西，心安理得地说自己的东西，心安理得地践行自己的东西。相反，我们看到现在很多作家，确实存在着内心的分裂，存在着许多的焦虑，找不到方向，找不到自我，找不到自己的所信在哪里。从这一点来讲，文斌很幸运。这是我要说的第一点。

第二点，文斌现在的写作方式已经回归到写作之初。他已经打通了文学内外，特别是他近年来所写的那些我们已经很难把它定义为文学的文字。这让我想到，这可能意味着一种文学的变化。最近，我把文斌寄给我的作品看了一下，就想到一个题目：文学在文学之外。文斌已经把自己的文学疆域进行了拓展，由此我想到一个问题，可能我们的文学，正面临着一个比较大的变化。传统的“四大家族”：小说、诗歌、散文、戏剧，显然已经被突破。什么是文学？什么样的作品是文学作品？都可能要被重新认定。

昨天晚上我跟文斌讲：若干年之后，你的这些作品，可能就是在《农历》之外，在你的散文、诗歌之外的一些新的文学。我开玩笑地说，你对经典的解读很新颖，是不是可以称之为新世纪的“变文”？就像当年讲经一样，俗讲一样。它有很多故事、有很多现场、有自己内心的感受，这些组成了具有美学气质的新的文体。

刚才陈老师希望文斌能够回到文学，这也是我的希望。但是文斌目前这样在文学大门里自由往来、自由出入，可能也会带给我们对文学的疆域、文学的性质、文学的规定以新的认识，他会为文学提供新的贡献。如果再稍微展开一点的话，以文斌提供的这些有待于被认定的文本，也就是我所说的新世纪“变文”的文本，它真的可能孕育着新的文学。其实我们现在好多的文字、好多公众号、好多其他职业的一些写作，若干年以后，都可能会被认定为新的文学，新的文学也许就是从这些里面长成的。

举一个跟文斌无关的例子。前几个月，南京的《青春》杂志搞了一个策划会，请了好多批评家、作家和学者，围绕如何办好这本文学期刊，作家、批评家说了好多话，出了好多“金点子”。轮到南京大学新闻传播学院的杜骏飞说了，杜骏飞说，你们为什么要在这个层面谈文学、谈杂志呢？你们说的还是传统的文学嘛。但是，现在有哪些读者还看这些？

你们杂志最好能发那些公众号的读者们认定的文章，那才是现在的好东西。当下读者认定的好的东西是什么？他举了一个例子。《青春》的策划会刚好在张扣扣案二审不久，张扣扣的辩护律师写了《给张扣扣留一条生路》的辩护词。杜骏飞说，这篇文章不是比我们很多的文学作品都好？若干年以后，张扣扣退场了，这桩轰动全国的司法事件也退场了，法治环境也有了巨大的变化，《给张扣扣留一条生路》的司法意义已经没有了，但它可能就是这个时代留下的一个经典文学文本。这当然有待于历史的检验，但他的说法也未必没有道理。

郜元宝（复旦大学中文系教授）：

断断续续在看郭文斌先生的作品。昨晚还在读他的《还乡》。这篇文章很有意思，说要过好中国节日，尤其是大年，须将春晚播放的时间调一调，别跟大年重叠。一家人围着看春晚，就没法好好地按照传统的方式过大年。

这个建议很有创意。我由此想到，任何一个作家的写作，多少都会有春晚这样的尴尬：它本身当然有价值，可也会跟大年这样的习俗以及其他的文艺生活发生结构性的冲突。要正视这个事实，只有这样才能在对话和商榷中明白不同年代不同创作各自的意义与局限。

在座大多是学习和研究文学史的。中国现当代文学的传统是多元的，有一些作家，像废名，风格上比较接近郭文斌，冲和、淡定、安详、静穆。但现当代文学主流不是废名，而是鲁迅先生开创的国民性批判。鲁迅传统也讲“余裕”，也讲欢欣、和平，但基调是立足现实的挣扎与战斗，是与各种黑暗腐朽展开肉搏，杀出一条生存的血路。鲁迅传统一再被冲击，被扭曲，甚至被遮蔽，但它的强大生命力，任何人也无法否认。在这个背景下读郭文斌的《农历》，就没法不想到鲁迅的《祝福》。《农历》中一家四口，安详、安定、认真、周到、幸福地过好一年四季每一个节日，这和可怜的祥林嫂的“祝福”——她没有资格参与的众人的祭祀活动——不啻有云泥之别。《农历》为了突出一家四口过年过节的丰富含义，尽量淡化现实背景，读者不知小说（或散文）所写究竟今夕何夕、此地何地，完全一种世外桃源的感觉，受鲁迅传统熏陶的读者当然就会很不适应。

从理论上讲，“怎么写”是作者的权利，他爱怎么写就怎么写，他想寄托怎样的理想就可以寄托怎样的理想。我理解郭文斌要通过《农历》寄托他对中国文化传统的一种理想。具体地说，就是要把中国文化的年节传统全部复活，让其中每一个美好的细胞都生机勃勃展现出来。为此，他选中了这样的一家四口（出嫁的不算）作为模型，“让”他们好好地过年过节。这样写是他的权利，他可以不管环境，“让”这一家四口一个个变成过年过节的专家，羡煞旁人，也令如今对大多数中国节日的细节不甚了了的读者惭愧不已。

郭文斌可以表达一种在今日中国几乎无法实现至少无法普遍地操作的理想，读者也可以从他的理想表述中重温各种传统节日的美好，但更多的读者想知道的恐怕还是：那么多曾经美好的年节为何渐渐都“过不下去了”？郭文斌在表达他的理想时，并没有义务非要回答这些严峻的问题。他的任务只在于充分表达他的理想。但如果他在这个过程中对上述严峻的问题完全意识不到，或意识到了却置之不理，那他的理想的表达就会显得虚假而无力。

鲁迅的《呐喊》《彷徨》也有几篇比较明亮，跟郭文斌的风格接近，比如《兔和猫》《鸭的喜剧》和《社戏》，但这毕竟不是《呐喊》《彷徨》的主流。在鲁迅那一代作家笔下，中国社会灾难深重，中国文化有太多需要反省和批判的因素，他们没法做到绝对的静穆与安详。比如，鲁迅非常反感古代文人把农民们写得像鸟一样幸福，他觉得这不仅不真实，也不道德。鲁迅在《风波》《理水》等作品中讽刺了传统文人笔下的“农家乐”。《镜花缘》的“君子国”那一节把群众写得知书达理、风雅高尚，这在鲁迅看来也是不可理喻。现在郭文斌的《农历》几乎就站在鲁迅和五四文学的反面，不仅把农民（比如《农历》里五月六月姐弟两人、饱读诗书的父亲、善解人意的母亲以及受他们一家感化的村民们）写得很幸福，也把农民写得像“君子国”国民那样风雅，那样温良恭俭让，动不动就大段背诵“朱子语录”。

以前一想到西北或大西北，都是蛮荒、粗砺、贫穷、苦难，比如路遥笔下的延川附近各县，杨显惠笔下的定西孤儿院。当然，这些作家也并不完全只是表现苦难深重的一面，他们也写了生活于其中的人们美好的祈求、坚韧的挣扎和血性的抗击。更主要的是他们写西北，并非一根筋，而是尽可能看到社会生活和文化心理更广阔、更纵深的方面。他们都比较靠近鲁迅以来的现实主义的传统。现在有了郭文斌偏向理想和浪漫主义的写作，如果放在路遥、杨显惠等人的写作面前，可能是个异数，但它并非绝对孤立，比如我们以前读过碧野先生的《天山景物记》，后来又有刘亮程、李娟等，都不是现实主义的，都比较接近郭文斌——当然具体风格又千差万别。

和郭文斌的作品有关的这一系列，不是五四文学正宗，但也并没有被彻底压制。前面大家都谈到废名。“废名研究”总有点说不清楚，我怀疑废名是不是当时周围一些文人硬给捧上去的，能欣赏废名的人实在太少了。我承认我无法欣赏。不仅废名，朱自清、俞平伯的《桨声灯影里的秦淮河》我也看不下去。迟子建、毕飞宇、李娟、刘亮程、付秀莹等作家的一部分作品（有的就是全部）都尽量往纯美的路子上写，许多人喜欢，也有很多人受不了。这些作家都很真诚，都有某种心灵的原因，促使他们躲在一个小地方，孵化一种纯美的文化和纯美的人性。但没办法，被现代文学主流熏陶的读者还是习惯看灾难深重、苦大仇深（北方人叫“苦哈哈”）的东西。过于甜腻的东西，有人喜欢，就有人受不了。这很正常。

读郭文斌的作品，我还想起20世纪80年代的“寻根文学”。当时“寻根”作家们的态度很暧昧。寻到某个民族文化之根，你就必须亮出态度，做出研究和反省。但这是颇难做到的事，绝大多数只能模模糊糊，“寻根文学”因此也就不了了之。当然，“寻根文学”作为一个潮流消退之后还是出现了《白鹿原》那样的大作品。这就是作家陈忠实的彻底之处。面对一种文学传统，你没处躲藏，必须亮出你的态度。一旦亮出你的态度，你的长短、深浅、正误也就全部暴露，不由人不对你说三道四了。

郭文斌的写作提出的挑战是双向的。你以“安详”哲学挑战苦难深重的现当代文学正宗，反过来就必须接受这个正宗的挑战。你说文学是还乡，是祝福，是安详。这都对。西方文学史和哲学史上也讲安详，也讲静穆，但这个问题在莱辛写《拉奥孔》的时候就发生很大的争论。这个争论在中国几乎原封不动地也发生在朱光潜和鲁迅之间。古希腊文化（拉奥孔雕塑和史诗），中国文化（陶渊明），到底是安详，是静穆？还是热烈、痛苦？各人有各人的想法，不能被一个声音垄断。问题是，不管你怎么说，都必须拿出足够的证据，否则难以服人。

郭文斌的作品不那么容易被普遍接受。我们自己对生活的一些美好感念，因为长期被主流文学史所规训，有时也觉得羞于出口。有一种美是不能说的，一说就是犯罪，因为你还得去面对铺天盖地的不美。这个现象鲁迅也感到很无奈，他为此专门写了一篇《好的故事》，在如梦如幻中试图记录下曾经的美好，而最终并没有成功。

美丑、善恶、幸福与不幸、热烈与静穆、冲动与安详，这些都彼此连带着。完全剥离开来，对立起来，加以孤立和极端的表现，恐怕都是片面的。

张学昕（辽宁师范大学文学院教授）：

谈四点：

一、非常高兴再次来到复旦大学。我愿意来复旦开会，哪怕到这里来坐一坐，都会感到一种真诚、轻松和快乐。这些年，复旦中文系、当代文学创作与研究中心面对复杂又嘈杂的文坛，始终保持着自己的声音——“复旦声音”。它既能接纳具有不同写作风格和姿态的任何一位优秀的作家，也能吸引可以发出不同声音的批评家聚集复旦，发出自己对文学和作家的真实看法。所以，我认为在很大意义上，复旦是在为中国当代文学、为当代作家的写作存档。

二、很早就知道郭文斌及其小说创作，这次终于有了见面的机会。我的印象里，他似乎很少加入文坛的喧嚣。他偏安西北，偏安一隅，安静地写作，所以，我就清楚郭文斌为什么崇尚“安详”。安详是一种做人的境界，也是一种写作的境界。这次仔细读过郭文斌的一些作品，包括随笔和访谈，真正地体会到郭文斌的这种“安详”的写作。“安详”这个词不断在他的文本中出现，我感觉到他对这个词的喜爱到了无以复加的程度，这是一种内心的需要。他还提出“文学最终是要回到心跳的速度，因为那是‘感动’的速度。感动只有在心灵同频共振的时候才能发生。”所以，他认为，“慢”是归途，这个归途还不是家，文学的家在“静”里。其实，这恰恰就是郭文斌的写作伦理，或者说，是他的写作方式。这里面充满了虔诚。我们这个时代的写作，真的不太安静，浮躁到极致。我很惊异郭文斌能够如此之静。如此没有功利心地写作，在当代实在是不多见的。所以说，郭文斌的“静”是一种“境界”，是“干净”，他的写作及其文本让我们感到了文学的干净。

三、其实，读郭文斌的作品，让我想到索甲仁波切的《西藏生死书》。他在小说和随笔里呈现出的生命状态，从文字里弥散出来。我似乎明白了，郭文斌将写作的心态和过程都视为一种“瑜伽”，是一种“禅定”，是一种“禅坐”，这绝不是逃避，而是要直接地真正地了解自己，并与外部世界产生关联。索甲仁波切在讲授“姿势”的时候说，一旦你觉得心安静了，就要逐渐睁开眼睛，你会发现你的视线变得比较安详、宁静。一旦心静下来，洞见也开始清晰了。让你的视线扩张，变得越来越宽广，越来越扩散。你也变得比较祥和、慈悲、镇静和平衡。所以，我特别注意和体会郭文斌文字中的静。

四、我想，郭文斌身居西北，不可避免地文本中凸显着所谓浓郁的地域性，但是他凭借着“境由心造，相由心生”的诉求，摆脱掉许多文学之外的元素。他实实在在地表达他所体悟到的生活，表达他思辨过的问题，哲学、禅学的意味隐居在字里行间。像《瑜伽》《陪木子李到平凉》《上岛》《清晨》《水随天去》等短篇，都是我非常喜爱的。可以说，他的这些作品，在践行着他的审美伦理和叙事姿态，非常坚定而坚韧，令我敬仰，令我沉浸。

向文斌致敬！

杨剑龙（上海师范大学中文系教授）：

我谈谈小说集《瑜伽》，题目引用了郭文斌先生谈到文学时说的一句话：“帮助人们去清洗心灵灰尘。”

从乡土走出的郭文斌始终立足于乡土，从民间成长的郭文斌始终关注民间，记住乡愁、寻找安详成为郭文斌文学创作的关键词，引申为文学创作点亮心灯，以文化传统拯救精神，成为郭文斌创作的力度和深度，也成为他创作的努力和企望。小说集《瑜伽》在立足乡土的故事中呈现出民间文化的丰富性，在善中呈现忧伤，儿童视角的叙事，成为该小说集的基本特征。

在谈到文学创作的忧伤时，郭文斌认为：“从总的生命色彩来看，它是忧伤的，因为相对于根本快乐，也就是安详，非安详地带的生命就是一个忧伤，因为它的构成材料是‘情’，而‘情’这棵大树，不可避免地要结成忧伤这个果实。这是一个自然过程。”他认为以情构成的生命必定离不开忧伤。这本小说集中，他执意写善，在充满善的人生中洋溢着真情，却常常以真情无所依附作结，在忧伤中呈现出对人生与生命的思考。在他的笔下，常常描述情窦初开之情、男女之情、伦理亲情，却常常在人物的交往与命运书写中，呈现出不如意甚至悲剧的命运，让作品洋溢着一种忧伤的旋律。

儿童视角叙事的角度和方法，也让他的小说读来常常如同一首首充满童趣的抒情诗。从天真无邪儿童的视角关照与叙写，在与成人心理和观念的距离中，展现出童真的情趣和抒情的诗意，从而也表达了对功利世界的不满，对物欲社会的揭露。

当代小说创作中，郭文斌是一位积极入世的作家。他曾经说过，希望我的文字能够唤醒沉睡在人们心底或者说潜意识层中的那一分生命力。他强调文学存在的理由：“文学与文字在一定意义上来讲，它是帮助人们清洗心灵灰尘的一个载体，这是文学在本来面目上的一个意义。”唤醒人们、洗涤心灵成为郭文斌的创作动力和追求，他将弘扬与阐释中国传统文化视为文学创作的救赎意义，小说《瑜伽》可以说是集中表达。作品在对话中探讨如何达到超越者的人生境界，“看破和放下”，虽然作品中融入了老庄哲学、儒家文化，但更多的是一种禅释。儿子和父亲的对话的共识，就是要做一个超越者，最关键的是真能放下一切，提出生命的意义在于提高生命的层次，首先要把人做好，“但要点亮别人，首先要把自己点亮。”无论是关怀城市还是描写乡村，郭文斌始终关注文学的救赎意义，将传统文化视为救赎的思想资源，在各种民间文化、民俗文化融汇中呈现出创作的独特风格和文化品位。

在评价郭文斌的创作时，有学者认为，他的创作秉承“京派遗风”。我们将中国现代乡土小说分为以鲁迅、王鲁彦为代表的乡土写实小说和以废名、沈从文为代表的乡土抒情小说，其实，郭文斌的小说创作既传承了鲁迅的写实传统，又传承了废名的抒情风范，将写实与抒情融汇起来，使他的小说有写实传统的不幸与忧伤，也有抒情传统的人情与人性。即使写不幸与忧伤，也是淡淡的、幽幽的，常常在不经意间道出人物的不幸遭际与悲惨命运。他的小说即使写人情与人性，也是真情的、伦理的，常常在民间民俗中写出雏子之情、男女之情、伦理亲情，可以说已形成了融写实与抒情于一炉的独特风格。

宋炳辉（上海外国语大学教授）：

我收到文斌先生的文集以后，没有来得及全部读完，文集好多卷，我读完了《农历》、一个短篇集，还有部分散文作品。我说两点想法：第一点，郭文斌的文学所呈现的世界，在文体上超出了传统的分类，更多地回归到传统的写作范畴。郭文斌的文学所呈现出来的世界，更回归传统的文学作为书写的概念，已经跨越了纯文学和其他的写作之间的界限，哪怕是从现在经典的文学分类来说，郭文斌的写作在小说和散文之间，一方面进出自如，不为既有分类所限，同时又有非常鲜明的特点。他的文字干净，笔下的文学世界是一种清新的、脱俗的世界。作为读者，我在他的文本中间，读到了一颗真诚之心，这是一种纯净的文学书写。读这样的文字，感受这样的文字世界，我的心理感受确实是非常愉悦的。尤其是在今天这样一个快节奏的时代，繁忙的都市生活里，能够读到这样清新的文字，确实是一件令人愉悦的事情。这是我要说的第一点想法。

第二点想法，主要谈谈《农历》。我想弄清《农历》是一部怎样的作品，它对于郭文斌意味着什么？对于当今的文坛意味着什么？刚才说到，我没有全部读完郭文斌的文集，只读了一部分，但我做了一些笔记。不管《农历》是长篇小说还是其他什么文类，它的确是一部有着鲜明特点的作品。如果仅仅关注《农历》，那么在《农历》这部长篇小说（姑且这么归类）里所呈现出来的世界，是一个相当澄净的世界。但这是不是郭文斌的全部呢？如果再看看郭文斌的散文，或者其他的一些短篇小说，比如《剪刀》和《水随天去》，以及他的散文，我发现其实并不是这样的。郭文斌的散文《我是一杆什么笔》中，我看到了郭文斌的另外一面，和他的《农历》所呈现出来的世界是不一样的，甚至有着某种冲突。或者可以换一种说法，《农历》的世界是郭文斌面对这个世界的某一种想象，是他对这个世界、对自我、对西海固这个地方的某些思考、某一种呈现方式，也就是说，《农历》只是他对于生活的已然和应然状态的一种提炼方式。但我想说的是，郭文斌其实不限于此，他有他的丰富性，至少有他的另外一面。我注意到他的那篇散文《我是一杆什么笔》，这是他的一种自述：我应该成为一个什么样的作家。他说“我是一杆什么笔呢？我头上的狼毫在风中根根耸立，红色的墨汁在体内奔腾喧嚣”，这种自我观照与自我期许，显然与《农历》不同，与他的“安详思考”不同，甚至是相互矛盾与对立的。但在《农历》中间，我可能还没看到他“奔腾喧嚣”的一面。在这个意义上，我想他的《农历》不过是一种作品构成形态，对他的表达来说，这个表达包括自我表达，包括对世界的表达，可能是他的一个节奏或者是他整个循环中的一个部分。

单从《农历》这部小说来说，我看到更多的是一种澄净。郭文斌在有关《农历》的表述中，提出了“农历精神”是中华民族生命力的一种体现的主张，有他自己系统的考虑。但对于我来说，我觉得作家有自己表达的自由，他的写作选择，不管是表达什么，还是怎么表达，都有自我的规划，自我的期许，以及和当下和传统的不一样的追求。我觉得这是他个人的权利，这也是文学和艺术的创新与传承必须具备的品格。要和其他的作家，不管是以前的经典作家还是当下的同辈作家，要有一个区分，我觉得这是完全值得肯定的。在这一点上，我认为郭文斌做得非常好。

所以，郭文斌能够为我们呈现出一种纯净而美好的文学世界，这是其非常可贵的一面。但同时我又在想，在苦难中发现美好和温情，在物质的贫乏和窘迫的生活状态中寻找真诚和诗意，这也应该是一种理解和表述生活的方式。就像我前面提到的，也是我更加关注的，是郭文斌在思考和写作中间，还有一种精神上的紧张状态、困窘状态，在我看来，这更是郭文斌与这个世界的真实与完整的关系。假如我的这个判断大致符合事实的话，那么，如果郭文斌在写作中把自我精神世界的那种紧张，在很大程度上呈现为文本，呈现为想象与虚构的世界，应该更具有一种虚构与现实、想象与真实的张力，至少也是一种表达现实的方式。叙述与表达作为一种艺术与精神的需求，我们当然需要纯粹的东西，但同时我们也需要甚至更需要混杂的东西、充满张力的具有紧张感的东西，因为我们这个世界，有太多的拼接或者内部分裂，这是我们能够处处感受到的。

总之，在我看来，对于这种复杂、斑驳、分裂的时代现实和精神症候，郭文斌不是没有思考，不是没有观察，也不是没有他的阔大胸怀去涵容，在有些文本中间已经体现出一些了，包括刚刚说的《剪刀》《水随天去》等作品，甚至在《农历》这部有意营造的“安详”世界中间，我们也能看到某些片段，比如吃年夜饭的片段，也从侧面显示出这个澄净世界的苦难和贫乏。不过在《农历》这个世界里只是若有若无的背景，几乎不影响整体的澄净与安详。但我想说的是，如果郭文斌能够把这样的一种内心的纠结形式化（这个形式化是一个大概念，因为文学毕竟是形式化的过程）、审美化，把这种苦难、分裂、混杂与澄净、安详之间的张力，一并组织到叙述当中，如果这样的话，郭文斌的叙述所包容的世界，将更加宏大，也更加丰富。

我期许着郭文斌未来的写作，给我们带来更大的惊喜。

刘 艳 （《文学评论》杂志副编审）：

虽还未能通读郭文斌先生全部的作品，但我还是尽可能认真浏览了一下。尤其是细读了他的《大年》。虽然只是一篇短篇小说，但这篇小说在美学意蕴和文学书写方面都极具价值和意义，值得做细读式文本分析和品评。刚刚聆听了各位先生的发言，也对我启发很多。

翻阅了郭文斌先生的一些作品，又细读了《大年》这篇小说，我想到了一个发言或者说评论文章的题目：微写实主义与小说家内心的纯粹——析郭文斌《大年》式小说写法。

在重点看和细读《大年》的时候，我一下子就被吸引住了，很喜欢这篇小说。小说写得好，是可以让人心生感慨的，《大年》让我们看到了一个好的小说家，一篇好的小说，也引发我们思索好的小说的写法。所以，我特别希望郭文斌先生今后能够像刚才有的老师所说的，还是希望他再度回到文学，回到文学本身。读小说《大年》，获得不太常有的一种阅读感受——我是边感慨边阅读的，小说给我很多的启发、很多的思考。

《大年》这篇小说，体现了小说家内心的纯粹，也就是思和老师主题发言中提到的，郭文斌的作品显示了西北文学当中非常好、非常单纯的那种东西。但是我更加用心地体会了作家在写这种日常生活细节流的时候，怎样掌控文学的现实性、理想性和审美性的和谐与平衡。20 世纪 90 年代前后的一段新写实小说，是写“生活流”，郭文斌其实不是那样的写法，他是写“细节流”。

读《大年》时，引发我的思考，这个作家是怎样在《大年》这样一篇篇幅不算太长的小说当中，很好地掌握文学的现实性、理想性、审美性之间的一种理想状态和有效的平衡的？整篇小说的语感非常细密、顺畅，仿佛一气呵成，语言文字给人倾泻而下的感觉。前段时间我曾专门撰文，思考过当代文学的现实性与理想性、审美性如何协调的问题。我把五四以来的中国现代文学、当代文学中的现实性书写，做过较为认真的思考和梳理。在中国，有现实主义文学，但比之更宽广的是文学的现实性书写。具有现实性书写的文学，更加广泛，但其实未必都是现实主义文学。

因为写实主义和现实主义，都是五四时期引入的，“写实主义”与“现实主义”，都是从“realism”翻译而来，一字之差却显示了不同的选择性偏向。据学者考证，中国最早引进“写实”概念的应该是梁启超。作为一种外来文艺思潮，“写实主义”成为五四文学革命的一个重要理论目标，被大力译介和提倡。从陈独秀到沈雁冰，都曾认真提倡“写实”，“真实”和“客观”最为他们推崇。他们将“写实主义”与“自然主义”相联系，但事实却是这一概念虽与龚古尔兄弟、左拉为代表的西方自然主义有着亲缘关系，但到了中国，却变形和更加取自中文固有的“自然”之意了。所以刘震云才会说：“我写的就是生活本身。我特别推崇‘自然’二字。”崇尚自然是我国的一个文学传统，“自然”有两层意义，一是生活的本来面目，写作者的真实情感；二是文字运行自然，要如行云流水，写得舒服自然，读者看得也舒服自然。从这个意义上说，西方自然主义有“现实主义的强化方式”之义，而新写实小说其实是对现实主义表现方式的一种弱化。文学史上，将“写实”换作“现实”并被普遍认可和接受，应是在左翼文学运动引入“社会主义现实主义”和“典型”理论之后。20世纪以来的中国文学史，“写实主义”与“自然主义”有渊源，又有中国特色的变形；“现实主义”则更多与“社会主义”及“典型”理论关联。有人（丁永强）在20世纪90年代初就曾指出：与其说新写实主义是现实主义的回归，不如直截了当地说新写实主义是自然主义在新的层次上的回归。

从这个意义来说，在五四时期引入的西方的自然主义，具有那种新写实主义的强化方式之意。但是在中国，20世纪90年代前后，出现的一段新写实小说写作潮流，其实是对现实主义表现方式的弱化——“一地鸡毛式”的书写方式。而当代长篇小说的现实主义传统，既有来自中国本土的渊源，也有来自19世纪中期西欧现实主义文学的影响，而后者在被现代作家移植到中国后，与时代和历史文化语境结合，被强调启蒙和革命的文学家、思想家选中，其内涵也更加扩容，有了很多因地制宜的变化。中国最早的现实主义传统来自《诗经》，真正地与西方现实主义合流则始自现代时期。1918年发表的《狂人日记》被认为是鲁迅“披上写实主义的服装，出现于新文坛的第一声”，“中国的写实主义，由鲁迅的手开始，由鲁迅的手完成。”鲁迅的《故乡》《阿Q正传》《祝福》《孔乙己》等小说，虽然可从象征主义等各种角度去分析，但谁也不能否认它们有力地反映了现实。“五四”催生的一批小说家，其中一部分成为文学研究会的中坚分子，“为人生”

的写作奠定了关于现代市镇和乡土文学现实主义书写的基本叙述模式。茅盾是将人生派现实主义精神接过来，建立革命现实主义文学模式的奠基者。巴金的小说带有明显的主观性、抒情性，但同时又深刻揭示了封建旧家庭残害青年的罪恶及走向崩溃的命运，具备强烈的批判性和现实性。老舍的小说在“京味”的面具下，深受狄更斯现实主义文学的影响。之后，20世纪三四十年代的解放区文学乃至“十七年”文学当中，现实主义呈现出浓厚的意识形态性。20世纪七八十年代以来，尤其是20世纪80年代中期开始的一段先锋派文学，以及后来的新历史主义等，所积累的文学经验都可能为现实主义书写注入新的元素。

我们来看，20世纪80年代中期开始，先锋派文学好像形成一种对以往现实主义文学书写反拨——这就让贴近现实，对生活采取细节化叙述、写真式的写作方式，颇似被搁置了。然后呢？加缪式、卡夫卡式、福克纳式、马尔克斯式、博尔赫斯式的写作比较深入人心。而后来的新写实小说中，小人物陷入“一地鸡毛式”的生活，人物对现实无来由地一味妥协和人在现实挤压下凑合而无奈地活着——文学在一种弥漫和蔓延的无奈中向现实投降。这些在当年的新写实小说中，都曾经很清楚地显现。

其实当时的一些新写实小说作家，已经把脚踩在了虚构文学和纪实文学的门槛上。再往后来发展，在21世纪之初，我们又发现越来越多的作家的创作，出现了一个情况：就是脱离生活与闭门造车、纯粹“虚”构式的写作方式，其小说虚构，已非艺术虚构的本意，就是没有生活体验的、缺乏生活积累的这种状态的写作。由于这种情况泛滥，过度的虚构式写作，后来又形成新的反拨，直接或者间接导致了前些年的非虚构写作的一度兴盛。非虚构写作其实也是试图重建“真实信念”的写作伦理，但非虚构写作并不具备文体意义上的规范性。非虚构写作，除了其中的叙事散文，其他更多是接近于报告文学或者纪实文学的类型，同时在某种程度上丢失了文学作为艺术品的品性。

说了这么多，恰恰是我在看郭文斌的小说《大年》时所思考的问题。就是想说他的《大年》，这样贴近生活，写日常生活，写日常生活中的人与事，怎样形神俱细地写出了生活的“细节流”。小说抓住大年的时间节点，写明明和亮亮伺候左右，看父亲写对联；写娘怎样蒸馒头——馒头还分黑面馒头、白面馒头；写侄子忙生给母亲五角钱，母亲不要，忙生硬揭起母亲上衣襟子，把那五角钱装在母亲棉袄口袋里……母亲则往碟子里抓了三个白面馒头、三个黑面馒头，让忙生端回去。整个小说通过细腻如织的书写，实现对生活里种种细节的近乎写真式的、“细节流”的写作——我觉得难度是挺大的。因为一旦处理不好，就会令书写过于服从、服务于逼仄的现实，就会丢失小说作为文学艺术品的品性——

它本该具有的文学性、艺术性的品性。但是读小说《大年》，通过细细地品味，会发现小说内部掌握了非常微妙的平衡。

近几年有学者已经提出了“微写实主义”的概念。他们思考20世纪90年代新写实主义的问题，认为新写实主义口号走向沉寂之后，可以从贾平凹等人的创作总结出“微写实主义”的概念，认为“微写实主义”小说正在中国文坛悄然兴起。学者认为当代中国“微写实主义”小说，提供这样两种艺术路向：一种是描述型的“微写实主义”，以客观的描述和精细的呈现当代中国人的日常生活世相为艺术取向；另一种是分析型的“微写实主义”，是在精细地呈现现代中国人的日常生活世相的同时，又以冷静的理性思维和笔触分析种种看似客观的日常生活世相，尤其是人物的内心生活或心理镜像。

我读《大年》的时候，有一种感觉，虽然有人提出微写实主义，认为微写实主义包括描述型的，包括分析型的。而我却在《大年》中感觉到，在一种表面的看似描述型的“微写实主义”当中，它又兼有心灵的分析、呈现。《大年》自始至终都是很平静的叙述，但是小说平平静静的叙述里面，有太多意蕴可以被玩味和解析出来。

篇幅体量有限的小说《大年》，让我感受到丰富的意蕴，引发我无尽的思考，说明这个小说非常难得，它给我们一个启示——作家如何在不脱离现实生活的前提下，对生活的“细节流”做近乎写真式的描述和写作，又没有服从和服务于逼仄与琐碎的现实，也没有一味地向现实妥协。《大年》很好地掌握了文学的现实性与理想性、审美性之间的微妙的平衡。

很喜欢《大年》这篇小说，希望郭文斌先生今后，还是要把小说写作作为他非常重要的一个方向，重新回归小说和文学。对此，我非常期待。

王宏图（复旦大学中文系教授）：

郭文斌先生的作品我主要看了《农历》，还有几本小说散文集。最早看的是《寻找安详》，就像元宝刚刚说的，实际上他是把五四以来启蒙和现代性话语当中被压抑、被我们刻意遗忘了的中国儒家文化以及民俗，以新的文学方式复现出来了。

他的作品跟现在的传统文化复兴大背景有着密切联系。我们在他的作品中碰到的是一个既熟悉又陌生的世界。

刚才好几位先生说到，《农历》实际上不是一部小说，我读下来也觉得它的确不是一部严格意义上的小说。和这部小说类型比较接近的有法国作家卢梭的《爱弥儿》，《爱弥儿》采用了小说的形式，实际上它不是小说，它是通过虚构的孩童爱弥儿的成长经历，来系统地阐述卢梭的教育理念。从这个角度来看，《农历》中的五月、六月都不是写实小说或者是现实主义小说当中的人物，实际上他们是作为符号出现的。

郭先生通过姐弟俩以及他们的家人的生活，来展示中国人怎么过年，如何度过一年四季，将农耕社会中古老的生活方式栩栩如生地展现出来。

从文体学的角度来说，刚刚几位先生谈了这部作品和废名的作品间的渊源，我觉得可以将它和古希腊文学中赫西俄德的长诗《农作与时日》做对照。《农作与时日》是一部教谕诗，以赫西俄德与弟弟不和的前因后果为例证，劝谕人们改过从善，展示幸运偏爱兢兢业业劳作与善于利用天时的人。此外，它涉及四季耕作的时日，具有实用的农业历书的功能。郭文斌的《农历》也是这样，它通过五月、六月一家人的生活，把中国古代农耕时日劳作和社会生活的基本礼仪具体而细微地表现了出来。同时，又通过五月、六月一家人的日常生活，把中国古老的生活方式和这一生活方式背后隐含的道德寓意表现出来。无独有偶，古罗马诗人维吉尔的《农事诗》也做了相似的处理，他把农业、园艺、畜牧跟人的生活方式、人的价值观以及人对幸福的追求联系在一起。

说到这里，大家不要产生错觉，以为我觉得这部作品好得不得了。实际上不是。我读了郭先生的作品，有很大的不满足。他写得的确很成功，复活了一个已经消逝、幽灵般的古老世界。这让我想起上海近年来过年的感觉。上海 2016 年起全面禁放鞭炮，过年的气氛一点都没有了。我之所以感到不满足是因为他的作品把人们带回到了一个封闭的体系中。

他把通过传统文化的修行而达到的不动心的境界誉为最高的安详喜乐，但自1840年中国进入近代以后，各种文化开始了交融冲撞，这种安详喜乐是不是具有充足的说服力，是不是能真正打动我们，成了必须认真思考的问题。我发现你不知不觉中就变成了一个唠唠叨叨、话语滔滔的传教牧师，当然，我有的时候也受感动，但更多的是挣扎、反驳，想跟你对话。

其实，古老的中国文化本身具有多元性。除了儒家，还有道家、墨家、阴阳家，从儒家文化取得统治性地位后，其他文化元素或多或少地受到压制，而郭先生的作品中主要凸显的是儒家文化。因而，在有关生命的价值和意义这一问题上，我们要问，安详跟喜乐是不是就是最高的追求？

当然，有的人觉得是，因为对于价值的追求，众说纷纭。我们现在的这个世界，每个人都有自己的价值追求，我们应该追求什么样的生命意义，这是一个非常重大的问题。郭先生的《农历》以及其他作品对这一问题给出了自己的回答，但以这样的方式复活传统的儒家文化在当代社会是否有效？儒家的仁爱之学，的确具有宝贵的价值。但今天我们的生活方式发生了巨大变化。如何在当今的生活与传统的价值观之间建立桥梁是当代文学无法回避的课题。

我们生命中唯一确定的是未来的不确定性。郭先生的《农历》展现的是一个有着确定价值意义的世界。但当我们面对一个不确定性的世界的时候，该如何应对呢？如何能在这快速变动的世界找到生存的价值支柱?

不应该惧怕变化。实际上中国最古老的经典《易经》的主题就是变易，只有不断的变易才会有生命，一味推崇僵化停滞的东西会陷入停尸房的美学和太平间的美学之中。传统的东西只有通过不断的变异才能获得新的生命力。

更深一步思考，我想起苏格拉底的一句话——未经省察的人生没有价值。郭先生通过复活中国传统的文化，为人们提供了一种人生价值的范本，但是这种价值没有经过反思。法国思想家、作家萨特在《存在与虚无》一书当中，把没有经过反思的意识称为反思前的我思，它在通过反思之后，才变成一种反思的我思，才能够真正应对真实的生活世界。这个时候，你才能真正得到安详与喜悦。因为经过一番动态的、跟外部世界交融和激荡而达到的喜乐跟安详，跟那种静态、单一、封闭的轨迹中达到的，还是有很大不一样。

这个话题实际太复杂，一百多年来，我们一直纠结于其中。我在这儿要向郭先生致敬，不管是不是同意他的结论，他具有一颗虔诚之心，真诚地寻找人类基本的生活价值。其实我们大家都是在探寻，追求真理真正的过程是一种探寻，不是教条式地硬撑给人家。

我相信，在不远的未来，中国传统文化会真正走向世界。

姚晓雷（浙江大学人文学院教授）：

我觉得对于一个作家，最需要的是理解，理解也许比评价更主要。而对研究者来说，理解既是与作家的艺术世界乃至作家进行对话的第一步，也是充满危险的一步，因为一不小心就可能因为自己的偏见而与事物的本来面目南辕北辙。理解郭文斌先生创作这一步我到现在还没有完成，还在尝试阶段。这里，我只能简单地谈一下自己的一些粗浅的感受。

读郭先生的作品，我的确有一种久违的感动。不过最感动我的还不是作品叙述的内容，而是他在作品里显现出的自我。创作有“造景”和“写景”之别，他的创作应该属于“造景”，尽管有些地方很写实，似乎在“写景”，但也是以“写景”方式出现的“造景”。他在作品里的自我定位是一位抒情诗人，他的小说、散文都是有意表达自我的抒情诗。理解方面的难题也在这里凸现了：郭先生自我表达的个性姿态的独特性是什么呢？当我反复地思考这个问题，看能不能找到一个比较恰当的概括时，突然有一句话蹦进我的脑海，是韩寒的一个书名：我想和这个世界谈谈。韩寒的那本书我没怎么读过，也无意评价；但我想借用这句话来概括郭先生的创作动机和主题是比较准确的。

郭先生的作品，不管是散文，还是小说，给我的感觉其实是他想和世界做一种谈话。他要对这个世界说的话，不是青年人那种乍见满眼风景时的亢奋，也不是布道士要贩卖某种文化观念的说教，更不是老年人看透一切的淡漠。他和这个世界的关系，有风雨，有沧桑，但更有初心，有爱和柔情。化用越剧《红楼梦》里两句唱词："眼前分明外来客，心底却似旧时友。"就是说长大后已相对于母体具有某种独立性的"外来客"在继续建构一种"旧时友"的友谊。

这种谈话，有几个特点：首先是不对抗、不撕裂的友好姿态。和一些作家因为对生活的不满动辄采取批评、对抗的态度不同，郭先生选择的是一种平等友好的倾诉。它是成人式的平等友好，不是一个孩子或者老年式的看法。作者有自己的人生阅历，他和他自己的人生命运之间的关系是已经"多年父子成兄弟"，没必要再去互相挑剔和憎恶，而是渐渐充斥着宽容和理解。还有一个特点是我口说我心。我们老家有一句话，叫"看透不说透，才是好朋友"。人和人之间很复杂，你知道他什么心理，但不要说。我觉得郭先生是看透要说透，特别是要把自己想说的绘声绘色地表现出来。他知道自己和这个世界并不是完全平等、完全对等的，而是两个主体，只有把自我开诚布公地表达出来，才不至于产生误解，更能增加彼此的友谊。郭先生的小说有些不像小说，不太注重故事讲述，可能也是因为传统的以讲故事为主的叙述模式不利于这种明心见性的朋友式交流。

郭先生谈的内容，我觉得可以概括为"我和我在这个世界上的家之间的友谊"。这个家既是一种现实生活的家，更是一种精神上的家。“友谊”的内容分三个层面：第一个层面的内容为我是这个家的儿子，是在这个家里成长的，是这个家里的被庇护者、被养育者，和父母之间也是一种比较和谐的关系。在小说《农历》里面，设置的两个孩子的视角，实际就是“我”的家怎么在精神上对“我”进行培养，“我”怎么在家里受到一种感悟式的教育。第二个层面的内容是作为成人的“我”，渴望继续和家庭维持一种和睦相处的关系。成人的“我”的身份特点体现在小说中的叙事者身上。小说虽然是儿童视角，但儿童并不代表叙事者，叙事者是藏在视角背后的人，这个人是比较理性、友好地来对待现实之家和精神之家的种种关系的。最后一个层面的内容是“我”作为为这个家传宗接代或者是延续香火的后人，对这个家有责任把有价值的香火传下去。作者在作品里面营造一种哲学，安详哲学，其实就是他想传承的东西。当然，这种安详哲学，并不是对某种传统文化的照搬，而是作者综合各种文化元素进行一种创作，它吸收了现代的东西，再跟古代的东西相结合。

为什么郭先生会形成这样一种要和这个世界谈谈的态度呢？一方面跟他的个人经历有关，另外一方面他是不是也有一种代际的原因。郭先生这一代人出生在20世纪60年代中期，不像许多20世纪50年代出生的乡土作家，有那种浓得化不开的苦难情结和斗争意识。他不想和这个世界的关系始终建立在对立的基础上，在他看来，时代、生活本来是那样，你恨它也是那样，你爱它也是那样，与其苦苦折磨自己，不如想法寻找一种更和谐的态度。

另外，我感觉到我们当代文学，特别是西北的一些作家，包括郭先生，包括写《荒原问道》的徐兆寿先生等，他们的创作都重在进行心灵性的探索。中国古代文化里曾有理学和心学派别之分，这是不是说当代文学现在也正在形成一种心学流派呢？

金 理 （复旦大学中文系教授）：

我简短地讲两点。

第一，我觉得郭先生的创作是一种朝向困难的创作。什么意思呢？就是在我们阅读他的作品前，甚至还没有翻开他的作品的时候，可能已经遇到很多跟他的创作如影随形的标签。因为他来自那么一个特殊的地方，我们经常会谈到他的地理身份、谈到西部写作，等等。幸好我发现他的创作没有完全被这些标签所规驯，所挟持。

下面我想通过一个比方来形容一种比较失败的写作，谈清楚这种写作为什么失败后，反过来我们可以比照一下，看郭先生的创作好的地方在哪里。在上海，大概在全国各个大城市都会看到这种现象，在一些景点，比如说上海城隍庙、豫园周围，各个大大小小的商店里面，无一例外在兜售上海特产。我的一些外地朋友到上海来，都会去买上海特产，下次见面都会抱怨，非常非常糟糕，上海的东西太难吃，根本不好用。我完全理解，因为本地人不会购买、使用这样的东西。所谓上海特产是只出现在城市某个特定区域，专门兜售给外地游客的物品。这些物品和当地的日常生活完全没有关系。

回到文学。我们文学界近几年也流行“某地特产”式的写作，比如说所谓的“文化大散文”的末流。当然，我说的是末流，这里面堆砌着各种各样的文化符号，往往是僵死的文化符号，根本丧失跟当代生活对话的兴趣。另外，是所谓的地方性写作，完全只是满足于展览一些奇风异俗、蛮荒故事，就像我刚刚说的地方特产只是提供给外地游客一样，这种地方性写作只是写给那些心灵空虚的外地人看的，我觉得这些是比较失败的。但是郭先生的创作并不是这样，比如说《农历》，从荞麦写起，写到灯，写到传说的起源，我觉得里面包含了日常细节，天、地、人、历史传统等都能发生亲密的关联。

第二，我想谈一点困惑，尤其是阅读安详哲学的时候产生的困惑。可能我也是郜老师所讲的，被以鲁迅为代表的现代文学主流传统所熏陶出来的读者，难免在读《寻找安详》这样的作品的时候，会想到鲁迅对静穆的理解、鲁迅对陶渊明的看法，等等。另外，我还会联想到西方的风景画，在什么样的时代，到底是一拨什么样的人，会去看这些宁静、纯真的风景画。今天在座的可能我跟黄平兄的年纪稍微年轻一些，据我的观察，现在年轻人其实很安详的。那么，安详哲学怎么跟这样的年轻人去对话？

我发现郭先生的创作，特别是近些年的作品，是一种“寻找答案”的创作，好的地方在于给你终极性的启示。但是像我这样的，刚刚说的现代文学主流传统所熏陶出来的读者，会有一点点不满足，不仅想看风景，也想看看风景背后的时代风云。

我也呼应一下陈老师的那个吁求，很希望郭文斌先生重新回到文学，尤其是回到小说。我想起劳伦斯的一个说法，他说文学是一架颤动不已的天平。什么意思？天平最后是要平衡的，要静止下来。你向哪一端施加重力，它最终就指向哪个地方。最终静止的平衡状态就是答案、就是哲学、就是道，但跟文学关系不大。在劳伦斯看来，跟文学发生更加紧密的关联的，是天平抖动的、挣扎的、颤动不已的状态。

郭先生的身份现在非常多元了，首先是安详哲学的践行者，又是一个写作者，这些年还是安详哲学的推广者。我觉得在这样一个“推己及人”的过程中，文学会产生巨大的作用。在今天，要让一种哲学、一种答案真的能够悦耳动心，真的能够入情入理，我想，一定要去回应时代风云下每个人心底那架颤动不已的天平，一定要对这抖动的挣扎的过程有一丝不苟的、美学的回应。如此之后，大概对于安详哲学的听众、对于安详哲学的读者来说，这种提倡才不会是外部的律令，不是外部的声音命令你“你要安详”，而是真正变成每个人发自内心的一种觉知，从你要安详变成我要安详。

研讨会（第二场）

主持人：宋炳辉

徐大隆（《上海文学》副编审）：

我和郭文斌相识于2003年——陈思和老师担任《上海文学》主编时。陈思和老师的办刊理念——非常重视西北作家的创作与他们的作品。他认为，这些作品来自西北荒凉的土地，但表现的人情却淳厚、朴素、大气，给上海这个充满现代欲望的城市带来一股清新的气息。在2003年第8期的《上海文学》隆重推出“西北青年小说家专号”，让一些当时在文坛还不太被重视、不太被看好的西北青年作家得到大家的认可和支持，其中就有新疆的青年作家红柯与刘亮程，宁夏的青年作家石舒清、陈继明和张学东，甘肃的青年作家王新军。之后又相继刊发了郭文斌、季栋梁、漠月、董立勃、温亚军、雪漠、叶舟等作家的作品。

刚才宋炳辉老师提到了郭文斌的小说《剪刀》，我就是这部作品的责任编辑。郭文斌的创作是怀着一种强烈的责任感来关注、体察百姓的生活的，他笔下的人物大多勤劳、质朴、善良又贫穷。《剪刀》大概有七千字，讲述的是农村的一户人家，夫妻两个，还有一个七八岁的孩子。他们生活在穷乡僻壤，生活拮据，但夫妻恩爱，儿子懂事，全家人和和美美。但命运并没有眷顾他们，妻子得了绝症，丈夫为了拯救心爱的妻子，发疯似的干活挣钱甚至变卖家当给妻子治病。但最后妻子的病并没有治好，妻子以安详的自我了结来减轻病魔给家庭带来的负担和不堪后果，体现一个母亲一个妻子的博大胸怀。在结构上，采用了时空穿越叙述的方式，用晚上夫妻之间的对话，你一句他一句，来回忆他们从相识到相恋到结婚生子的那些鲜活而幸福的细细密密的往事，话语间没有丁点儿对生活失去信心的意思。谈到动情处，他们拥抱鼓励一直到天际发白，再一次开始面对现实。

小说的两个细节表现了郭文斌的高明之处，夫妻谈心的那个晚上，他们的儿子其实也睡在炕上，并没有睡着，而是听见了父母的对话，他幼小的心灵感染到了亲人的挚爱。还有一个细节，小说的结局，妻子为了不拖累丈夫、孩子，用一把剪刀了结了自己；这之前，妻子烙了四十九张饼来替丈夫在自己死后为思念她而安排祭奠的供品。

现在想想，安详这个主线，是深入到郭文斌的所有作品之中的。

一个作家的成功与否，不是以地域或生活环境的好坏来界定的，偏偏在西部大漠，在最穷最落后的地方，作家写出了好的作品。郭文斌出生在宁夏西海固，现在是宁夏作协主席。

我曾经在宁夏待过六年，深知那里自然环境的恶劣。宁夏南北走向，南边干旱、缺水，可就在那么缺水的地方，出了三个“鲁迅文学奖”作家：石舒清、郭文斌、马金莲，这真值得我们思考。

杨 扬 （上海戏剧学院副院长）：

复旦大学中国当代文学创作与研究中心举办了数十场作家研讨会，我觉得在大学里面办这样的研讨会有一个好处，就是让学生和老师接触到当下鲜活的文学状态。很多人会觉得大学的文学研究者大都是凭借专业知识来指点文学江山，但实际上对于当代文学知识，很多人是不了解的。所以，评论当代作家和作品，对于大学的教师和学生，也是一种学习和考验。

郭文斌的作品我接触得比较早，他以前写小说，我读过不少，也写过评论。这些年他写散文比较多，也搞一些文学讲座活动。他是从文学出发，走出越来越宽广的人生道路。他最初写的小说，中规中矩，但慢慢地，他从文学世界中抬起了头，想法越来越多，笔触也越来越开阔。其实这样的现象，在现当代中国作家中，不在少数。还有就是地域文化对他创作的影响。他长期生活在宁夏，西部的生活环境与繁华的东部沿海城市相比，反差是比较大的，推动作家思考问题和写作的动力也不一样。有人可能会对郭文斌现在强调的安详问题感到疑惑，似乎有一点逃避现实的色彩。但我觉得这是郭文斌人生价值的一种文学提炼，他从文学写作和人生历练中，感觉到安详之不容易，安详之意义重大。安详说来容易，但面对纷乱喧嚣的世界，一个人要沉得住气，安详下来，不浮躁、不焦虑，那需要很大的人生修炼；对文学而言，那就需要一种更加阔达的包容精神。所以，我觉得郭文斌标举安详，不是道德上的自我标榜，而是一种人生追求和文学追求，值得关注。

李国平 （《小说评论》杂志主编）：

同郭文斌一样，我也是西北来的，算是亲友团成员，主要是来学习。复旦对西北文学特别关照、关注，我知道开过贾平凹讨论会、徐兆寿讨论会，这次又研讨郭文斌的创作，让人特别感念。不管怎么说，中国幅员辽阔，东部和西部人文地理差异大，可能文学认知上也有小差异，我特别想听听东部评论家如何看待西部的作家、作品，以期获得启发。

郭文斌有两种身份，在文学上他以《农历》《吉祥如意》为标识，是一个有标志性、辨识度非常高、有独特性的作家，他在小说里表达的生活方式，对生命的理解，对时间、对世界的理解，的确有着人文地理之上养成的哲学思考。同时，他又是一个文化工作者，甚至是教育工作者，我这里不用文化学者这样一个称谓，他的安详命题、安详倡议或安详观点，有相当的影响，拥有自己的粉丝群。同时，他又是一个身体力行或知行合一者，对于安详的实践、修为是一个层面；另一个层面则是他的生命思考、文化思考和文学思考是合一的，他的思考在他的文学世界中有着鲜活的呈现。

讨论的对象，西部会成为一个关键词。其实郭文斌是非常西部又超越西部的，也可以说西部原先的大部分界定在他这里是失效的。20 世纪 80 年代的时候，西部文学热，这里实际存在一个身份认同问题、边缘和中心问题、文学自信问题。那个时候，西部文学就像一个小孩张大嘴巴在寻找抚慰，寻找拥抱。当过度强调西部的时候，实际折射出的是对消除身份焦虑的渴求。

宁夏作家曾经以张贤亮为标志，新时期之后第一代西部作家以流散作家为主体，第二代作家则以本土性为主体，他们的创作具有鲜明的人文地理特点，又力图有所超越。我举几个例子：到复旦求学的徐兆寿，从一个具有愤青色彩的作家走到了现在，他的《荒原问道》是在精神层面思考问题，《鸠摩罗什》则将思考转向了中国的古典文化、精神家园的重建，寻找传统的现代启明。刘亮程的作品呈现的东西和郭文斌的有一致性，在生存方式方面，在对时间、对生命的认知方面，都有一种生发于人文地理之上的哲学。刘亮程主要用作品、用文本说话，文本之外，并不多说。更年轻一点的作家，我们上海欣赏的李娟的作品，宁夏马金莲的《长河》等作品，都有自己的生命哲学、文化哲学思考。这是一个现象、一个新变。这一代作家现在意识到了什么？就是我不能以我的风光、我的贫困、我的广阔和荒凉、我独特的人文地理作为我的符号了，我必须有人文向度的追求，这应该是西部作家意识到的一个命题，也是当代作家创作到这个时候，要成为大作家、好作家，共同面对的一个命题。在这方面，郭文斌具有代表性。

我注意到一句话：说郭文斌像西部作家的南方叙事者。我同意。郭文斌强调的是人文地理，人文地理之上生长出的对世界、对生命、对存在方式、对信仰的认知。这种认知影响到了他的心性的形成，影响到了他的文学表达：内向、内敛、质朴、节简是典型特征。由文字之美到叙事之美，不像西部作家那般粗粝，倒像是江南作家，但又比江南作家多了一份刚健、多了一份质感。

安详是近几年郭文斌的核心思考，又近乎悄然的文化宣言，又近乎具有形而上意味、追寻信仰高端的身心修为。还原到文学上，显示了他的一种人文向度、人文气象的充盈。我这样描述它：它是有立体感的，有方法、有章程的典型的读本形态；是健康专业的、治愈系的；是工具理性和价值理性互补的；是日常生活和精神修炼互长的；更重要的是，或隐或显、或明或暗地呼应着某种思潮，往近说是近些年的国学热，往远说是儒学或新儒学的潮汐或余绪。

所以，在郭文斌这里，他的发声是个体的体悟，但他一定关联着某种学术思潮、思想思潮、文化思潮，个人修为和整体的氛围往往不可分割。

郭文斌的安详说涉及许多组概念或矛盾，快和慢、动和静，这是人生方式和生活态度的；城市和乡村、西部和东部，这是人文地理的；农业文明和工业文明或后工业文明，则是文明向度的；自足的安详和放任的欲望是人性层面的；身体和灵魂、此岸和彼岸、现实和未来、信仰与救赎，则是精神层面、灵魂层面的。它会引发很多判断、很多思考，并非非此即彼的，亦并非敌我分明的。

郭文斌的安详说，发声于一个作家的文学体悟，渐渐生成为一个基本的文学信仰，他又深入基层，身体力行。我们读他的读本，他是有他的边界的，主要在身心修为的层面上展开，典籍、案例、体验、践行，并不延伸到社会思想层面、精神生态层面。郭文斌的用心非常令人敬佩，他要把他的感悟、他的体验、他的修为、他对安详的理解、追求，让渡给社会，让渡给世界。郭文斌不会认为自己是一个全知全能者，但他的安详说意义是开放的，会给我们带来许多启发。

近几十年来的社会发展，安详是一个重要命题。那么安详的底线是什么？安详的条件是什么？除了身心修为之外，有没有积极的、良性的精神秩序？我觉得这是郭文斌引发我们的思考。

安详是一个很高的命题，还有没有和它等量齐观的命题？比如乡愁，乡愁是郭文斌文学写作的主要内容，以赛亚·伯林说：乡愁是所有痛苦中最高尚的痛苦。那么痛苦呢，求真的知识的痛苦呢？智慧的痛苦呢？知识包含着质疑、不驯和不羁、不从，这个时代深藏着知识的痛苦，又似乎在告别知识的痛苦。

这是郭文斌的命题带来的思考，它有一个逻辑链，叫积极逻辑和消极逻辑，也有一个意义链，叫积极意义和消极意义。

朱寿桐（澳门大学中文系教授）：

我现在从文体的角度谈谈郭文斌的作品。我不会将郭文斌定位为跨文体写作者，因为他对传统文体还有一份执着，有时甚至有一种执念。这样的执着或者执念才使他更加慎重地对待文体的命名。

大家也注意到了，郭文斌的作品，以为是小说，然后读起来，偏离了小说。我觉得这是不是作家在有意识地做一种小说文体的柔性化的处理，不是刚性化的处理。

梁实秋从白璧德的人文主义里面得到过一个关键词，他在《现代中国文学之浪漫的趋势》这篇文章里，强调了中国现代新文学的浪漫趋势，这个浪漫是不好的，是否定的，否定的里面有一个关键词，叫“形类的混杂”，形类就是类以形，他觉得这个是不妥当的。吴宓他们从新人文主义这个角度，也觉得形类混杂。为什么不能？因为他们强调文学的己律，小说就是小说，散文就是散文，你要写出典型性的文体。但这种观点，对作家来说，不会理它，他们坚持写他们得心应手的文体，也许你可以界定这种文体是小说，也可以目前界定它不是小说。它可以是典型性的写作，也可以是非典型性的写作。

由此我觉得，郭文斌是有意的，跟五四新文学先驱那种探索性的所谓的混杂，是不一样的；他是有意的，有意对小说文体进行一种柔性化的处理，对散文也做一种非典型的处理。因此，我生造了一个词：形类的清杂。如果说梁实秋把那个时期的新文学的浪漫的叙事，说成是形类的混杂，那么在快一百年以后，郭文斌做的工作、他的文学写作，是一种形类的清杂。因为他自己是清楚的，有的时候甚至是自觉的。

我觉得他在做作品提要的时候，这是长篇那是短篇，后面不提“小说”两个字，我觉得这就是他的一种清楚、一种自觉、一种文体的追求，实际上还不仅仅是小说与散文的文类的杂合，还包括诗，有民间的诗、非民间的诗，还有一种对话体的类似于戏剧类的一种文体，都杂合在里面。我觉得这是有意识的文体建构。实际上从作品的构思和写作过程中，还包括把许多民俗文化资源糅合在一起，进行一种柔性化的处理后，糅合进他的这种民间叙事当中。这也是一种清醒的、自觉的文学努力。

如果这样一种判断比较符合作家文学实践，我觉得我们还必须有一个更清醒的把握，就是如何再追求一下文学效果，比如说不单从文化资源、民间资源等方面向读者倾注、传递，而把人生的理性，人生体验的丰富性、复杂性，包括思和先生所讲的感人化的东西都调集起来，非常清醒、自觉地以一种杂合的形态体现出来，使得这个作品呈现出审美效果和阅读接受的杂多。

王光东（上海社会科学院文学研究所副所长、教授）：

可能人的经历不一样，生活环境不一样，对作品的理解会有差异。我读完《农历》后，有一种深切的感动。

这种感动来自于什么地方？来自于这部作品所写的生活让我重新发现了乡村文化或者说民间文化对生命的意义，对人的成长的意义，对生命精神的涵养。

这部作品有一个非常重要的特点，是民俗文化的艺术化。

民俗文化的艺术化有丰富的内涵。民俗文化、节日和儒释道之间的关联非常密切，实际上每个农历的节日包含的文化精神，不仅是中华文明的根脉，而且涵养了中国人的灵魂。

这部作品可以说创造了民间审美的又一种形态，它与学理化的民俗研究有所区别，它是艺术的、是生命的、是文化的，洋溢着一种质朴的生活经验和一种鲜活的生活情感。

《农历》这部长篇小说，把民俗文化艺术化地呈现出来，在民间审美形态的呈现方面做了非常有意义的探索和实践。这种意义在于：第一，它赋予了民俗文化生命和审美的意义，在天、地、人、道德、信仰、人性，诸多联系中写出了中国民俗文化所包含的深层内涵，这是中国人的生命、文化之根。第二，它发现了中国民俗文化所包含的温暖、光明、吉祥的生命的传承力量。这种力量蕴含在我们生命里面，是我们前行的动力。与这样的民俗文化相关的奉献、感恩、无私、孝敬、仁爱等精神品质，在任何时代都是不能放弃的。不管时代如何变化，这些最基本的精神法则，仍然是我们应该守望和坚守的，这也正是这部作品在当代社会应有的价值和意义。

刘志荣（中山大学珠海分院文学院教授）：

讲一下我的阅读感受，主要涉及《农历》这本书。郭文斌先生的文集寄来后，我基本上都翻读过，集中读的是《农历》，读得还比较仔细。

我的阅读感受，有一点跟王光东很相近，就是这本书写的这种生活，很多人可能觉得比较理想化，但实际上它有一个生活基础，这个生活基础，我觉得可能整个北方都差不多——南方可能稍微有点不一样，但也会有相通之处——过去的乡村生活里面都有这个东西做基础，《农历》是把这种生活提纯化，或者把它理想的美好的一面呈现出来。它集中表现的东西，其实是过去的生活方式里面比较好、比较美的一面。这在现代文学传统里面，如果往上追溯的话，的确可以追溯到废名、沈从文的写作传统，会让人联想到废名的《桥》、沈从文的《边城》，当然，郭文斌的小说更多以北方生活为基础，那两位作家是以南方生活为基础。

其次，很多老师讲到中国现代文学的主流传统。如果从文学史研究来看，我觉得现在其实很清楚，中国现代文学里面，有各种各样的作家，有各种各样的写作，其实也有各种各样的传统。所谓主流传统，事实上是建构出来的，而且在某些特殊阶段，尤其突出其中的某一种传统，但别的传统，不等于不存在，更不等于没价值、没意义。

如果追溯得更远一点，从中国古典文学传统来看的话，对文学的认识，其实也是方方面面的。比如说孔子论诗，就讲道："诗，可以兴，可以观，可以群，可以怨。"（《论语·阳货》）用这个来对照我们一般所说的现代文学的"主流传统"，它主要突出的是"诗可以怨"的一面，当然也涉及"诗可以观"的一面，但"诗可以兴""诗可以群"没有怎么突出和显现。

《农历》这本书，至少有一个地方，我觉得挺好，它有一个"兴"的方面。"兴"的这一面，就是在一种感通激发之中，把一种很好的纯粹的能量或力量传递给大家——至少作者在尽力这样做，所以他说这本书是一种祝福、一种对吉祥的祈求，意思能够理解，读者也都能感觉到。

当然，孔子也说过："诗三百，一言以蔽之，曰思无邪。"

只要是从内在真诚里面写出来的诗，都有其价值，不必因为倾向于一种诗，就否定其他形态的诗。以一种广阔包容的心态看，“兴、观、群、怨”，都有其价值。最重要的，发自“内心真诚”的诗才有力量；读“诗”的人，也要有“观”的眼光和开阔、包容的心量，这事实上也是对自己的一种开阔和提升。

还有一个由书名联想到的问题，就是所谓的“农历”，涉及我们过去的生活方式，尤其是其中的时间制度和时间安排，以及近代以来对它的改变。农历跟农耕时代的生活方式联系非常紧密，不但二十四节气，连传统节日都跟农历有关系——小说里也写了很多。我过去一直认为，我们所说的“农历”，主要是太阴历，后来再去核查，才发现是阴阳合历——太阴历和太阳历的合历，月份安排是太阴历，依据月亮周期，干支纪年、二十四节气是太阳历，依据太阳周期，两个周期合不拢之处，有一套很复杂的计算、调整和安排。这种安排比单纯的太阴历、太阳历，可能更适合农耕时代中国人的生活。

当然，我们毕竟已经进入现代，公历代表我们进入世界，与世界同步、接轨的一面。事实上，时间制度和时间安排，牵扯到中国近代以来的一系列文化、社会和生活问题。总的来看，一方面，我们的确存在一个业已进入世界的问题，存在一个与世界文化交流的问题；另一方面，也的确存在一个重新认识自身文化，尤其是其中优秀成分的问题。这两种处境，迄今没有改变。至于两方面如何调适，是一个长时期的问题。

所以，如果谈到进入近代的问题，我很赞同王宏图教授讲的，近代之后，我们没法抱残守缺，如果有好的东西——包括《农历》里发现的好东西，必须跟外面交流，这里面再看看能不能产生好的东西。尤其是，就文学艺术的切己性方面而言，进入近代、现代之后，人的基本感受发生了变化，的确存在一个现代感性的问题。诗歌里面，比如说艾略特、奥登，以及中国的穆旦，这些杰出的诗人，诗歌之中都有非常复杂的声音，也发展出复杂的技艺，但在那个时代，也可能是最符合现代人的感受性的一种艺术。古典的和谐、恬静，对他们来说，有时近似一种乡愁，的确不那么容易达致。不是所有的艺术家都要走他们的路子，但要意识到他们的存在，有和他们对话的能力。

比较有意思的地方在于，即使是这种具有复杂的感受性和技艺的艺术家，也不是不寻求拯救和平和的。比如说艾略特，通常认为他写得最好的是《荒原》。而在我看来，是在“二战”炮火和精神危机中写出的《四个四重奏》，那里面返回自身传统，寻求一种拯救，最后也的确达到一种境界，显示出一种超越、克服和战胜时代危机的力量。当然，进入现代以后，寻求平和或安详，不管是对个体还是对群体，总的来说，都不是一个容易解决的问题，或者容易达到的境界——也许在所有时代都是这样，不过现代人的问题更严重一些。如果自己在某个层次有所领悟，那可能也要寻找合适的乃至更好的方法，看看是否能够、怎么样给大家更大的启发。

黄 平 （华东师范大学中文系教授）：

非常荣幸来复旦学习，平常是在十楼，今天是在十四楼，我一上楼就走错了，走到旁边的复旦大学中国研究院。由此突然想到“中国学”这个概念，这其实是20世纪80年代中国文化书院的先生们提出来的。

各位老师都清楚，20世纪80年代面对现代化的冲击，甘阳等人的《文化：中国与世界》，主要从西方哲学的角度来回应；金观涛等人的《走向未来》，主要从科学角度来回应；还有一帮老先生，梁漱溟、冯友兰、张岱年、季羡林、汤一介等人，他们的中国文化书院从传统文化的角度来回应。

中国文化书院这一脉离文学比较远，主体是北京大学哲学系的一批前辈。这次集中阅读郭文斌先生的作品，觉得从文学层面上，接续了这一思潮的脉络。但同时，我们回到20世纪80年代的立场来看，看传统文化面对现代化的回应，强调的是传统文化的现代化转化。他们非常看重中国传统文化，但并没有本质化的还原，我们也找不到什么本质性的特征，来区别什么是中国人什么是西方人。传统文化，关键在转化，这不是为了适应传统社会，是为了适应现代社会。传统社会已经不存在了，上海不必说了，西北也不是传统社会，同样是现代社会。西北整个的生产生活方式、政治经济制度，都是现代社会。怎样创造性地转化传统文化，郭文斌先生的写作，提示我们文学大有可为。

（录音整理：陶可欣）

《黄河文学》2019 年第 6 期

诗性的认知、价值、行为体系

——郭文斌长篇小说《农历》研讨会纪要

2011年3月25日，郭文斌长篇小说《农历》研讨会在京召开。

郭文斌用了十二年时间写成了《农历》这部作品。全书三十万字，以农历十五个传统节日设目，从“元宵”开始，到“上九”结束，以“五月”“六月”两个孩子的视角，以“小说节日史”的方式呈现中国文化的根基和潜流，展示中华民族经典化的民间传统。

研讨会上，专家就《农历》进行了深入的研讨，大家认为，整部小说对传统农耕文明和民间乡土文化的梳理与描绘，真实感人，显示了作家深厚的生活积淀和语言功底。

郭文斌在会上表达了他的写作初衷，他一直想写一部祝福大地、增益安详的小说，在《农历》里，他作出了自己的努力。

何向阳（中国作协创研部副主任）：

郭文斌同志是宁夏人，出版了不少著作，其中《寻找安详》《农历》影响较大，《寻找安详》去年出版，年内三次重印，今年又开始第四次重印。他的长篇小说《农历》去年10月在上海文艺出版社出版，两个月首版就销售一空，在文学界产生了很大的反响。今天我们针对这样一部作品，另外也是针对曾获得冰心散文奖、人民文学奖、鲁迅文学奖的这样一位青年作家进行研讨。下面请大家发言。

陈建功（中国作协副主席）：

郭文斌是宁夏青年作家群中极具实力的一位，由于他和其他几位青年作家的成绩，促使我不断发出呼吁，提醒文学界在关注都市青年作家的同时，务必重视地处边鄙之地的青年作家的成就，给予他们更多的关注和关怀。比如云南的昭通作家群，比如宁夏的青年作家群。而郭文斌是宁夏青年作家群中成果显著、潜质巨大的一位。

郭文斌最使我佩服的，是他执着的文学信念和鲜明的文学主张。大家知道，作为《黄河文学》的主编，郭文斌很早以来一直运用他的文学阵地，主张并鼓吹安详的文学、宁静的文学、纯净的文学，我很荣幸也是他文学采访的对象之一。在一个熙熙攘攘的商业时代，在一个人心浮动、尘俗喧嚣的时代，这种鲜明的文学主张本身就具有很强的挑战性。而《农历》等作品，则是郭文斌文学主张的实践成果。

《农历》以两个乡村孩童的视角，通过他们的回味、追索、询问，展示着渐渐消弭的传统乡村文明，显示天人合一的人文理想，为我们留存了珍贵的乡俗材料，其本质，是对疯狂侵袭我们的现代文明的抗争，对平静安详的心灵的坚守，是对一种理想的生活信念的守护。

使我惊异的是，《农历》所表现出的对传统小说规范的大胆突破。因为在过去的印象中，所谓民俗风情，只不过是小说的“佐料”，顶多可以担当一些“民俗风情画”的功能，像《农历》这样，并不借重情节的发展或人物性格的演进，纯粹展示乡土中国的民俗传统风貌，应该说具有极大的风险，其实这也恰是《农历》之所以成功的奥秘。文学，除了人生的思考与探索，当然也有留存民族文化资源乃至化石的重任。《农历》做到了。

当然，除此之外，素朴的语言、简洁的叙述、不乏幽默的细节，构成了一幅庄严的生活图景，这也是这部作品的特色。

我相信，今天的研讨，各位作家、评论家也会有见仁见智的评论，会使我们对《农历》的理解，有新的深入的收获。

最后，我再一次祝贺郭文斌创作的新收获，期待他百尺竿头，更进一步！

李存葆（中国作协副主席）：

我跟郭文斌去年第一次见面，这次研讨会算是第二次。但是，在那么多青年作家当中，对郭文斌我是分外关注的。他的大部分著作我基本上都读过，包括他的长篇小说《西夏》。和这部作品相比，《西夏》完全是另一种风格，《西夏》主要讲述西夏王朝复兴到衰落的过程，小说技法变化很多，悬念迭出，读起来欲罢不能。但是，如果和《农历》比较的话，我还是更喜欢《农历》。

读了《农历》后，我有这样一个感觉——这部作品不像某些快餐文化、快餐文学，供小市民茶余饭后消遣；其期待受众是有一定文化素养的人。虽然作品的故事情节淡化，时代背景看不出来，但是假如每天晚上阅读个把章节，你完全可以不用考虑其故事背景，而完全沉浸在作者创造的氛围中，并在赏析中沉浸，这一点我深有体会。虽然现在我只读到“冬至”这一章，因为原来说 4 月份开研讨会，现在提前了，但是读到这里之后，我就可以判断这部作品是一部非常难得的作品。

这部作品虽然写农村、农民生活，但是有一种高贵的气质，像看到桃花源一样。在七色迷眼、五声乱耳的当今，找这么一个静心的栖息地是非常难的。从这一点，我觉得郭文斌是一个文学品格和文学品味的守望者。

再一个感觉就是静，这部作品有一种安静感。国画大师黄宾虹说“画贵有静气”，我曾经有些武断地说，国画画面静不静，有没有让人静下来的力量，是判断一切国画好坏的标准。我觉得这也同样适用于当下文学：一部作品是让人更浮躁，还是平息、抚慰浮躁的心灵，给我们安静的感觉，让人心静下来，可以在某种程度上判断作品品质的高下。郭文斌的这部作品，达到了这种让人静下来的水准。

另外，从作品中我们可以感到作者以赤子之心亲吻大地的情怀，用童心拥抱蓝天的情感。我现在都是六十多岁的人了，心都磨出老茧了，但是读这种作品却可以重新感到心灵的柔软。这种让人心软化的力量是很难得的。

还有，作品在语言上自始至终营造了一种诗化的氛围，在这种氛围下，随便一个章节都可以拿来欣赏、品味。所以，我觉得在当今文坛出现这么一部作品是非常难得的。

我就简短说这些，耽误大家时间了。

李敬泽（中国作协党组成员、书记处书记）：

首先祝贺《农历》出版。我好长时间没有参加研讨会了，这次是我最近参加的研讨会人数最多的一次，我觉得这本身就是一件有意思的事，先放下作品不说，仅就郭文斌来说，快称得上一种现象了。

我们现在的作家，像郭文斌这样有自己的人生观，有自己的世界观，有想法，还有作品，能够知行合一，我觉得大概还是比较少见的。至于他所倡导的，他所四处奔走呼喊的关于安详的生活、宁静的生活、和谐的生活这样一种人生价值，我觉得毫无疑问在我们这个时代有它特殊的意义。所以我想，当谈到《农历》的时候，话题可能会很多，我们会谈到这部作品，也难免会谈到作者，以及这些年来在作者身上的现象。

至于《农历》，我个人是很喜欢的。记得很早我就和文斌谈过，那个时候他已经写了不少节日，从《大年》开始，已经写了不少。我其实特别喜欢《吕氏春秋》那样的章法，每一章先讲天，先讲气候，然后再讲人、事，每一章都是如此。《礼记》也是先讲天时再讲人、事。也就是说，在我们中国的传统里，人、事和天、地是接着的，是一体的，是一回事。无论作为文章的章法，还是作为文章的精神，我觉得都是一种特别珍贵的传统。后来在现代文学中，在当代文学中，在我的印象中能够真正找到《吕氏春秋》《礼记》这种天人之间关系的，不多。所以郭文斌的《农历》，我觉得好比是《吕氏春秋》，好比是《礼记》。讲的是天、地、人的关系。

在这方面，就小说而言，我觉得写得非常漂亮，这个任务本身就有难度，写一篇可以，两篇可以，三篇五篇都可以，但节日差不多都写个遍，这个难度是很大的。既有一致，又有参差，采取这样一种结构方法，会让文斌花很大的功夫。而且他对长篇小说的结构方式，对长篇小说的艺术性、可能性也做出了新的探索。

就这部小说而言，我觉得确实给我们提供了一个非常美好、非常安详，从我们的民族传统中、从我们厚重的乡土中提炼出来的一个精神的世界、艺术的世界、想象的世界。这个世界就小说而言，是可以令人安居的。当然，我们每个人可能都会想到这样一个世界和现在的世界，恐怕也会构成一种关系。这种关系到底是一种什么样的关系，我想，也可以是我们今天深入探讨的话题。

总而言之，《农历》肯定是一部很重要的作品，大家肯定有很多的话要说。所以我觉得，我的话越短越好，就说这么多，谢谢大家！

胡 平 （中国作协创研部主任）：

我代表创研部对研讨会的召开表示祝贺！我自己很喜欢这部长篇小说，来的人多，我简单讲几句。

第一，我觉得《农历》确实是一部很有文化底蕴的小说，通过民俗、风俗写了一种传统文化，一种非常丰富的意蕴。有文化的小说很多，但是这部小说非常完整地写了一种传统文化的形态，这样的小说可能少，整个节日贯下来，写了整个世间万物，整个传统文化的形态。这点给我印象深刻。

第二，我觉得它是一部有哲思的小说。主要通过两个孩子，追问这个世界，追问天、地、人的一切，而这一切是大人习以为常和忽视的。这一切实际上并不是没有意义的，我们生活在这个世界上，有很多我们习以为常的东西，我们并没有问过它的本源，这部作品对一切的发问，非常有哲学特点，这点我也很喜欢。

第三，我觉得作者是有信仰的。我曾经说，要成为大作家必须有信仰，不管什么信仰，应该有信仰。从这部作品中能感觉到作者一以贯之的信仰，所以这个作品有气。

第四，这部长篇小说很有纹理，它的纹理很细，一般的长篇小说是推进式的、事件式的、历史性的，细的纹理描写在长篇小说当中不容易做到，可是这部小说做到了，有很细腻的纹理。

另外，它的语言带有诗意，所以这部小说确实有特点，是很别开生面的一部小说。谢谢大家！

雷 达（中国作协创研部原主任）：

我觉得这是一部非常奇特的长篇小说。这本书我看了以后，心想是不是很多短篇连起来的，因为我觉得长篇总要有故事和波澜，但是看到最后也没有，它基本上是匀速前行的。这部小说靠氛围，靠细节，当然也靠对话往前推进，它有一个对话结构，非常重要。更重要的是它的节日，这是构思的问题。节日在郭文斌看来是中国传统文化沉淀和积淀最丰厚的地方，节日是能把时空停下来的东西。所以他写了 15 个节日，这个很精彩，奇特之处在这，能写这样书的人很难找到，能这么完整保留乡土温馨的感觉，这种亲切的回忆，也很难，所以给我一个非常奇特的感觉。《农历》的价值到底在哪里？它的出现有何意义？是一种猎奇吗？当然不是。是不是一种复古？也不是。或者是一种返璞归真？或者是研究民俗？或者是挖掘非遗？甚至是不是一首挽歌？我觉得都不是主要的问题。

我感觉，今天有尊严的东西越来越少了，能够引起人们敬畏之心的也少了。而郭文斌的作品，我觉得可重新唤起敬畏之心，唤起人们的尊严感，唤起天人合一的诗意，唤起吉祥感，为焦虑的时代、为浮躁的灵魂提供一份恍若隔世的久藏民间的清凉剂，中国化的清凉剂，很了不起。

郭文斌提倡的价值我觉得第一个是吉祥如意，是最重要的，最后他讲到我唱的不是挽歌，“农历精神”一定会回来，你可以这么喊，你这种努力我是赞成的，这非常可贵。就是说，它是让凉不下来的东西凉下来，让停不下来的人停下来，这是这本书最可贵的。现在人们除了凉不下来，还有停不下来。《农历》每个节日都是让中国人停下来，回到中国式的生活节奏。我觉得，这是一个农业文明的理想主义，呈现给我们的是父慈子孝，长幼有序，还有人伦敦厚的社会。这本书出现最多的词一个是过去，一个是老家。但作者是在城里写的，所以这个作品是有锋芒的，有批判性的。这一点我认为是郭文斌《农历》的价值所在之一。

郭文斌的小说在叙述上有什么特色？我觉得这部作品的氛围是内在的，一下子可以进入乡土，它是一首风俗的诗，充满民间的智慧和诗香。因为我是甘肃天水人，我读起来特别有感觉。

最后，我觉得郭文斌讲的很有道理，我们有很多传统，一个是经典传统，我觉得还有精英传统，还有民间传统。而且民间传统生命力可能是最旺盛的，最不容易磨洗掉。所以要恢复一种民间传统，恢复风俗。但是有一个问题，郭文斌讲，这到底是不是一首挽歌？他认为“农历精神”肯定要回到现实生活中，我对此还是怀疑的。

总而言之，这种找回“农历精神”的决心，这种“农历精神”永远不会死亡的呐喊和对原汁原味温馨生活的恢复是一个奇观。谢谢！

包明德（中国社科院文学研究所原党委书记）：

各位好。我总的感觉是非常感动，产生很多联想，我非常珍视郭文斌给我们留下美好的乡土记忆和一份档案，讲述了生动的中国故事。我也感佩郭文斌对生命的敬意，饱含诗情，满怀虔诚。我看书的时候常常被一些细节感动得身上有点发热。

别林斯基说，每个民族都有两种哲理，一类是学究式，书本的，郑重其事的，节庆才有的；另一类是家庭的，日常的，习见的。要写好一个民族，表现好一种文化，必然要尊重和熟悉这两种哲理。郭文斌的作品体现出他对这两种哲理都很熟悉，都很了解，可以看出他在这方面深厚的文化修养。

他最重要的，我想，他尊重生命，珍视生态，珍视美好文化传统，另外他对人物的心理、心灵，对景物雕琢得细致入微，活泼传神，给人强烈的撞击。比如，六月要爬到树上把喜鹊窝掀掉的时候，五月劝导他，你自己的房子被人拆了是什么感觉，你没有衣服穿是什么感觉。我觉得这不是一个简单的恢复伦理的问题，是以现代人的眼光回观历史，我们曾经有过的永恒的东西，那些东西是永远不会变的，这是一个感受。

再一个感受，我想起歌德的一句话，他说，无论在宗教方面、科学方面还是在政治方面，我一般都力求不撒谎，有勇气把心里所感受到的一切照实说出来……我相信自然，我相信善必然战胜恶。我想这个理念在郭文斌的书中体现得也非常鲜明。郭文斌实际上把中国诸子百家的一些理念都渗透到作品中了。

另外我想说的是，我们在这部作品中可以感受到作者敬畏生命的殷殷情怀，情怀的殷殷动人，唤醒我们尊重生命、尊重生态。实际上，他并不仅是简单地留下一个档案，留下美好的记忆，还是以现代意识和现代性的眼光回望我们曾经经历的那一切，在我们心灵中保留的美好。

再有一点，我觉得这部作品是一个高雅的作品。怎么讲？按照《毛诗序》的作者对“雅”的定义，他说：“言天下之事，形四方之风，谓之雅，雅者，正也。”我感觉郭文斌的作品很高雅，他非常重视发掘民俗的意义，把民俗等文化传统和当代意识结合得非常好，进行了深入挖掘，很可贵，所以是一个很高雅的作品。

由此我想到，郭文斌所讲述的中国人的故事，在我们构建现代文明的时候，在整合我们中国文化谱系的时候，给我们提供了永恒的元素。它是一个健康的层面，不受时尚左右，它是永恒的，它是恒久的，它是我们创建现代文明的依托，一个介质。

谢谢！

白 描 （鲁迅文学院常务副院长）：

郭文斌的小说把我们一下子拉回到当年那种非常温馨的，非常富有人文情怀的，非常有感觉的时空当中去了。雷达刚才解读得非常好，我完全同意。是挽歌呢还是一种信念呢？我把它想成是信念。即使书中写的一切东西存留不住，但是在我们精神上，在我们的记忆中，这些东西，永远不会消失。

看了之后，我写了几句话：

第一句话：一册色彩斑斓的月历画图的展示。就像月历一样，感到非常非常亲切，我们在农村长大的人，非常有感觉。

第二句话：一个民族精神密码的破译。它不同于一般的小说，一般的小说追寻的多，追问的多，郭文斌在作品中试图给出答案，有追问，有答案，不断地追问，也不断地一个一个地给出答案。我觉得在追问与回答的过程中，我们可以破译我们族群的精神密码。

第三句话：一方土地文化之根的深入挖掘。我觉得郭文斌超越了就事论事的民俗民风的展示，并不是写一个东西展示民俗民风，比过去十几年文化寻根要深一个层次，已经超越这个东西了。他实际上深入发掘文化之根，这个根在今天对我们现代人的一种启示，在我们现代人的生命里面，应该居于什么位置，有什么价值，他要寻找这种价值并给以肯定。

第四句话：一部人物心神之旅的诗意书写。我们看到生活流一样的，按照节日，按照时序往下一点点写，实际上我觉得通过两个孩子的眼睛，写了一群人物心神旅程的轨迹，这点我觉得是非常难得的。

还有一点，这部书不好写，我同意雷达的看法，不在于郭文斌的那些回答究竟对不对，或者经得住经不住推敲，或者会不会恒久，不在于这个。而在于我们作家，我同意建功的说法，一个作家的禀赋的问题。一个作家最重要的是什么？不是知识，而是生命的体验。郭文斌非常难得的是把这些东西细致入微地保存下来，他把记忆保留下来了，而且把体验写出来了，我觉得这是我们文学所要的东西，我们作家应该尊重的东西。

当然，我有一些不太满意的地方，不要把孩子写成神童，从启蒙读本到戏文，到经书，到家训，一切东西，倒背如流，这不一定。这个东西可以借用，我们需要重新回归，《弟子规》《孝经》是需要我们回归的东西，但是不一定要强赋给孩子，不一定姐弟俩要倒背如流。

总之，我觉得这是一部非常温馨的作品，和我们所提倡的追求幸福指数非常吻合，也和文斌一直强调的寻找安详的人生主张非常吻合。

谢谢大家！

叶 梅 （《民族文学》主编）：

郭文斌是我非常喜爱的一位作家。他是一位具有宁夏气质的作家，而宁夏气质在我看来，是中国文坛目前非常需要，或者说我们当下社会非常需要的一种气质，沉稳、平和、安详、坚毅，我非常喜欢。

《农历》是一本特别温暖的书，是一本召唤的书。我们人类失去的东西太多太多，郭文斌在写这本书后面一章节时，他自己也感到一种很大的无奈，一切已经成为一种记忆，已经成为过去，已经成为不可能追回的东西。但是即便如此，我们还是在喊魂兮归来。所以它是一本召唤的书。

虽然很多东西已经失去了，不可能再回来，但是他今天的召唤，我觉得在某种意义上，会使我们的某些价值观重塑，我们幸福的追索向度有可能改变，甚至我们的生活仪式化有可能得到某些恢复。中国是一个仪式缺乏但又泛滥的国家，过去从来没有过的仪式，现在特别泛滥。但是精神层面的仪式反而被忽略了，这种精神层面的忽略使我们对许多东西没有了敬畏，我们精神上追溯的东西反而没有了。郭文斌这本书很大程度给我们记载，或者给我们重现仪式，重现精神层面的仪式。有了这种仪式，我们对自然，对祖先，对其他所有的人充满了感恩，充满了敬畏。

我感觉这是一本非常有意义的书，而且我还相信，这本书的畅销还真不奇怪，因为不光是我们在座的人觉得我们的生活是这么的无聊，特别是过年除了放鞭炮、喝酒、吃饭以外，再没有别的娱乐，再没有其他任何东西让我们感觉年味。《农历》中，每一个节日都充满了让我们可以去回味，可以去寻找某种希望、某种幸福的仪式，可以使我们从乡土开始，从农村开始，说不定有的人就照着郭文斌这本书去做了。也可能在城市，在我们的公寓楼里面，我觉得是有可能的。

但是我还想说，这种农业文明的、传统文化的象征，这些仪式，在今天的信息化时代，它能够走多远我也不能找到答案。我非常赞同雷达先生和白老师刚才说的，这恐怕是人类共同的焦虑和疑问。我们究竟应该留住什么，还能留多久，有些东西真是无可奈何。

提出一个小问题，这本书里有很多经典，还有民间经典文本的传颂，能不能把它的出处用某些方式说明，一是表达对经典的尊重，二是让读者有一个清晰的了解。

总而言之，这是一部当下非常需要的书，而且它会给我们的生活，特别是我们的精神生活带来很大的慰藉，和一种原创劳动的新鲜血液的注入，很有意义。

吴秉杰（中国作协创研部原主任）：

大家的意见我同意，我把自己的感受说一下。

第一，读了这本书觉得很温暖，有回家的感觉。虽然我家不在那个地方，这本书虽然有它的地理特色，但是对中国人来说，读这本书都会有一种回家的感觉。

第二，这本书特别自觉，以小说的形式呈现我们的民族文化，这个民族文化就是农历。农耕文化有许多节日，因为里边有非常生活化的，而不单单是一种儒释道文化。它主要用节日，通过农村生活表现出来，我觉得非常自觉。

第三，对话、戏文和仪式感。对话我最喜欢五月和六月的对话，六月和他父亲的对话基本上是小孩和大人的对话。五月和六月的对话特别能体现心灵的成长，而且写得非常生动，非常天真，非常单纯，很有想象力。

我想郭文斌一直在观察孩子，很多优秀小说家都具备这个素养。戏文我并没有都看，其中一个戏文我看了，《目连救母》。《农历》里面有好多戏文，戏文本身就是我们传统文化的一部分，对陶冶心灵很有作用。

这本书体现民间传统文化的根基。这本书结构非常特殊，虽然是一部长篇小说，但是嫁接的是十五个节日。它能给人很亲切的感觉，回家的感觉，温暖的感觉，阅读之后我们是有收获的。

汪守德（总政宣传部艺术局原局长）：

文斌这部小说读过之后闪过这样几个词：明亮，温暖，宁静，兄长。

明亮。读的时候，我觉得书里面闪现的亮光，比周围的灯光还要明亮，还能照亮我们的心灵。从这里可以看出，作者在这部作品里表达的思想、情感、智慧等给我们一种光亮，这点印象特别深。

温暖这一点印象更为强烈。文斌的作品读了有一种温暖感，这种温暖感来自文字，也来自他所描写的乡村生活，更多的是来自作家的心灵。我个人觉得，无论是宁夏乡村还是西北乡村，还是都市生活，都有它温暖的一面。

文斌的作品，把他个人的情感，比较深地体现在作品当中，使我们感受到他所描写的生活，给我们一种温暖感。实际上，文斌是用他的作品来表达他的内心，用温暖来感动我们。

宁静。这一点对我们当代作家尤其重要，我们现在的作家，多是抓狂、浮躁，无论是作品的状态还是人生的状态。我觉得文斌在写这部作品的时候，他的内心是比较宁静的，那种生活氛围的描写，那种生活情境的描写，他的内心如果不宁静，不可能把过去的乡村生活以这样一种面貌体现出来。

最后一个词是兄长。在世界文坛格局之下，我认为中国的作家可以做锤子，也可以做尖刀，来敲打、来解剖社会现实当中很多问题。但是我觉得我们的文学也需要兄长式的宽厚的胸怀、包容的胸襟来描写我们的人生，来构建我们的作品，让我们的读者在读作品的时候感受到中华民族深厚的灵魂和心灵。

所以我觉得这部作品的价值比较高，在长篇小说这一文体当中，应该是格调、品格、境界比较高的一部作品，值得推崇。

阎晶明（《文艺报》总编辑）：

文斌是我多年的好朋友，我对他有一定了解。今天看完长篇小说，我有个感觉，觉得构思达到了让一般人意想不到的程度，这一点从小说的时间叙事来说，有四季，按照节日划分，把一年的事说完，这点来说，还真是一般人想不到的构思方式，我觉得最值得认可的是这本书的构思。

郭文斌做得比较巧的一点，在每个章节都塑造了意象，因为人不变，地方不变，对话的方式不变，结构方式不变，如果一直这么写下去会很烦的。但是《农历》中每一个节日都有一个意象，比如说元宵节是灯，二月二是剃头，每个节日都找一个意象，然后围绕意象展开，营造一种氛围，这是挺有意思的。

总之，我觉得这部作品结构方式非常好。

我想提一点，《农历》中很多东西，特别是六月的身份，有时候给我一种不确定感。六月有时候懂很多东西，有时候又显得很单纯，有时我觉得在某个背景下一些提问就不应该发生。我觉得还是要琢磨一下。

不管怎么说，这本书提供了很多别的小说不可能提供的东西。郭文斌把这些东西呈现给大家，让每个人知道，其实我们跟传统有很深的渊源，我觉得这本书的价值已经体现得非常充分了。

王必胜 （《人民日报》文艺部副主任）：

我跟郭文斌是第一次见面，见面以前也熟悉，神交。因为近一个月之前，他在我们那儿发表过一篇杂文。我的印象，文斌应该是一个散文和随笔作者，我是孤陋寡闻，一看介绍，发现还是小说为主打。

这本书，我觉得文本意义不能说大于内涵，至少文本意义是我最看重的。

第一个，人物很简单。大家都说到了，长篇小说有历史感，人物命运波澜起伏。但是这两个人物，你说他们的命运是什么？我们很难得到答案。他把小说平实化或者散文化。另外一个，主要在内涵上，对中国乡土文化集大成，不管是黄色文化也好，黄土文化也好，中华文化也好，这种集成，他找到了一个点，就是节日。

我想，这部小说里我最看重的是对时间的表述和描述。实际上很多章节里两个人的对话都讲到了时间。他的小说没有明确的时间观，哪个年月发生的事，我找不到。现在吗？不全是，不是时下或者当下，有时候很难说这几个人物所处的年代。更多的是对时间的追问，在书中时间是相对的。在时间的统率下，写中国的过年，写时间流逝给我们带来的岁月刻痕。

不足之处是引文过量，如何把引文变为化境，这是作者需要考虑的。

张颐武（北京大学中文系教授）：

文斌很了不起，做的工作我觉得是不可重复之工作。别人一般办不了。什么故事都没有，就写这么多，这真是办不了的事。这个事我觉得是不可能完成的任务，超出我的想象。文斌了不起就是把不可能变成可能。我觉得《农历》中有些内容特别重要。

一个是自然。农历其实是中国人对自然看法的文化，《农历》其实就是顺着自然的节奏处理中国文化的问题。从一个民间的记忆出发，从个体生命的记忆找这种文化。文斌把自然通过传统的方式进入文化，在传统的家庭状态里面、生存状态里面思考、表达，难度很大。

所以我觉得文斌有一个雄心，把中国人生命的自然的节奏发掘出来，这是了不起的工作。

我觉得郭文斌可能是偶然，但正好和社会的潮流契合。中国人现在需要寻找自己的精神认同、文化的价值。我们究竟认同什么，我们的价值观是什么，我们的信仰是什么？这是个困扰，这个困扰其实全东亚的人都有。

所以我觉得文斌了不起的地方，就是在日常生活中感受生命的意义。这些感受是我们很难感受到的。看了文斌的这些作品，我发现我们生活的世界跟他想象的世界不一样。他生活在银川，该有都有，跟我们一样。但他的内心体验跟我们不一样，他能够感受到大自然的节奏。但是，这种表达是不能重复的，文斌下一本一定要有故事，讲讲农村究竟怎么回事，你自己究竟怎么回事。

这本书真是不可多得的，真是一部有力量的作品。正好契合中国社会精神的升华。还体现在文斌的升华不是通过宗教，而是在日常生活中，在传统经验中，在人和自然节奏中升华。

通过这本书我还感受到了怎样去教育一个生命，六月的成长其实就是怎样培育精神的成长，这个意义很大。我也同意晶明说的，六月有点“错乱”，一会儿是孩子，一会儿有些成人化，但这没关系，说明六月是被教育的生命——被中国传统精神所教育的生命，在传统精神里面获得的是无意识的熏陶，所以，他说出一些“伟大的话”，可能是无意识的表达。

这本书表现的是中国人生命中的信仰力量—— 一种超越的力量，这个力量，我们原来有，现在隐匿或者消失了。所以，文斌这本书我觉得提供了日常生活信仰的想象力，是有想象力的一个方案。这个方案正是我们社会所需要的。怎样找到中国传统精神的内在东西，大家一般从典籍里边找，从四书五经、从传承到通俗的东西里边找。这本书也从典籍里找，但是我觉得引用的典籍里的话不一定有用，从民间记忆里找的话更有力。文斌很有雄心，他找了很多经典，帮我们办事，要把我们精神提高，他太想教育我们，太着急帮我们，我们就觉得有点距离。反而他写生命具体的感受、很细的那些东西让人感到亲切，我觉得那是文斌写得最好的。伟大的语言也很需要，但是伟大的语言可以作为帮助。

最后一个意见，在中国现代环境下，文斌这本书确实值得大家去读。我甚至觉得需要强制部分读者去读。

我觉得文斌这本书确实是里程碑式的，因为没人这么干过，文斌以后也难以这么干了。这本书了不起的地方在于它很难重复。我觉得这本书的高度，多高？就是这么高了，别的人再攀比，比不了。把这块地占住了，就完了，这个是了不起的东西。所以宁夏出了这样的大作品，我确实觉得很振奋。

祝贺文斌，通过这本书，他给我们一个新的思考角度和方式，非常了不起。总的来说，就是很不得了，所以大家鼓励他。

白烨（中国社科院文学研究所研究员）：

西海固这个地方，遍地都是文学爱好者、文学写作者，文学写作是很多人的第二职业。这个地方不得了，自然条件比较差，比较贫瘠，但绝对是文学的沃土，走出的作家人数很多，质量很高，他们已经冲破了乡土文学的范畴，很多人的写作业绩不局限于乡土写作。无论乡土文学写作还是西部文学写作，宁夏的作家群不仅仅是一个地方队，而是国家队的。

第二层意思，我同意很多朋友讲的，《农历》是一本很独特的书。他把之前发的很多短篇汇成长篇，是另外一种味道，确实很独到。

这个作品通过舍的方式来得，集中精力写两个孩子在家里的学习成长，我觉得这个作品其实有两层主角或者两重主角，一重主角是五月、六月两个孩子，是显见的，同时还有一重隐蔽的主角，就是农家生活、家庭生活、民俗生活、节日文化。

刚才张颐武，虽然他说得比较夸张，但他的意思是对的，文斌完成了一个不可能完成的任务，很多人很难像他这样潜下心来挖掘民俗文化，而他挖掘的、他关注的恰恰是我们很多人忽略的、遗漏的、以为不重要的，他在别人遗漏的地方做文章，打深井，这是他的特点，也是他很大的贡献。

我觉得《农历》是文斌多年来在创作上已经形成的特点的集大成者，这本书是搁得下来的，要向他表示敬意，向出版社表示敬意！

贺绍俊（沈阳师范大学中国文化与文学研究所副所长）：

我觉得郭文斌的《农历》的确是一本非常特别的小说，也是一部远离时尚的小说，从主题到叙述都远离时尚，以反现代性姿态来缅怀传统文化的深邃宏大，它提醒我们，我们处在现代化的时代，现代化时代的文化生态应该是现代性精神、后现代精神、反现代精神交融在一起，是不同的文化形态相互牵制、相互影响，形成一种合力，这样才会构成良好的文化生态。

我把郭文斌这部小说从主题到叙述看成反现代性。郭文斌的反现代性不在于抵制现代性，并不是要把一切现代性都去掉，而在于我们现代性的问题靠现代性本身是解决不了的。这就是《农历》这本书的意义所在。

从主题上来说，我觉得该作品通过对日常生活的描述，展现传统文化精神是如何渗透到人的内心的，其实作品的日常生活不是一般的日常生活，而是仪式化的日常生活，所以写的是十几个节日。文化在日常生活中是弥漫着的，一般日常生活中感受不到，当通过仪式化日子去写日常生活时，文化的意义就凸显出来了。举个很简单的例子，写剃头，二月二剃头，六月问爹：为什么不能自己给自己剃头？爹就告诉他：人自己一不会生二不会死，就连剃个头都要靠别人，所以你要对别人好，要对天地感恩。这就是仪式化日子中间日常生活的伦理，它是一种文化。这样一个细节让我们感觉到，这种文化是怎样潜移默化渗透进人的精神世界，使愚昧之人上升为文明之人。所以六月是个主角，父亲是个主角，父亲当然是儒雅的传统文明形象，他实际上是乡村知识分子，更准确地说是传统文化的民间形象。父亲用这种潜移默化的方式，让六月在伦理的浸润下健康成长。所以这本书从头至尾可以看到六月是怎样悄悄成长的。可以看到传统文化的精华是怎样渗透到我们日常生活中间的，而这些我们好像越来越淡忘了。我们被一种现代性的精神冲击着，传统文化的精华被淡忘了。我觉得这个小说的主题可以说是一个反现代性的主题。

从叙述来看，我觉得也是一种反现代性的叙述。郭文斌对“过”这个字的解释太精彩了，他说“过”是什么？“过”就是一寸一寸地过去了。我觉得郭文斌的叙述体现了他对“过”这个字的理解，把一寸一寸的光阴走过一遍，悠然、从容，才能真正做到不虚度时光。现代性是什么？我觉得现代性就是一个加速器。郭文斌的叙述是让我们从加速器中退出来，退到真正时间流程中，一寸一寸地去度过光阴。所以作品中关于时间的叙述完全是一种反现代性的叙述。我是这么理解郭文斌的《农历》的。他写这一切是在证明我们今天缺少了这些东西，并不是要用这个东西替代我们现有的东西。只有让我们的文化生态更丰富，我们的现代化才能更加健康往前走。

另外我补充一点，作品里面关于经典的东西多，我觉得这是郭文斌的用意，实际上这种传统文化渗透在民间，渗透在日常生活中，是整个历史的积累，包括经典。实际上孔子的思想，儒家的思想也渗透在乡村，渗透在乡村知识分子的头脑中，以乡绅知识分子为代表。所以我想，也可能郭文斌在引用时有些地方比较生硬，但是这种引用是非常必要的，这种必要体现了郭文斌对传统文化的一种理解，对乡村日常生活的一种理解。从这个角度说，我觉得《农历》的确是一本非常特别的书，而且是必不可少的书。

王彬（鲁迅文学院原副院长）：

《农历》是我第一次见的用小说阐释中国年节文化的书，写得非常精彩。郭文斌对小说的形式进行探索，对中国传统文化和传统道德进行了阐释，非常好。通过读文斌的书，对中国传统道德、传统年节、艺术有所理解。文斌写得很用功，《农历》这个书名看似很简单，但浓缩了中国传统文化。再看章节的题目，展示作者对中国传统文化深深的理解，比如“上九”，就来自《周易》。

另外一点，他写了很多当地的年节，比如说北京除夕有一个踩岁的习俗，把芝麻秸放在院子里踩，有许多意味。中国很多习俗有很深邃的意思，可惜我们都忘掉了。读文斌这本书，给我们新的展示和启示，这些美好的传统的东西值得我们捡拾起来。这也是我们的希望。

简单说这么一点，祝贺文斌！

陈福民 （中国社科院文学所研究员）：

我个人觉得郭文斌对于我们中国当下文坛写作来说，是一个特别重要的存在。因为他所从事的文学活动的方式以及他叙述的东西是那样不同，确确实实不同。这个不同有很多层面解释，比如说以《农历》为代表，包括他此前的写作，都表现出非常强烈的反现代性取向。我个人认为这个取向特别特别重要，文斌通过《农历》这本书呈现出这样一种价值取向，在今天的社会转型背景下来看的话，我觉得郭文斌的写作，以及他的写作方式都是不可替代、不可或缺的。因此从这个角度上去定位这本书，从精神和哲学意义上来看，是非常重要的。

第二点，为什么这种方式，用文学方式来呈现才特别有力量？我相信郭文斌不是复古主义者，不是刀耕火种的信徒，他并不想退回那样的时代，有这样想法的人不只是郭文斌一个人，有很多人，但是用什么方式呈现特别重要。对现代性的反思和质疑可从不同角度提出来，但是唯有文学才是最好的方式。比如欧洲浪漫主义源头就可以看作是反现代的，从德国开始，整个浪漫主义基本都是反现代的。甚至我们所学的现代派，欧洲现代主义精神取向是反现代，因此它的东西才会显得那么纠结，那么阴冷，那么潮湿，它的精神问题才会那么幽暗。欧洲才会出现尼采这样的分裂人物。但是文学可以用感性的方式表达出来。

郭文斌的尝试和努力对于文学写作来说，他不是救世主，他救不了世界，但是他自己得救了。因此我个人认为郭文斌的《农历》写作对于他个人来说是一次全面的精神洗礼。他是一个有“信”的人，他的信在我们宁夏地区不同于大众的“信”，他是一个小众的“信”，他所看中的，所持守的，所宣扬的，所推出的这些东西，是一种静态，时间基本是静止的，跟外向的、进取的、攻伐的是完全不同的。所以他通过这本书对自己进行全面的精神洗礼。

第三点，在逻辑上顺理成章，这本书是一部诗性的写作，完全可以当作诗来对待。书中最动人的语言和细节，都可以看作是诗，这一点顺便解释了为什么郭文斌是一个著名的、有成就的散文作者。这本书的散文化倾向比较明显。这部小说，它的人物性格没有成长，人物关系极其简单，没有任何作为内在推动力的情节结构。它靠什么往前走？所以它是诗性的，超越时间的。这部小说的形态是静态的，时间基本上是停止的，但恰恰又是一个大时间的写作，农历、节日勾连起历史、循环、生生不息这些基本观念。这是我想谈的第三点。

最后，我想谈一谈这部小说的不足。不足之处也可以说是它的成功之处，很纠结，很难谈。从小说形式而言，我不认为《农历》是一部成功的小说，但我认为它是非常有价值、值得去研究的尝试。我们通常说的小说，一定要有情节的推动，有一个发动机，这部小说里没有发动机，所有人物关系都是平行的。就人物关系而言，极其简略，都是象征性的，都是写意的。我想不太明白，小说究竟应该怎么写，文斌是很著名的小说家，我们期待他给出更好的答案。

至于书中的引文几乎占了这本书的十分之一，在什么角度看待引文的必要性，以及引文与小说叙事结构之间有何关系，我觉得是需要讨论的。有一点我能够理解，就是郭文斌太喜欢这些东西了，他太想把这些东西跟我们分享了。至于在细节上怎么处理得更妥当一些，这是文斌需要面对的东西。

这样的书确实很难写，因其困难，价值弥高。这是一部温暖的绵长的小说。这部小说没有叙事情节，每一段叙述都特别密，像特别精妙的手工制品。这本书读得很难，这本书读得很慢，为什么？绕不过去，它的叙述在每一个人物，在小的细节上，针脚极密，你绕不过去。但是它的密和疏在结构上有的地方需要探讨。

邵燕君（北京大学中文系副教授）：

郭文斌在当代文学是不可多得的存在，我觉得他是当代作家中特别少有的，有自己的天地观、人生观，又能很好地以文学的方式来呈现这些观点的一个作家。我挺想说说我读这本书的感受。这里边很多小说我以前都读过，但是这一次我特意花了一天的时间完整读这部小说。

刘慈欣的《三体》，是一个硬科幻，传达一种非常冰冷的宇宙观。这本书以硬科幻方式写了宇宙的毁灭，地球的毁灭，这是一个非常宏伟的想象，这本书本身非常漂亮。但这种宇宙观非常坚硬、寒冷。

而读文斌的《农历》不一样，我读一下看完以后随手写下的一段话：

“年的味道就是停下来的味道，读《农历》有一种退回过去的安好，一种小世界的安稳吉祥，这种感觉经过时间的过滤再经由记忆的想象成为一种童谣般的安魂曲，为在现代都市中疲惫流浪的人建造精神的故乡，在这精神故乡的打造中，郭文斌表现出一种偏居一隅的相守，固守乡土，固守乡俗，固守一切传统。“五四”以来所有的冲击，一切的一切都被这种固守隔绝在外，仿佛一切都不存在，然而，我们却能认同这种固守，因为我们已经惊恐万状。郭文斌提供的不是心灵鸡汤，而是精神城堡。在他按部就班的仪式里，各种民俗文化都在扎扎实实的日子里，这就是农历、土地和仪礼的合一。郭文斌想告诉我们，中国人曾经怎样过日子，今天还有可能怎样过日子。让我们看到，相信这精神城堡的人有福了，这是郭文斌的如意，他想以此给我们带来安详。”

秦万里（《小说选刊》副主编）：

郭文斌我很早就认识了，我曾经以为我和他很熟悉，读了这本书以后我再细细一想，我们两个人的对话没超过100句。我们曾经坐一辆吉普车去可可西里，当中对话非常少，不是他不爱说话就是我不说话，他说话很少，他用他的小说，用他的作品来说话。他刻画了一个非常可爱的小男孩，这个小男孩很爱说话，他把所有能问的问题都问了，问得我们成年人有的时候会暗暗羞愧！他不但写了一个会提问的小孩，而且还刻画了一个内心世界很丰富的小孩。比如写到摘梨，摘到最后树上剩下一个梨的时候，还和父亲说，给树留一个梨。比如“寒衣”一节，他能够感受到他爹用一根火柴把另一个世界的门打开了。我觉得郭文斌一定是一个内心丰富的人，他如果内心不丰富，他写不出这样的小说，他也塑造不出这样一个精灵，把这个孩子放置在现代社会里，我们觉得他就是一个天国里的孩子。

《农历》开篇是灯节，他写的是灯。其实那个灯我看半天也没明白是干什么用的，这个并不重要，关键是作者对生活的书写是美丽的、鲜活的。郭文斌给他的每个人物都放置了一盏灯，有了这盏灯，这些人的生活都很美好。他们很穷，别人送来一包糖，舔一下都觉得非常美好，都觉得非常幸福。

第一节里写到父亲和母亲脸上巨大的静，巨大的静是这部小说的核心。巨大的静说明传统意义下老百姓对生活的态度。巨大的静是他们的幸福，他们心里头有了一盏灯，有了巨大的静才有了六月、五月和他爹娘的欢乐和幸福。

我曾经在一篇文章里写过，小说是理想主义者的天堂，郭文斌也建造了一个天堂。《农历》里的日子就是一个天堂，这个天堂是一个清醒的天堂，也是一个快乐的天堂，一个纯净的天堂。郭文斌淡化了时代，抹掉罪恶，把人鲜活地刻画在他建造的天堂里。

郭文斌事实上写了一种渴望，渴望天下之人都像六月、五月和他娘那样可爱、聪慧，那样透彻，那样善良。他用真诚完成了写作，因为他心中有一盏灯，心中有盏明灯，笔下就如意。

成曾樾　（鲁迅文学院副院长）：

我觉得这本书写得非常好，我简单说三点。

第一点，全景式展现民俗民风是这本书最大的特点，这本书最成功的地方无疑是对中华民族传统农历民俗全景式的展现。从文字上看是民俗的百科全书，像是民风风俗的清明上河图，我确实有这种感受。

当然我觉得作者不是单纯表现民风民俗，作者要把农历上升到道德和伦理，上升到传统文化的继承和发展层面。书中的说教也显而易见，当然我说的说教不是贬义的说教，包括礼仪的说教、规矩的说教，书中俯拾皆是。它的核心在某种程度上也可以用这样四个字概括，就是我们过去经常批判的克己复礼。这四个字本身没有什么错，其实它是很高的自我修养的层次，但是某段时期搞庸俗了。

六月在作品里经常自己抽自己嘴巴，自己心里骂自己，这个小孩长大不得了，这个人修养太高了，放到哪儿人都喜欢。我觉得作者意图很明显，六月觉得自家人不必客套，六月爹对六月说，这不是客套，是礼仪。五月说，君子就要讲礼，作品中充满这些在当前社会应该是很可贵的东西。这是受欢迎的说教，是一种天然的教育，是一种传统美的教化。所以我说这本书是民俗百科全书，而且对民俗有新的诠释，是生动的民俗读本。

对中国传统文化郭文斌有独特的审美发现，他的丰富性和奇特性完全可以向世界进行展示，甚至可以申报世界非物质文化遗产。我觉得这个完全可以，把节日凑齐了之后，我以为是一种非物质文化遗产。

随着城市化进程的推进，现在书中的场面几乎见不到了。某种程度上，这部作品既是一种绝唱，也是一座纪念馆，是一个博物馆。所以非常有保留价值。另外书中宣扬的弃恶扬善，人和动物的和谐相处，等等，都是特别宝贵的。

第二点，内容、文字、意境都很美，像一首诗，大家都说了，我不多说了。的确像作者说的那样，进入眼帘是花朵，进入心灵是根。

第三点，写作手法上有很多特点，比如说拟人化，非常准确和生动。举一个例子，比如说穿的衣服，每年到换季的时候换一身衣服，我没有想到他会这样写：它和身上的肉生分了。这种拟人化的手法书中比比皆是。还有六月问五月，五月把目光开成一束花送给六月。这些话都非常美。等等。

简单说这么多，谢谢大家！

牛玉秋（中国作协创研部研究员）：

我觉得郭文斌写《农历》完全是意料之中的事情，因为在此前，我对郭文斌还是有一定了解。他在《农历》这本书里，把节日作为这部小说的基本内容构架，其实这和他一贯的创作思想是密切相连的。大家都谈到了风俗，在中国，很多节日和节气，和农历紧密相连。在这些节日当中，有一种仪式感，充满了对美好生活的期盼，对周围世界的善意，对生活和生命意义的体味，充满了温情、温暖和温馨。这是郭文斌写这部长篇小说的原因，是有深意的。

郭文斌的意义在什么地方？他到底要干什么？我一直找不到一个合适的词。有雄心？好像雄心于郭文斌来讲太张扬了，他是很平和的。说有目标，又太务实了。说有理想，又太空泛了。找不着一个合适的词说郭文斌是什么样的作家。但是他其实就是这么一个作家，他是一个要有所为的作家，别看他说话慢条斯理，行动温文尔雅，但我觉得他是一个斗士，他一直在抗争，和现代性抗争。他要把我们已经被现代性冲击得七零八落的传统文化，散失到各个角落的传统文化重新整合，这是他的一个目标，一个向往。

说实在的，我对他充满了敬意，我是一个悲观的人，但是现在看起来，我觉得真的是一分耕耘一分收获，起码我们现在看到，清明、中秋和端午已经被定成国家法定节假日了，这就是说，他的工作是整个潮流的一部分，是有作用的。从这点来讲，我感到很欣慰。确实，有人在耕耘，也有收获。我们即使没有他那么有信心，也可以在旁边助威。

冯 敏 （《小说选刊》原副主编）：

五年前我们《小说选刊》给文斌开了个研讨会，五年过去了，我觉得郭文斌一步一个脚印，扎扎实实地拿出了他的力作《农历》。大家从很多方面谈了郭文斌的意义所在，我接着敬泽讲的知行关系谈点我的体会，这点非常重要。

郭文斌的意义在哪儿？他能写出这样一部作品，实际上他完成了两个转变，第一个转变是由口舌之学，通过他的身体力行，努力转化为身心之学，有了心。我知道他是寻找过安详的，他是有丰富的内心感受的，他呈现给我们的是非常温暖的、恬静的、安详的东西。但是他经历的内心痛苦，那种内心的搏斗，那种决绝之心、大无畏的心，大家是看不到的。只有第一个转变还不够，他在信仰的悬崖上，做出大无畏的攀登，即便攀上去还不够，还要转化成作品，我觉得这是第二个转变。祝贺文斌，你完成了两个转变。

这是这部作品的意义。

施战军（鲁迅文学院副院长）：

这部长篇小说，我觉得它的文脉特别稀有，是非常明晰存在的文脉，不是从天上来的。20世纪20年代，鲁迅从他的《社戏》开始，引领中国的乡土小说，中国乡土小说一部分随着鲁迅去揭示国民性弊病，另一部分去寻找乡风俚俗，像台静农的《拜堂》。这证明我们是有的。20世纪20年代往后，文学创作也是这样走的；到了30年代，沈从文的写作、废名的写作都是这一气脉。文脉传承至90年代以后，到了今天，确实出现断裂、真空的状态，仅在某些散文里边有。我们有大量的乡村散文，一个村子可以写一本书。所以郭文斌不是孤军奋战，只不过郭文斌把它做到了极致。可以说他是集大成者，是这一类的极致。

而且他的构思非常有特点。从夜晚写起到夜晚结束，中间巨大的时间段是白天，但是白天的语调还是夜晚的：写白天的故事，再大的太阳也是用夜晚的静悄悄的语调写，再喧腾的生活也是小夜曲的调子，这是非常有意思的构思。从“元宵”开始到“上九”收尾，都是夜里边的戏。让我们感觉到，他刻意用黑白年代的思维，就像我们看黑白电影一样，来进行他的书写，而不是零乱的、彩色的、充满杂色感的，来探照这个世界，是他内心的清明导致了这样一种写法。

谢谢！

朱 晖 （《光明日报》文艺评论版原主编）：

总的结论是这是一部很另类的小说。第一，在语言应用上，过去我们看小说，对语言的基本要求是文通字顺，能够看明白。这部小说一开始读的时候就被它的文字吸引住了。我看到的长篇小说，没有一部像它这样，用一种像诗和散文的方式去调度语言，里边有一些一个字把一个场面带活的例子，小说的语言模式一方面带有旧学底子的儒雅色彩，同时地方色彩又相当强烈，这就使它的语言有了一种很独特的色彩，我很欣赏。第二，我觉得它作为一部乡村题材的小说，也是很有意思的，像古代最成功的乡村小说《桃花源记》。《农历》描写的，是流动的、乡间的生活。书中的乡间生活你感到是那样的纯净，那样的精致，精致到每个特定的日子都有很多特定的规矩，每一个特定的规矩、每一个特写的动作都被赋予很多道德的、人伦的、传统的某种含义。感觉是一个没有恶、只有善的君子国，是诗化的田园，我们只能把它作为一个遥远的对象去悼念，去品味。

关于引文的问题，我同意刚才几位说的，我很不能容忍的是作者几乎完整地把《目连救母》放进去了，我觉得即便你对它有感情，也不能完全放进去。

彭学明（中国作协创研部副主任）：

没有时间了，少说几句。我觉得这本书充满了童真，非常纯净，用没有污染的视角看这个世界，解读这个世界，小说非常有诗情画意。但作为长篇小说，刚才陈福民说的我非常赞同，没有故事情节，没有人物冲突，读起来有些费劲。我突然有个想法，如果作者干脆把它强化成散文，也许比长篇小说效果更好。

我还想说，我觉得这部作品不属于文学范畴，是社会学范畴，文斌不应该把社会学范畴的和文学范畴的捆在一起。我有个建议，文斌今后可不可以不再讲安详，不如把安详很好地体现在文学作品里。

张 陵（《文艺报》副总编）：

谈几点感受：

一、郭文斌的《农历》是一部思想主题厚重、文化内涵丰富的乡土小说，整个故事就是讲述五月、六月在农历各个节日中的经历，实际上是讲孩子们如何在各个节日的民俗生活中成长，如何从父辈那里承接一种传统文化，在具体实践中形成自己的价值观、道德观、生活观以及自己的性格。如元宵节大人们如何做灯盏，清明如何祭祀，端午有什么风俗，中秋又会怎么过。孩子们就是在一年的节日民俗细节里认识了农家生活，知道了做人的准则，强化了文化敬畏意识，养成了一种源于乡土的农家特有的个性。

很有意思的是，小说对农村社火有着细致而生动的描写，并突出表现了其独有的文化价值以及对孩子们的教育功能。这些民俗的文化精神在社火形式中得以弘扬和艺术表达，其文化的传承作用以及对一个人精神、心理的影响是难以估计的。我们注意到，小说的主人公特别是六月对社戏那种天然的热爱和投入，正是一代人接受文化传统并使之弘扬的天生品质。

由此，我们会更丰富地体味小说主题的意味和意蕴——民俗文化对于乡土来说，是精神之魂，是智慧的源泉，也是乡土的福祉。小说最后在社火表演的高潮中说："回首再把人间望，福在大地已生根"，这两句民谣式的箴言点亮了作品的思想之火。

二、我曾经比较集中地思考过乡土民俗问题，对那种近似于迷信的顽强不息的民俗文化过程越来越有一种认识和敬畏。现在读《农历》，一方面有找到知音的感觉，一方面必须承认小说所表现的民俗内涵，比我丰富得多，深刻得多。小说对节日民俗文化表现细节充满情感的津津乐道把我们带进一个与当今世俗完全不同的生活场景，让我们感受到民俗的独特魅力。这种年复一年看上去没有任何变化的农家风俗文化，有一种神奇的力量，滋养着一个民族的血肉，形成一个民族的血脉，推动一个民族的进步，也成为一个民族能够立足于世界的身份和标识。今天，世界上任何一个民族都不会低估这种力量，我们必须敬畏这样的力量。

我们一直在讲创造先进文化，曾经先进文化这个概念被解读为西方文化，好在，我们正在走出这样的认识误区。我们越来越深刻认识到，一个民族文化的进步是和一个民族生活的进步联系在一起的。先进文化一定是民族生活创造的，不可能是别人送的。当我们认识到乡土民俗文化的伟大力量时，难道不能认识到这样的文化也具有进步性和先进性吗？回答是肯定的。

没有了民俗，就没有了乡土，也就没有了乡土文化。

当然，我们注意到，小说在展现各个农历节日风俗时，显然有意回避当代农村生活中尖锐的矛盾冲突，把乡土描绘成桃花源一样的世界。这是否是对真实生活的一种粉饰或失真？小说主题并不是试图描写当代农村社会经济现实，而是组合一个民俗风情中的乡村形态。我们不必用“农村题材”模式去规范它。实际上，当我们带着一种现实的指向去读这本小说时，仍然会体味到作品思想的用意。我们的农村民俗正在不断失去，这种文化损失的后果很可怕。作家在自己的作品中重新复活了应有的、人性化的、生活的文化场景，意义不是很重要吗？

我们知道，郭文斌是一个传统文人色彩极重的作家。他不仅是一位有着深厚的传统文化修养的作家，更是中国传统文化的忠实、坚定践行者。他的这种意志一直引导着我们去注意他作品中的作家个性品质表达，以为他是用爱、善以及禅在结构他的小说内涵，从而忽视他试图超越自己的努力。事实上，我之所以看重《农历》是注意到作家告诉我们，他对传统的坚持和忠诚的力量来自他的乡土民俗生活，他试图把他的智慧还原给自己的乡土，表达他对乡土的挚爱、敬畏和忠诚。他并没滥用他所坚持的文人气，也不卖弄他的文人文化，而是把表现的重心转向乡土生活本身，尽管我们在他的小说中仍然读出不少禅意性的说教。

《农历》对乡土民俗细节的细致描写是作品区别于文人化的乡土小说的本质特征，也是对乡土小说新的开拓。它从文人意气的小圈子走出来，到人民的风俗生活当中寻找艺术的进步与创新。这应该看作是中国当代小说创作的新气象。

肖惊鸿（中国作协创联部副研究员）：

在当下的中国文学作品中，《农历》这样的小说非常独特。读这样的小说，不会觉得累，不会被紧张的叙事节奏追赶，它让你的心始终被温润着，像闲庭漫步，像午后品茗，但带给你的感受又绝非一钵一饭那样平常。一对夫妻和一双小儿女的生活模式，情感寄托，价值取向，分明是一幅真、善、美的人生理想画卷。作者用意显见，用文学的方式来探求传统文化对现实生活的意义。尽管在文体上存在争论，但《农历》做出了可贵的探索。

《农历》有大义。这部小说把都市生活远远地当成了别处的风景，作者把他的理想安放在了数着农历过日子的亦真亦善亦美的田园农家。可以说，郭文斌是一位真正的作家，他以作家的敏感和警觉自觉地与现实生活拉开了审美距离，用有距离的审视来发现生活的美或不美，给理性反思一个上升的空间和角度。所以，面对笔下自然呈现的人性本质，他必然会站到救赎的十字路口。人与自然的关系，一直是文学的一个永恒的母题。郭文斌的《农历》以此达到了一个理想的高度。可以说，对于生活在当下世界里的人来说，固守中国传统文化，回归田园牧歌般的农耕社会成为永远的梦想。那么，让文学承载这个梦想成了郭文斌们的企望。郭文斌的聪明在于，他把梦想安放在传统农耕文化的符号或象征——农历上，让农历的自然推进成为小说叙事的主体结构，也让他必然选择孩子的视角——只有那个角度才能发现作者自孩童时代留存在记忆中的最鲜亮的文化底色。

《农历》有大美。上庄在郭文斌心里是世界上最美的地方。他精心地塑造了六月这个人物。虽然六月的父亲更像是一个乡土中国的代言人，但郭文斌显然在六月身上寄予了更多的希望。六月是文学的梦想，是乡土中国的理想化身。成人总以为童真的视角是真实的代言人，所以孩子眼里的世界还原了世界本该具有的形态。六月人小鬼大，总有惊人之举、惊人之语。在郭文斌的用意里，我想是不能用惯常的儿童心理成长的尺度来衡量六月的。在六月和他姐姐五月的没有被污染的心灵里，一切是那么美好。和谐的家庭、和谐的农庄共同构成了美与善的世界。与其说他们向我们展现了乡村的十五个农历的日子，不如说作者通过他们向我们出示了他的人生梦想。在这个世界上，人生的哲理是静流不止的溪水，生活的本色是一个接一个的节日，该到的总会到，不该有的永远不奢求。生活的梦想是五月、六月手中的剪刀，几下子就剪出了开放的花儿。浓郁的民俗传统，填满了每一个农历的日子，也让快乐随着自然节令的变化与日俱增。主人公在行云流水的日月中，得到了自然的恩赐：友善、平和、安详。这是自然赋予人们的精神成长。

书里流动着一种少有的审美气韵，充满了少年一往情深的怀想。作者在不疾不徐、如农历的自然节气变换一样条理分明的叙述中，展开了一幅缱绻缠绵的理想国画轴。郭文斌的叙述风格是独特的，温暖而深情，清纯而沉静。回归少年往事，把梦想托给上庄。作者的价值观和文学理想在此得以呈现。想必是乡土生活的本真，乡土文化的和善，以及乡土世界的纯美，支撑郭文斌一路走来。他的写作是带有韧性的写作，以情贯注其中，但分寸拿捏得很到位，不汪洋恣肆，不过度渲染，情感含蓄，意境悠长。郭文斌对文学的固守也在这一往情深的书写中得以彰显。同时作者又是智慧的，丰厚的文化储备，娴熟的写作技巧，丝丝入扣，让他的《农历》在深入阅读中不断放大，漫过了上庄，覆盖了我们行色匆匆中对生活的盲从，也唤醒了我们对乡土中国美好的记忆，牵引了像一生一样绵长的审美诉求，也由此突出了救赎的意义。像爱丽丝漫游仙境，郭文斌就此完成了一次精神的出游，让文学给梦想做主。

王 颖（中国作协创研部助理研究员）：

《农历》给我别样的感动。不仅是因为读到这样一本安静祥和的书，心也跟着温暖沉静了，更因为我们这一代出生在城市的人，离四时和节气、传统文化和习俗已经越来越远了，而阅读这本书是一次“接地气”的过程。这个时代时常听到人们感叹纯文学小说不如网络小说接地气，那我想郭文斌的这部小说就很有力地驳斥了这种说法。因此，阅读这本书的过程也有了一种庄严的仪式感，让我们在阅读中不仅懂得和回归祖祖辈辈流传下来的弥足珍贵的文化和精神，并且还要传承下去，我想这是这本书对我而言最重要的意义。

《农历》可以看作是以农历节日为序描写西北乡村一家子一整年生活的长篇小说，也可以当作系列短篇小说和散文来读。它和当下许多强调要有“好看”的故事和情节的长篇小说特别不同，它并没有编织一个情节紧凑、扣人心弦的故事来吸引人，作者也意不在此，整个故事简单到甚至用一句话就可以概括，但它也很好看，这种好看是一张张剪出来的窗花、一副副写出来的春联、一张张贴出来的年画的好看。因为我们从作者讲究和耐心的叙述中，看到了短篇小说的精致意蕴和散文的抒情气息。单独读每个章节，我们也能被流动在字里行间的宁静而隽永的“美”感所折服。也许过了很久，故事早就被我们忘却，但元宵节点灯，清明印纸钱，端午采艾草，这些温馨浪漫的细节展现的农家生活的恬淡静谧之美，却能够永久地留存在人心。汪曾祺曾经说过：“我对风俗有兴趣，是因为我觉得它很美。”郭文斌对此一定有相同的感受。

这种审美感受也来源于小说叙述的“慢”。在《农历》中，作者有意剔除了时间和历史背景，而着力捕捉乡土社会中的恒常、稳定、不变。他用如同一帧帧慢镜头回放的速度，描写这种放慢了脚步的乡间生活，读者也能够看得分外真切和清楚。这种安静祥和、舒缓绵长的调子我们从作者的其他作品中也能看到，是他一贯以来的美学追求。这种叙述节奏和作者想要表达的温暖、沉静的诗意是相统一的。因此，这是一本以情调和气韵取胜的小说，不仅作者写得慢，作为读者同样需要慢慢品、细细读。在慢中，我们才更能体会到自然和人情的美。比如他写清明是水红色的；还有六月唰地一下从树上溜下来，如同一滴露水；还有年是一朵花，在他和五月的手上开放；还有五月和六月把新铲的青草倒在牛槽时，大黄感动得要流泪了；还有五月说，每个灯上都有月神的牙印。作者善用拟人、比喻等修辞，寓情于景、情景交融等表达方式，衬托、对比、渲染等手法，向我们展现了一个万物有灵、万物皆懂得惜缘和感恩、和谐生长的世界。

如果一定要有微词的话，是作者为了表达的纯粹，特意隐去了时代和历史背景、现代生活和文明，甚至孩子们的具体年龄，显得很空灵，但有时也会产生被架空后的疑虑，比如大量五月、六月的对话涉及对抽象、思辨的精神和道理的领悟和见解，意味深长，达到了哲学的境界，和他们的年龄略不相称，能感觉到这是作者的理想投射和文化寄托，但是否是越过人物了？

总的来说，我们以往看到的乡土小说多是叙述乡土社会的断裂，乡土文化的瓦解，乡土心灵的无可皈依，而作者却反其道行之，描写乡土世界的和谐和乡土心灵的安宁。从作者的小说中我们看到了天真烂漫的童心和女性的敏感细腻，还有西北土地的宽厚、坚韧，这种种特质集中在一个人身上是难能可贵的。

这本勾连起天地、人情的书，书写了生命的干净和澄澈，令阅读也成了一种灵魂的净化。

（根据录音整理，以发言前后排序，未经发言人审阅）

注：评论家职位为时任

郭文斌短篇小说精选《大年》作品研讨会纪要

2005年6月30日，由中国作协《小说选刊》杂志社主办，宁夏人民出版社、宁夏作协和银川晚报社协办的宁夏青年作家郭文斌短篇小说精选《大年》研讨会在中国作协召开。

同一时间，南京大学、南京师范大学的10位文学博士和江苏文学界部分关注郭文斌创作的朋友一道在南京召开《大年》研讨会。

郭文斌短篇小说精选《大年》作品研讨会发言·北京

时间：2005年6月30日

地点：北京中国作协会议室

主持：冯敏（《小说选刊》杂志副主编、评论家）

张胜友　（中国作协党组成员、书记处书记，中国作家出版集团党委书记）：

我们刚刚在深圳颁发了第三届鲁迅文学奖，举行了颁奖典礼，在座的很多朋友都出席了这个典礼，典礼的规模、气势、影响力和社会关注度，让我们参加会议的同志都非常欣慰，说明文学在我们这个转型社会里还发挥着巨大作用。今天我们四家单位在这里为郭文斌先生的小说集举行研讨会，我感到很高兴。这本书印制得非常漂亮，印数也不少，说明精品文学、精品小说还是很有影响力的。《小说选刊》是中国文坛的一个品牌刊物，无论它推出的作品还是在市场的影响，在中国文坛都举足轻重。这么多评论家来参加会议说明对郭文斌的作品是很重视的。我在此对研讨会的召开表示衷心祝贺。

葛笑政　（中国作家出版集团党委副书记、《小说选刊》杂志社社长）：

欢迎远道而来的客人，并向文斌表示祝贺。《小说选刊》复刊十年来，在开研讨会这件事情上是非常严肃的，大家可以回忆一下，十年来，以《小说选刊》名义举办的研讨会是很有限的，说明我们在这件事情上是比较严肃认真的。郭文斌的作品能够被《小说选刊》的编辑们认可并联合宁夏方面共同召开这个研讨会，说明他的创作已经达到了一定的高度。在这里预祝研讨会成功。

艾克拜尔·米吉提（中国作家出版集团管委会副主任）：

《小说选刊》为西部一个正在成长的青年作家召开这样一个研讨会是非常有眼光的，研讨会对中青年作家的成长、发展会起到重要的作用，特别是对西部作家。郭文斌不仅代表了自己，在我看来他还代表中国当代中青年作家的一种创作，也代表了西部作家，当然首先代表宁夏。宁夏这几年出现了一批作家，如石舒清、陈继明、漠月、金瓯、了一容等，这些作家中每个人的作品都很有影响，我去过西海固，那里确实是一片贫瘠的土地，但在那里出现了文学发展的一种新态势。在大家都忙于发展经济时，那里有一些年轻人在苦心思索文学，进行文学创作。宁夏二十世纪五六十年代几乎没有什么作家，现在成长起来的这批青年作家，几乎都是土生土长的宁夏作家，这值得我们思索和总结。他们作品的文学意义、美学意义另当别论。对郭文斌的小说美学意义上的探索有许多文章都有独到的见解，但是我把他作为群体现象来看时，更有价值。

祝郭文斌在文学道路上迈上一个新台阶，同时感谢《小说选刊》独具慧眼的做法，感谢宁夏人民出版社在今天为我们出版这样一本小说精选集，感谢宁夏文联、作协和晚报社对本地作家的支持。

雷　达（中国作协创研部原主任、评论家）：

今天的会很有价值，现在的作品研讨会很多，有些有价值，有些价值小一些，而郭文斌的作品研讨会是非常有价值的。现在有人批评研讨会，我觉得，如果要开研讨会，就应该开这样的研讨会。郭文斌的作品提供的美学价值，那种罕见的美，尤其值得我们珍视。我看完作品的感想，就像责任编辑哈若蕙女士在后记中说的，编辑部的同志看完后不约而同地发出一种声音：没想到还有这么美的短篇小说，所以把书的规格做得很高。我看完后也是这种感觉。这次集中看完郭文斌的作品后，我确实大吃一惊，没想到还有这么美、这么纯粹、这么含蓄、这么隽永、这么润物无声的小说。他的小说你要做些理论上的概括可能不容易，但是你可以被陶醉。他的小说感动得我掉泪。我没有想到他的短篇小说达到比较炉火纯青的地步。他用貌似原生态的笔墨，把一种储存在民族、民间的正在消失的美好的情感保存下来。那种正在消失和在西部还没完全消失的乡土的记忆、乡土的美感、敦厚的人情、淳朴的风俗、敦厚的人伦等，通过家庭，通过童年，通过孩子，表达得非常富有诗意。如《大年》，太感动人了。比如五角钱的细节，糖的细节，等等，这样感人的细节太多了。他父亲教育孩子全是润物细无声的。比如把一副对联写坏了，孩子提议给瓜子（傻子）家，父亲看了他一眼说，只有小人才欺负瓜子。这些东西是一般的作品里没有的，是从自己的一次性经历中提炼出来的。他写道：站在山头上，往下看，村子静静地躺在那里，像一个睡着的年。他把我过去的一些感觉写出来了。比如，吃了好东西只有下咽的一瞬间知道，到肚子里就不知道了。这是我在困难时期安慰自己的最好的办法。吃高粱面下咽时就特别难受，咽下去就不知道了。这是我过去的感觉，被他写出来了，逗极了。这篇短篇小说是长了一点，但给人的感觉是一首抒情诗。我不懂《大年》为什么会有争鸣，我不知道争鸣什么。

那篇《我们心中的雪》我也特别喜欢。我给郭文斌提个建议，可能是我特别喜欢的原因，应该把题目改为《伸向天空的舌头》，这样可能会更好，这只是我个人的感觉，那种感觉写得太好了，我读完这篇文章后有一种读《聊斋志异》的感觉，有种恍惚的几十年的人生沧桑。这篇作品写的东西，不是一句话能够概括的，一切都在无言中。西部山乡的温馨，人生最动情的美丽，都写出来了。比如小时候吃土豆的样子，看雨的细节，写得好极了。还有一些感觉，比如他给杏花的孩子五十元钱，杏花说不要这样，他的手就尴尬地收回来了。他问杏花的丈夫对她怎么样，杏花的嘴角动了一下，好像要笑，但没有展开。含义很深，其中辛酸的东西很多，一切都在无言中。他写到杏花给他准备了一个礼物包，他说，我总不能给她再送钱吧，没法送。这篇短篇小说我看了非常喜欢，不是一般的喜欢。

让我震撼的还有《剪刀》。《剪刀》这部作品也写得非常好，今年的中国小说排行榜只差一票，我当时没有看，假如我看了，就上榜了。

《剪刀》是含泪的微笑，是以乐景写哀，是一个快撑不下去的生病的妻子和丈夫的斗嘴，其中甚至有许多关于性的游戏的对话，听上去完全是说笑话，但其中有非常非常痛苦的东西。这部作品不比《麦琪的礼物》差，这部作品不简单。那天早上起来，妻子又给他糖水，又给他打鸡蛋，他不喝，不吃，说给两个孩子吃。妻子说，孩子以后吃的时间长着呢，硬让他吃。吃完后，他要出门时，妻子叫了他一声小名，这么多年，她从来没有叫过他的小名。真是平静至极，悲惨至极。丈夫走了后，妻子就开始打饼子，打了七七四十九张饼子，农村人死后讲究祭奠七七四十九天。最后，作者写道：女人是在孩子放学之前动手的，用的就是那把剪刀。《剪刀》表面上让人笑，背后非常非常沉痛。

相比之下，《瑜伽》我并不太满意，这是我个人的感受，但有的人非常喜欢这篇小说。

总体上来说，郭文斌提供给我们的东西是他的别具一格的乡土记忆。他确实写出了一些可以当作精品的短篇小说。郭文斌的小说动人，非常动人。有些作家可能写出匠气了，而郭文斌把自己一些最珍贵的东西掏给我们了。

白　烨（中国社会科学院文学研究所研究员、评论家）：

首先，郭文斌的《大年》由宁夏人民出版社出版是一件非常好的事情。有时出版一部好的小说集，其意义和分量并不亚于出版一部好的长篇小说。第二，我觉得郭文斌现在还是一个新人，他是一个正在形成个人独特风格的新人。我认为郭文斌写得最好的是那些写乡土的文章，《大年》《剪刀》《开花的牙》等文章写得都很好。尤其是《大年》，可以说是2004年中短篇小说中最重要的收获，尤其是写农村题材的一个难得的上品，他写的是在物质生活不足中的精神上的富足，乡下孩子在物质生活上很贫困，但他们也有属于自己的快乐。郭文斌在叙事上很有特点，他的作品没有专门的心理描写，但是他把简洁的心理描写融化在叙事过程之中，整个作品显得单纯又丰富、真实又幽默。幽默是一个非常可贵的品质，我看《大年》时多次忍俊不禁，他写两个小孩——明明、亮亮撒尿写字这段非常精彩。《剪刀》也是一部非常好的作品，写丈夫与妻子之间的斗嘴、斗气，但是爱情和亲情就在夫妻之间的打斗中呈现出来，让人看到贫困夫妻在艰难困苦中的那种相濡以沫，妻子以死来完成她对丈夫的爱、对孩子的爱，以不拖累他们来完成对他们的爱，作品看起来文字简洁，但充满悲壮的气氛。

总体上看，郭文斌的作品和我们以前看到的乡土题材的作品是不一样的，他提供了一种对乡土的再认识，这种认识不像以前那种简单的、道德的、情感的判断，而是采用一种客观的、从容的、平和的、达观的态度，他用一种本真的态度去描写一种本色的生活，这是我们在其他作品中看不到的。郭文斌的中短篇小说写得如此出色，他应在这条路上坚持下去。我觉得衡量一个作家的成就，不在于他是否写了长篇小说，他的中短篇小说写得好，就应该坚持。希望他每年给大家奉献一部“大年”。

贺绍俊（沈阳师范大学教授、评论家）：

我去过宁夏两次，每次都被深深地感动，到了宁夏，在那里体会到文学的价值与文学的意义。宁夏的作者可以说是文学的清教徒，这种感动一直在我心中。郭文斌的小说以前读得比较零碎，没有形成整体的印象。这次集中读了他的作品集《大年》，发现郭文斌基本上形成了自己的风格，有很多东西是具有独特性的。我读郭文斌的小说，想起了去宁夏时的那种感动，再一次让我想起什么是真正的文学。当然我们可以说文学是反映现实的，但我觉得文学的本意并不是反映现实，文学是人生命精神的一种外化的东西。郭文斌是一个悟透了生活的人。刚才雷达专门提到《大年》为何会有争鸣。《大年》在部分人看来可能过于乡村化，好像沉迷于乡村经验，我觉得这涉及我们如何理解文学的问题。

这次在第三届鲁迅文学奖颁奖典礼上还专门召开了一个

都市文学主题的会议，我也参加了会议。在会上，我听了大家的发言想到一个问题，我们讨论都市文学的时候当然对应的是乡村文学，可能隐隐地有一种思维逻辑——好像是时代在进步，文学也应该跟着时代同步地进步。我觉得文学不应该是进化论的奴仆，文学有些东西是穿越时空的，是永恒的。比如说我们谈都市文学时，绝对不是说乡村精神就是被淘汰的东西。我在读郭文斌的小说的时候，更加感觉到文学应该有一种对生命的理解、对哲理的理解。我感觉郭文斌的小说这点是非常突出的。就算是写乡村，他也不是仅仅停留在乡村经验。对于小说来说经验非常重要，但是肯定不止于经验。

刚才大家提到《剪刀》，我也觉得这部作品很好，那么你说《剪刀》是写苦难吗？它是在宣扬苦难吗？或者是将苦难审美化吗？我觉得这样的解释都不准确。肯定有一些小说是用这样的路子去写的，但是我觉得《剪刀》用这样的解释是绝对没有真正进入小说给我们提供的那种境界。我感觉它更多的是郭文斌对生命的理解、对生命的领悟，生命的意义和生命的伟大都在这部小说中体现出来了。作品中的那个女人，最后那个细节，是虚着写的，作者的用意也在这，给人一种很强大的震撼力，这时候死不仅仅是悲壮两个字可以概括的了。同样“死”在郭文斌的小说里经常会作为一个很重要的主题，包括《开花的牙》，也是作家对生和死的理解，这时候我觉得他的小说虽然非常生活化，好像是写乡村民俗的一些很细节化的东西，但是我感觉里面包含了一种超越世俗化的精神性的东西、哲理性的东西。“死”完全超越世俗层面的意义，死和生是转换的，它并不是说死就是非常悲伤的，但是也不是说它有意掩盖苦难的东西，生和死在这里已成为生命的一部分了。

所以，我感觉郭文斌的意义就在于他能够超越世俗层面。我读郭文斌的小说，有一个想法，我觉得郭文斌是与欲望无关的，当然我说他与欲望无关，不是说他不写欲望，而是他内心没有欲望。虽然有些小说家不写欲望，虽然有些小说家好像是在表现一种很高尚、很崇高的东西，但是你读他的作品时，你会感觉到那个作家骨子里的欲望，从字里行间可以感觉到。我想到一个小故事，这个小故事正好是郭文斌在他的序言中提到的，苏东坡与佛印在打坐，打坐完后，苏东坡问佛印你现在看我是什么状态，佛印说我看你就像一尊佛，佛印问苏东坡你看我呢，苏东坡说我看你就像一堆大粪。苏东坡很得意，觉得自己赢了，回去跟妹妹苏小妹一说，妹妹说你输了，佛印看你是一尊佛，那是因为他心中有佛，他看一切都是佛，那么你看他是一堆大粪，说明你是什么人，不用说了。我觉得这一点是非常重要的，我们心中有什么，我们的作品就会表现什么。所以，我觉得郭文斌对这一点也是领悟得非常深刻的。包括他的小说《睡在我们怀里的茶》中也有这样的细节。徐小帆的妹妹要去看大海，徐小帆对妹妹说只要你心中有大海，你在任何地方都可以看到大海。我觉得这就是郭文斌的一种境界。他很多作品是写乡村生活的，也有很多作品是写城市生活的，实际上他写城市生活的作品也渗透了他对生命、对世界的领悟和理解。写城市生活更能看出他超越欲望层面和世俗层面，这是他一个很大的特点。

《瑜伽》我很喜欢，包括它的结尾。问题在于我们如何理解，这部小说重点并不是写那个警察，重点是写警察的妻子陈百合和谢子长，他们进入超脱、静默的境界的时候，可以说他们是幸福的。所以他们能够和欲望擦肩而过，作品的结尾有这样一层意思。他们在茶馆里聊天，恰恰是在他们走之后才发生一场打斗，他们并不是有意的，他们就是能够擦肩而过。

我感觉郭文斌的这种境界是非常非常可贵的。我们写都市生活实际上不可能回避乡村精神，乡村精神绝对不是一种被淘汰的东西，问题在于我们如何将乡村精神融入都市生活，融入都市生活的经验之中，郭文斌的小说提供的这样一种纯净的境界，是一种最直接的触及文学核心的问题、触及文学本质的问题，从这个角度来说，他的小说是很可贵的、很珍贵的。我们的小说，可以说从20世纪90年代开始整体有一种越来越形而下，越来越物质化，越来越欲望化的倾向。在这样一个背景下，我们今天讨论郭文斌的小说是非常有意义的。郭文斌的很多小说我都非常喜欢，就不具体阐述了。

牛玉秋（中国作协创研部研究员、评论家）：

首先，我觉得《大年》是一部有多种可能性的小说，好多小说提供的是在因果链条上的一种或是两种可能性，而郭文斌的小说有多种可能性，这种多种可能性首先来自人性之谜，在这本作品集中，不论上下，其实都是一致的。《瑜伽》结尾的妙处在于它写出了人性的复杂性。王海牙是一个不忠实的丈夫，在妻子面前显露的都是人性或者是男性的丑恶的东西，但是他又是一个忠于职守的警察，这一下子就会让我们想到很多很多。《水随天去》中的父亲最后不知所终，而他用一个儿童的眼光看父亲，父亲的很多举动让人觉得像谜一样，他为什么会那样，小孩不理解也不会去追究，但是读者却会想：父亲在不同的阶段为什么会有不同的表现？他最后又去了哪里？他和母亲的关系到底是什么样的关系？当作者把人性之谜和人性的复杂性展现在小说当中，我们就觉得小说情节的发展会有多种可能性，引起的读者的思索也具有多种可能性，我觉得这确实是一个非常鲜明的特点。

另外，郭文斌是重写心境、重写内心感受的，郭文斌的小说把内心感受作为叙述来写。我所看到的他的小说全都是心理描写，他写的全是内心的感受。其中有些内心感受在我们的人生历程当中有所体会，但是却从来没有把它很确切、精确、精到地用语言描摹出来。这些感受，比如给那玉红寄贺卡的那种心理感受，是一种非常美好的内心感受，他把这一点写得非常非常到位，一下子就可以引起我们的共鸣，他真是沉入到人的内心深处了。当你感到作家真正沉入到你心灵深处的时候，你确实会被触动。

所以，我觉得在今天能读这样的小说是有些奢侈的。因为现在社会生活太浮躁了，诱惑太多了，我们急匆匆地生活着，我们很难静下心来，就像《瑜伽》里写到的像泡茶一样品味生活。我常给人说，我们现代人活得越来越糙，从我们生活的各个方面都可以感受到这点。所以我说，读郭文斌的小说有些奢侈，可能也只有他这样的“苦行僧”才能给我们提供这样的显得有些奢侈的精神食粮。

另外，郭文斌的小说是非常重视语言的小说，他在语言方面有相当高的自觉性，作品里有很多非常有个性的比喻。这些比喻与历史语境有很密切的关系。比如写那玉红的那种美，他说像是一个经过训练的军统特务，我们一下子就会想到我们小时候，在几乎无性别的年代里，电影中军统女特务给我们的视觉冲击力，感觉全出来了。最后写那玉红又回到他心里时，他说“就像土匪”。这些比喻都是挺有个性的。一些用词也很有个性，如“温柔得有些霸道”“漂亮得有些霸道”等，所以这样的小说从品位上来讲，确实可以称得上我们所说的精神食粮。

所以说，读郭文斌的小说需要静下心来，旁边放上一杯茶，慢慢地看，慢慢地品，而且不同的阅读者会有不同的感受。

吴秉杰（中国作协创研部主任、评论家）：

这部小说精选集上半部分写得非常细腻，非常朴实，非常能够滋润人心；下半部分写得非常飘逸，过程性的东西没有了，完全没有过程。

我觉得郭文斌的小说有一种非常独特的风格面貌，独特的风格面貌背后是一种独特的精神面貌，要不然他的这种风格面貌不可能真正有力量，不可能打动人心。前面说过了，他的小说有一种抒情诗风格。这种抒情诗以前汪曾祺说过，他说写民俗就是一个民族的抒情诗。《大年》前半部分写民俗的篇幅非常大，确实有一种生活抒情诗的味道，既温暖又酸辛，而且有的作品使人感到震撼，比如说《剪刀》《撒谎的骨头》。

在郭文斌的小说中虽然处处可以看到时代和社会的特征，但他的追求并不是对这个时代和社会进行概括。他实际上是在追求更美好的东西，我觉得他追求的是一种善吧。为什么这么说呢，何西来写过一篇文章提到过我们追求的美是以善为终结的，实际上郭文斌也有这个意思，我们追求的美要以善为终点。郭文斌的小说无论写城市，还是写乡村，一直以人性中的善为依托，这一点是可以滋润人心的。当然，郭文斌还有一些需要改进的地方。

阎晶明（评论家）：

我个人对西部文学有一些特殊感情，从青海的杨志军到新疆的董立勃、甘肃的雪漠、宁夏的陈继明等，比较关注他们的创作。在没有读郭文斌的作品时，我感觉作家可能比较简单，但读完《大年》后，感觉作家具有多种可能性和多面的色彩。在我的印象中，西部文学创作有两种，一种是非常硬，一种是非常软。所谓硬，青海的杨志军、甘肃的雪漠创作的作品可作为阳刚文学的代表，特别刚硬，有的刚性太强，有一些令人难以接受的地方；西部文学中也有一些很软的地方，能让男人落泪，如石舒清的作品。我读完郭文斌的小说后，觉得他属于那种敏感、脆弱、细腻的作家。他确实写了很多童年视角的小说，表达的儿童感觉很真实，但我们无法把他的作品划为儿童文学创作，还是作为成人小说来看待。他用一种仰视的眼光，关注的不是自身，而是成人的生活和言谈举止，他以一种纯洁、简单的儿童心理看待自己看不大懂的成人世界，最典型的是《门》，是不懂的人看我们懂的世界。这其实是非常难操作的，但他操作得非常好，这是郭文斌的小说中不可替代的元素。《大年》我感觉有点慢，表达的东西有点太密。我看到《门》这部作品时感到这个作家有很高的技巧。郭文斌也写城市题材的小说，写的是一种残缺的爱情，如《瑜伽》《特定时候的水果刀》《甜根》等。《甜根》这篇写师生恋的小说写得非常好，感觉非常到位，这篇小说是我读的郭文斌的小说中时代感、历史感最强的一篇，我能看到这位来自西部的作家对社会的认识，尽管我认为他的小说里没有时代感，没有历史感。但历史感的缺失是因为作家本人的主动放弃，他更愿意表现一种原始的、本色的、本真的东西。他没有被浮躁的社会所影响、所改变。当然他完全把城市与乡村分开来写，这其实还是有一点缺憾的。作家如果将城市与乡村融合到一起会更好。

总之，郭文斌有非常好的语言功夫，对短篇小说确实很有研究，祝作者今后可以写出更好的小说。

张水舟（作家出版社副总编辑、评论家）：

宁夏人民出版社出版了这样一本好书，值得我们学习。《大年》整部小说并不是停留在儿童记忆和乡村经验上，它事实上是以具象来诠释抽象，用形而下抵达形而上。事实上是一种诗意、禅意。我这里说的诗意和传统意义上的诗意不一样，其中渗透出很多哲学的味道。作者的序和跋可以作为一把钥匙来打开《大年》。他的序和跋很早就发表在《文艺报》上了。从某种意义上讲，我想作者的散文应该很不错。他的散文信手拈来，随心所欲。行于当行，止于当止。当然，郭文斌以后还要有节制地写“死”，有节制地使用对话。总体来讲，郭文斌是一个非常有潜力、有追求的青年作家。他的起点非常高，现在就有这么多的作品引起媒体和评论家的关注。

祝郭文斌将来写出更多更好的作品。

李敬泽（《人民文学》副主编、评论家）：

郭文斌的小说分上下两卷，我个人比较喜欢上卷，比较喜欢上卷的理由：从我们的作家关于西部的书写这个角度来看郭文斌的乡土写作，我对他这一部分的写作特别喜欢和欣赏，除了这部分小说写得好之外还有一方面原因，放在整个西部乡土写作的框架里来看，郭文斌有他自己非常独特的坚持，为什么这样说呢？记得有一次我去宁夏，在青年作家会上把人家打击了一通，我说你看看我们写西部、写宁夏，一下笔就要把人搞死，一下笔就是一个老人在孤独地放着一群羊，一下笔就是荒凉和苦难，我们这样写，可能是因为用一些已经有的框架，限制了我们。所以，在这个意义上，郭文斌的小说我是一向比较喜欢的，他能够在他的小说中对经验、对生活保持非常可贵的直接性，既看到了生活的残酷，也看到了生活的温暖和美，而且他能够把这两方面或诸多方面都尽力表达出来。所以，我想他的眼光是比较直接的、中正的，这在整个西部文学的框架里是很可贵的，也为我们观察和反思西部文学的得失提供了一个非常好的素材。

我们常说文学要反映生活，文学要真实，但真正能够做到是非常困难的。王国维讲："隔与不隔"，达到"不隔"非常困难。在这个意义上说，郭文斌的小说特别是那些写乡土的小说是可以达到“不隔”的。但是我也有疑虑，当你在一个方面努力去“不隔”时，你也可能在另一个方面把自己“隔”起来了，当郭文斌用这样一种抒情的、温暖的童年视角去书写我们的乡土时，他采取的恐怕是一种高度自我限制的策略。郭文斌今年三十多岁，我很替他担心，这样的路数还能写多久。我们现在需要的是什么呢？我想需要的正是郭文斌刻意地通过自我限制回避的东西。在童年视角、温暖的大地、民俗、对苦难的诗意化关照等之外，我觉得有些东西是被回避掉的。

当然我知道，我这是在向郭文斌提无理要求，我是在作家没做什么的地方指责他和怀疑他，但是我认为他没做的这些东西太重要了。所以，在这个意义上，我希望这本《大年》有它自身的价值，我也希望这本书能成为郭文斌写作过程中的一块碑，把这个阶段结束，勇敢地去面对更大的困难。我认为，无论是写都市还是写乡土，我们的作家都面对认识的困难、表现的困难。克服这个困难，我觉得应该是一个作家在这个时代立下的志向。

我担心什么呢？文斌这个人太善良，善良的人写小说容易写得水分饱满，容易偏于诗意，容易偏于真善美，但他可能有弱点，那就是气力弱。特别是看过郭文斌的序和跋，才发现他还喜欢谈禅，我认为谈禅可以休矣。小说家如果不在谈禅的路上止步就会削弱小说的力量，为什么？因为谈禅谈到最后、谈到极致就是空，就是清风明月，你都清风明月了，滚滚红尘中的人心的闹闹嚷嚷就找不到了，我觉得谈禅应该适可而止。

总而言之，文斌应该更猛烈一点，更勇敢一点，将《大年》这本书作为前一阶段写作的总结，然后继续前进，他在这方面应该是有非常大的优势的，一个作家在某种程度上既要和世界斗争也要不断地和自己斗争，我想他更需要的是和自己斗争。

张　陵（《文艺报》副总编辑、评论家）：

我的观点比较保守，也比较老化。郭文斌的这本小说集有一个非常重要的前提，那就是生存斗争的严峻性。这个前提在乡土小说中是一种常识。而郭文斌用艺术的手段将这种严峻性变成了诗一样的东西，挖掘了严峻性中人性的快乐、人性的真善美。他的这块被忽视了。由于地理、文化等因素，中国文学注定要与生存斗争这一主题联系在一起。有人讲地理决定文学，这样说是有道理的，一个地方的地理环境会决定文学的走向。中国的地理环境与欧洲的地理环境不一样，所以，中国的文学与欧洲的文学品味是不一样的。

我觉得文学的命运就应该定位在小人物身上，从一个普通的小人物身上你能感觉到一个城市的精神。郭文斌总在琢磨一些事情，他有生存斗争的内涵，小说在塑造小人物上是成功的。他很艺术，他的小说值得玩味。如《我们心中的雪》等，写得特别好，尤其是短篇小说。郭文斌的乡土化进程已经完成，更应该全面把握本色的东西。我不太喜欢他写城市生活的作品，他的城市化进程刚刚开始，城市文学的很多东西他把握不住，给人一种作者仰视城市的感觉。他的小说风格非常安静，这种安静在乡土文学中形成了一种艺术风格，但在城市文学中这种安静就显得很怪，给人一种作者无力把握城市文学的感觉。

如果把郭文斌的小说放在西部文学来考察，显得特别有价值。西部文学原来是一个地理文学的概念，现在正转化成一种精神的概念，这种精神概念有别于东部都市文学的美学理想和美学情趣。这种精神概念的建立是靠西部每一个作家的优秀作品来支持的。无数个长篇、中篇、短篇撑起西部文学这个精神概念，这个概念的转化需要一个历史过程。西部文学的精神概念应该形成自己的特色，有别于东部的都市文学。西部文学不应该让时尚的、流行的东西污染，一定要靠这些作家非常纯粹的文学创作支撑起来，保持西部文学的纯粹性。这些作家要保护、开发西部文学天然纯粹的品质。《大年》这样的小说就支撑起西部文学的纯粹。

胡　平（鲁迅文学院副院长、评论家）：

我和郭文斌比较熟，他给我的感觉是在生活中非常之谦逊，好像一个业余作者。但是看了他的作品，你会觉得他非常有实力。再看他小说集的序和跋，你会觉得他非常有想法。所以说，生活中的、创作中的，以及序和跋中的郭文斌是完全不一样的。我的感觉是他对文学非常敬畏。

我觉得他是一个有哲学意识的作家。我一直喜欢有哲学意识的作家，他的境界比没有哲学意识的作家要高。

关于郭文斌的小说体现出来的贫穷和富有的辩证关系。我一直不明白为什么乡土文学小说比城市文学小说好看，更有文学性。看了郭文斌小说集的序和跋，我才明白是怎么回事。你会感到人类基本生存条件越差的地方，人性中最基本的东西越能体现和显露出来。郭文斌的作品把事物表面的东西都剥离开来，表现出事物最本质的东西，所以，他写出来的作品人们都爱看。既然我们在理论上明白这一点就更应坚持这一点。不要被都市文学所吸引，非要写更复杂的东西，其实写最基本的东西也非常好。

关于他的小说的简单和华丽。他的小说用词量非常少，但是你不会觉得他不知道那些词。看郭文斌的序和跋，你会觉得他的思想非常丰富。但是他的小说追求的是用最简单的词表达一切。说是白描，其实是一种追求。小说从头到尾都是这样，我很佩服也很喜欢这种风格，他能用最简单的词表达最丰富的意义，这也是作者写作功力的体现。

关于小说节奏的快和慢。他的小说节奏非常慢，这种慢把人的精神和感受写得无以复加。慢，我觉得是一种非常宝贵的文学品质，非常适合文学。

由于他掌握了这几点，所以写出来的作品非常有力量。

当然也存在一个问题，那就是现在宁夏作家的作品风格上有过于接近之嫌，大家好像都这样写。在今后的创作中应该使作品风格有所凸现，个性更鲜明一些。

郭文斌短篇小说精选《大年》作品研讨会发言·南京

时间：2005 年 6 月 30 日

地点：南京大学

主持：李兴阳（南京大学文学博士、副教授）

李兴阳：

非常感谢大家在百忙之中拨冗参加宁夏青年作家郭文斌短篇小说精选《大年》作品研讨会。本次研讨会得到了我们的导师丁帆先生、朱晓进先生的指导和支持，得到了《江苏社会科学》副总编李静博士、江苏文艺界的朋友汪政先生和上海《解放日报》记者吴长亮的热情帮助和支持。20 世纪 80 年代中后期以来，宁夏出现了一个青年作家群，由于共同的地域、文化和时代背景，他们的叙事风格有较多相近的地方。在群体风貌中，郭文斌显露出了更多自己的艺术特色，为我们研究西部文学提供了许多话题，是一个值得研究的“郭文斌现象”。短篇小说精选《大年》是郭文斌小说代表性作品的结集，其中的《大年》《水随天去》等作品引起了广泛的关注与争鸣。《剪刀》《我们心中的雪》等则被大家认为是近年来难得的短篇精品，前者感天动地，后者意味深长。

下面，请各位发表高见。

贺仲明（南京师范大学教授、文学博士）：

郭文斌的短篇小说集《大年》，是我较为系统地阅读过的西部作家的作品集。初读时的感觉是清新、细腻、亲切而温暖，能在苦难中写出生活的温馨感，这应该与郭文斌对西部乡村人民遵从传统礼俗、重情轻利、重义轻利等的刻意书写有关，短篇小说《大年》就很好地体现了这一点。小说中的一个细节给我留下了很深的印象，父亲写错了对联上的字，亮亮说把写错的对联给瓜子（傻子）家，这暗含着瞧不起瓜子家、欺负瓜子家的意思，对亮亮这种不道义的想法，父亲很生气，他是这样教育亮亮的：“只有小人才欺负瓜子，知道吗？”而他所谓的“小人”是指“那种品德不好的人”。注重从传统道德的角度教育孩子，处理人际关系，把尊重人与平等对待别人放在优先考虑的位置上。郭文斌的小说里，有西部自然的严酷与物质生活的贫困，但郭文斌并不刻意书写严酷与贫困，这些内容都被放置在浓厚的人间亲情中，也就是说，郭文斌关注的不是前者而是后者，生命的交相感应与人际间的真情交流，冲淡了自然的严酷与生活中的苦难。能在苦难中品味出甜味，应该说与郭文斌的这种处理方式有关。也许郭文斌对乡村生活的记忆非常深，对乡村生活的理解要深于对城市生活的理解，他的乡土小说比他的都市小说显得厚重一些，味道也足一些。要考察中国文学与农民的关系，郭文斌的乡土小说是可以选择的重要文本。郭文斌的小说不重情节，重抒情，他的抒情文字很美，他的叙述性文字则趋于散文化，在显示自己的语言特色的同时，也显露出了不足，也就是说，他的语言的长处同时也是他的短处。郭文斌很有才情，感受力也很强，又这么年轻，他一定还会在小说创作领域大有作为。

何言宏（南京师范大学教授、文学博士、博士生导师）：

我同意贺仲明的看法。我还注意到，郭文斌的乡土小说特别重视“情”字，而写“情”的方式之一，就是在对乡风民俗的叙写中加以展露，或者说，郭文斌的小说对乡风民俗的叙写，其意不在文化批判，而在发掘其中的乡村情感的蕴涵。西部人重义轻利、重情轻利的道德情感，不仅体现在日常生活的一般行为方式中，也体现在西部特有的民俗文化中。《大年》《开花的牙》《呼吸》等作品，都有丰富的民俗风情的描写，譬如，《大年》中关于对联的描写，关于春节间的一些礼尚往来的民俗细节的描写；《开花的牙》中关于丧葬习俗的描写；《呼吸》中与水有关的习俗描写。有的民俗与东部并无多少区别，但有不少民俗具有比较鲜明的西部特征。所有这些民俗，或与西部生存所需的某种物质的缺乏有关，如缺水；或与匮乏的经济生活有关，如春节间的礼物多与某种食物有关，即使是很平常甚至是很粗劣的食物，都被作为珍贵的礼物相互赠送；或与对生命的某种理解有关，如《开花的牙》中的丧葬习俗，《雨水》中的婚俗。如何描写更具西部特色的民俗风情，郭文斌的选择与陈继明、石舒清等人的选择很不相同，后两人的宗教色彩似乎更浓一些。如何开掘民俗风情的内在文化蕴涵，他们的叙事意图也很不一样，郭文斌偏爱其中温情的一面，以“情”为民俗风情的底色，又将这样的底色作为小说的主调，小说显出特别柔美的叙事风格。郭文斌的都市小说，民俗的内容基本不见了，现代都市的构成因素替代了乡村的文化组成，在这样的差异中，可以考察郭文斌对城市和乡村的不同理解。

这些都是我的一孔之见，我先说这些吧，我很想听听各位的高见。

何　平（南京师范大学文学博士）：

前面几位仁兄指出了郭文斌小说的主要特征，都是很中肯的意见。郭文斌的小说显露出作者有很深的乡土记忆，而且主要是他童年记忆中的乡村。当他以考学、工作、升迁等方式不断走向城市而逐渐远离乡村的时候，也就是他在不断逃离乡村的时候，他又以小说、散文创作的方式，不断地回望、回归自己出生和早期成长的故土，这在某种意义上，可以看作是一种精神还乡。《我们心中的雪》有一个主人公还乡的叙事形式，成年后的男女主人公回想的依旧是青少年时代的懵懂恋情，是对一段往日恋情的感伤与怀旧。其他的小说没有这样外显的还乡形式，故事直接在童年视角里展开。但孩童的故事，依旧是记忆中的故事，是那个离开乡村走进城市而又不能忘却乡村的叙事者记忆中的故事，不论是《大年》《开花的牙》《呼吸》，还是《门》，都可作如是观。在这些作品中，叙事者大多不直接参与到故事中，但叙事者始终“在场”。这位“在场”的叙事者身居都市，却不断地回望自己曾经生活过的故土，回望自己的生命之旅，不断地贴近自己过去的心灵，对童年的稚拙、天真、纯情与好奇，充满迷醉，讲述起来显得生动、亲切。这些只是郭文斌小说创作的一个方面，郭文斌还有另一个方面，《水随天去》《陪木子李到平凉》《瑜伽》《睡在我们怀里的茶》等小说与精神还乡的主旨有关联，但还不太一样，这些显示出了新的探索倾向。这些小说里的主角，已不再是西部乡村的农民和孩子，大多是具有现代知识教养的知识分子，随着主要人物的变化，郭文斌的小说所思考的问题也相应地有了变化，譬如，谈禅、谈儒论道，等等。

对这个方面还可作进一步的讨论。

我先说到这里。

管兴平（南京大学文学博士）：

同诸位一样，我也是第一次较为系统地读一位西部作家的作品，因此我觉得李兴阳师兄组织的这次关于郭文斌小说的研讨会很有意义。总体上的阅读感觉，我和大家差不多，我就选一些我喜欢的篇目谈谈。《大年》《呼吸》《开花的牙》《我们心中的雪》都是很不错的作品，我也比较喜欢《剪刀》这篇小说。《剪刀》的主要内容是贫困，主旨是感天动地的人间亲情与生命间的相互救助与牺牲。我觉得，这是郭文斌的小说中最有力度的作品。小说中的男主人公对妻子的爱，全部表现在不顾一切地为女人治病的努力之中，卖牛、卖木料、卖粮食，把日常生活之需的东西基本都变卖了，一个贫困的乡村男人对妻子的爱，能做到这一步，确实是十分感人的。比较起来，更为感人的是女人的自我牺牲。为了不拖累家人，为了抵御疾病不断带来的贫困，女人选择了死亡。她试图以自己的死，给丈夫减轻负担，给孩子以上学、娶媳妇的机会，从中，我感受到了西部女性的伟大与男人的坚毅。如何写贫困，如何写西部的贫困，郭文斌的《剪刀》应该说提供了一个范例。如前面几位师兄所说，郭文斌的小说总体风格是清新、洁净和柔美，但也有充满阳刚之气的作品，《剪刀》就是一部这样的作品。

我还思考这样一个问题：为什么在广袤而严酷的北方，郭文斌没有将自然的严酷、生活的贫困、人与自然的抗争等化为阳刚之气，更多的是柔情、美意，是否存在一种错位，抑或是我们对西部的理解有并不正确的先入之见。我觉得，这些问题还可深入探讨。

刘新锁（南京大学文学博士）：

我同意前面几位师兄的观点。李兴阳师兄组织的这次研讨会很有意义，我也因此第一次较为系统地读到了一位西部作家的作品，又认真研读了《中国西部现代文学史》，由此对西部文学建立起了一个相对完整的认识。以这样的认识来解读郭文斌的小说，不论是在纵向还是在横向的比较中，都可以做出较为准确的理解和把握。

我感到最突出的，是郭文斌对贫困的书写很特别。郭文斌写西部的贫困，确如贺仲明师兄所说，能在苦难中写出一种温馨、一种甜味，除了贺师兄所指出的在苦难中突出情义、突出传统礼俗等之外，西部人特别是西部乡村孩童体验苦难的方式，也是一个重要的方面。郭文斌小说中的那些孩子在物质生活上很贫困，他们很低的生活愿望，譬如吃饱穿暖，有时都很难满足，但他们也有属于自己的快乐，有时纯粹就是一种语言的快乐，那些孩子的语言，不仅是生活的原生态，而且有时特别机巧、幽默，富有那个时代的生活气息，他们也能够感受到这种语言的机巧与幽默，从中体验到一种快乐。

作者审视苦难的态度也是一个重要的方面。郭文斌审视苦难的态度，是一种审美的、从容的、平和的、达观的态度。他以这种态度写出来的西部乡土，其风格确实很接近汪曾祺。郭文斌写《剪刀》这部作品，其基本态度也是对苦难的一种从容审视，但在简洁的文字中写出了苦难的狰狞与生命的脆弱和伟大，我也很喜欢这部作品。

关于郭文斌的小说可讨论的话题很多，我正在写一篇专论，我的看法将在这篇文章中得到较完整的表达。

贾艳艳（南京大学文学博士）：

我是《中国西部现代文学史》的撰写者之一，不过我写的对象主要是军旅作家和西部20世纪80年代的散文。八九十年代的小说主要由李兴阳师兄撰写，郭文斌的小说正是他的研究对象。这些天，我正忙着写博士论文，抽时间读了郭文斌的小说集《大年》。我重点谈谈郭文斌小说中的女性人物问题。郭文斌小说中的女性人物形象，从小女孩、少女、大姑娘到小媳妇和母亲，这样的一个女性人物系列，差不多就是一个女性人生轨迹的完整表现。这些女性，都有很强的生命意识，她们的“母性”“妻性”差不多与她们的女性性别意识的生长同步增长。譬如，《玉米》中那个叫“红红”

的女孩，她对男孩东东的守护，首先是她对东东有了一种爱恋，于是她就像一个小妻子、一个小母亲那样守护东东，这样一种蕴含多种情感成分的懵懂恋情，特别美，也特别动人。我觉得，郭文斌特别擅长写这种情感。郭文斌小说中的女性，都有承受苦难的坚韧与耐力，这种坚韧与耐力有时远在西部男性之上。此外，郭文斌小说中的女性特别富有自我牺牲精神，为了家族，为了孩子，为了自己心爱的男人，她们有时连自己的生死都置之度外。我在为这些女性感喟的同时，也有这样的疑问，就是郭文斌的视角，基本上还是一种“男性中心”，操持的是一种男性霸权话语。尽管他对他笔下的女性充满了同情和爱怜，他也没有从男权话语中超脱出来，这大概是郭文斌自己还没有意识到的问题。如何认识郭文斌小说中的女性人物及郭文斌的“男性中心”视角等问题，目前的研究似乎还没有注意到这些。

傅元峰（南京大学文学博士、副教授）：

对郭文斌的小说集《大年》，大家都谈了不少高见。郭文斌的小说，如大家所言，确有特色。郭文斌的乡土小说与都市小说，总体上美学风格比较一致，但比较起来，二者不一致的地方也是十分明显的。他的都市小说，西部的特点或者说西部意识并不强，有的看不出与东部的都市有什么不同，在都市中活动的那些年轻的生命，是颇为现代的，兴阳兄用

“蛮”“野”“痞”等来描述他们的性格特征，并将之阐释为是生命的一种自由嬉戏，确实很有见地。比较起来，郭文斌的乡土小说则有很强的西部意识，各位仁兄和师妹刚才从不同的角度进行了深入的阐述。我在这里仅谈谈西部自然场景与西部意识的表现问题。郭文斌小说的注意力，都在人物身上，很少花费专门的笔墨描写人物活动的自然场景。《雨水》《开花的牙》《呼吸》等小说有少量自然场景的描写，这些自然场景没有获得独立存在的意义，它们多与人物的某种生命活动、情感体验相关。譬如《雨水》中的雨水、韭菜、杏树等是与扣扣的性意识萌动、婚恋观念的变化和生命意识的紧迫感等联结在一起的，自然场景往往成了人物某种内在情绪、情感和观念的一种外显形式，一种移情的对象。在所有西部自然风物中，郭文斌对“水”情有独钟。在他所生活的地方，最缺的就是水，水就成了他解不开的情结。水，不仅是西部人赖以生存的基本物质，而且也是西部文化的重要构成物。譬如，《雨水》中的婚姻问题竟很奇特地与水联结在一起，扣扣的婚姻一再地被水所耽搁，有水就有婚姻，没有水就没有婚姻。西部意识中的水与东部人心目中的水，是完全不同的。譬如，大家都注意到郭文斌与汪曾祺的叙事风格很相近，但汪曾祺小说中的水所承担的叙事功能与郭文斌小说中的水就很不相同。西部自然风物显然应该是西部意识形成的现实基础，加强西部风物的描写，把它融会到西部人的生命活动中，应该是凸现西部意识的一个重要途径。

肖百容（南京大学博士后、副教授）：

我是从兴阳兄这里知道郭文斌的，郭文斌的小说集《大年》中的一些重要作品，《中国西部现代文学史》中的有关章节都有极到位的论述。对西部作家，我们过去关注得不够，导师丁老师主持的《中国西部现代文学史》引起了人们对西部文学的关注，这就是其意义的一个重要方面。

就郭文斌的小说而言，大家对这些作品的精神探索意向与叙事风格都有极好的论述。我对《大年》《开花的牙》《水随天去》《剪刀》，还有《呼吸》等作品比较注意，西部人的生命意识与死亡意识是我比较关注的问题。郭文斌的小说涉及死亡的篇章不多，《开花的牙》有死亡，小说叙事的注意力不在死亡上，而在死亡发生后，活着的人为死人所举行的丧葬仪式上。丧葬习俗也能反映一个民族、一个地域的人关于死亡的观念，《开花的牙》就借丧葬习俗反映西部人的一种死亡意识。小说中的丧葬仪式，是对现实生活方式的不同环节的模仿，把死者的死理解为另一种生。《呼吸》中的死亡与《剪刀》中的死亡，有相同点，也有不同点。前者是不同生命之间的相互救助，体现出万物同情、生命等齐的观念；后者是同类生命间的相互救助，一个生命选择死亡，是为了把生的机会留给另一个或一些所关爱的生命。比较起来，郭文斌对生命活着的意义思考得更多一些，对生命的另一个极点——死亡思考得少一些，这也是中国当代文学的一个共同点。

武善增（南京师范大学博士后）：

刚才大家讨论郭文斌的小说的时候，不断地提到一个很重要的概念，就是西部意识。什么是西部意识？这是一个可以继续深入讨论的问题，在我的印象中，西部意识曾引起很长时间的讨论，但没有形成一致的看法，还是各唱各的调。谈西部文学，强调西部意识，确实是很重要的。西部意识所包含的内容，是前现代的，现代的，还是后现代的？也许都有一点，具有混杂的特点。我从现代性的角度，谈谈对郭文斌小说的看法。郭文斌的小说所讲述的故事，大多是他的童年记忆，是他儿童时代生活的叙事呈现。问题是这些记忆中的东西，多是乡村的，多是传统的，是前现代的东西，郭文斌似乎对这些东西充满了迷恋。不在于所写的对象是前现代、现代还是后现代，关键在于叙事者的态度。何平把郭文斌对前现代的迷恋理解为精神还乡，我觉得郭文斌有向后看的、退行的特点。能够较多呈现现代性的，是郭文斌的都市小说，小说对具有现代性的都市所作的描绘，其所取的态度显得更为自由，但问题是，郭文斌对都市生活的体味远不如他对乡村生活的理解那样深入骨髓，总有一点“隔”的感觉。另外，我对郭文斌小说中的性意识描写很看重，郭文斌是一个写性意识的高手，他写得那样美，那样天真无邪，那样纯粹，是很少见的。譬如，《门》中的如意无意间发现了父母的秘密，这启示了如意，他的性意识由此发动起来，在他与小女孩杏花的交往中，他也想在杏花的乳房上暖一暖手，这样的天真无邪，确实显得很美。有意思的是，郭文斌给很多女性人物取名为杏花，是不是郭文斌自己的生命记忆中有这么一个难以忘怀的人物原型啊。

李兴阳：

谢谢大家对郭文斌的小说作了如此深入的解读和精彩的发言，这为深入研究郭文斌的小说和西部文学开启了新的思路。我对郭文斌的小说和散文的基本意见，都写在《西部生命的多情歌者》一文中。确如大家所言，郭文斌的小说可以深入展开的话题还很多，我最近就《水随天去》写了一篇争鸣文章，这里，我把文章的主要意思转述一下。

我认为，《水随天去》是郭文斌写得极有深意的一篇小说。同他的很多作品一样，这篇小说在流溢着戏谑趣味的同时，又充满内在的紧张。这种紧张，虽然不乏叙事形式的原因，但主要来自父亲水上行内在精神探求的紧张。成名前与成名后的父亲其内在精神状态与外在行为方式是不一样的。成名后的父亲开始淡泊名利，执意追问生命的真意，追求个体生命的自由，但又无法断然割舍与生命之他者的现实关联和情感羁绊，这使父亲的内在精神处于极度的紧张之中。由此显露出来的怪异与乖张的外在行为方式，可以概括为“坐忘”“心斋”与“弃世”。父亲的“坐”，几乎可以视为这篇小说的一个中心意象。就如“我”记忆中的那样，“印象中的父亲永远是一个坐姿”。 父亲的“坐”，不是一般意义上的休息，更不是懒散，而是“坐”而至“忘”，对自己所面对的世界视之不见、听之不闻。这就是静止中的心性功夫，它是脱离现实活动的精神沉潜，在寂思中去知去欲，最终达到物我两忘。与之不同，“心斋”是行动中的心性功夫，它总是和感性实践活动密切相关，并在这些活动中达到逍遥自适之境。“父亲”怪异与乖张的行为，不论是嗜好午睡、节制情欲，还是形神分离、忘其所为，其实质都是“心斋”的外显形式。在庄子的哲学概念中，作为悟道法门的“坐忘”和“心斋”都是致虚静的途径，由此能通达生命自由之境。在此意义上，“父亲”的“坐忘”和“心斋”正是他试图询唤生命真意，实现生命自由的重要途径。在追名逐利的时代喧嚣中，“父亲”与悟道、通道相统一的生命理念与精神探求的向度，显然是高蹈的。父亲内在精神的高蹈，并不能总是如其所愿。在做出最后的“弃世”选择之前，父亲无法断然割舍与生命之他者的现实关联和人间真情的羁绊。父亲首先无法割舍的是乡土恋情。对生养自己的故土，父亲有着根深蒂固的眷恋。这种眷恋，不仅表现在接济老家人和乡邻上，甚至在吃“六味地黄丸”、穿土布衣服等日常生活细节上，也有近乎顽固的显露。父亲无法断然割舍的还有亲子之爱。父亲对“我”的爱极为复杂，但不论怎么复杂，都是其难以割舍的世俗伦理情怀的最重要的构成部分。而这些正是儒家所倡言的世俗伦理情怀，而非道家的高蹈与超迈。由此言之，在父亲的生命哲学与人生观念中，以道家思想为底蕴的对生命真意的执意追问和以儒家思想为底蕴的对人间真情的珍重与眷恋，显然是其基本构架的两个方面。这两个方面有时是可以互补的，但更多的时候充满了无法弥合的抵牾。儒道两家的先哲们未能弥合的生命本质两面的抵牾，父亲同样未能开解。当父亲把生命自由与精神逍遥当作最高追求的时候，“弃世”亦即离家出走，就成了最后的选择。父亲的生命观念、人生态度与价值选择的指向，在于对生命真谛的询唤与回归。在中国社会急遽转型的历史时期，在生存竞争如此激烈的时代，面对现实，需要拿出勇者或忍者的大智慧，需要的是工具理性。父亲的精神内敛与出世选择，不能说是积极的。但在高度物质化的时代，当人们对生命的异化浑然不觉的时候，当人们只在意生命的外在行为而忽略这些行为之于生命的本来意义的时候，父亲的精神探求指向显然是极有意义的。或许，这正是郭文斌不合时宜地讲述父亲水上行出走故事的深远用心。

我就谈这些吧。大家今天的发言都很精彩，我期盼读到各位的评论文章，能从中吸收各种新鲜、别致的思想，也是一件极为快乐的事情。

最后，再一次感谢大家拨冗参加郭文斌短篇小说精选《大年》研讨会。

（根据录音整理，以发言先后为序，未经发言人审阅）

注：评论家职位为时任

乡村教育诗与慢的艺术

——郭文斌创作谈

汪政　晓华

郭文斌的短篇小说《吉祥如意》获第四届鲁迅文学奖全国优秀短篇小说奖，不妨就从这部作品说起。在对这届获奖作品进行综述时，我对《吉祥如意》说过如下一段话：“郭文斌的作品最大的特色就是朴素、美丽、温情。他自《大年》以后创作了一系列短篇，从日常生活的民俗入手，尽可能地展示西北农村的民情、民风，展示底层蕴藏着的亲情、温馨与美好。《吉祥如意》是写端午的，从早上‘往上房门框上插柳枝’开始，然后摆供果、祭祀、绑花绳，一直写到五月、六月姐弟俩上山采艾草，在这一过程中，小说还穿插了其他如采香料、缝香包等民俗描写。郭文斌是将它作为诗来写的，语言抒情、考究，叙述一唱三叹，恍若仙境的自然景色，其乐融融的家庭生活，清澈见底的童趣天地，与图案一样的节庆风俗，一起构成了一幅至纯至美的图画，它展示出至今仍珍藏于民间的人们对美好生活的向往，以及由这种向往所支撑的日常生活中的人性之美、人性之善，这种近乎唯美的书写显示出郭文斌近期创作中的一种精神气质，即以宗教般的态度去礼赞美好的生活，这种写作方式确实久违了，因为长期以来我们似乎已经习惯了以审丑的方式来对待我们的世界。”现在看来，当时匆忙写下的印象式的文字依然符合我的判断。

在《吉祥如意》之前，郭文斌给读者留下深刻印象的作品是《大年》。小说写的是过年，也是童年视角，从写对联起笔。明明与亮亮兄弟俩给父亲打下手，裁纸、添墨、抻纸，比赛着背诵那些传统的吉祥的对子，然后是蒸馍、送灶、泼散、贴对联、洗尘、祭祖、分年（给孩子们分糖果等）、贴窗花、点灯笼、守夜、拜年、赶庙会……如果不是郭文斌如此娓娓道来，我们真的恐怕不会再把童年的年味如此这般完全地回忆出来。再比如《点灯时分》，是写正月十五的。现在的正月十五，似乎都已移到了广场上，好像忘了元宵节首先是在家里的。有谁还像郭文斌一样清晰地记得故乡的风俗，并如数家珍地将每一个细节认真地一一写出来，从他的笔下，我们知道那里是用荞面来捏灯盏的，而且要给家里的每一个人捏，每人要捏两个，一个是大家都一样的，另一个则要捏成各人的属相，而且，不仅是人，家畜、农具、庭院、院子里的梨树，都要给它们点上一盏灯。灯是用藏在高处的麦秸做灯捻的，舀上清麻油，如守岁时看着灯笼一样看着自己的那盏灯，点亮，熄灭。如果村里去年哪家死了人，乡邻们都要给那家送灯祈福。除了捏灯、点灯，就是吃完荞麦长面后的最隆重的献月神了。许多风俗恐怕已经失传，比如《呼吸》，它的主体是写水的，但是小说中对牛的描写让人揪心，在乡村，牛与人是怎样的关系？牛死了，也是要下葬的，叫“葬骨”，要扎纸、垒坟、跪拜、诵唱祭土文……

郭文斌的这些作品显然承继了京派小说的一些传统，从废名、沈从文一直到汪曾祺，这是一个在二十世纪文学中虽不占主流却绵延不断的文脉。沈从文自称是乡下人，他对中国农村特别是湘西的民风民俗了然于心。郭文斌是不是受到沈从文的启发？“边城所在一年中最热闹的日子，是端午、中秋和过年。三个节日过去三五十年前如何兴奋了这地方人，直到现在，还毫无什么变化，仍能成为那地方居民最有意义的几个日子。”（《边城》）《边城》为读者展示了这些节日民众图画，小说通过翠翠的眼睛看到了狮子龙灯、火筒粉火，一种近乎狂欢的大红大绿的场景。在废名的笔下，风俗节庆也得到细腻的描写，清明节上坟，河岸边“打杨柳”，三月三望鬼火，夜间挑灯赏桃花，隔岸观火“送路灯”，等等，都给人年画般的清晰的乡村文化图景。至于汪曾祺，就整个是一位风俗画家，他说：“我对风俗有兴趣，是因为我觉得它很美。”（《谈谈风俗画》）这不仅是夫子自道，也说出了风俗画、小说的共同之点，几乎所有的风俗画作品都有些唯美的风格。这种美首先是风俗本身带来的：

写成的对联房地上放不下了，房墙上挂不下了，明明就放到院里。不多时，就是一院的红。明明能够感觉得到，满院的春和福像刚开的锅一样热气腾腾，像白面馒头一样在霭霭雾气里时隐时现。大家看着满院红彤彤的对联抽烟，说笑，明明和亮亮幸福得简直要爆炸了。（《大年》）

一方面则是置身于民众活动中人们的感受与想象：

五月说磕头吧，二人就磕。天上的嫦娥就笑了，六月听见嫦娥在说，你看那个院子里有两个会磕头的灯盏。月神说我早看见了，他们一个叫吉祥，一个叫如意，说着，从她身边的篮子里抓了一把桂花撒下来，只见那桂花在空中呼地一下变成五彩花雨，飘飘洒洒，落在他们头上、身上、屁股上，直给屋子、院子、村子苫了一个花被面儿。接着，吴刚又把他手中的酒坛倾了一下，又有无数酒香的彩注从天而降，直把他和姐的小身子浇透了，也把整个世界浇透了。（《点灯时分》）

不过，知性地与艺术性地描绘民俗风情并不是文学的最终目的。汪曾祺将风俗看作是一个民族集体创作的生活的抒情诗。他还说：“风俗，不论是自然形成的，还是包含一定的人为的成分（如自上而下的推行）的，都反映了一个民族对生活的挚爱，对‘活着’所感到的欢悦。他们把生活中的诗情用一定的外部的形式固定下来，并且相互交流，融为一体。风俗中保留了一个民族的常绿的童心，并对这种童心加以圣化。风俗使一个民族永不衰老。风俗是民族感情的重要的组成部分。”（《谈谈风俗画》）我们看到风俗的这些内涵与功能在郭文斌的小说中都得到了体现，从社会学的角度看，风俗实际上属于“小传统”，它虽然不像国家与社会制度那样具有外在的强制力，但是，由于它是建立在自然、生活、劳动与血缘的基础上的，在规范与调节人与自然、人与人的关系上具有坚实而隐秘的作用，是道德、生活习惯等的集中体现，它实际上以生活的具体方式参与了乡村价值体系和观念形态的培育、塑造、修复甚至重建。所以，我们不难发现，郭文斌的这些作品都是童年视角，都有一个父母与孩子的对话或教诲结构，都有一个感悟的语义模式。它告诉我们这样一个基本的事实，儿童对风俗以及风俗的由来都有着好奇与想象，他们从中汲取着乡村社会世代相传的生活的方式、禁忌与文化理念，这些是他们成长的重要资源。郭文斌小说中的孩子们每逢乡村大节总是期盼与兴奋的，充满了探求的渴望。端午节为什么门框上要插柳枝呢？《吉祥如意》中的六月跑在家家插满柳枝的巷子里，“觉得有无数的秘密和自己擦肩而过，嚓嚓响。等他们停下来，他又分明看到那秘密就在交错的柳枝间大摇大摆。”对于孩子们来说，这样的秘密太多了。他们总是问个不停，于是，父母就担任了文化传承人，在《点灯时分》里，母亲让五月、六月姐弟俩去给卯子家送灯盏，六月问为什么？

> 娘说因为卯子家今年有孝。六月问啥叫孝。娘说，有孝就是家里死了人还没有过一年。六月问没有过一年为啥就不能做灯盏。娘说老古时留下的规程，有孝的人不但在一年内不能做灯盏，还不能嫁女儿，不能娶媳妇，不能贴红对联，不能唱戏，如果是大孝还不能吃肉，不能杀生，如是更大的孝子还要每天做一件好事，一直做三年。六月说是不是我爹写的那句话："慎终须尽三年孝，追远常怀一片心？"娘说这个娘不懂，你去问你爹。六月就去后院问爹，爹一边扫牛圈一边说，"慎终追远"是孔老夫子的话，意思是一个人要想不做坏事，就要从心里不起做坏事的念头，用你奶奶的话说就是……

我之所以不惮烦冗相对完整地征引这一情节，在于它形象地再现了乡土礼俗教育的全过程，在这一过程中父母因社会地位和知识结构而形成的不同分工，以及乡土礼俗的众多秘密。娘是从生活说起的，父亲则从儒家礼教加以深化。在中国乡村，风俗礼仪中的道德建构，一方面是历史的选择与积累（“老古时留下的规程”“奶奶的话”），一方面则是重要的儒家学说与实践的参与。父亲不但对儒家经典话语进行了阐释，而且提到了孔老夫子。郭文斌其实已经在暗示读者：孔子的孝的言行在乡村道德中具有深远的影响力。另一方面，我们还可以看出，中国的乡村礼俗是开放与包容的，众多可能冲突的学说都可以参与其间，比如佛教、道教，以及乡村文化对它们的世俗化阐释，使它们得以成为功利化的训诫。这样的教育是行之有效的。当五月、六月到了卯子家，看到乡邻的善举让卯子娘感激得悲喜交集的场景时，“心里升起一股莫名的感动，一下子觉得他们的此行有了无比重大的意义”。不仅是教诲，更重要的是让孩子们参与到实践中。当然，还可以通过游戏的方式来获得，比如在《玉米》中，婚俗就是在小红、红红与东东之间的模仿成人结婚的过家家中呈现出来的。“双双核桃双双枣／双双儿女满地跑／坐下一板凳／站下一大阵”。随着一首首儿歌，孩子们完成了自己未来岁月里的终身大事。孩子们在这样的活动中会时时领悟些什么，虽然不一定明晰，虽然歧义丛生，但正如六月所感觉到的，“心里有一个自己的‘懂’发生”。

从本质上说，风俗就是一种仪式，是一种文化记忆，是我们集体记忆的重要途径之一，相对于其他形式，仪式的记忆更加经典化。郭文斌笔下的这些日常生活中的仪规、礼俗与程序实际上都是一些特殊的文化文本，积淀了深厚的文化内涵，具有丰富的象征意义，虽然五里不同语，十里不同风，但在一定区域与社群范围内，通行的礼俗作为一种特殊的行为，通过外在的符号、工具、程序以及组织者的权威而具有强制性，会营造出特殊的氛围，而使参与者在哀伤、敬畏、狂欢与审美的不同情境中获得行为规范、道德训诫与心灵净化。所以，在《点灯时分》中，我们既可以看到乡村礼俗威严的一面：

> 六月看见，姐姐已经把第二轮油添满。按照爹的说法，第一轮油是添给神的，第二轮是自己的。爹还说今晚的灯要自己守着自己的，不能说话，不能走动，不能对着灯哈气，不能想乱七八糟的事情。六月问能想发财吗？爹说不能。六月问能想当官吗？爹说不能……

也有焕发出人内心的光华臻于澄明的纯美之境：

> 眼前的姐姐极像一盏灯，或者就是一盏灯，在一个他难以明确的地方有那么一碗油，有那么一个灯捻，有那么一个灯花儿。……六月的心里荡漾了

> 一下，他突然发现，这时的姐姐比任何时间都漂亮，都好看。

当仪式与参与者达到这种程度时就有一种准宗教的意味了。郭文斌的创作有一种哲学感，他这样理解美：“非常喜欢我们老祖先的一个词：‘种智’。它可以做动词，即种下智慧；也可以做名词，即智慧的种子；或者说是智慧的根本，智慧如此。我想美也同样。”他这样理解文字：“古人说，计功多少，量彼来处，忖己德行，全缺应供。这几年，每当我喝一口水，吃一粒米的时候，都要在心里默诵这句古训。它的意思是，想想我们用的这些东西，其中包含着多少造化的慈悲和人的辛苦。再想想我们的德行，配用这些慈悲和辛苦吗？对于文字，我想也同样。”（《如莲的心事》）对于作家来说，这些不仅是一种知识与信仰，更关键的是一种心境，一种思维的方式和对事物的感悟与发现。所以，郭文斌便能于乡土风俗仪式的静默中，体悟到人心的涵咏与心智的修炼，发现它对人精神世界的最终的升华。在《大年》中，有许多细节形象地揭明了这一点，比如亮亮说将没写好的对联送给“瓜（傻）子”家，便受到父亲的批评；再比如，贫穷的忙生来家时亮亮又总吝啬那几个馒头，而娘的大方与仁慈又让他心有所动。过年的过程让亮亮觉得仿佛长辈们拿着橡皮反复在他心里擦，“把他本来的一些想法给更正了”。橡皮的比喻在《吉祥如意》里被娘换成了蛇，它类似于禅宗里常见的设譬公案，上山采艾时，手上缠上五花绳就不怕蛇咬了，其实，“娘说了，蛇是灵物，只要你不要伤它，它是不会咬人的。娘说，真正的毒蛇在人的心里。……娘还说，人的心里有无数的毒蛇呢，它们一个个都懂障眼法，连自己都发现不了呢。”只有积德行善，毒蛇才不得近身。如果说，这些有点类似渐修的话，那么五月在正月十五元宵节的守灯则是渐悟和顿悟兼有，在散文《点灯时分》里，郭文斌描写了自己在元宵节的亲身感受与理解，它也许可以帮助我们理解小说中这一仪式的文化意味，理解五月的心得：

用老人的说法，这正月十五的灯盏，很有一点神的味道。一旦点燃，则需真心守护，不得轻慢。就默默地守着，看一盏灯苗在静静地赶它的路。看一星灯花渐渐地结在灯捻上，心如平湖，神如止水，整个生命沉浸在一种无言的福中、喜悦中、感动中。渐渐地觉得自己就要像一朵花一样轻轻地绽开。我想佛家所说的定境中的喜悦也不过如此吧。现在想来，当时守着的其实就是自己，就是自己生命的最深处。那种铺天盖地的喜悦正是因为离自己最近的缘故，那种纯粹的爱正是因为看到了那个本来。

当一个作家的笔进入乡村的风土人情的时候，可以说他已经进入乡村的内部，与乡村一体了，他也就不可避免地被乡村的节奏所同化和规约。这是一种相对缓慢的节奏，而他的文字也就成了慢的艺术。从比较的角度看，是不是可以这么认为，农业文明本身就是一种慢的文明，具有悠久传统的乡村风俗由于是建立在这种文明的基础上的，因而也就是一种慢的仪式、慢的程序。事实上，乡村风俗基本上是建立在自然节候上的，与生老病死、婚丧嫁娶相配伍的一系列风俗都是由生命的诞生、成长和消失来决定的。而节庆等则是建立在四季轮回、日月行天与草木荣枯上的，一切都是围绕着它们缓慢地进行。郭文斌的短篇小说《一片荞地》不但让人们知道了慢的制约，而且让人们感受到了慢的疼痛和慢的残忍。毫无疑问，乡村风俗礼仪时间的长度与它所承载的教化功能的大小是成正比的，越慢的仪式必然包含越多的内容，也被认为具有相对重要的意义。

一个对乡村文化心怀敬畏的写作者必须放缓自己的脚步，使他的书写转为一种慢的艺术。这种慢首先意味着重新调整叙述与描写的关系。叙述是对一个事件接着一个事件的陈述，它具有明显的时间痕迹，并且具备相当的速度，而描写则是小说家对人物、事件和环境所作的具体描绘和刻画，在小说中，它是对叙述的中止，它截断了故事的发展，使它在某个时间点上停滞不前，转为空间上的铺陈，正是描写在不断减慢小说行进的速度，简而言之，慢的艺术也就是描写的艺术。这好像就是郭文斌小说的风格，他的作品几乎谈不上故事性，叙述似乎可以用一句话概而括之，《吉祥如意》就是姐弟俩上山采艾草，《大年》就是写一家子过年，人物的活动没有超出这些简单的叙述框架，更谈不上有什么戏剧冲突，但是，就在这有限的时间里，郭文斌做足了文章。这文章只能由描写来承担，只能将这个时间里的每一个场景、每一个细节加以“放大”。经过放大，原先细而不察的东西进入了视野，而原先进入视野的事物则现出了更细微的面貌。也许有人会说，这样的小说太烦冗太沉闷，看不出叙述的技巧。叙述当然重要，特别是新时期文学以来人们在叙述上确实搭建了一个又一个迷宫，叙述被空前关注。实验小说之后，对叙述的形式建构逐渐减弱，但为了适应社会整体的快节奏与轻阅读的需要，叙述仍然是小说的主要手段，虽然变得简单甚至简陋。在这个时段的文学进程中，总体说来，描写不是被故事搁置，就是被遗忘，作为小说艺术经典的技艺似乎正在失传。相当多的小说作品未能或无法展开描写，故事框架虽不错，但通篇只是筋筋络络，无细部的展开，这样，小说的环境、事件、人物便显得苍白干枯，毫无韵致，更谈不上形象生动。看来，应该认真地定位小说的速度了。不可否认，工业文明与信息文明提升了生活的节奏与速度，以它们为支撑的许多艺术形式（如影视）也具有天然的速率优势，而作为同构，人们的审美心理与审美期待也逐渐建立了对速度的需求。但是以文字为媒介形成的一系列艺术是不是也要为速度而奔波甚至牺牲自己基因级别的美学特质？更重要的是，我以为艺术的本质并不是快而是慢，不管在什么时代，艺术都是相对于生活的慢，它与生活的节奏永远不可能同步而且不需要同步，它让人们从功利转入审美，从物质转入精神，从外部转入心灵，从浮躁转入沉静，从行动转入沉思，从运动转入静止，回望、观照、沉潜、含咏，在缓慢中整理人生，在缓慢中神游八极，在缓慢中净化心灵。艺术之慢使人们重新观察世界，让一切飞跃而过，让瞬息新生与死亡的事物重新回到我们的眼底、心中，使之得以复现、品味与珍藏。而对文学来说，这种慢的功能唯有描写能够实现。

慢是细节的艺术，是精雕细刻的艺术，是让人们在文字上驻足不前、流连忘返的艺术。关键是是否真正做到了这一点，是否能够留得住读者。说郭文斌的写作是一种几近纯美的劳动，就是因为它不但是一种描写的小说修辞学，而且是一种焕发出文字的全部潜能的小说修辞学，它使小说成为散文，成为诗，成为东方文字诗学的体现。约略说一说。

一是郭文斌重视文字的声音，他的许多小说都使用第一人称，即使不使用第一人称，其叙事人的声音也明显可闻。同时，他的叙述与描写是通过对话来推进的，这使郭文斌的小说充满了声音。而且，这声音是有个性的，有的是童声：

“六月问娘，捏灯盏为啥单单用荞面？”有的则是拟童声：“六月属蛇，娘就捏一个蛇；五月属兔，姐就捏一个兔；爹属虎，娘就捏一个虎；娘属鸡，姐就捏一个鸡……”而不管是哪种声音，它们都是乡音。郭文斌的语言有着突出的方言色彩，与他的乡土风情写作可以说是天作之合。其实，如果说到风俗风情，最根深蒂固同时也是最后的存在实际上就在方言中，在语言中。如果方言不存在了，不要说民俗，连地域文化也失去了存在的母体。郭文斌的故乡氤氲在他的语言里，它是他的乡音：

> 母亲坐在窗前，就着窗台上的煤油灯给他的棉袄上扣子。棉袄当然是三面新的，面子是青缎子的，里子是大红洋布的，棉花也是当年下来的。看着母亲手中的棉袄，如意心里一阵热。父亲今年早早地就准备着给他扯新棉袄了。父亲说，我就这么一个老孙胎，可不能让他受罪。（《门》）

第二，郭文斌非常注重文字的书写性，注重由文字所构建的视觉效果与画面感。在他的作品中，充满了大量的情景交融的画面，在人物情感、想象与通感的作用下，平常的场景成为优美的意境：

点完香，明明和亮亮一起找母亲要新衣服。穿戴一毕，两人竟不知道接下来要干什么，就从东屋到西屋，从西屋到东屋地跑。天色暗下来，院里像泊着一层水。新衣服发出的光在院里留下一道道弧线，就像鱼从水里划过，明明能够听到鱼从水里划过时哗哗的响声。（《大年》）

这几乎是乡村年俗的风情画了。除了这种整体的意境营造，郭文斌对细部的推敲也毫不马虎。弟弟抢着了香包，拼命地闻，姐姐仿佛看见“香气成群结队”地往弟弟鼻孔里钻；姐姐抢着香包了，弟弟又心疼地看见香气“像蜜蜂一样”在姐姐鼻孔里“嗡嗡地飞”。（《吉祥如意》）红木香炉里木香的青烟“宛若从天上挂下来的一条小溪”；看着节日里欢天喜地的孩子，做父亲的是“一脸的年”；年夜是那么温馨，“在灯笼蛋黄色的光晕里，明明发现，整个院子也活起来，有一种淡淡的娘的味道。”（《大年》）催促别人时可以说：“你现在就说嘛，把人牙都等长了。”（《点灯时分》）他这样写“守灯”：

守着守着，六月就听到灯的声音，像是心跳，又像是脚步。这一发现让他大吃一惊，他同样想问爹是怎么回事，但爹的脸上是一个巨大的静。看娘，

娘的脸上还是一个巨大的静。看姐，姐的目光纯粹

蝴蝶一样坐在灯花上。

现在已经很少有人像郭文斌这样如同一个工匠对待手里的活计一样对待语言了，也很少有人像他这样，守着一盏灯如入无人之境地冥想，当然，更没有人耐心地从童年的记忆中打捞乡村风俗的流年碎影。是啊，现在有多少人能从世道人心着眼，从人文传承着眼去吟唱遥远的歌谣，舍得把脚步与心事一起放缓，让缓慢的文字流淌成乡村教育的诗篇呢？

（载于《黄河文学》2008 年第 11 期）

诗性而唯美的“经验”
——郭文斌短篇小说论

范晓棠　吴义勤

在20世纪90年代以来的中国文学格局中，西部文学作家尤其是宁夏青年作家的崛起堪称一道奇特的文学风景。石舒清、陈继明、张学东等名字都曾无一例外地带给中国文学界以特别的惊喜。而在他们中间，从西海固走来的郭文斌，更是在短篇小说领域取得了令人瞩目的成绩，并以其独特的乡土经验和叙事魅力赢得了文学界的青睐。他用质朴多情的笔调咏叹着清贫却又丰盈的西部乡土，用洁净隽美的笔触轻吟着深沉而又灵动的生命体验，用沉静深刻的哲思追寻着存在的形而上意味。他的短篇力作《吉祥如意》刚刚获得了第四届鲁迅文学奖全国优秀短篇小说奖，评委给了这篇小说这样的评价：“以优美隽永的笔调描述乡村的优美隽永，净化着我们日益浮躁不安的心灵。”对郭文斌来说，他的小说有着对西部“经验”的执着与坚守，他的小说不是对中国文学从“五四”以来的现代性叙事或启蒙叙事的简单重复，而是试图从乡土的变迁中发掘那些曾经被遮蔽和忽略的永恒的“美丽”，这些美丽可能来自不变的人性、人情，也可能来自民间的、文化的、自然的风俗或“西部的风情”，甚至来自粗糙、质朴的生活本身。但无论源自何处，郭文斌都对其赋予了诗性的情感与唯美的想象，并以一种少有的透彻和练达，不动声色地超越了生活本身，抵达了一个冷静而又充满温情的精神向度。李建军在《升华与照亮：当代文学必须应对的精神考验》一文中说：“西部叙事不能只停留在对西部的外部事象的琐碎、无聊、粗俗甚至下流的叙写上，而应该在超越的意义上观察和把握它，用作家的心灵之光照亮惨淡的现实生活场景。从根本上讲，没有对日常生活的琐屑和无聊的克服，就不会产生真正有价值的作品，作家就不可能赋予自己的写作以丰富的诗意和内在的深度。就此而言，写作即显示高贵与尊严的精神创造活动。它意味着升华，意味着照亮，意味着对庸俗的超越。”从这个意义上看，郭文斌从《大年》到《吉祥如意》的一系列短篇小说，不仅显示了他个人风格的日渐成熟，而且也开创了西部乡土文学的新的感受、体验与审美模式，即用温暖的伤感和“霸道的温柔”一点点贴近人心，让读者去体味和融化“我们心中的雪”。

一

某种意义上，“西部乡土”可以说是郭文斌小说永远的精神母题。他以一双忧伤而多情的眼睛凝视、感受与体味着“乡土”中的一切。他的小说超越了批判的眼光，他总是以感恩的心和宗教般的虔诚对待“乡土”，因而他笔下的乡土形象是多情的、唯美的、纯净的、感人的。正如一位评论者所指出的那样，“郭文斌善以清新细腻、空灵飘逸而又略带伤感的笔调叙写记忆中的多情乡土”，安静地描绘生动鲜活的乡村图景，在淡定的叙述中，所有的贫穷和苦难似乎都被消解了，只有朴拙的人性与大自然自在地融为一体，和谐而纯美。《吉祥如意》用散文化的抒情笔调将端午节采艾这个古朴的民俗叙写得绵密而温润，营造出一片祥和的诗意氛围。“在蒙蒙夜色里，有一种神秘的味道，仿佛真有无数的神仙在他们看不见的地方等着享用这眼前的美味呢。”作家通过五月、六月两个纯洁善良的孩子的眼睛，传达着古老的天人合一、乐观通达。人性的美和自然的美交相辉映，烛照着现代人的精神家园。“六月很快沉浸到另外一种美好中去。那就是采。刃子贴地割过去，艾乖爽地扑倒在他的手里，像是早就等着他似的。六月想起爹说，采艾就是采吉祥如意，就觉得有无数的吉祥如意扑到他怀里，潮水一样。一山的人都在采吉祥如意。多美啊。”作家用独特的审美视角来观照乡土、民俗，将丰厚的审美意蕴融入这幅“吉祥如意”的乡村画卷中，从而营造出清雅淡远的古典意境。而所谓“境由心生”，这也许是小说创作的另一种境界吧。《大年》同样以儿童的视角切入，用亮亮和明明两个孩子的感受诠释和还原着一个张扬和丰满的“年”，展示着生命之初的动力和喜悦，也展示着人性、人情的美。“明明能够感觉得到，满院的春和福像刚开的锅一样热气腾腾，像白面馒头一样在蔼蔼雾气里时隐时现。大家看着满院红彤彤的对联抽烟，说笑，明明和亮亮幸福得简直要爆炸了。”浓郁的年的氛围就在郭文斌诗化的叙述中渐渐变得饱满，美好。小说仿佛一个被遗忘在灵魂皱褶里的华美梦境，那些遗失的美好在作家看似不经意的平铺直叙中被一点点打捞，也打捞起了读者内心深处的情愫。“明明看了看父亲的脸，父亲的脸红彤彤的；看亮亮的脸，亮亮的脸也是红彤彤的。明明想，这也许就是年的颜色吧。”一个鲜活灵动的意境再次凸显出来，而正是这“年的颜色”让人们得以“诗意地安居”，重新发掘出人性的纯真和纯美吧。

对人类情感的书写与发现是文学永恒的母题，在郭文斌的乡土小说中，爱情和亲情仿佛忧伤的花瓣，静静飘零。《剪刀》作为一个“悲伤的意象”，不仅承载着无可奈何的悲凉，也寄寓了作家深深的同情与悲悯。而这种悲悯是内敛和隐忍的，就像落在心中的雪，有着某种不可言说的意味。《剪刀》是一曲爱情与亲情交织的生命悲歌，也是颂歌。小说没有跌宕起伏的情节，通篇几乎由朴素的对话连缀而成。而贫穷和苦难这些“生命中不能承受之重”也只是作为凸显情感的背景。文本彰显的正是一个坚忍的男人和一个坚忍的女人之间的坚忍的爱情和亲情。情感的力量在这里得到了悲剧性的升华，简洁却震撼。“女人是在儿子放学之前动手的，用的就是那把剪刀。”所有的情感都为了最后的结局蓄势而发，钝重地直指人心。作家隐忍的悲悯也在这一刻得到释放，与读者一起沉到一种巨大的悲伤里，文本的弹性和张力也不言而喻。《我们心中的雪》则用感伤的笔触静静化解着纠缠的情感，将一个凋零的爱情故事娓娓道来。“我”与杏花两小无猜、青梅竹马，却最终分开。多年以后，当“我”再次回来见到杏花时，“我的心窝子里一下涌上许多东西。伤感而又温暖，亲切而又疼痛。”那些遥远的记忆又回来了，而“我们”只能在回忆中取暖。爱情最终还是成了心中永远都不能融化的雪，悄无声息却一直在下。“抬起头，正迎上杏花甘甜、满足而又潮湿的目光。心就变成一个舌头，一个童年伸向天空的舌头，任凭杏花目光的雪花，落下来，落下来。”“亲情”是《开花的牙》《撒谎的骨头》等小说的情感支撑。前者表现了牧牧对爷爷懵懂却又真切的感情，在生与死的跌宕中，在牧牧不解的追问下，“繁复的民俗文化，其实成了血缘亲情的另一种表达”；后者则饱含同情和怜悯，将爷爷和等等之间的亲情刻画得细密入微，充满了心酸的叹息、无奈的伤感，“板胡声铺天盖地而来，呼啦啦地燃烧着，雪花一样落在他心里。泪水就不由落下来。耕地老汉天空中的最后一颗星落了，他的世界中只剩下无边无际的板胡声。”《撒谎的骨头》用一种催人泪下的悲悯让我们看到了一个作家的理解和良知。《呼吸》是一篇感人至深的小说，它让人与动物之间灵性的沟通得以凸显，大黄这一具有灵异色彩的形象被赋予了高尚的人格化特征，而它与郭富水、与水水之间缠绕的亲密情感完全可以看作是另一种亲情的诠释和体现。大黄是陪伴在郭富水和水水身边不可或缺的家庭一员，他们情感的高度相通构筑了有血有肉的牢固亲情。他们相互理解，相互支撑，不离不弃。最终，大黄不惜用自己的生命去拯救水水，这样的牺牲苍凉而震撼人心。"巨大的伤心再次袭来，几乎要将他从地上掠走。继之而来的是无边无际的虚弱。郭富水就在这种虚弱里随着自身的重量落下去，如同一个溺水者。"人与动物，人与自然的和谐也在这样巨大的情感氛围中变得真实而熨帖。

二

米兰·昆德拉在《小说的艺术》中坚持了布洛赫的观点，他这样说："小说之存在的唯一理由在于发现那些只能为小说所发现的东西，有关生存的点滴，将生活世界置于不灭的光照之下。"文学的某些意蕴应该是超越时间和空间的，是永恒的，某种意义上说应该是超越生活、超越经验的。这种超越蕴涵着对生命的发现和理解，以及对生命本原的哲学意义上的追诘。

郭文斌的小说是拥有这样的超越追求的。他始终坚持着对生命、对人生的追问，以及对生与死的形而上思索。他的作品里渗透着深厚的哲学意味，智慧之光闪耀在字里行间，这使他的哲理小说以一种“禅宗”的感悟洞彻灵魂的内里，包蕴着浓郁、丰厚的精神意蕴。就像郭文斌在《大年》的序言《以笔为渡》中提到的，苏东坡与佛印和尚一同打坐，打坐完后，苏东坡问佛印你现在看我是什么状态，佛印说我看你就像一尊佛，佛印问东坡你看我呢，苏东坡说我看你就像一堆大粪。苏东坡很得意，觉得自己赢了，他回去跟妹妹苏小妹一说，妹妹说你输了，佛印看你是一尊佛，那是因为他心中有佛，他看一切都是佛，那么你看他是一堆大粪，说明你是什么人，不用说了。“心中有佛”也许就是郭文斌一直追求的生活境界吧。“青青翠竹尽是法身，郁郁黄花无非般若。”获取般若的过程，充满着沧桑蜕变，精进乃至禅定的修为。郭文斌用一个智者的通达和对禅宗的领悟诠释着生命和人生——“生活就是禅。更多的时候，禅在制造矛盾，难道这是一个错误吗？恰恰相反，这正是禅家的伟大之处。他就是要通过矛盾来摧毁人们前生今世习惯并板结的意识沉积岩，让人的意识永远保持在‘鲜’的程度，保持在一种激越状态，最终回到意识的原初形态。”这正是禅学思想的精髓所在。于是，在郭文斌的小说中，生命中的每一朵涟漪，生活中的每一道波澜，都得以意味深长地挖掘和阐释，折射出哲思的光芒，获得了一种生命之初的从容自若与豁然开朗。

《水随天去》里只有平淡的叙述，却呈现出一种波澜诡谲的深奥哲思。仓皇中，读者豁然而感慨，不得不面对内心深处那片苍茫的云天。小说没有很强的故事性，只是将父亲水上行一系列让人费解的生活细节串联起来，以此推动情节的发展。“现在，我终于可以认定，事情恰恰是从那时开始的，尽管当时看来，那是一个不错的兆头。”开头简洁明了却设置了一个悬念。接下来，从父亲扫地时的念念有词：“灵龟摆尾，扫其行迹，行迹虽扫，又落扫迹。”到父亲对咸菜的态度，对苍蝇的态度，再到古怪的午睡习惯，一个特立独行的父亲形象鲜明起来。这些看似荒诞不经的行为最后都升华在父亲那不厌其烦的追问中：知道你在吃饭吗？知道你正在睡觉吗？知道你正在打电话吗？……的确，日日被包围在熙熙攘攘中的我们究竟知不知道自己在干什么呢？于是，“今天，我突然发现父亲问的还是有点道理，我们真的是不知道自己正在写作业，正在看风景，正在睡觉，正在吃饭，正在撒尿，正在做爱，甚至正在死亡。一点都不知道。这实在是一个危险的事情。”而带着这样的追问，父亲终于选择了离开，选择了放逐。离开意味着追寻，放逐当下才能寻找和进入生命的本真，这也许是对生命、对存在最好的追问方式。正如李兴阳在《生命真意和人间真情》中所说：“同作者其他的小说相比较，《水随天去》显露出了作者试图超越自己进行新的精神探索及其相应的艺术探索的意向。当作者以‘离家出走’的方式放逐了自己的‘父亲’之后，何以弥合生命真意与人间真情之间的抵牾，其最佳的途径在哪里？这是作者没有解决也不可能解决的问题，也是每一个生命的清醒者应当继续追问的而不可能有唯一答案的问题。单是提醒在尘世中熙来攘往的人们不要忘记这一永恒话题，《水随天去》就有行世的意义。”

《陪木子李到平凉》也是一部颇让人玩味的短篇小说，让我想起格非的《青黄》，两者都写了一个找寻的过程，且都具有神秘的哲学色彩。在《陪木子李到平凉》正文的前面有两个思考题：“那玉红于我有意义吗？如果有，那意义何在？如果没有，上帝又为什么让我在那个胡同口看到她？”“那玉红于木子李有意义吗？如果有，那意义何在？如果没有，上帝又为什么让他从我口里听到她？”“人类一思考，上帝就发笑。”这两个幽玄的问题似乎最终指向虚无，其实却是作家对生命、对存在的形而上思索和不懈的追问，折射出作家不渝的勘探意识。就像昆德拉所说：“作家应该肩负起勘探这种存在的艰难使命。”我遇见那玉红究竟是偶然还是必然？木子李知道那玉红又是偶然还是必然呢？生命中的偶然和必然都是宿命的结果吗？那么生与死、此岸与彼岸又当作怎样的解释呢？“我们被一条河拦住，河水汤汤，车子不敢贸然开下去，我和北隐下河，脱鞋，试水深浅……站在此岸，用青草擦鞋时，我突然看到，河水以一种少见的从容向远方流去……”文本最后为读者生成了一个无限开放的思索空间，在每个人的心上留下了一条从容流淌的生命之河。

《上岛》这篇以城市情感为支撑构筑起来的短篇小说同样浸染着作家深刻的佛学思想和禅宗意识，在程荷锄和李小鸥似带玄机的精妙对话中，渗透着作家对爱情、对人生的领悟和超越世俗的理解，缥缈空寂的哲学色彩可见一斑。程荷锄无疑也是一个行者。当听到李小鸥说要带他去新开的素菜馆时，他“激动地说，太好了”。“等待上菜时，李小鸥说，你要出家了？程荷锄笑笑说，我本无家，何以出家？”“空手把锄头，步行骑水牛”。面对这样的程荷锄，李小鸥感到“好像被什么魇怔了”。目中无人地从人群中飘过的程荷锄和《水随天去》中的水上行一样，也经历着一种精进修行的过程。这正是一种内心入定、远离纷扰的禅家境界。小说最后，程荷锄的一曲《心经》让李小鸥泪流满面，而程荷锄却发现自己“走神了”。程荷锄的“走神”和水上行的离家出走其实都意味着他们遁入空寂和对佛教禅宗的领悟。

如果说水上行的“出走”和程荷锄的“走神”说明他们还在追求的途中，还是现世的行者，那么《寻找丢失的眼睛》则给我们展示了一个彻底摆脱了世俗纷扰，让灵魂进入真正云游的行者形象——吴子善，用他三次完全不同的表现完成了一种对人生的“禅”意参悟。吴子善那种“巨大的收敛”和他的“罗汉烩”；去捡别人吃剩的馒头作为早餐和挣脱李小红后“充满歉意的愤怒”，都显示出他对现世的超脱。最后，“李小红打量着他的睡相，被一种空前的感觉魔怔。她承认，那是至今她见到的最为美丽的睡相，既具体又抽象，既安详又生动。像是一个婴儿，又像是一个老人；初看是男子汉，再看成女儿态；一会儿是吴子善本人，一会儿是整个宇宙。”这也许就是天人合一的高度和谐吧。至此，吴子善完成了他的精进修行，彻底入定到“禅”的空寂境界，一个真正的“禅修者”的形象也变得清晰明朗。

某种意义上，郭文斌的小说热衷的并不是对一种生活或经验表象的触摸，更不是对经验的“奇观”化的呈现与展示。他的小说的写作过程，更近似于读者对他的小说的阅读过程。他对“生活”的“阅读”，是一种精神与情感的穿透，是一种深刻的“领悟”与品味。因此，我们会看到，其实郭文斌并不特别在意小说的故事情节与叙事节奏，仿佛一个高僧，他领悟和挖掘的是生活背后、经验背后的那种“意味”和“内涵”，而不是“生活”和“经验”本身。从这个角度来说，郭文斌的小说味道是隐藏于其所营构的“禅味”与“禅境”中的。正如贺绍俊所指出的：“郭文斌是一个悟透了生活的人。郭文斌的小说让我感动。他提供给我们的是一种纯净的境界，是一种最直接的触及文学核心、文学本质问题的小说。”他小说中的人物，无论是老人还是儿童，都充满“智性”，都没有失去对生活的“好奇”与探究的热情，都能够从生活中“领悟”和“参透”什么。《大年》《吉祥如意》等小说虽也涉及了“苦难”与生活的疼痛，但是在表层的故事与人生背后，郭文斌把握到了诗性的“核心”，“他以自己通达而智慧的心，打量世界，所发现的，往往是别人难以发现的自得和优美”“他写了忧伤但不绝望；他写了苦难，但不自苦；他写了小地方人的情怀，但不狭窄；他写了美好的真情，但不做作。他的短篇，真的是一刀切下去，一切就清晰地显示出来了。”

三

郭文斌执着地挖掘着西海固那片热土的醇美和期待，同时也将他敏感的灵魂触角伸向了喧嚣熙攘的城市，用他通透深邃的目光穿越城市中孤单浮躁的人群。作为一个矜持而内敛的作家，郭文斌的作品常常散发着清新淡泊的气息，这也使得他的城市小说同样弥漫着一种清远的宁静，在当下众多的都市题材创作中显得卓尔不群。

被物质裹挟着快速奔跑的城市里，一辆辆欲望街车呼啸而过。所有的真情都被欲望的泡沫稀释和消弭着。于是，现代城市人生活的困顿和情感的虚伪成为许多都市小说关注的焦点。然而，郭文斌的匠心显然不在于此。他依然保持着自己一贯的清雅和豁达，超脱于物外，在高远的云端俯瞰着当下的城市生活，用他充满哲思的锐利笔尖寻找着“睡在我们怀里的茶”和精神上的“瑜伽”。《瑜伽》《睡在我们怀里的茶》《上岛》《寻找丢失的眼睛》等城市小说让我们一点点参悟人生、参悟爱情，弥漫着形而上的哲学意味。《瑜伽》讲述了谢子长和陈百合在圣陶沙茶楼喝茶的过程。陈百合向谢子长倾诉了自己离婚的原因和经过：丈夫的外遇、丈夫情人的挑衅，直到她发现原来丈夫的情人竟然是自己的同事。陈百合最后选择了离婚，并告诉谢子长她准备学习瑜伽。而谢子长对瑜伽的解释让陈百合感到“意外和激赏”，他说，瑜伽的本意是“和上帝同在”。“当你一旦进入了瑜伽状态，你就会觉得你生命中发生的许多在别人眼里十分重大的事情一下子微不足道了，就像王海牙。对于大海来说，失去一朵浪花算得了什么？和大海的快乐比起来，一朵浪花的快乐肯定显得短暂而且轻浮。对于世俗人来说，他们判断问题的标准是得失观，看自己在这件事里盈利多少。但对于一个非世俗者来说，他不是这样，他是看在每一件事情中生命获得了哪些成长。对于我们来说，所有的错误都是柴火，生命这壶水就是靠这些柴火烧开的。”谢子长给了陈百合生命的意味和生活的答案，也给了读者一次精神上的瑜伽。于是，“谢子长看见陈百合的开心像杯里的茶一样舒展。”小说的结尾意味深长。就在那天晚上，就在谢子长和陈百合刚刚离去的“圣陶沙”，陈百合的丈夫王海牙在与逃犯搏斗中不幸牺牲。这是巧合还是宿命？或者，对于“非世俗”的谢子长和陈百合来说，这样的世俗就是能够被他们错过。就像贺绍俊所评价的那样：“他们也在茶馆里聊天，恰恰是在他们走以后才发生那样一种打斗，他们并不是有意地，他们就是能够擦肩而过，和这一切东西。”《睡在我们怀里的茶》中的徐小帆淡定而从容，读者在她身上看不到欲望的痕迹。和丈夫的虚荣、妹妹的功利不同，她只是执着于那些单纯、幸福的小细节。她对妹妹说，只要你心里有海，就能在任何地方看到海。生活也是海啊。而在经历了褪色的爱情和失败的婚姻后，面对蒋方舟，她要求“不领结婚证，不办婚礼，不请客”。也许，这些世俗的东西于她已经失去了意义，她只是觉得“熟睡在自己怀里的蒋方舟，就是一泡茶”。读罢《瑜伽》《睡在我们怀里的茶》《寻找丢失的眼睛》等作品，读者不难发现“茶”作为郭文斌小说中频繁出现的意象，显然寄寓了深厚的哲学意蕴，对茶的描述其实是作家对一种人生态度的提炼和升华。

《忧伤的钥匙》同样有哲理的渗透，就像荻最后的出走，留下满屋子的头发和一句“茶凉了，不喝就倒了吧”；同时更多地体现了作家对爱情的感伤和诘问。小说以第三人称的旁观视角切入，为读者呈现了一个凄美感人的爱情故事。语文老师荻和他的学生莉惺惺相惜，产生了一种扎根于灵魂深处的爱情。他们的爱情纯洁美好，然而却无法实现。莉因为对荻的爱，耽误了学业；荻为了保证莉的前途，仓皇中毅然和一个护士订了婚。于是，误会是必然的，错过也是必然的。这样的错过必然深深地伤害了彼此。当莉读了大学，荻也进了一家大公司，他们拥有了重新在一起的可能时，却因为荻的一篇小说《钥匙》再一次带来了误解。莉始终不能原谅荻，他们最终痛苦地走向分离。面对这样的爱情，荻选择了离开，选择了出走，只留下了满屋的头发。文本讲述的只是朴素的爱情，似乎无关其他，这样单纯的叙事资源在当下的都市小说中是很少见的，然而，郭文斌却用他那种内敛的悲悯和理解征服了读者，从而产生了深刻的悲剧意味。

与上述几部城市小说相比，郭文斌的系列短篇小说《小城故事》和《爱情故事》则多了些人间烟火的味道。这些小说多将视角定位在琐细的现实中，带有浓厚的生活气息。作家用轻快机敏的语言和简洁明了的叙述将一个个纠结复杂的生活故事讲述得跌宕生姿，少了一些清雅，但冷静贯穿始终。

《小城故事》把城市中典型的小人物作为挖掘的对象，勾勒出他们戏谑而又不无悲凉的生命线条。这些故事又常常与各种敏感的社会问题联系在一起，工人下岗、抢劫凶杀等社会元素带着某种出人意料的机缘巧合走进人物的生活，使文本具备了意想不到的开放效果。《证据》里的行政工作人员小李、小黄和小赵因为打赌到医院摸收款小姐的手，而被公安误认为小偷带走了；《春首》中的何立伟津津有味地讲述着大学校园里各色各样的花边趣闻，将一段俗气的爱情故事讲得淡然而充满了“喜剧色彩”；《我们的生活充满阳光》则围绕“酒”展开，把暧昧的同事关系、家庭危机以及下岗等因素杂糅在一起，用《我们的生活充满阳光》这首歌的歌名作为小说的题目，本身就具有一种黑色幽默的味道。《触雪的感觉》《深红色》和《邻居》都涉及爱情和友情纠结的复杂情感。《触雪的感觉》带着一种玩笑般的调侃；《深红色》是冷漠和阴沉的，当秦少游笑着把鲜血淋淋的匕首给李重光时，整篇小说都呈现出深红色的血的钝重；《邻居》对两个朋友、两对夫妇之间的感情则处理得暧昧而模糊，多了一点感伤。《忧伤的风衣》同样关涉爱情和友情，但又略显不同。唐小玉和妻子南小菊之间的隔阂最终导致他们婚姻的破裂，因为“心中的一个什么东西碎了”，再也无法粘连起来，只有那件忧伤的风衣是他们曾经爱过的证据。既然婚姻如此脆弱和不堪一击，那么爱情呢？心中那个碎了的东西又是什么呢？在这里，郭文斌将情感深处的微妙拿捏得恰到好处又发人深思。

《爱情故事》由四个短篇组成，呈现了四种不一样的爱情。《特定时候的水果刀》淋漓尽致地展示了婚姻中的各种矛盾，爱情已被消解；《一个情人和大概几十个蚊字》里的朱佩弦带着当年写的情诗与大学时期的情人柳玉婷约会，完成了生命中弥足珍贵的一次浪漫，最后却因为蚊虫的叮咬致死；《秘密》描写了女学生王雨雨对教官萌生的一段青涩情愫，教官的离开成全了这个爱情秘密；《甜根》则记叙了教师陈子旭和学生王雨薇之间一段尴尬的情感纠葛，而结尾在“是什么消除了她心中的仇恨”这样的疑问中为文本开创了一定的阐释空间。

由三个短篇构成的《雪迹》风格独特，虽然有着郭文斌惯常的冷静和简洁，但表现出浓重的超验色彩。不管是“从来没有过眼睛的觊”（《未曾失明的盲者》）还是“站着睡觉的原”（《原的生日和忌日》）都有力地冲击着读者的期待视野。文本具有极强的实验性，带有一种《等待戈多》般的荒诞。尤其是《未曾失明的盲者》中，与弋做爱后失明的觊产生了一系列幻觉，最后发现连记忆也变得不可靠，这让我想起格非的名篇《褐色鸟群》。小说最后，一直隐藏在文本背后的叙述者“我”突然走出文本，直面读者，并给出了一个惊人的结论：“这让我觉得很遗憾。后来的一天，我蓦然发现：原来觊从来就没有过眼睛。”从而完成了对前面叙述的颠覆和解构。

四

雷达曾感叹：“读完郭文斌的小说让我大吃一惊。没想到还有这么美的短篇小说。没想到还有这么美、这么纯粹、这么含蓄、这么隽永、这么润物细无声的小说。他的小说你要做理论上的概括可能不容易，但是你可以被陶醉。郭文斌的小说感动得我掉泪。郭文斌的作品提供的美学价值，那种罕见的美，尤其是值得我们珍视的。”雷达的“感叹”既是对郭文斌小说审美气质的肯定，也隐含着对当前文学现状的某种不满与批评。确实，郭文斌的创作既以其丰蕴的内涵开启了一片广阔的精神空间，同时也在小说的叙事技巧、审美追求等方面表现出了自成一格的独特气质。他对当代小说艺术的启示价值值得认真总结。

儿童视角的运用是郭文斌小说叙事的一个鲜明特色，在其乡土小说中尤为突出。《大年》中以明明和亮亮两个孩子的视角观照成人世界，让一个普通的“年”透过孩子单纯童稚的内心变得无比盛大、无比欢悦，这与成人眼中的“年”是有质的不同的，它一方面流露出了作家对童年时光的怀念和留恋，另一方面唤醒了读者心中沉睡已久的童年情愫。《开花的牙》透过碎小子牧牧的眼睛，在生与死的碰撞间把一系列的习俗民情展露开来，给生与死做出了另一种诠释。《雨水》《三年》《玉米》《学习》等同样把视角定位在懵懂的孩童身上，然后做出更为直接和简明的探照。郭文斌还自觉借鉴意识流等西方现代主义的叙事手法，使小说的叙事具有了电影蒙太奇般的画面转换效果。《吉祥如意》借用意识流的自然联想，运用白描的手法巧妙地展现了五月、六月的直觉和心理图景。《我们心中的雪》场景的转换和叙事的衔接紧随着人物意识的流动，凸现出明显的蒙太奇特点。“一进院子，我的目光就脱兔似地搜寻起来……前些年她回来还把上面收拾一下，住几天，今年却没那个心劲了。再说，也漏雨了。就有滴答滴答的雨一声声落在我的心里。……雨滴答滴答地在房顶上落着，我和杏花趴在热炕上写作业，身子挨着身子，脚丫碰着脚丫，多好啊。……”场景自然切换到了童年时代，节奏舒缓而温馨。在其城市小说中，郭文斌则以冷静通达的叙述，精巧完美的构思见长，结尾处常常出人意料。《瑜伽》《小城故事》等小说都具有这样的特点。

郭文斌有着特别的语言自觉，他说：“作为一个作家，需要时刻检点自己的文字，收敛我们放纵的习气，卖弄的习气。要使自己手中的笔具足方便之德。”这种自觉落实到小说的实践中，我们看到他的小说语言轻灵飘逸，清透而充满智性，呈现出明显的散文化和诗化的特征，同时又十分洁净、凝练，富有跳跃性。这样的语言风格使他的小说文本能够在有限的空间里生出无限的意味，具有丰厚的话语蕴藉。郭文斌的小说语言本身就呈现出特殊的审美价值，或清新甘醇，行云流水，如：“五月和六月跑到巷道尽头，又飞快地跑回。长长的巷道里，散发着柳枝的清香味，还散发着一种让他们说不清的东西。雾很大，站在巷子的这头，可以勉强看到那头。来回跑的时候，六月觉得有无数的秘密和自己擦肩而过，嚓嚓响。等他们停下来，他又分明看到那秘密就在交错的柳枝间大摇大摆。”“六月觉得这个主意好，就动手摇。不想又把六月的心摇凉了。这一摇，让六月看见了一个个美的死去原来是这样简单的一件事。他第一次感到了这美的不牢靠。而让这些美死去的，却是他的一只手。”（《吉祥如意》）“下雪了，我们并排站在院里，比赛着伸出长长的舌头，屏着呼吸，耐着性子，等待着天上的雪花一片一片落下来，落下来。然后用心体会雪花留在舌头上的轻浅的脚步。”（《我们心中的雪》）；或感伤温润，清澈通达，“她的心里，也是一个将黄未黄的杏子。那杏子像一味烛光一样亮在她的心里，让她完全忽略了沉沉落下的暮色，悄悄升起的弯月。”（《雨水》）；或冷静简洁，深沉幽玄，“谢子长说这些话的时候，语气特别柔美，仿佛他不是在说话，而是有一朵花在他的舌尖上一点点一点点盛开，或者是一尾木舟在轻风中徐徐从湖面上划过。有点吐气若兰的味道，有点行云流水的味道。”（《瑜伽》）“李小鸥说，那就要台湾香榭吧，我喜欢那种甜中微苦的味道，还有它的颜色，像是悼词。程荷锄说，好，我也喜欢悼词。”“程荷锄从李小鸥的眼睛里看到了一个水乡，或者说她的眼睛就是水乡。”“程荷锄说，一个人背着行囊，行走在苍茫的大地上。”“李小鸥说，如果真有来世，我来这里等我要等的人，如果等不到，我会伤心死的。”（《上岛》）

郭文斌用丰富的语言为他的小说营构出一个个空灵精美的诗的意境，凸显出朦胧的古典韵味，在传统与现代之间找到了一个完美的契合点。

郭文斌带着一颗赤诚的文学之心从西部走来，坚守着他纯净的文学理想，多情地歌吟西部、执着地追问生命、不渝地捕捉真情，用他脱俗的气质传达着一种穿越永恒的文学精神。他已经给我们呈现了一个美丽而温暖的“世界”，我们期待着这个“世界”在作家笔下不断延伸、拓展，变得更加丰富、更加广阔、更加深邃，并给我们带来更多的惊喜。

（载于《当代文坛》2008 年第 3 期）

从混沌的理念到澄明的诗境

——论郭文斌的短篇小说

李建军

说起来，写小说并不是一件很容易的事情。它不仅要求你要有很高的文字功力和叙述能力，要有敏锐的思想能力和观察能力，而且尤其需要有丰富的人生阅历和社会经验。所以，有人说，一个小说家，只有到了四十四岁以后，才能真正成熟起来。究其原因，盖在于非如此，则不能人情练达、世事洞明。而对于人情的练达，对于世事的洞明，乃是一个优秀小说家的基本素质。当然，奇迹也是有的：肖洛霍夫二十岁刚出头，就写出了《静静的顿河》这样伟大的史诗性作品；契诃夫四十四岁离开这个世界的时候，已经写出了他所有伟大的作品。但是，“无例外不成规律”，天才给规律提供“例外”，却并不否定规律。对于“规律”覆盖下的更多的作家来说，创作的成熟状态，不是一下子就达到的，而是通过艰难的努力，才慢慢趋近的。郭文斌的小说创作，就属于后一种情况。

在小说写作上，郭文斌无疑是有才华的，但他肯定不属于一开始就“惊采绝艳”的斫轮老手。他的写作是渐入佳境的。

这倒符合他的性格。他总是平静而友善地笑着，显得很温和，温和得近乎腼腆和羞涩；几乎每一句话，都说得很慢、很认真，但又绝不是那种缺乏定见的人。仁者近佛，智者近道；仁者讷言敏行，智者利口捷给。郭文斌显然属于讷于言的仁者，属于那种很有慧根的人。

从主题内容和风格构成上看，郭文斌的短篇小说主要有两类：一类是以理念化的方式，探讨爱情、婚姻等伦理问题；一类是以诗意的方式，而且多从儿童的视角，表现丰富的情感内容和人生况味。为了表达的简便，我称前一种为“理念化叙事”，称后一种为“诗意化叙事”。

从修辞上来看，理念化叙事实在是一种难度很大的叙事模式。为什么这么说呢？因为，小说家必须在理念和形象体系之间，具体地说，在深刻的主题与生动的细节描写之间，维持一种和谐的平衡状态，以免理念淹没了人物，主题压垮了故事。

但是，在郭文斌的“理念化叙事”的作品里，这种平衡状态似乎还没有实现。例如，《水随天去》着力塑造一个性格和生活方式都很“另类”的父亲，但是，在作者笔下，这个父亲形象简单而又模糊，主题则缺乏必要的深刻性和明晰性。“父亲”固然是一个敢于反抗刻板生活方式的人，甚至是一个有着独立见解的人，但是，小说却通过拔掉电话等细节，暗示他也是一个乖戾的患有幽闭症的人；作者对“父亲”

的行为有时似乎是赞赏的，但是，很多时候，叙述语气里却含着对他的调侃甚至不敬。另外，他半年后的“终于活过来”，他最后的“离家出走”，也都给人一种匪夷所思、莫名其妙的感觉。

另一篇名为《陪木子李到平凉》的小说也存在着同样的问题。小说中的“我”通过寄贺卡给那红玉这种没有目的的方式，来体验一种“难以言说的幸福”。为什么这样就“幸福”？作者没有告诉我们；那红玉为什么要在自己生意最红火的时候“服毒自杀”？作者也没有告诉我们。而且，不管你怎么努力，似乎也很难从这篇小说里挖掘出明确而有深度的主题。而木子李作为一个功能性人物，被作者放到了一个重要的位置，作者让他倾听“我”讲述一个多少有些离奇而又没有结果的爱情故事，但既没有赋予他个性和生命，也没有让他对塑造人物提供切实有效的帮助。

爱情和婚姻问题，是郭文斌“理念化叙事”的基本主题。《瑜伽》和《睡在我们怀里的茶》无论在故事模式上，还是主题内容上都很相似：在丈夫背叛妻子的事象体系里，表现女性的内心所受到的伤害。在前一篇小说里，陈百合的丈夫王海牙是一个在情感上对妻子非常糟糕的人，但在抓捕逃犯的时候表现勇敢，光荣牺牲；由于他的伤害，妻子失去了对婚姻的信心，一心想着从瑜伽练习中找快乐。《睡在我们怀里的茶》中的徐小帆有着与陈百合相同的境遇，最终也同样不再相信“我爱你”的承诺，也拒绝了婚姻：“她觉得，睡在自己怀里的蒋方舟，就是一泡茶。”有时候，郭文斌的小说所表现的爱情理念具有抽象的理念化色彩和高蹈的乌托邦性质。例如，在《上岛》里，爱情被当作一种神秘的精神现象，“为卑贱者所不配，只有高贵的灵魂才有资格享用”。当李小鸥问程荷锄“以后你会真心去爱一次吗”，得到的回答是“过去心不可得，未来心不可得，现在心不可得”；“爱不是这辈子的事，爱是你的前世，也是你的来世”。这种虚无主义的爱情观似乎既缺乏现实感，又是消极的。

至于《小城故事》和《爱情故事》里的小说，大都写得简单、随意。尤其《小城故事》中的《春首》，走的完全是余华的缺乏人性内容和内在意义的“机器人写作”的路子——以一种虚假而外在的方式，渲染人物之间的暴力伤害；只写机械的动作，不写人物的动机和复杂的心理活动：

> 徐小斌将泥溅到自己最要好的朋友何立伟身上时，何立伟正站在窗前哼着流行歌曲《霍乱》。如果徐小斌当时就停下拖把给何立伟道个歉，那么事情也不会发生。但是徐小斌却偏偏没有。何立伟就转过身来，看着徐小斌说，你什么意思。徐小斌说没什么意思。何立伟说你长眼睛没有。徐小斌说，你说呢。何立伟说我看你是个瞎子。徐小斌就将拖

> 把又往前伸了一下。何立伟刚换上的新裤子上就又增添了一片泥。何立伟说，徐小斌我日你姐。徐小斌就又将拖把往前伸了一下。何立伟的裤管上就又增添了一片泥。何立伟说，我日你妈。徐小斌还是将拖把往前伸了一下。那架势是告诉对方你爱日谁日谁，代价是日一下拖把出一下。但是何立伟却再没有日，而是很利索地上前给了徐小斌一个耳光。耳光落在徐小斌脸上时，徐小斌还在低着头试跑似的小节奏地拖着地，为反击下一个日字做着准备。没想到何立伟改变了方式。就在他抬起头证实或者宣布一下什么的时候，何立伟的另一只巴掌又过来了。徐小斌的左右脸上就很对称地印上了两个巴掌。何立伟没有想到徐小斌会报以他微笑。那种微笑让何立伟觉得不再给对方一记耳光就对不住人似的。

就像我们在余华的许多渲染暴力场面的小说中看到的那样，在郭文斌的这篇小说里，人物同样也被当作道具和玩偶一样来刻画，作者的态度也同样是超然的甚至冷漠的。在这样的作品中，郭文斌并没有为我们提供一个有意义的价值图景，没有为我们显示一种优雅的情感态度和稳定的价值立场。著名的契诃夫研究专家叶尔米洛夫在评价契诃夫的时候，这样说道，“他有一种非常出色的本领：甚至在描写资产阶级的生活的最粗俗、最卑污的方面的时候，他也能在作品里保持诗意，保持音乐性，——或者用契诃夫喜欢的字眼，——保持优雅。”郭文斌早期的一些小说，显然没有赋予人物以必要的真实性，也没有在趣味格调上使自己的写作“保持优雅”。

是的，在创作上，任何作家都必须面对自我否定和自我超越的问题。即使那些真正的大师，也很少有人不经努力，就一下子达到自己写作的成熟境界。例如，契诃夫在成为大师之前，就曾经有过一个迷惘的“契洪杰”阶段，在此期间，他写了许多不成熟的作品——虽然喜剧色彩很强，但大多属于逗人一笑的“小玩意儿”。1886年3月28日，26岁的契诃夫在写给老作家格利果罗维奇的信中说：“在这以前我对自己的文学工作一直极其轻浮，漫不经心，马马虎虎。”于是，契诃夫开始了自己文学创作生活中最彻底的自我否定和最重要的精神升华。这一否定和升华所带来的结果，正像叶尔米洛夫指出的那样：“契诃夫进入充分而完美地发挥自己的才能的时期了：自发的滑稽因素在他的作品里独立存在的现象已经完全消失了，而开始服从于描写无限复杂的生活这个艺术目标了。……于是他从安托沙·契洪杰变成了契诃夫。”事实上，郭文斌也经过艰难的努力，才实现了成功的自我突破：从简单、苍白的“理念化叙事”向纯朴、优美的“诗意化叙事”转变。

不过，在分析郭文斌的“诗意化叙事”的作品之前，让我先说一些也许并不多余的题外话。

在我看来，无论是在现实生活中，还是在想象世界里，秀兰·邓波儿都要比潘金莲美丽，冉阿让都要比西门庆可敬，马丁·伊登都要比庄之蝶高尚。因此，关于文学，我有这样一个牢固的观念：文学之所以成为人类的一种伟大而不朽的精神现象，是因为在它的湛然深处，保存了人类对灵魂生活的理想境界的想象，或者具体地说，表现了一种纯洁而美好的心意状态和伦理境界。而这种充满感染力的心意状态和伦理境界，本质上接近孩子一样的天真无邪。这就要求一个以文学为事业的人，应该努力使自己在内心生活上保持孩子一样的纯真和善良。一个毫无童心的人，不可交；一个毫无童心的作家，不可爱。因为，一个没有童心的人，必然是世故而乏味的；一个毫无童心和童趣的作家，很难写出温柔而动人的作品——他可能成为一个人人都怀着好奇心谈论的“著名作家”，但却不可能成为人人都尊敬的伟大作家。根据我的阅读经验，所有优秀的作家，都有这样一些共同的特点，那就是，在精神上，总是像孩子一样纯真、可爱和善良。一位美国作家说，所有美国小说，都来自于马克·吐温的《汤姆·索亚历险记》。他为什么这么说呢？很大程度上，是因为马克·吐温的这部小说为美国的小说叙事奠定了一个稳定而可靠的精神基础，是因为它表现了对孩子身上的可爱、热情、勇敢和正直的赞美态度。

有人会说，鲁迅很阴暗，内心世界满是阴毒的复仇的心思，他的作品不是也很伟大吗？可是，如果用心读读《社戏》《故乡》和《从百草园到三味书屋》，你还会坚持自己的观点吗？你难道不觉得鲁迅虽然尖锐，虽然“忧愤深广”，但是，他却从来没有失去对人生的“最初一刹那之善念”吗？难道即使从他的“一个都不饶恕”的决绝里，你不是也可以看见孩子才有的那种纯粹和可爱吗？

托尔斯泰童年时，听过一个“小绿棒”的故事：只要找到这个神奇的东西，就可以找到让所有人都幸福的秘密。托尔斯泰一生，都没有放弃这个孩提时就产生的美好愿望，始终保持着孩子般纯洁的心灵和利他的生活态度。在车尔尼雪夫斯基看来，托尔斯泰小说的魅力，就来自于一种“少年时代”特有的温柔而纯洁的道德诗意：“天真未凿的、仿佛完全保持着少年时代白璧无瑕的道德感情的纯洁性会给予文学以优美动人的特殊魅力。”事实上，倘若还须更进一解，我们可以说，这些儿童形象所显示的诗意和魅力，并不是一种特殊年龄段的寻常的自然现象，而是一种很高意义上的精神现象，是通过积极的努力才创造出来的。

然而，令人忧虑的是，在我们时代的文学作品里，那种健康可爱的儿童形象，是很少看到的。我们的很多作家满足于以夸张、虚假的方式，叙写成人世界的颓废、混乱甚至变态的生活，即或写到了儿童，也是像余华的许多作品（例如《现实一种》和《许三观卖血记》）那样，把他们写成野蛮而残忍的“小动物”，或者像他的《兄弟》一样，把他们写成有严重的“窥阴癖”倾向的“小流氓”。

好在，我们终于看到了郭文斌的出现。

好在，我们终于读到了郭文斌的成功转型之后的小说。

在郭文斌的“诗意化叙事”的作品中，给人留下深刻印象的是那些以儿童做叙事对象或从儿童视角展开叙事的小说。郭文斌的那些最好的短篇小说，几乎全都是写孩子的，几乎全都是写童心的，或者准确地说，都是从孩子的角度来写一言难尽的人生况味的。

在我看来，郭文斌的“诗意化叙事”特点有三：一是美好的祝福感；二是诗意的抒情性；三是优雅的反讽性。

我曾经在一篇文章中表达过这样一个观点：“伟大的小说家之所以伟大，不仅在于他塑造出了真实的典型的人物，不仅在于他给读者提供了引人入胜的情节和耐人寻味的细节，还在于他通过积极的修辞行为，对自己笔下的人物、对读者表现出健康而温暖的道德情感，显示出一种伟大而崇高的伦理境界。……如果说，在俄罗斯文学中，小说家是‘无我’和‘罪己’的，那么，从对待人物和读者的态度看，与这种‘罪感’和‘自我忏悔’一样打动人心的，则是温暖的祝福感，是小说家对人物和读者的善良的情感，是利他主义的‘社会性冲动’。的确，我们在优秀的俄罗斯文学中很少看到那种怀着恶意对人物进行挖苦和贬低的作品。良好的道德感和健康的伦理精神，使他们始终将人当作人，当作值得怜悯和同情的对象，因此，即使在那些充满反讽精神和批判力量的作品中，我们仍然能看见作家的善意和祝福感：他们希望人们活得更幸福，更纯洁，更高尚，更体面，更有尊严。”虽然对小说写作来讲，祝福感是一种必要的态度，但是，并不是每个作家都能在创作中始终保持这种积极的态度。

然而，郭文斌的叙事态度是优雅而健康的。像那些充满庄严感和使命感的西部作家一样，郭文斌的叙事面对的是人世间的艰难和坎坷。但是，他不是把苦难置换成恨世者的冷漠和敌意，而是将它升华为一种充满暖意的人生感受。如果说面对这样的生活场景，路遥的小说着力强化的是陷入考验情境的人们身上的坚强和牺牲精神，那么，郭文斌更感兴趣的似乎是人物在困难的境遇里仍然会有的欢乐和幸福感。

豁达和乐观是西部人身上常见的一种精神气质。无论日子有多么苦，他们都凭着一种健康的天性坚强地生活着。《大年》就是这样一篇洋溢着乐观态度和欣悦心情的叙事诗篇。年节是这篇小说里的核心事象。对中国人来讲，过年意味着思念和祝愿，意味着还乡和团聚，意味着喜气洋洋的欢乐气氛。郭文斌的《大年》通过对备年饭、写对联、泼散、祭灶等民俗事象的叙写，通过明明和亮亮两个孩子的感受，细腻而真切地写出了年节将至的令人激动的热闹景象，写出了乡土中国日常生活中所蕴含的欢乐和幸福。在小说里，人们的生活依然是贫穷和艰难的，但是，在彼此之间的尊敬和关爱中，即便是困窘的生活，也有了一种朴素而强烈的幸福感：

> 父亲说着，把糖果分成五堆。其中三堆少两堆多。明明和亮亮知道，多的两堆是他们的，少的三堆一堆是爷爷奶奶的，一堆是母亲的，一堆是父亲的。明明先把爷爷奶奶的献了，然后把母亲的拿到厨房里。亮亮跟着。母亲说我就不要了，你和亮亮分了吧。明明说一年到头了，你就吃一个吧。亮亮说，对，一年到头了，你就吃一个吧。说着，明明给母亲剥了一个水果糖，硬往嘴里喂。母亲躲着，我又不是没吃过。亮亮抹了一下口水说，娘你就吃一个吧。母亲看了亮亮一眼，就张开嘴接受了明明手里的那枚水果糖。亮亮的心里一喜，口水终于流了下来。母亲看见，弯下腰去给亮亮擦。一边擦着，一边把嘴里的水果糖咬成两半，一半给明明，一半给亮亮。明明和亮亮不接受。母亲说娘吃糖牙疼呢，再说我已经噙了半天了，都已经甜到心上去了。可是明明和亮亮还是不要。这时，父亲喊明明。明明一边答应着，一边揭起母亲的衣服下摆，把糖果装给母亲，

然后跑出厨房。母亲看着，眼睛就潮了。

小说里的两个孩子无疑是天真烂漫的，他们却能从微末的事情里，感受到生活中巨大的欢乐。他们兴奋不已地帮助爸爸写对联，“写成的对联房地上放不下了，房墙上挂不下了，明明就放到院里。不多时，就是一院的红。明明能够感觉得到，满院的春和福像刚开的锅一样热气腾腾，像白面馒头一样在霭霭雾气里时隐时现。大家看着满院红彤彤的对联抽烟，说笑，明明和亮亮幸福得简直要爆炸了。”

在这里，艰难困苦仿佛是给生活淬火的净水，——善良的人们之间如此相爱，使得他们从彼此的体贴和关爱中，体验到了如此多的幸福和欢乐。在这里，幸福的感觉，是从心灵到心灵的：“父亲一边哎哎地应酬着大家，说你们今年的头简直像好年成的麦穗子一样，一边低头看了一眼明明，用目光和明明说了好几句话。明明的心里就落起雪来。父亲说的是什么呢？明明没有去细想，明明只是觉得，被父亲看着的那一刻很幸福。明明甚至觉得，那就是年了。”

祝福感作为一种美好的情感，往往会赋予作品一种充满诗意的效果。郭文斌无疑认识到了这一点。他自觉地强化了自己的小说的诗意性，或者说抒情性。但是，有必要指出的是，郭文斌小说的抒情性和诗意性，不是通过一种直接的主观的方式表现出来的，而是通过平静的叙事渐渐地呈现出来的，具有内敛而深沉的特点。在他所有的短篇小说中，获得“鲁迅文学奖”的《吉祥如意》无疑最能反映他的这一特点。

《吉祥如意》里的五月和六月是姐弟俩。他们要在清早的大雾散去前采回可以驱邪致祥的艾草。在叙述上，作者采取采艾的“此时”线索与追叙此前发生的细碎事象的“彼时”线索交替进行的策略，从而将琐碎、凌乱的生活组织成一个完整的形象体系。那么，这篇令人喜爱的短篇小说的诗性意味是如何获得的呢？它首先来自于儿童的单纯得近乎透明的内心世界，或者说，来自于他们对生活的最简单、最朴素的态度。他们能从小到微不足道的事情里，感受到巨大的欢乐和无限的满足：“六月和五月每人手里攥着两角钱，蜜蜂一样在这儿嗅嗅，在那儿闻闻，还是舍不得花。直到集快散了，他们才不得不把那两角钱花出去。他们的手里各拿着五根花绳儿。那个美啊，简直能把人美死。”他们总是有能力从生活中发现美好的事情，总是能体验到美好的情感：

> 她觉得躲在门背后听六月下话，感觉真是美极了。
>
> 山顶就要到了，五月和六月从未有过地感觉到“大家”的美好。每一个人看上去都是那么可爱。
>
> 雾渐渐散去。山上的人们一点点清晰起来，就像一个个鱼浮出水面。六月东瞅瞅，西瞅瞅，心里

> 美得有些不知所措。六月向山下看去，村子像个猫一样卧在那里。
>
> 这太阳蛋蛋是天的儿子，露水蛋蛋是地的女儿，他们两人全时，才叫吉祥如意。……一山的人都在采集吉祥如意。

事实上，郭文斌这篇小说的主题，就是宣达这样一种充满诗意的生活理念：美好和幸福只能来自于对生活的纯真而又善良的态度，只能来自于一种“给予”的精神，正像小说中的娘所说的那样：“有些东西啊，恰恰自家人占不着，也不能占。给了别人家，就吉祥，就如意。所以你奶奶常说，舍得舍得，只有舍才能得，越是舍不得的东西越要舍。这老天爷啊，就树了这么一个理儿。”

虽然郭文斌也注意在文体形式上营造诗意的效果，但是，他的作品的诗意和感染力，却还是更多地来自于孩子们的心情态度，来自于小说所表达的充满道德意味的主题内容。这就足以说明这样一个道理：文学从来就不是一个“纯粹”的形式问题，而是一个本质上与人的情感体验和伦理境界有关的精神现象。

然而，生活并不总是快乐的、幸福的。它有时实在是沉重甚至是残酷的。一部小说如果只满足于轻飘飘地叙述生活中的“幸福”和“快乐”，那么，它即使不是缺乏责任的，至少也是缺乏现实感和力量感的。所以，一个真正严肃的作家，总是力求完整地写出生活的丰富性和真实性。郭文斌的小说叙事虽然着力表现日常生活中的诗意和美好，但却从来不回避生活中严峻的“另一面”，从来就不曾逃避向生活显示自己严肃的反讽精神。但是，他的反讽是有分寸、有教养的，写法则是巧妙机智、举重若轻的。为了不影响诗意的抒情效果，为了不破坏那种健康的祝福感，他选择了“旁敲侧击、点到为止”的写法。也就是说，他并不直接从正面来细致地写生活的苦难，而是在侧重于写坚韧和欢乐的同时，在关键的“瞬间”，凸显人物命运的悲惨和生活中的不幸。例如，《剪刀》写的是一个患了重病的“女人”，为了不再拖累家人，镇定地自我了断的故事。但是，郭文斌并没有不加节制地渲染血淋淋的细节，而是将小说的叙事焦点，集中在“女人”对丈夫无微不至的体贴上，集中在对自己死后家人未来生活的关心上。只是到了最后，到了最关键的“瞬间”，他才向读者交代了那个最可怕的结局：“女人是在儿子放学之前动手的，用的就是那把剪刀。”

在《玉米》里，郭文斌显示出了同样冷静而从容、自觉而成熟的叙事技巧。这种技巧在修辞上体现为谑而不虐的反讽，显示出一种张弛有度的优雅风度。《玉米》所讲述的故事里，本来充满了“斗争”造成的恐惧，“大跃进”造成的饥饿，但是作者却没有像我们时代的许多作家那样淋漓尽致地渲染强烈的恐惧和疯狂。郭文斌更多表现的是孩子们之间的难以摧抑的快乐和相互帮助的精神。但是，另一方面，作者既没有放弃自己对人物的同情态度，也没有放弃必要的批判精神。他借助巧妙的反讽，显示了对那个时代的批评态度。

在严重饥饿中，一群孩子一边做着游戏，一边做着他们的梦。在游戏和梦里，我们看到了作者对自己笔下人物的“吉祥如意”的祝福态度，——正是这种态度将他的小说提升到了一个很高的境界，并赋予它以澄明的诗境和丰饶的意味。

（载于《黄河文学》2008 年第 11 期）

在天高云淡的意境里阅读郭文斌

贺绍俊

毛泽东有一句描绘西北景色的诗“天高云淡”，这是一种超越世俗的意境，来自西北的作家郭文斌经常以他恬淡的小说把我们带到这样的意境之中。郭文斌比我年轻多了，但我惊异于他能够那么沉静地面对纷繁嚣张的社会人生。也许用“天高云淡”这句诗来概括郭文斌小说的精神追求和风格特点是再贴切不过的了。天高云淡中，一切都是那么澄明，一切都是那么干净。读一读他的短篇小说《吉祥如意》和《点灯时分》吧，它们会让你在一种“天高云淡”的意境中使心灵得到净化。这两篇小说就像是一对双胞胎姊妹，分别写了一家人过端午节和灯节的情景。当现实社会中的民族节日变得越来越庸俗化和物质化时，郭文斌却带我们到一个空气清新、精神爽朗的乡野，与心无杂念的一家人去体悟节日的圣洁。中国的传统节日有着不同的来源。有的源于原始的祭祀活动，有的源于宗教活动，有的源于祖先从事的农业生产活动，还有的是为了纪念一些历史人物和重大的历史事件。传统节日不管是怎么产生的，都凝聚着中华民族的传统文化精粹，体现着传统文化的精神价值，所以我们在纵情欢度传统节日时，也就无形中接受了传统文化精神的洗礼。节日年复一年地进行，人们在节日的仪式活动中得到精神的感召和升华。小说中的爸爸和妈妈对节日表现出的宗教般的虔诚，真的让我感动。面对无比喧嚣的社会，小说描述的世界几乎可以说是一个遥远的童话世界。也许这个遥远的童话世界就在作者的身边，就是作者生活的西北宁夏，那里天高云淡。在天高云淡的宁夏，郭文斌获得了童话般的心灵。他或许就是他小说中的那个聪明可爱的男孩子六月，在那空气中流荡着神圣感的日子里，“六月觉得有无数的秘密和自己擦肩而过”，于是“心里生出一种使命感”。

我去过两次宁夏，每次都会被深深地感动，在这个现代化相对比较滞后的地方，人们谈论文学的态度却显得格外真诚，这里有很多年轻人，生活环境虽然非常艰苦，却以一种虔诚的心追求文学，宁夏的作者可以说是文学的“清教徒”，到了宁夏我才深刻体会到文学的价值与文学的意义。这种感动一直在我心中。郭文斌就是这样一位文学的“清教徒”。

当然我们可以说文学是反映现实的，但我觉得文学的本意并不是要反映现实，文学是人的生命精神的一种外化的东西。郭文斌是一个悟透了生活的人。他的小说并不是要为我们提供一面反映现实状况的镜子，他的小说主要是表达他对生活的领悟。比方说《大年》，郭文斌用很纯正的传统叙述为我们保留了“年”的意象，大年其实就是民间的仪式化过程，通过仪式化把“年”的传统意象延伸到今天，渗透在人的心里，于是村里人相互之间有一种暖意维系着亲情。小说虽然是平铺直叙，但它揭示的民间仪式的文化内涵却是很有穿透力的。在有些人看来这样的小说可能过于乡村化，好像沉迷于乡村经验。我觉得这涉及一个我们如何理解文学的问题。仿佛有这么一种倾向，把都市文学看成是新的，而把乡村文学看成是旧的。如果从时间上说，乡村文学肯定历史更为悠久，而都市文学是伴随着现代化和都市化才真正兴起的文学样式，都市文学与乡村文学之间的新与旧仅仅具有时间上的意义。然而人们在谈论都市文学时似乎认同了一种思维逻辑，觉得我们这个时代在进步，文学也应该伴随着时代同步前进。文学的进步与时代的进步仿佛可以用同一个尺子来衡量。比如说我们现在是都市化了、现代化了，那么文学也应该都市化、现代化。我认为这种思维逻辑是大成问题的，这是一种进化论的思维逻辑，尽管进化论为我们解开了许多自然的奥秘，但进化论并不是一个普适的原则，对于精神领域来说更是这样。因此文学不应该成为进化论的奴仆，它不是用进化论能够解释清楚的。

　　文学中的有些东西是可以穿越时空，具有永恒性的。比如说我们在推重都市文学时，绝不意味着乡村精神就是一个被淘汰的东西。过去我在读宁夏的一些作家的作品时也想这个问题，就是感觉宁夏有些作家可能由于地域环境的影响而缺乏现代精神的洗礼，因此使得他们的视野不够开阔，使得他们沉迷在乡村的经验里面。以这样的观点来批评宁夏的创作，有一定的合理性。宁夏的作家的确需要现代精神的开拓。但这不是唯一的，尤其不能以此来遮蔽乡村精神带给宁夏作家的荣耀。我在读郭文斌的小说的时候，更加坚定了这种看法。就是说作家通过文学所要表达的东西应该是超越世俗的经验的，应该有一种对生命的理解，对哲理的领悟。郭文斌的小说恰恰在这一点上表现得非常突出。即便是写乡村，他也不是仅仅停留在乡村经验上。对于小说来说，生活经验固然非常重要，但是肯定地说，好的小说绝不仅仅止于经验。比如说我们谈都市文学，有人说都市文学之所以还没有超过乡村文学，还没有出现令我们叫好的作品，就是因为作家对都市的经验消化得不够。其实也不能说完全就是对都市经验消化得不够，有些作品，比如表现都市情感生活的作品，有些固然是矫情、滥情，但仍有不少作品真实地传达了都市情感生活的经验，不仅相当丰富，而且体会得相当深刻。可是我们仍对这样的作品感到不满足。为什么？因为我们读小说不是为了学习生活经验的，我们还有其他的诉求。这种诉求隐隐在我们心头，这是一种精神的诉求。郭文斌的小说中就充盈着这样的精神诉求。这首先是说，作为作者，郭文斌本人就有强烈的精神诉求，他把精神诉求看得比经验更重要。比如大家都欣赏《剪刀》，我也觉得这部作品很好，那么你说《剪刀》是写苦难吗？它是在渲染苦难吗？或者它是在将苦难审美化吗？我觉得这样的解释都不准确。有一些小说是用这样的路子去写的，而且也写得不错，这样写显然更多的是依赖于作者对苦难生活经验的体验。《剪刀》虽然主体的内容都关乎苦难，生活的苦难，生命的苦难，但作者并没有陷入苦难，并没有抓住苦难大做文章，因此我们若用前面的解释就不可能真正进入小说给我们提供的那样一种境界。郭文斌是通过苦难而走向生命本身，他由此而超越了苦难，他在苦难中领悟到了生命的意义和生命的伟大。小说中的女人在最后用一把剪刀亲手结束了自己的生命，这个细节是有震撼力的，它揭示了苦难对人的压迫，但郭文斌的用意不在渲染苦难，因此他把这个重要的细节虚着写，只是给人一种很强大的震撼力，这时候死就不仅仅是悲壮两个字可以概括的了。

“死”在郭文斌的小说里面经常会作为一个很重要的主题。像《开花的牙》，就是以非常形象的民俗生活表达了作家对生和死的理解。这个小说虽然非常生活化，好像是写这种乡村的民俗的一些很细节化的东西，但是在阅读时我感觉到里面包含了一种超越世俗化的精神性的东西、哲理性的东西。小说重点写了爷爷的死以及死后亲人们的举动，但在小说的叙述中，“死”完全超脱了世俗层面的意义。通过郭文斌的叙述，我们感觉到，死和生是互相转换的，它并不是说死就是一种非常悲伤的东西，死不过是生命中的一个链条而已。在这样的表达中，我们并没有感到作者是在掩盖苦难，就在于作者跳出了世俗层面，他不是在再现现实，而是带我们进入一种哲理的境界。《一片荞地》应该是一桩很悲苦的记述。小说写“我”回家守护母亲走完临终大限的一段时光。在这个过程中，“我”回忆起母亲一生中给予人们的爱，回忆起母亲在艰难生存中坚强和奉献。但作者并不是为了在回忆中渲染悲苦的情感，并不是为了表达对生的留恋和对死的诅咒。恰恰相反，回忆起母亲一生所做的一切仿佛都是为了迎接“死”这一刻的到来。于是母亲走向死的过程变得十分端庄和神圣。“我”小心谨慎地对待每一个细节，唯恐稍有疏忽而亵渎了如此神圣的大事。就这样，作者一步步从情感层面走向哲理层面，也从悲苦的世俗世界走向神圣的精神世界。

郭文斌的意义就在于他在创作中能够超越世俗层面的东西。读郭文斌的小说，给我一个强烈的印象，郭文斌是与欲望无关的。当然这并不是说他不去写欲望。小说既然是写人的，就绕不开写人的欲望。理论家经常谈到“怎么写”比“写什么”更重要。而“怎么写”又在很大程度上取决于作者内心怎么想。所以在谈到写欲望时还要考察作家内心有没有欲望。虽然有些小说不写欲望，虽然作家好像是在表示一种很高尚、很崇高的东西，但是你读这些小说时你却会感觉到那个作家骨子里的欲望在发酵，发臭，从字里行间你可以闻到这种味道。有一个小故事很好地说明了这个问题，这个小故事正好在郭文斌为其小说集《大年》所写的序言中被提到。这是苏东坡与佛印和尚的一段小故事。他们都在打坐，打坐完后，苏东坡问佛印你现在看我是什么状态，佛印说我看你就像一尊佛，佛印问东坡你看我呢，苏东坡说我看你就像一堆大粪。苏东坡很得意，觉得自己赢了，他回去跟妹妹苏小妹一说，妹妹说你输了，佛印看你是一尊佛，那是因为他心中有佛，他看一切都是佛，那么你看他是一堆大粪，说明你是什么人，不用说了。这说明一个很简单又很深刻的道理：我们心中有什么就会在我们的言行中表现出什么东西来。古人说的“文如其人”其实也表达了这样一个道理。我感觉郭文斌对这一点也是领悟得非常深刻的，他在小说《睡在我们怀里的茶》中还复制了与此相似的细节。徐小帆的妹妹要去看大海，徐小帆对妹妹说只要你心中有大海，你在到处都可以看到大海。我想，郭文斌大概始终把这当成自己追求的一种境界吧。

郭文斌不仅写乡村生活，也写城市生活。在他的城市生活作品中也渗透了他对生命、对世界的一种领悟和理解。尤其是写城市生活更能看出他是如何努力超越欲望层面和世俗层面的，这是他一个很大的特点。《瑜伽》我很喜欢，包括它的结尾。有人觉得结尾写那个在爱情上不负责任的警察在与歹徒搏斗中牺牲是一个败笔，我倒不这么看。问题在于我们如何理解这个结尾。小说的重点并不是写那个警察，重点是写警察的妻子陈百合以及谢子长，当他们两人超脱世俗烦恼，进入一种静默境界的时候，他们就有一种幸福感。在充满欲望的世俗生活中，想要寻觅到那样一种静默的境界是很不容易的。而当陈百合和谢子长进入这样一种静默的境界时，他们就与世俗、与欲望无关。即使他们身边红尘滚滚，欲浪滔天，也丝毫不会波及他们。小说的结尾正是表达了这样一层意思。他们坐在茶馆里聊天，恰恰就在他们离开茶馆之后马上就发生了一场打斗，他们并不是有意躲开，可他们就是能够躲开。打斗是欲望的大爆炸，他们就是能够与欲望擦肩而过。《睡在我们怀里的茶》看上去是写婚姻关系的，或者是写第三者的，但这样去读作品会感到貌合神离。这就在于作者并没有把这些人物关系具体化、现实化，他已超越这种具体的伦理问题了。郭文斌的这种境界是非常非常可贵的。这就涉及一个问题：实际上我们写都市生活也不可能回避乡村精神。乡村精神绝对不是一种被淘汰的东西，乡村精神是一种文明积累，是一种永恒性的精神财富。问题在于我们如何将乡村精神融入我们都市生活中间，融入我们都市生活的经验中间。有一些作家可能会完全从世俗层面去融入，这种世俗层面的融入所营造的是一种强烈的冲突和矛盾。但郭文斌的小说提供了另外一种融入的可能性，这种融入将营造出一种纯净的境界，这种境界将最直接地触及文学核心的问题、文学本质的问题。从这个角度来说他的小说是很可贵的、很珍贵的。

（载于《当代文坛》2008 年第 3 期）

郭文斌：致力于建构“安详诗学”
——读《郭文斌精选集》

周新民

由中华书局出版的《郭文斌精选集》，包括长篇小说《农历》、小说集《瑜伽》、散文集《永远的乡愁》、文化随笔集《寻找安详》《回归喜悦》《〈弟子规〉到底说什么》、诗集《潮湿年代》，以及郭文斌在全国各地面向不同听众群的讲课视频集，共计 8 种。这套《郭文斌精选集》拿在手里，感觉格外沉甸甸的，也勾起了我和郭文斌交往的情景。因为给《芳草》杂志做“60 后”作家系列访谈，2015 年秋天在银川和郭文斌相处两天，得以和他深聊。眼前这套《郭文斌精选集》，激发了我的一些思考。

虽然出生于 20 世纪 60 年代，但是，郭文斌和众多“60 后”作家相比，有太多不同之处。“60 后”作家基本上是从学院走出来的，受过良好的高等教育。然而，郭文斌初中毕业后上了四年师范学校即走出校门参加工作。他不仅缺乏系统的高等教育，还缺乏文学启蒙教育，很少有阅读文学书籍的机会，因为家里和学校找不到可读的书，有时连课本都领不全。然而正是这样的独特环境，按照他的话说，才避免了被彻底“格式化”，才给西海固大地充盈着天地精神的民间文化“走进”他的心灵留下了一些空间。没有学历教育的束缚，郭文斌可以纵情西海固山水之间，充分吸收西海固大自然的滋养，充分感受人和自然之间亲密无间的情感，让生命在根性层面上和整体性充分交融。一句话，西海固深厚的民间文化滋润了郭文斌的心田。从学历教育的角度来讲，郭文斌是“不幸的”，然而，与活生生的大自然与民间文化亲密接触，对于作家的郭文斌来讲，又是一件多么幸运的事啊。成长于天然的民间文化而不是书本教育之中，因为这种机缘，郭文斌对中国传统文化有着天然的感情，这是郭文斌与众多作家不一样的地方。在他看来，传统文化和民间文化在根性上是相通的。就在郭文斌天然地接受着西海固的山水之气，天然地浸染着祖上留下的浓厚传统文化时，和他同时代的“60后”作家们正在接受高等教育，正在痴迷地阅读西方文学经典。所谓造化弄人，正是郭文斌的特殊经历，造就了郭文斌不同于众多“60后”作家的秉性，也是郭文斌独特的文学创作、文学活动的根本原因。

很长一段时间以来，中国当代文学以反映社会生活、教育人民群众为基本功能，其后又开始探索叙事形式的“迷宫”，也痴迷于人性的“恶”与“罪”的书写。然而，从根本上讲，上述林林总总的叙述主题和人的心灵总有隔膜。如何让文学走进内心？郭文斌的文学创作以此为出发点，开始了艰苦的探索。郭文斌认识到，读者首先是生命体。如果一部作品不能给读者提供生命的建设性，那么文学的教育功能、审美功能、认识功能等又有什么意义呢。经过多年的探寻，郭文斌建构了“安详诗学”，找到了一条贴近人的心灵的重要方式。“安详诗学”的第一要义就是书写人性美。郭文斌的小说也罢，散文、随笔也好，总把笔触对准人性美。在郭文斌的笔下，如《农历》，人与人之间、人与自然之间、“天”人之间，洋溢着爱的温情。即使是“事鬼神”的作品，也写得那样温馨。郭文斌所倡导的“安详诗学”让文学回归到心灵的安详，把人从绝望、焦虑、恐怖、孤独中带到澄明宁静的精神世界。在和我的对话中，郭文斌把偏离心灵安详的文学写作看作危险的文学。在他看来，很多文学作品把负面情绪强化到极致，并且审美化，甚至把死亡审美化，这是极其危险的，因为一切阅读都是心理暗示，而心理暗示会影响人的行为。抬头看看我们当下的社会，郭文斌的“安详诗学”不失为一剂良药。因此，在我看来，他的“安详诗学”丰富了中国当代文学的精神谱系。

郭文斌通过《吉祥如意》《农历》等作品着力建构“安详诗学”，诗性地展示着中国传统文化的魅力，开始把弘扬中华优秀传统文化作为文学创作的自觉使命。深受现代化转型的焦虑之困，中国作家的文学创作以“别求新声于异邦”

作为创作信条。虽然也有作家深刻地认识到中国传统文化的意义，自觉地把中华优秀传统文化的创造性转化作为创作追求。然而，像郭文斌这样把弘扬中国传统文化作为文学创作使命的作家，还是很少见。不仅如此，郭文斌对中国传统文化的理解之透彻之深入，在当代作家群体中还是很少见的。近些年，国学热兴起，全国上下都很重视中国传统文化。然而，何为中华优秀传统文化，为何要传承中华优秀传统文化，如何传承中华优秀传统文化等理论命题还展开不够。尤其是多年来，传统文化常常被“妖魔化”被误解，以致在弘扬中华优秀传统文化的实践中常常面临困境。其症结在于，何为中华优秀传统文化。郭文斌说得好，中国传统文化绝不是故纸堆中的文字，而是活跃在人的心灵之中的“灵性”。对中国传统文化的种种误解，其根本原因是没有把中国传统文化看作是“活着”的文化要素。新文化运动时期“反传统”的传统和今天所要弘扬的中华优秀传统文化的“传统”绝对不是同一所指。限于篇幅，在此不展开。但是，我欣喜地看到郭文斌对中国传统文化的解读，在《寻找安详》《回归喜悦》等书中对中国传统文化的理解，显然超出当今很多作家的理解。这显示出郭文斌与众多作家的不同之处。近两年，郭文斌又以文字统筹的身份，通过央视百集大型纪录片《记住乡愁》，把他对中国传统文化的理解转化为音响与画面，更加生动地阐释了中国传统文化之美，深深感染了很多读者。

然而，郭文斌并非仅仅停留在文字层面来宣扬中国传统文化，他还是一名从行动上弘扬中国传统文化的志愿者。这些年来，郭文斌不辞辛劳地奔赴全国各地，在北京大学、清华大学以及众多名校的课堂上，在各个企业家组织的讲堂上，为大学生、社会民众义务宣讲中国传统文化，随之大量捐赠他的著作。如果你观看了郭文斌演讲的视频，就会为这样一位沉醉于宣扬中国传统文化的志愿者而感动。

总体看来，郭文斌的文学创作以及他的文学活动，在今天这个时代显得如此特别。我们应该怎样阐释郭文斌的文学创作以及他为弘扬中国传统文化做的努力。我想，时间是最好的裁判。郭文斌的价值也将会得到更好的阐释。

（载于《光明日报》2016 年 6 月 6 日）

重整散失的文化
——郭文斌论

牛玉秋

中国的改革开放已经进行了三十年。市场经济的大潮以不可阻挡之势，在创造经济财富的同时也改变着社会生活的各个方面。绵延数千年的中国传统文化更是受到了前所未有的剧烈冲击，进一步加速了散失的过程。所谓文化的散失，是指原本与政治、经济、社会一体的文化形态，在新生的强势文化的冲击下，与现实政治、经济、社会失去了结构上的融合、凝结关系，其结构的稳定性受到重创，被解构为碎片，或散落到边缘地带寻找适合它生存的空间，或在强势文化势力尚未抵达的角落继续存在。文化的散失一方面是社会、政治、经济变革的必然结果，另一方面就文化自身的相对独立性和传承性而言又是民族和人类精神财富的重大损失。任何一个民族的核心价值体系的建立都离不开对本民族传统文化精华的继承。在社会、政治、经济发生重大变革时，如果不能清醒、理智地辨析民族传统文化，继承精华，剔除糟粕，就很可能在精神文化生活领域产生迷误，造成礼崩乐坏、价值失范的局面。这也正是近年来思想文化界提倡重视继承传统文化，全社会掀起“国学热”的根本原因。郭文斌及其文学创作就是在这样的精神文化背景下结出的文学成果，也只有从重整散失的文化的角度入手，才能真正理解郭文斌及其创作。

为郭文斌带来文学声誉的首先是他那些描写农村风俗生活的篇章，如引起广泛关注的《大年》，获得“鲁迅文学奖”的《吉祥如意》。风俗一般是指历代相沿积久而成的风尚、礼节、习惯等的总和。我国古代认为，由于自然条件不同而形成的习尚叫“风”，由于社会环境不同而形成的习尚叫“俗”。风俗在本质上是社会纪律的一种形式，它是历史形成的、普及于社会和集体中的、在一定环境经常重复出现的一种行为方式。《大年》是写春节的，《吉祥如意》是写端午的，《点灯时分》是写元宵节的。郭文斌何以对传统节日有如此浓厚的兴趣呢？一般说来，风俗是传统文化的普及版和浓缩版，民族节日则是风俗的普及版和浓缩版。比如近年来在中国越来越热的情人节、圣诞节，实际上表明了一种文化认同，而文化散失最明显的标志往往就是传统节日在实际生活中的退隐。郭文斌在自己的作品中极其详尽、细腻地描写民族传统节日中仪式性的过程，就是一种抗争。他以童年的视角，写端午插柳枝、摆供果、祭祀、绑花绳、采艾草、缝香包；写春节写对联、蒸馍、送灶、泼散、贴对联、洗尘、祭祖、分年、贴窗花、点灯笼、守夜、拜年、赶庙会；写元宵节捏灯、点灯、送灯祈福、献月神。有的读者从这些过程中读出了贫穷，认为郭文斌是在美化苦难。其实这一切与贫穷无关，他是在展现一种文化的魅力。在这些仪式过程中充满了对美好生活的祈盼、对周围世界的善意、对生活和生命意义的体味，充满了温情、温暖与温馨。他要唤醒每个人的童年记忆，让人们在回忆中重温传统文化的美好，最终在现实生活中为如此美好的文化留存一席之地。

文化的作用当然不仅仅只有温情的一面，它还有规范人们价值观念、行为方式的重要作用。正像汪政、晓华在《乡村教育诗与慢的艺术》中所说："礼俗作为一种特殊的行为，通过外在的符号、工具、程序以及组织者的权威而具有强制性，会营造出特殊的氛围，而使参与者在哀伤、敬畏、狂欢与审美的不同情境中获得行为规范、道德训诫与心灵净化。"如守灯时不能胡思乱想，泼散、分年不能吝啬等。在《三年》《一片荞地》《呼吸》等篇章中，也有礼俗作用于心灵的细致表现。

在这一系列作品中，郭文斌还用心良苦地描写了传统文化传承的方式。无论是明明、亮亮，还是五月、六月，都是从爹和娘那里接受传统文化的教育，而爹所说的又是"奶奶的话"、孔老夫子的话。乐善好施、慎终追远、众生畏果、菩萨畏因、积德行善等，就在一辈辈人的口口相传中成为民族文化的重要组成部分。这些作品在内容上具有共同的特点：从时间上看是童年，是过去时，从空间上看是偏远的乡村。

而这正是散失的文化的存在方式。郭文斌创作这一系列作品的用心就在于让散失的文化在他的作品中获得新生，为重整散失的文化做出努力。

郭文斌那些描写城市生活的篇章呈现出与上述作品迥然不同的风貌。初看上去这些作品是在叩问人性之谜和人性的复杂性。这些作品不像一般小说那样在因果链条上展开一种或两种可能性，而是呈现出多种可能性。如《瑜伽》中的王海牙是一个不忠实的丈夫，在妻子面前显露的都是人性或者男性的丑恶的东西，但是在自己的职责范围内他又是一个尽职尽责、忠于职守的警察，在抓捕逃犯时英勇牺牲。如何评价这样一个人物，不免让人有些迷茫。又如《水随天去》以一个儿童成长过程中的眼光去看父亲，父亲在不同的人生阶段的不同表现，他与母亲之间的关系，他最后的去处，都没有明确的答案。不断成长的心理和眼光反衬出成人世界的复杂，也引起读者对多种可能性的思索。这种复杂和迷茫与他的乡村作品中的明朗、单纯形成了鲜明的对比。在快节奏的城市生活中，人的内心生活被各种各样的外在事物包裹着、遮蔽着，不仅单纯的儿童不明就里，就连成人自己也往往无暇顾及。郭文斌正是在这样的生存状态中，以剥茧抽丝的耐心去捕捉人们心灵每一次有价值的悸动。在《陪木子李去平凉》中我们就看到了“我”对那玉红的那种没有目的的喜欢，他给那玉红寄贺卡时的心理感受，“在想起要给她寄那张贺卡的时候，在往那张贺卡上写字的时候，在把那张贺卡投向邮筒的时候，有种难以言说的幸福。”人的一生中总会对某个人或某种事物没有任何物质的或目的性的需求，仅仅是一种精神的需求，实现这种需求的过程是一种极其美好的内心感受。郭文斌准确、精到地捕捉到并表现出了这种美好的内心感受。当然，在这个系列中他更多的还是在表现一种缺失，一种精神的缺失、心灵的缺失。这种缺失往往表现在追求内心满足过程里所受到的种种阻碍之中，表现在寻觅不到实现内心需求的途径之上。就像他在《清明是一笔债》中所说的："伫立在城市的夜色中，我不知该怎样收拾自己的心事。”《瑜伽》中被伤害的妻子陈百合想要在练习瑜伽的过程中逃避痛苦、寻找慰藉，而她的朋友谢子长告诉她：“瑜伽不是逃避，当一个人为了逃避进入瑜伽，那他已经和瑜伽无缘。”在《睡在我们怀里的茶》中，徐小帆在生活细节、特别是在与茶有关的生活细节中所获得的精神满足，得不到周围人的认同；她喜欢家的感觉，从一个失败的婚姻中走出来之后，又进入另一个婚姻，结果在新婚之夜就发现了新夫和前夫的相同之处。缺失、逃避、妥协，成为城里人精神生活的常态。他们任何精神性的追求都难以独自实现，都会在出其不意时遭遇现实性的打击。徐小帆的妹妹对大海的浪漫情怀就在工作、房租等现实问题面前碰得头破血流。这又与乡村生活的闲适自足形成了鲜明的对照。郭文斌在他的作品中分别展现了乡村和城市两种不同的生活状态、心理状态，归根结底是展现了两种不同的文化形态。而且很显然他在用乡村文化的完美来映衬城市文化的缺失。

表现郭文斌创作意图最为明显的是他那些直接阐述传统文化经典的篇章。他在《孔子到底离我们有多远》中提出了一个大胆的猜想："孔圣一生所做的事大概就是教弟子如何找到安详。"他所说的安详指心理的平衡、心灵的平静和情绪的平和。在这篇长达两万多字的散文中，他详尽地阐述了他对孔子及其学说的理解。他的理解最鲜明的特点就是密切联系现实生活，准确针对现实生活中在人格修养和精神生活诸方面普遍存在的弊病和偏差，就是希望通过孔子教会人们"怎样收拾自己的心事"。这篇散文的重要性不在于郭文斌怎样理解孔子，而在于他怎样把孔子和现实生活联系在一起，怎样让传统文化在现实生活中发挥作用。他认为，按照圣哲的观点，人的成长过程从一定意义上说是一个不断被污染的过程。他用老子的"反为道之动"来诠释孔子的"克己复礼"，认为"克己复礼"就是克服生命惯性、逐步回归人生初始状态的过程。他把"不迁怒，不贰过"作为指标，把"忠恕"作为标准，把慈悲看作是一条通往光明、通往真理的通道，并据此对快乐、魅力、成功作了与流行观念截然不同的阐释。看他的散文会发现，他几乎不放过任何一个可以传播中国古代文化经典的机会，而且他不偏食，儒道释皆可为我所用。

在父母亲情中他体会仁、孝，在儿子的成长中他体会“宠辱不惊”。可以看出，中国传统文化的精华已经成为他生命的重要组成部分、价值体系的重要组成部分。

对这样一个郭文斌难免会产生误读。读有关郭文斌的评论时，我常常会想起英国作家威·休·奥登的一段话，他说：“读书就是翻译，因为从来不会有两个人的体验是相同的。一个拙劣的读者就好比一个拙劣的译者：他会在应该意译的时候直译，而需要他直译时他却意译。”读小说尤其如此。有的时候我甚至会怀疑，我自己就是那个拙劣的读者，因为我对郭文斌的解读与很多人都大相径庭。但在参加了第二届中国银川音乐诗歌节之后，我相信我对郭文斌的解读大致不错。这届诗歌节的主题是“唤醒诗教，训蒙养正”，郭文斌是策划人。在开幕式的演出上，有三千多名中小学生朗诵、表演《百家姓》《三字经》《弟子规》等传统经典诗文。策划者希望用中国传统文化的精华校正流行文化中的弊病和偏差的良苦用心十分明显。

重整散失的文化是一项艰巨的思想文化建设任务。一般说来，一种文化形态一经散失就很难重整。因为文化散失的前提是社会、经济、政治的变革，一种文化形态之所以散失，就是因为它已经失去了原来存在的经济、政治基础。比如在今天追求快节奏、高效率、强刺激的社会生活环境中，郭文斌所大力倡导的安详哲学能够成为社会价值主流吗？恐怕很难。但这种哲学却可以抚慰人的心灵，成为主流文化的重要补充。所以整理、挖掘散失文化中的精华，用以比照、纠正、校准现时文化中的弊病和偏差，对于构建社会核心价值体系有着不容忽视的重要作用，也是民族文化传承的必然。这也正是郭文斌及其创作的意义之所在。

（载于《扬子江评论》2009 年第 3 期）

郭文斌小说的诗意叙事及其意义

董 婕

2007 年，郭文斌的《吉祥如意》获第四届鲁迅文学奖，以素朴纯净的语言美和意境美，以涤荡滋养心灵的魅力和纯粹诚挚的祝福性引起文坛注意，让诗化散文化小说强劲回归读者的视野。2010 年出版的长篇小说《农历》，是《吉祥如意》的续篇，更是对其系统化的深化和升华。郭文斌的小说创作，就单向度线性梳理概括而言，诚如李建军所言，发生了“从简单苍白的‘理念化’叙事向淳朴、优美的‘诗意化’叙事的转换。”从小说中子诚的父亲，到李北烛、吴子善、程荷锄、徐小帆再到子莲、水上行，最后到五月和六月的爹，郭文斌的心灵和他的人物一起，从疏离俗世到回归俗世，历经一次圆满的修行，载回从容醇厚的生命、安和静美的灵魂。

正如作者所言：“水上行最后选择了出走，但出走是一个象征，一个手段，他的目的是为了归来……《农历》中的‘大先生’还有‘大先生’膝下的五月和六月，都是他（水上行）的同道，并且比他的道行深多了，因为他们回到了生活，回到了自然。”可以说，经由心灵的渐悟，逐步奠定了郭文斌诗意叙事的伦理高度，他的小说便拥有了儒家文化的道德力量与教育意味，佛家禅宗文化的超脱与空寂和道家文化逍遥自然的底蕴。此外，研究郭文斌诗意叙事的时间序列，我们还可发现，诗意叙事本身就是心灵渐悟结出的一树烂漫之花。2001年的《开花的牙》和2002年的《生了好还是熟了好》两个短篇，一直被视为郭文斌用儿童形象和儿童视角书写生死真相的最初之作、神来之作。正是沿此路径，再加之心灵渐修的滋补，郭文斌终于褪去理念或哲理的外衣，在记忆深处的日常细节里、年俗节庆里，发掘出浓浓的诗意，以《大年》《吉祥如意》《点灯时分》和《农历》为代表的一系列作品彻底征服了焦躁不安的现代人。本文将研究诗意的具体体现，诗意与苦难的关系，诗意叙事的文学史联系和审美意义。

一、诗意文本的叙事学体现

德国生命哲学家狄尔泰认为，真正的诗是“把一种特殊的体验突出到对其意义之反思的高度”，真正的艺术是诗意的凝聚，诗意的表达在一定程度上是生活本质的表达，而这种诗意表达的来源则是艺术体验和生命的诗化。显然，狄尔泰所说的诗意，并非停留在诗情画意意义上的诗意，而是关乎人和生命的本体论意义上的诗意。读过《边城》和《受戒》，我们会有深切的艺术体验：湘西边城自然景观的诗情画意，已经与主人公真善美的品性完全融为一体，不可分割；满身透着灵性的英子和纯真的明海生活在有荸荠庵和有芦苇荡的地方是一种完美的存在。在这种由文学给出意义的艺术体验中，读者在不自觉间也经历了一种指向意义的生活体验和突破自身生活晦暗性的生命体验。文学中的诗意不只是自然景观的物理意义上的客体的诗意，更重要的是一种关乎人和人的存在意义上的本体的诗意，或者更准确地说是这两种诗意的完美结合。《边城》和《受戒》就是如此。读过《农历》的大部分读者，都会感觉到《农历》有种类似《边城》和《受戒》的风格与诗意，甚至会产生一种向作家求证的冲动。李建军指出，郭文斌的诗意化和善意化写作是其自觉选择，我们应该研究他的诗意化叙事对中国当代文学的特殊意义，进而研究伦理境界与文学诗意的关系。这自然是十分高远的研究立意。但我认为，明确诗意的表现，具有首要的意义。

郭文斌的小说是一种描写的艺术，是一种慢的艺术，这是学界已有的定评。但是，这样一种以描写为主的慢的艺术在描绘人物形貌时，恰恰没有多少精雕细刻，人物角色的面容几乎都是模糊的。不管是长篇小说《农历》，还是小说集《瑜伽》里的篇目几乎都是如此。作者似乎太过于吝啬，主人公“爹”和“娘”这两个人物连名字都未起。《剪刀》更是直截了当，用“男人”和“女人”这样两个称谓讲述故事。以《农历》为代表，郭文斌在对叙述做出大幅度的让渡之后，把与人物相关的节日习俗进行了工笔细描，以空间的铺陈描写扭转了传统的线性时间叙事，时间近乎停滞，仪式感浓厚庄严，仪式丰富细腻，程序感有条不紊但又不可抗拒不可僭越。在一系列被放大的细节描写中，诗意如清泉一般，慢慢涌现出来：伴随着娘关于姑娘荞誓为人世找光明的掌故，荞面灯盏的灯坯如何捏法，灯衣如何剪法，灯捻如何做法，灯盏如何守法都细致又从容地道来，流淌出一首乡村教育的诗。人物的形象，更确切地说是人物的精神——崇真尚善伴着大爱，也随之慢慢渗透出来，慢慢丰盈起来，和读者亲近起来，无声地滋养读者的心田时，也牢牢地扎下根来。相较于鲁迅“画眼睛”的方法，郭文斌的这种写人笔法，显然采取的是一种舍近求远、化简为繁、婉曲含蓄的策略。郭文斌曾在采访中异常明确地回答道：“我是在写西部，但西部只是外衣，核心还是人。”“我想我在前世就走上文学道路了，对我影响最大的应该是‘农历’，还有‘农历’中的父老乡亲，还有生我养我的那片土地。”由此看来，郭文斌满怀对养育之恩的感激，试图刻出农历文明滋养下人的精神、灵魂，这十分明确地彰显着写作伦理上的善意选择。这样细究下来，郭文斌笔下人物面容的模糊性，就带有某种必然性。读者可以根据自己领会的精神要点，给五月、六月，给“爹”这样的大先生画出自己心中的“眉”和“眼”。

与人物精神的描写方法相和谐的是景物的描写。《端午》里关于采艾的描写最让人流连，“雾渐渐散去。山上的人们一点点清晰起来，就像是一条条鱼浮出水面。向山下看去，村子像个猫一样卧在那里，一根根炊烟猫胡子一样伸向天空。”“六月想起爹说，采艾就是采吉祥如意，就觉得有无数的吉祥如意扑到他怀里，潮水一样。”“一山的人都在采集吉祥如意。”在这里，出于孩童视角的调皮而又充满童趣的比拟，自然而然地织成一幅生机勃勃的水彩画，又仿佛吟咏出的一首灵性通透的诗，流淌出诗意和美好的祝福，沁人心脾，激起读者心中关于“诗意栖居”的向往。更难得的是，作品中这样的景物描写片段比比皆是。这样一种人物与景物的写作笔法相谐和，更与文体的诗化和散文化相得益彰，彼此增辉。

《农历》的诗意还直接源于“让孩童讲故事”和“讲孩童的故事”。前者在一定程度上解决了“怎么写”的问题，后者则在一定程度上解决了“写什么”的问题，而这两个问题都关涉到儿童形象的塑造问题。现代文学以降，儿童文学形象的嬗变，在某种程度上反映着文学价值观的根性变迁。粗略来看，儿童形象在天使和魔鬼的两极之间衍变，在纯化拔高与颠覆贬低之间徘徊。前者如冰心、林海音等，冰心“爱的哲学”很大程度上由真善美的儿童形象支撑并表征；后者如苏童、余华等，基于荒芜的童年记忆，塑造了一个个充满攻击性甚至是动物性的狭隘、自私的儿童形象。然而，确如王富仁等大声疾呼的那样，必须把“儿童的世界还给儿童”，竭尽全力保持儿童的幻想、梦想和乐趣，才会从根本上防止成人社会的完全堕落，防止成人社会的实利主义完全控制人类和世界。恰逢其时，郭文斌笔下儿童世界和儿童形象的出现让我们眼前一亮，精神为之一振。讲孩童充满童趣的故事，能够在不经意间启开读者心里的童年情思，引起强烈的共鸣。让孩童讲故事，则可以借助他们纯粹的未经世俗玷污的眼睛，发现他们身处其中的世界，打量世界。因此，孩童的眼光，可以视为某种规范，也可作为一把标尺。于是，日常生活中的真、美、善、生、死、无私、崇高，还有性，都在这一规范和这把标尺的衡量下，显出了其纯然的面目。对此，郭文斌有清醒的认知与判断，“儿童的心是清静心，就像一盆水，只有在它非常安静时，我们才能看到映在其中的月。同样，要打量这轮‘农历’之月，成年人的目光显然是不合适的。”显然，儿童世界的出现，仿佛重启又有回归的意味。

郭文斌笔下儿童对“死”和“性”的朦胧又纯净的感知和意识，尤其值得称道和品味。在成人的世界，死亡作为生命的寂灭，生命力量的消亡，就审美的范畴而言，无疑是丑的。恐惧死亡而又希求超越死亡，是理性成人自然又自觉的生命情态。但是在《开花的牙》里，牧牧意识到“死了爷爷真好”“要是有几百个爷爷就好了，一天死一个，那就会天天吃上献瓜瓜。

或者爷爷一天死一次也可以。”发现爷爷不在，挨了爹的打就没人护了，他也伤心也哭也会找爷爷。但也是牧牧，撕破了死亡的假象，撕出了死亡的美和真相——爷爷既没有乘着仙鹤飞上天，也没有在金银斗里数钱，也没有在往生船里睡觉，因为当他撕破、搬倒、踢翻它们时，里面都是空的，但是“他看见爷爷在开花，一片一片的……”《生了好还是熟了好》里的阳阳，在给爷爷烧纸钱时和明明争辩道，“当然熟了好，土豆不熟你能吃吗？饭不熟你能吃吗？我现在明白了，烧纸就是把钱往熟里烧哩，把人往熟里烧哩，把所有的东西往熟里烧哩。”分明是儿童的眼光、儿童的思维，但是谁又能否定里面没有“裸露”着比成人更加通透的彻悟呢？儿童的诗性直觉径直通向诗意的最高境界：关乎人的生存真相的本体论意义的高度。回归儿童的心态，像儿童一样重新打量死亡，恐怕也是成人的一种需要。

儿童对性的朦胧感知，在郭文斌笔下干净而明亮，有着一种“开辟鸿蒙的美”。在《小满》中，有这样的神来之笔：

> 姐，你吃我吧。六月突然说。五月惊得两个眼睛鼓成铜锣，说，你咋能吃？……却是无从下口……六月说，肯定能吃，爹和娘不教我们，是留着自己吃呢……有一次，我就听见爹在吃娘呢，娘还问爹啥味道呢。

在这里，性是一个“欲说还休的秘密”，它明净但又充满神秘。在孩童充满稚气的问答和清澈的眼眸中，性显示出其单纯的面貌。《门》里的杏花和如意，分别待在门里和门外，把对于性的初始感知当成谜语出给对方，在一派天真但又严肃的猜答中，性的纯然面目水落石出。还有《玉米》里的红红、东东、小红三个孩子，玩着领新媳妇的游戏，不经意间，红红的脸蛋就在圆房之后的吹灯环节红透了。红透了脸的孩子便跨过了成长之“门”，向着成熟迈进了。这正如熊修雨的评价，郭文斌文学创作中对性的肯定和呼唤是对成长和生命的鼓励和高扬。

如果说“讲孩童的故事”和“让孩童讲故事”本身就是诗意的，那么《农历》中处处信手拈来的移情手法的使用，则为这一诗意本身增添了一层梦幻色彩，显得摇曳多姿。移情手法的产生有赖于人的直觉，情感、意志等心理活动的外射。移情的状态，就是中国人所谓的物我同一。移情就是“在聚精会神的观照中，我的情趣和物的情趣往复回流”，在物我交感的状态下，“人的生命和宇宙的生命互相回还震荡。”移情状态的发生具备在外界寻回自我的意义。《元宵》里，有这样一处堪称绝妙的六月守灯的描绘：“六月看着看着，就看进去了。那灯花不是别的，正是自己的心，心里有一个灯胎，正在一点点一点点变大，从一个芝麻那样大的黑孩儿，变成一个豆大的黑孩儿，在灯花里伸胳膊展腿儿。不多时，六月的灯胎里就出现了一个人……怎么这么面熟呢？”在这里，灯与心互相参看，彼此写照，这不只是一次简单的守灯，更像是一次佛家的参禅入定。佛说：“一沙一世界，一叶一菩提”，这又何尝不是一次在“灯”里寻找自我和世界的过程呢？

二、根于苦难的诗意世界

品读如上细节，我们总是带着会心的微笑，流连于诗意浓浓的“审美乌托邦”世界。然而，我认为这样一个乌托邦世界的存在，它根植于苦难。正是苦难的深重，才滋养了诗意的浓厚。对人类而言，生存与苦难总像一对孪生兄弟般存在。在生存与苦难的撕扯中寻求意义，便是人的意义。正如吉尔·德勒兹所言：“苦难被用来证明生存的不公，与此同时，又被用来为生存寻找更高和更神圣的理由。”苦难拥有太多面孔，逼迫着检视着人的生存。贫穷便是其中之一。一定程度上，极度的贫穷自然带着几分的罪恶。因为对人而言，生存第一。对于贫穷，郭文斌有自己的看法，“贫穷作为一种生存状态，人们只能接受它，歌颂与诅咒都无济于事。”如果说世界级大文豪陀思妥耶夫斯基在《罪与罚》中凭借肉体与赤贫的“搏斗”，塑造了拥有圣徒人格的索尼娅形象，那么在《农历》中，同样因为贫穷，在人的生存受到威胁的境地，郭文斌完成了善良人性顽强反抗绝境的书写，并带给我们下泪的思考。

《农历》中的主人公是西部孩童中最平凡的一对小姐弟五月和六月。在缺吃少穿，吃了上顿不保下顿的年月，作者用满含深情的笔墨，丝丝入扣地描写了大年三十晚上开饭和分糖果的情形：六月“飞出屋去”端饭、“预备赛跑似的”等着动筷子、五月和六月的眼睛“变成探照灯，爹手里的糖纸被点燃”、整个屋子被糖的味道充满、翻来覆去地数着糖果，“只有在这样不停地数着时才感到心里踏实”。对于孩子如此珍贵的年礼，与他人分享当然是不爽快不乐意的，哪怕被分享的人是爹。于是自然地引起五月的心理斗争：“是给爹呢又不是外人，怎么能有舍不得的想法呢？”在自己说服自己后，五月还是大方地把枣子拿给了爹。对五月的这一刻画，准确、真实、传神。从孩童的角度来讲，这可谓一番不小的心理斗争。作者通过对姐弟俩的语言、行为、心理活动的描绘，以及通感等充满诗意手法的运用，把孩子在物质异常匮乏的年代对食物的渴求、稀罕和珍视，惟妙惟肖、淋漓尽致地描绘了出来。即便物质如此匮乏，姐弟二人身上依旧充满灵气，活泼天真，善思上进，宽厚仁义，孩童贪玩贪吃的天性，在极度贫乏的物质生活和深厚博大的文化传统之间保持着平衡，并且向善生长和发展。而不是相反地，因为物质的稀缺，长成自私自利的人。而这一切得益于拥有“农历精神”塑造的父母的润物无声的化育。

《农历》中五月和六月的爹，是历经了九九八十一难，取得了“真经”的《瑜伽》里的“行者”。他少了一些追问和探究，少了一些孤独和忧愁，他和颜悦色、做人舒展大方。对佛法的参悟，对道法的体悟，对儒家伦理的践行，让人觉得“爹”就是一位得道的圣人、高僧抑或道士。他的一言一行、一举一动都深刻地影响着子女、村子里的人，而他的子女和村子里的人，在日常行为处事与道义的选择上都自然而然地唯他马首是瞻。于是，叙述的“圆”被作者巧妙地构建起来，“爹”就是这个“圆”的中心：家庭的圆心、村民的圆心、农历节日的圆心、道义的圆心。在《大年》里，三十晚上糊灯笼的故事不仅着重体现了爹慷慨救济的儒家做派，同时我们也领受了爹对五月和六月的化育过程。年三十的晚上，改弟家因为“要啥没啥的”，没打算糊灯笼，一家人只能在冷冷清清、凄凄惨惨，甚至饥饿中度过。爹不仅打发五月和六月为改弟家送去了窗花，还包了几个馒头，还让姐弟二人传话，他要亲自为改弟家糊灯笼。在爹的敦促与帮助下，“改弟家的院顶头也亮了”，“改弟爹真的把灯笼糊好了”。最终“一庄的灯笼在动，就像在梦里一样”，“五月的心里一下子被感动充满”。在这里，具体地体现出了爹的雪中送炭精神和穷人之间的帮衬。正是爹一系列这样的做法，赢得了村人的尊敬，成了善良与道义的中心。送去的窗花和馒头，带给改弟一家人的，如果是生活下去的决心与信念，那么最终亮起的灯笼，则终会化为五月六月姐弟为人处世的灯塔。的确，在爹这样的言传与身教的感召与化育中，小姐弟俩依然能够在物质极端贫乏的环境中，向阳成长，异常懂事，乐于分享，理解父母，善良厚道。因此，《农历》不仅让我们看清了“农历精神”滋养的农人是如何与苦难、贫穷做斗争的，同时也启示我们，以己度人，理解他人，关爱他人，力所能及地给他人以温暖的善良，美好人性，在一群农人身上是如何薪火相传的。至此，郭文斌不仅提出了一个重大的问题，而且做出了自己的回答：在苦难围困的穷人中，美好的人性如何不被苦难与贫穷吞噬，而是倔强地向阳向善而生。因而，在《农历》中，苦难不仅是诗意的根，而且是美好人性得以绽放的明证。

三、诗意叙事的审美力量

在现当代文学史中，乡土小说有两条明朗的脉络：一条是重叙事的较偏重于现实主义的，代表作家如王鲁彦、赵树理、柳青、路遥等；另一条是重抒情的较偏重于浪漫主义的，代表作家如废名、沈从文、萧红、汪曾祺等。前者被命名为写实乡土小说，这类小说多叙述笔法，讲求故事性，重人物形象的塑造，有强烈的时代印痕；后者被命名为诗化乡土小说，它多描写笔法，讲求诗意氛围的营造和水墨画的艺术效果，重人物精神的勾绘，趋向散文化和诗化，显得清新隽永。郭文斌的作品行世后，有人便称他为“北方的汪曾祺”。这在一定程度上显示出了郭文斌的作品与诗化乡土小说的某种相似性。也因此，当读者对这种作品间的相似性进行求证时，作者在《最可怕的是假醒——郭文斌访谈录》里答：“恰恰是在评论家讲到我的作品像他们的时候，我才买回来看了看，说实话，一方面觉得自己跟这些大家还是没有可比性，另一方面，又觉得我们骨子里还是不同的。”对此，我认为郭文斌的创作是诗化乡土小说在当代的一种偶然接续或者某种必然延续。

郭文斌的小说，以《农历》为代表而言，对人性“真善美”的讴歌，对地域风俗浓重且系统性的描绘，空灵人物的勾绘，主人公的儿童设置，文体上明显的散文化诗化特征，孩童叙述视角的广泛采用，纯净清新的语言，温婉隽永的审美格调，等等，都在不同程度上与现当代文学史上诗化乡土小说的特征有所叠合，这是不争的事实。雷达曾不无感叹地评价说：“看完郭文斌的作品后，我确实大吃一惊，没想到还有这么美、这么纯粹、这么含蓄、这么隽永、这么润物无声的小说。他的小说你要做些理论上的概括可能不容易，但是你可以被陶醉。郭文斌的小说感动得我掉泪。郭文斌的作品提供的美学价值，那种罕见的美，尤其是值得我们珍视的。”这段感受性的评价，如果我们把郭文斌去掉，用它来概括诗化乡土类小说的阅读感受，同样贴合。这也佐证了郭文斌小说的诗化乡土特性。结合作者的回答，作品所呈现的风貌以及读者的感受，《农历》对诗化乡土小说在当代的接续体现了其偶然性。但是，我认为《农历》对诗化乡土小说在当代的延续更显示了其必然性。而这种必然性的根源与诗化乡土小说作家的生命体验与文化价值选择相连。

对生命体验十分推崇的狄尔泰认为，“对人生的体认不能诉诸理性，而只能是‘体验’，只有体验才能将活生生的生命意义和本质穷尽，只有通过体验，人才能真切而内在地置身于自身生命之流中，并与他人的生命融合在一起。”在《农历》的附录《望》里，可以较为清晰地窥见郭文斌把自己有关生命意义和本质的生命体验与他人的生命融合在一起的痕迹。在这篇散文中，作者一方面满怀深情地讲述了父亲的言传身教对自己深刻的影响。“从小，父亲就给我们灌输，一个不懂得惜缘和感恩的人是半个人……父亲说，这人来到世上，有三重大恩难报，一是生恩，二是养恩，三是教恩。”文中还提到自己感恩情结的形成，得益于父亲在“吃了上顿没下顿的日子里”，拿最好的衣食供奉失了丈夫且无后的师母的行为。在此，我们觉察到了《农历》中爹对六月教化的影子，也读出了五月因为物质的稀缺，对爹产生的小小自私与抱怨。另一方面，作者沉痛地写了当自己由于大年三十没能回到老家过年，在家里做了一系列简陋而不乏庄严的祭祀仪式，以及看到“连根拔起”的城里人跪在倒垃圾的地方磕头接迎祖先的局促场景。以至于写到最后，满眼是泪。这样的现实境遇下的过年与《农历》里过大年的场景，形成了强烈的反差：爹给庄子里的人“写成的对联房地上放不下了，房墙上挂不下了，五月就放到院里。不多时，就是一院的红。五月能够感觉到，满院的春和福像刚开的锅一样热气腾腾，像白面馒头一样在霭霭雾气里时隐时现……五月和六月幸福得简直要爆炸了。”在一悲一喜、一冷一热的强烈比对中，我们清晰地领悟到，《农历》中罕见的、令人陶醉的、纯粹的美来源于岁月打磨下作者深厚的生命体验。与此同时，明白了现实中作者过大年的酸楚与心痛，理解了作者不遗余力地建构充满诗意“审美乌托邦”的真正初衷。这一乌托邦世界的建构，以浓厚饱满的乡愁为动力因素。

回顾历史上的诗化乡土小说作家，他们的作品风貌都在一定程度上体现出了某种审美的偏执。而这种审美的偏执往往与作家的文化价值选择与追求息息相关。对现代诗化乡土小说有开创之功的废名，“终于是逃避现实，对历史上屈原、杜甫的传统都看不见了”，“最后躲起来写小说很像古代陶潜、李商隐写诗”，并最终舍弃其深厚的西学修养和视角，站在东方传统文化的立场，以“出世”的姿态，“横吹出农耕文明笼罩下的宗法乡村社会宁静幽远、情韵并致的牧歌”。而沈从文则抱着“用作品燃烧起这个民族更年轻一辈的情感，增加他在忧患中的抵抗力，增加活力”的目的，师法自然，塑造了一群具有神性人格美的湘西边民，建构了具有独特审美魅力和魔力的湘西世界，在道法自然的价值追求中完成了其文化价值判断和批判。类似废名和沈从文的审美理想建构与文化价值选择，郭文斌的创作也经历了这样的心路历程。面对当下社会“精神家园”的失落，融合其幼时充满苦难与贫穷的生活体验，他选择了“祝福大于批判”的写作路数，积极汲取儒释道三家传统文化的智慧与养分，为我们建构了立足于西部贫瘠故土之上，充满诗意与安详的乌托邦世界。而郭文斌的这样一种选择和建构，与汪曾祺的主张完全相通，“作家的责任是给读者以喜悦，让读者感觉到活着是美的，有诗意的，生活是可欣赏的……小说的作用是使这个世界更诗化。”

细细品读郭文斌的文字，其独特的审美韵味，似废名而近于禅，似沈从文而近于道，似萧红而不无淡淡的哀愁，似汪曾祺而满溢浓浓的人间烟火气。汪曾祺曾说，“废名的影响并未消失，它像一股泉水，在地下流动着，也许有一天，会汩汩地流到地面上来的。”假若真如作者自己回答时所说，他的确没有受到过诗化乡土小说的影响，那便可以确定地讲，郭文斌的创作不是废名影响下汩汩地流出地面的泉水，而属于一条大的暗河——基于东方传统文化滋养的，在鲜明的牧歌情调与潜含的挽歌情调的交响中，博大的人文主义精神对于不可阻滞的现代文明进程中人类精神家园不断沦丧，做出的不无忧虑但又无可奈何的对抗。这种对抗以偏执的审美选择发挥其摄人心魄的审美力量，抚平一颗颗焦虑的现代人的心，并为其提供可能诗意栖居的小小地盘。也正是在这一更大的层面上，郭文斌的创作显示了其对诗化乡土小说在当代延续的必然性。

（载于《南方文坛》2018 年第 6 期）

郭文斌论：从“安详诗学”到“农历精神”

韩春萍

宁夏作家郭文斌是当代文坛活跃的重要作家，其长篇小说《农历》曾获第八届“茅盾文学奖”提名，短篇小说《吉祥如意》先后获“人民文学奖”“鲁迅文学奖”等；他的部分作品被翻译成外文，他曾任央视纪录片《中国年俗》《记住乡愁》文字统筹，提出安详生活观、安全阅读观、底线出版观、祝福性文学观等。

郭文斌是一位“话题式”作家，他所引出的话题值得批评家和文学史家关注，比如小说的民间文学资源借鉴，比如“安详诗学”和“农历精神”，比如跨越了文学、教育与公益几个领域的大文学追求和因之形成的特有的传播现象。以我愚见，郭文斌之所以成为文学批评领域的“话题式”作家，有一个重要原因，那就是他非常强烈的“问题意识”，可以说，他以一个作家的身份为当代人的“文化断根焦虑”问症，十几年来的文学创作，紧紧围绕于此，形成了一种“文化寻根”的文学新样式和新的文学潮流。

一、对话性叙事与民间文学资源

郭文斌的小说语言非常具有特点，是一种融叙述、议论、描写为一体，并通过儿童视角表现出来的叙事语言。比如说发表于2004年第2期《钟山》的中篇小说《大年》就是通过明明、亮亮两个孩子和爹娘的对话，以及孩子的心理对话，将过年的细节呈现出来。这种对话性叙事完美地融合了人物对事情的看法与议论，加之儿童视角的好奇和本真，使得小说中的描写既含有浓浓诗意和饱满情感，也不失其客观性。儿童视角由于还没有遭受现代文明尤其是物质文明的“污染”而很少有个人成见，保留着一种原始的诗性思维。2011年由上海文艺出版社出版的长篇小说《农历》是对节日题材小说的集成。从《大年》到《农历》预示着郭文斌的文化寻根和文化叙事探索形成了自己的独有体系。以我之见，郭文斌小说的叙事性探索体现在以下几个方面：

第一，郭文斌的小说语言借鉴了民间文学的口头性语言艺术，较少使用典雅的书面语，善于化用方言土语和日常生活用语。在《农历》中，人物之间的对话很少使用直接引语，而是将对话糅合进叙述语言中变为间接引语，同时和描写、抒情融为一体，体现出一种非常娴熟和自然的小说语言艺术，巧妙穿插其中的春联具有一种原初的神圣性和文字崇拜情结，让祈福纳新通天接地既恭又敬。郭文斌的成长背景和自身的敏感使得他能够在生活中学习，将一般人容易忽视的民间文学资源内化于心。比起步西方文学之后尘的大多数作家，郭文斌是一位注重学习本土文化和文学资源的作家，一个在农业文化古老根脉上生长的本土作家。《大年》有天心月圆一般的澄澈和美好，超越了古今、城乡、贫富等世俗的二元对立，就像一颗种子，在其上逐渐长出了枝繁叶茂的《农历》。

第二，《农历》的叙事具有一种生动的活泼的召唤结构，具体体现在其集体性特质和父亲意象两个方面。小说涉及的主题是农历节日，是中华民族共同的文化记忆，是个人经验和集体经验的最大集合体，因此，对农历节日的书写能够最大程度地表达中国人在商品经济和西方文化冲击之下的文化乡愁。加之，小说中那位言传身教的父亲作为一种意象，正是传统儒家文化圣贤的民间化和当代化体现，他对子女的教化，自然引起人们关于家庭伦理和亲情的怀念。根据意大利精神分析学家鲁伊基·肇嘉关于父性的观点，工业社会正是一个父亲普遍缺失的社会，父亲这个意象在少年儿童心中的日渐模糊预示着传统伦理道德失序和坍塌的危险，甚至会让潜意识里渴望父亲的年轻人走向兄弟会式的江湖帮派和“专制父亲”的麾下寻求安全感。当下生活中有多少孩子在问“爸爸去哪儿了”，就有多少这样的危险。郭文斌小说中的父亲意象温和而有力量，他的精神血脉传承自中国传统文化，但他绝不是充满控制欲的权威家长，而是仁者和智者的化身，具有精神父亲的特征，而这正好对应着当前人们尤其是年轻人的心灵渴望。

第三，《农历》中五月、六月和父亲的互动和对话所形成的对话性叙事结构使小说形成了一个对话场。批评家汪政指出郭文斌重视文字的声音，“他的叙述与描写是通过对话来推进的”。这种以生活化的教育为中心的对话式叙事结构就像老师与弟子之间的对话结构，是一种《论语》结构的叙事体，体现了郭文斌作为一个具有古典气质的知识分子所秉承的文以载道的大文学理想。这种对话体叙事所形成的对话场，具有一种开放性，读者可以去旁听，也可以参与其中去讨论。这种叙事话语和叙事结构使传统的教化得以创新，赋予小说人物充分的话语权，参与讨论的不同声音使小说形成了多声部的复调特点，具有一种民主精神。但需要说明的是这种对话并非各执一词，最终归于对以儒家文化为主体的中国传统文化的认同。

这就是郭文斌的小说在叙事上的创新。其实，除了小说，郭文斌的其他几部作品如《寻找安详》《醒来》都具有明显的对话性，一则是因为这些作品大多是他的讲座稿，二则是因为郭文斌在写作中有非常强烈的和读者对话的意识。在小说中这种对话意识通过小说人物来表达，在随笔中就体现在字里行间了。这种对话诉求体现为一种强烈的想要分享自己，想要去帮助他人、疗愈他人的利他心。或者说，正因为有这样的一颗写作心，才有了郭文斌这样的文学作品。要研究郭文斌作品的魅力，叙事只是其中一个方面，大概没有人会拒绝一个强烈地想要奉献自己的人。而郭文斌的“安详诗学”中最为重要的观点就是通过“给”走进安详。就此而言，写作并通过写作来奉献就是郭文斌所寻找到的走进安详的具体方式。

二、从“安详诗学”到“农历精神”

在多年研读经典和实践的过程中，郭文斌逐渐形成了他独有特色的文化叙事。翻开 2010 年由中华书局出版的《寻找安详》和 2019 年由长江文艺出版社出版的《醒来》，只看目录，一种强烈的建设性就会扑面而来。湖北大学教授周新民先生用“安详诗学”来概括，武汉大学教授於可训先生则用“安详哲学”来命名。于此，如果说《寻找安详》《醒来》在作理论上的阐述，那么《农历》则是作生活化展示。而由他任文字统筹等的央视纪录片《记住乡愁》，则是更为广阔的实践，据悉，这部将要拍 540 集的大型纪录片，在播出 300 集后，观众就已经达到一百亿人次。

郭文斌通过“安详诗学”试图塑造出一个独立自主的开阔的个体人格。比之西方文化的理性批判传统，东方文化的内观自省传统在近现代被一些人误解为一种对主体生命活力的压抑。郭文斌的“安详诗学”和传统文化叙事因而面临着叙事和思想两方面的压力，因此他选择了农历节日这个衔接着古今、城乡、自然、生活等要素的集合体，而农历节日的仪式化、民俗化和生活化又非常适合以文学的形式来呈现。因此可以说郭文斌对农历的书写和对“农历精神”的挖掘仅仅是他“安详诗学”的具体体现，他在努力以当代人可以接受的方式来表现。“农历精神”是中华优秀传统文化民间化、生活化、活态化的体现，这其中的活力因子毫无疑问可以成为激活新时代中国人文化身份认同的催化剂，从而促使人们将个人认同和文化身份认同结合起来，将个人自信和文化自信结合起来。

郭文斌的“安详诗学”不仅着力建构人的文化自信，同时还致力于人的生命力建设。他现代感十足地将他的传统文化叙事建立在四个概念之上：一是“永恒账户”概念，每个人都有一个永恒账户，因此，要有自觉管理生命的意识；二是“能量总库”概念，个人潜意识连接着集体潜意识，因此，要对祖国心存敬畏和感恩；三是“能量坐标轴”概念，心量越大，能量越高，因此，教育要紧紧围绕拓展孩子的心量进行；四是“成功学的公式”，在才华、热情等众多成功要素中，价值观是压舱石。

前文已述，郭文斌是带着强烈的问题意识从事创作和进行志愿者活动的，因此，他格外注重“安详诗学”和“农历精神”的“应用性”。除了“寻找安详”小课堂长达七年的实践，在《寻找安详》《〈弟子规〉到底说什么》《醒来》等著作和海口电视台播出的52集电视系列讲座《郭文斌解读〈弟子规〉》中，有大量的实践案例。

三、文本内外的探索和新的文学潮流

郭文斌的文化叙事强调“大我”境界。《寻找安详》和《醒来》中的声音性和对话性非常突出，表现的都是集体的“大我”心灵。大数据时代，郭文斌的这种文化叙事非常具有传播力，其传播动因和机制值得评论家好好思考。郭文斌的思想，除了纸质本发行、现场演讲和“寻找安详”公益小课堂等传播方式之外，还有百花盛开似的自媒体音频和视频，这种传播，让他的价值发挥既有广泛性，又有深入性，正面影响力远远大于别的作家。

选择是因为认同，热爱是因为崇敬，分享是因为受益。这就是郭文斌的“给”哲学。在他“给”哲学的众多项目里，随课捐书和视听转让可作为一种公益传播学来研究。

郭文斌认为，持久的阅读来自信任，迫切的阅读来自渴望。当听众在两三个小时的倾听之后，和作者产生了共鸣，建立了信任，有了强烈的阅读期待，得到赠书，他就会带着迫切感去阅读，并且反复阅读，这样，课堂热情就得以延续。郭文斌说，扶贫要精准，捐书也要精准，饭菜要送给有饥饿感的人，药品要送给有病的人，一般情况下，到公益课堂去听课的人，多半是带着问题去的，把书捐给他们，会被格外珍视，也会被反复阅读。

郭文斌还认为，捐书是课程的有机部分，甚至是更为重要的部分，没有行动证明的宣讲是无力的，一千人的论坛，每人赠一本书，就要三四万，由此，大家就会相信你所讲不虚，当大家知道这种捐赠是长期的，就会更加信任你，因为信任你而信任传统文化，这才是真正的带入。

郭文斌的第三个传播观是在信息潮涌的时代，一堂课唤醒的热情和觉悟，很快就会被别的文化兴奋点覆盖和代替，如果不主动把书送到案头，让他们自己去买书读，概率是很小的。不要说买书读，就是网上阅读，如果在几秒钟之内页面无法打开，人们也会放弃。受众没有耐心，传播者就要格外有耐心。第一时间送达，或者说方便，成了现代传播的关键要素。

无偿提供版权，让众多喜爱他作品的读者特别是受益者将他的作品朗读上传至喜马拉雅等平台，是“给”哲学的另一重要方面。虽然，朗诵水平参差不齐，会伤害作品，但郭文斌并不在乎，在他看来，朗读者能因之成长，比捍卫作品的纯粹更重要。这种让大众充分参与、体验、分享的开放心态，也是“安详诗学”和“农历精神”的应有之义。郭文斌认为，听书时代已经到来，观念要跟上，心量也要跟上。

用中华民族古老的《周易》视角来看，郭文斌的“不易”价值观、“简易”方法论，“变易”应用性，让他的作品迅速社会化。郭文斌作品的传播现象预示着一种契合当下社会的新文学潮流即将到来。郭文斌的探索和实践跨越了文学、教育和公益等领域，让他的人生和文学理想同构化。

四、批评家视野中的郭文斌作品

郭文斌的作品一直被文学批评界长期关注和评论，当代活跃的批评家大多都评论过他的作品。以批评家的眼光来看，“郭文斌的作品提供的美学价值，那种罕见的美，尤其是值得我们珍视的。”批评家雷达在 2005 年 6 月 30 日《大年》作品研讨会上如是说。他说：这次集中看完郭文斌的作品后，我确实大吃一惊，没想到还有这么美、这么纯粹、这么含蓄、这么隽永、这么润物无声的小说。他的小说你要做些理论上的概括可能不容易，但是你可以被陶醉。我一直在非常感动地看着郭文斌的小说，他的小说感动得我掉泪。正如雷达先生所言，阅读郭文斌的作品可以被陶醉，可以被感染，但要做理论上的概括却不容易。评论家李敬泽说："郭文斌能够在小说中保持对经验、对心灵的直接性，在他敏感、温厚的书写中，生活难以言喻的复杂况味，乡土的残酷、坚硬、温暖、柔软和美，同时被看到、同时被表达。"纵观评论家们对郭文斌作品的评论，其论点大致可以归纳如下：

第一，评论家认为郭文斌小说的诗性与静美非常难得。评论家汪政认为郭文斌的小说是当作诗来写的，"语言抒情、考究，叙述一唱三叹，恍若仙境的自然景色，其乐融融的家庭生活，清澈见底的童趣天地，与图案一样的节庆风俗，一起构成了一幅至纯至美的图画。"对郭文斌小说的诗境做了深入分析的批评家还有李建军、吴义勤、贺绍俊、白烨等批评家。2011 年 3 月 25 日，由中国作协创研部和上海文艺出版社等共同主办的郭文斌长篇小说《农历》研讨会在北京召开，陈建功和李存葆先生对《农历》所展示的生活图景和静美给予了高度评价。陈建功说："郭文斌最使我佩服的，是他执着的文学信念和鲜明的文学主张。大家知道，作为《黄河文学》主编，郭文斌很早以来一直运用他的文学阵地，主张并鼓吹安详的文学、宁静的文学、纯净的文学。在一个熙熙攘攘的商业时代，在一个人心浮动尘俗喧嚣的时代，这种鲜明的文学主张本身就具有很强的挑战性。而《农历》等作品，则是郭文斌文学主张的实践成果。"李存葆先生尤其赞赏郭文斌对文学品格的坚守，他说："我曾经有些武断地说，国画画面静不静，有没有让人静下来的力量，是判断一切国画好坏的标准。我觉得这也同样适合当下文学：一部作品是让人更浮躁，还是平息抚慰浮躁的心灵，给我们安静的感觉，让人心静下来，可以在某种程度上判断作品品质的高下。而郭文斌的这部作品，正是达到了这种让人静下来的水准。”

第二，从“茅盾文学奖”提名到高校热议，批评家关注“农历精神”。2011年8月，全面改革的第八届“茅盾文学奖”开评。评委增至62名；评委实名投票，全程公开，媒体跟踪报道。在178部参评作品进80、进40、进30、进20、进10、进5的六轮投票中，《农历》排名第7，让人遗憾。但仔细分析票数的变化，可见从京外聘请的多半评委，在20天的集中阅读和讨论中，在一步步认同《农历》。《农历》的落选，除了张炜、莫言、刘震云、刘醒龙、毕飞宇的作品优秀，在笔者看来，还有“版图原因”。人们看到，在第六轮10部备选作品中，上海文艺出版社有两部，一部是《农历》，一部是莫言的《蛙》。《蛙》获奖，《农历》就难再获。好在一切遗憾，都有时间来抚慰，8年10次重印的发行业绩，给了《农历》最好的褒奖；还有来自文学史家深入岁月深处披沙拣金的目光。

2019年4月6日，由著名学者陈思和先生提议，复旦大学中国当代文学创作与研究中心主办的“郭文斌创作研讨会”在复旦大学召开，来自复旦大学、上海社科院、浙江大学、中山大学、澳门大学等单位的22名评论家参加研讨会，虽然是“郭文斌创作研讨会”，但批评家谈得最多的还是《农历》。陈思和先生在开幕式致辞和主题发言中说郭文斌的小说里有一种废名式的田园抒情，郭文斌对当下中国社会充满了温情，充满了建设性，特别是在精神建构上，他关注较多，这也是我们今天社会所迫切需要的。复旦大学栾梅健教授认为：在郭文斌的创作中，有很多中国传统的典籍思想影响，比如《论语》《孟子》等，他还从中国民间的信仰、民间的风俗、传统的伦理道德礼仪当中吸取营养，给我们展示了一个丰富的、饱满的、酣畅淋漓的中国传统文化之源之根，非常精彩。在当下，无疑是非常重要的一剂精神良药，可以安妥我们的灵魂，可以让我们在面对工业化对人异化时，让我们在西方强势文化面前，有一种中华文化的自信。他孜孜以求的文学探索，其实已开创了一种很有意义的文学潮流。它的价值与意义，可谓与伤痕文学、改革文学等相类似。

第三，评论家认为郭文斌的写作预示着一种新的文学潮流或者新文体的出现。评论家李敬泽认为：郭文斌这部《农历》，真的好比是《吕氏春秋》，好比是《礼记》。讲的是天、地、人的关系。评论家汪政说：“郭文斌是一个有信仰的写作者”，“已经打通了文学内外”，他认为郭文斌的写作尤其是近年来的随笔写作“有很多故事、有很多现场、有自己内心的感受，这些组成了具有美学气质的新的文体。”作为一部符号性作品，《农历》被文学史家和批评家所看重，於可训教授撰文推荐此书，他认为《农历》复活了一种新笔记小说，是一部中国化的小说。他认为《农历》“穿插其间的各种文学的和非文学的、文人的和民间的、书面的和口头的、通俗的和雅致的文体等之外，还有很重要的一点，就是它所具有的教化的功能和作用。”

值得关注的是，《农历》不但得到了北方批评家的认可，更被华中、华东的高校学者看重，除了复旦大学的学者，还有武汉大学、湖北大学、江西师范大学等高校的学者。湖北大学教授周新民写道：“当前像郭文斌这样把弘扬中国传统文化作为文学创作使命、对于中国传统文化的理解这般透彻深入的作家，还并不多见。”他判定，“随着时间的推移，郭文斌的价值也将得到更好的阐释。”

五、文化即暗示

通常情况下，获得“茅盾文学奖”提名的作家，都会成为出版社高稿酬约稿的对象，作家们也会再冲刺，但出乎人们意料的是，郭文斌却一反常态，进入一种搁笔状态，奔波于全国做志愿者。从 2014 年起，又以文字统筹的身份参与中央电视台 540 集大型纪录片《记住乡愁》的拍摄工作。这当然是他的读者不愿意看到的状态，但郭文斌说，当下社会，不缺一位写《农历》续篇的作家，更缺一位把“农历精神”

推广开来的志愿者。

《醒来》一书后附的几篇实名分享的文章，讲述了通过听郭文斌的讲座和阅读他的书，濒临分裂的家庭破镜重圆，重度抑郁症患者痊愈，甚至习惯性自杀的人重新燃起生命的激情。通过这些重生的读者真诚的分享，我们就可以理解郭文斌为什么要暂停创作，走出书斋，奋不顾身地去做一位志愿者。

安详生活观、安全阅读观、底线出版观、祝福性文学观，这是郭文斌近年不遗余力在全国宣讲的“四观”。支持这“四观”的逻辑依据是他的另一观点：文化即暗示。

在做志愿者的几年里，逐年上升的青少年自杀现象让他开始关注自杀诱因，最后，他发现，不少自杀者都受到文化暗示，特别是大阅读暗示。为此，在复旦大学举行的“郭文斌创作研讨会”上，郭文斌没有谈他的创作经验，而是讲了三个文学之外的故事：第一个故事讲到同村两位涉恶青年，一位因为偶然机遇读了路遥的长篇小说《平凡的世界》和民间劝善书《了凡四训》而改过自新，最后成为作家；另一位进了监狱，究其犯罪原因是他模仿一些电视剧逞能。第二个故事讲在“寻找安详”小课堂，一位重度抑郁症患者读了《寻找安详》而康复的故事。第三个故事是郭文斌在协助央视做纪录片《记住乡愁》时遇见的一位导演的故事。这位导演原来的工作接触社会阴暗面比较多，让她有很深的抑郁情绪，甚至患上了面瘫，后来进了《记住乡愁》剧组，面瘫和抑郁都好了。郭文斌借此呼吁：“文化是一种重要的心理暗示，而暗示本身就是能量。”他说，“但凡出了精神问题的孩子，大都有不良的阅读经历，不管是书本阅读，还是电子阅读。”

我们注意到，郭文斌这次的发言和八年前他在北京举行的《农历》研讨会上的“答谢”发言没有什么区别。这不禁让人揣测，他三个小时的倾听，就是为了换得十分钟的时间，让专家们听听这些故事，通过他们的影响力，告诉世人：阅读需要警惕，出版要有底线，写作要有敬畏。

（载于《宁夏大学学报》2019 年第 5 期）

西部生命的多情歌者
——郭文斌小说、散文艺术论

李兴阳

20 世纪 90 年代，郭文斌以自己歌吟西部生命的优美小说和散文，与石舒清、陈继明、金瓯、漠月、张学东等宁夏青年作家一起走进众声喧哗的当下文坛，成为中国文学界一道风格特异的西部风景。或许与相同的地缘文化有关，这群宁夏作家的美学风格有许多相近的地方，他们的创作都在西部严酷的生存环境中，写出生命的悲凉，追求精神的洁净。即使如此，不论是写乡土小说、都市小说，还是写抒情散文与乡土散文，郭文斌都能在群体风貌中显现出鲜明的个人风格、独到的文学理念与诗性的叙事追求。

一

在最有成就的乡土小说创作中，郭文斌善以清新细腻、空灵飘逸而又略带感伤的笔调叙写记忆中的多情乡土，写成长中的童年趣事，写“老家”那片土地上清纯、朦胧而又多错位的爱情。《大年》中，明明和亮亮在西部春节的民间文化习俗中，解悟亲情与人情，明了长幼尊卑的礼仪，西部乡土的传统文化就是以这样“润物细无声”的方式，进入乡村孩子童稚的心田，生根发芽，长成难以置换的精神结构。《学习》中，满屯和满年为了摘下树梢上的一个酸梨，费尽心机，屡受挫折，终未成功。这样的早期挫折体验，不仅是那个年代苦难生活的必修课，而且也为他们应对未来的艰难人生，准备了必要的经验。这类小说，突出了成长中的童年生活的趣味，冲淡了那个岁月生活的窘困，使西部乡土人间充满了醉人的温情。

醉人的温情也体现在两小无猜的性意识的萌动中。《门》中的如意，在冬天的早晨，看见炕上的父亲将手放在母亲的胸口上，小男孩微妙的心理使他把父亲的手从母亲衣襟底下拽出来，说要暖在炕上暖。如意从家里出来去找杏花玩，在充满童稚的对话中，两人隔着门说着对各自父亲的发现。最后，如意在寒冷中打着颤一字一句地宣布：我想在你的奶上暖一下手。生命就是这样成长的，生命就是这样意识到自己在成长的，以性意识萌动为标志的生命意识的自觉，总是如此美丽动人。《雨水》对扣扣、地生和双晴等少年男女性意识的萌动作了最富情趣的叙写，“伤春”与“惜春”的主旨也同时被牵引了出来。生活的贫困与青春的羞涩，使女孩扣扣一再错过了爱与被爱的机会，就是最古老的婚姻方式也未能给她帮上什么忙。无奈中的扣扣虽然最后用“糜子跟不上了，荞麦还来得及呢。”这样的话宽解自己，表明一种追赶生命脚步的态度，但生活的艰涩与青春不再依然使人无限感伤。

《我们心中的雪》则将“文革”时代特有的政治话语，以戏谑的方式引入男女孩童的两情相悦中，譬如：“一天，我拉着杏花的衣襟说，杏花杏花你做我媳妇吧。杏花红了脸说，那要看你的心肠好不好。我就把上衣扣子解开，把肚子挺给杏花，让杏花看。杏花像侦察员一样左瞧瞧，右看看，然后拿出铅笔，无比庄严地在我的肚皮上写道：抓革命，促生产 // 备战备荒为人民 // 经革命委员会检查：合格！接着，我又在杏花的肚皮上写：日落西山红霞飞 // 战士打靶把营归把营归。就在我快要写到肚脐眼那儿时，杏花说，好了，把我的肚皮当本子写啊。我说，吃亏了你也写嘛。说着，嗵的一下躺在炕上，双手把衣襟揭开，看着房顶，等待着杏花在上面书写最新最美的画卷。杏花拿起笔，却不知写什么好。自言自语地说，写个什么呢？我说你就写‘跑步进入共产主义’吧。杏花就写。可是她只写到‘入’就把笔停下了。只见她的鼻子抽了抽。说，不对，差点上了阶级敌人的当，本大人要重新检查你的心肠问题。我虎地从炕上翻起来，盯着杏花问，为什么？杏花说，你闻，你的肚脐眼那儿有股馊味，像是什么东西坏了。听我爷爷说，每个人都是从那个地方开始变坏的，看来你也要变坏了。然后一脸的严肃。”显然，这是一段有关“六十年代人”特有记忆的书写。自然天成的性意识，童稚懵懂的求爱表白，天真无邪的性爱举动，却意外地与特定时代的政治用语交混在一起。《我们心中的雪》立意在爱的不能忘记与爱的忏悔，相爱而不能相守的两个人的心中落满了雪，“落在一个人一生中的雪，我们不能全部看见。”“每个人都在自己的生命中，孤独地过冬。我们帮不了谁。”凄美的乡土爱情挽歌，却在戏谑的趣味追求中，意外地展露了一代人心灵的伤痕，从而获得了一种表意的深刻，也显露出了掩饰不住的批判锋芒。

生命不仅有性与爱，还有生与死。《呼吸》《开花的牙》是郭文斌在爱的基础上进一步思考生命及其生与死的佳作。在《呼吸》里，“新时期”以来乡土小说中文明与愚昧的冲突已由情节结构的中心退居边缘；寂寥而神秘的西部自然景观虽然还时不时地露一下狰狞的面孔，但已然以具有灵性的人格化的形貌进驻小说叙事结构的中心地带，与透着生命尊严的乡村人一起构成自足自在的西部乡土世界。小说中，郭富水和他的老牛大黄结伴出现在小说的叙事空间，他们所结成的关系当然不再是文明与愚昧的对立，而是生命与自然、生命与生命的关联。郭富水真诚地忏悔对大黄生命的漠视并放弃对它的役使，大黄也以自己的灵异和生命拯救了郭水水的生命。就这样，一个生命陪伴着另一个生命，一个生命关照着另一个生命，一种虽很苍然但自由自在的生命图景便在人与自然的相互依存中展开。

《开花的牙》则笔涉血缘亲情，指向对生命及其生与死的诗性诠释。小说中，孙子牧牧是个懵懂未开的碎小子，对长牙、父母的性爱、爷爷抽烟、死亡及丧葬习俗的每一个环节都充满了好奇与困惑。爷爷是一个达观、幽默的八十老人，是牧牧人生的启蒙者。同一血缘的两个生命，就像生命的两端被置于同一叙事空间，在生与死之间碰撞。“杀鸡带路”“出迎”“孝子磕头”“金银斗”“童男女”“白龙马”“往生船”“白仙鹤”“献瓜瓜”等特定丧葬风俗的寓意，也在这样的碰撞交流中。生者对死者的哭泣，不是绝望的悲伤，而是对已开始另一种远行的亲人的留恋。而在丧葬的另一边，牧牧和孩子们忙着唱童谣、玩游戏、凑热闹。生与死就这样在丧葬的文化风俗上被关联起来。即如作者所言，生是美丽的，而死虽然不是喜庆，却也不是悲凉。生命的诞生与死亡的真谛，就在这样一种达观的境界里，逐渐变得澄明起来。在这里，繁复的民俗文化，其实成了血缘亲情的另一种表达，血缘亲情也由此被置入对生命意义的追寻中，获得智性的提升与诗性的审美呈现。

从对童年趣事的温馨回忆，到对性意识萌动的微妙捕捉，从歌吟爱之美丽到感喟生之艰难，最后指向对生与死的思考，对生命意义的追寻，这大致就是郭文斌乡土小说内在精神向度的基本理路。郭文斌乡土小说的主角多是乡村的男女孩童，“童年视角”是他最常用的方式，叙述者则常是一个成熟而幽默的多情智者，二者之间的错落与叠合使郭文斌的乡土小说获得了一种特别的审美韵致，类似于现代名家废名早期的叙事风貌。

二

郭文斌的都市小说《小城故事》（系列小说）、《忧伤的钥匙》等与他的乡土小说一样好看。郭文斌善以清新细腻、空灵飘逸而又略带感伤的笔调写乡土小说，当他以同样的笔调写都市故事时，喧嚣的城市及其被欲望所驱使的都市人就仿佛突然醒过来一样，以清新别致的姿态，穿行在郭文斌特有的幽默机巧而又温情脉脉的叙事空间，生命的自由、爱与美也就成了这些都市故事的叙事主题。

在真情日渐消隐于欲望都市的时代，郭文斌的都市小说却固执地讲述着生命的自由、爱与美的故事，“他让我们透过一个个美丽的心灵断桥和爱情伤口走进或失之交臂或尘封已久或习焉不察的生命秘密和感情隐私之中，于一种神意的欢欣和诗意的忧伤中把味生命的花开花落。”《忧伤的钥匙》就是这样一部令人感动的作品。老师荻与女孩莉的师生恋，非关金钱、权力和鄙俗的欲望，而是两个生命之间的灵犀相通。荻是一个爱情至上主义者，莉也将爱情看得非常重要，以至影响了学业。为了让莉考上大学，荻以与女护士快速结婚的方式来断莉的念头，却给了莉深深的感情伤害。由此，荻后来给莉所有的关爱都遭到莉的误解。面对无法沟通的“心灵断桥”和难以缝合的“爱情伤口”，荻绝望地断发出走。这个极为纯粹的恋情故事，在乡村、县城和省城三个不同的地方和几种不同的背景中展开。他们建立于乡村中学，发展于县城中学的爱情，却在省城大学结束。这时的荻已是耀人眼目的省城合资公司白领职员，莉是省城大学的漂亮女生，在他们最有可能和解的时刻，却双双怀着对恋人的深爱，痛苦地走向分离。导致分离的原因不是双方身份地位的改变，也不是金钱权势、鄙俗欲望、道德堕落等“新都市小说”所感兴味的因素，而恰恰是经典的“误解”，是真情对真情的“误解”。两个相互珍爱的生命走向分离，这是一种浪漫凄美的忧伤，而打开忧伤的钥匙就藏在难以逾越“误解”的真爱里，爱情的悖谬就这样将某种生命的秘密显露出来。显然，郭文斌无意像“新都市小说”那样在爱情与都市无限膨胀的各种欲望之间建立某种关联。他如此讲述现代都市爱情故事，表明他依旧相信一个生命对另一个生命的真爱是唯一且永恒的，商品经济时代也不例外，真的爱情可以穿行在唯利是图的现代都市中。正因为有这样的精神向度和价值选择，他所给出的爱而不嫁、嫁而不爱这种爱情与婚姻错位的原因才是最为古典而又神秘的真情“误解”。

真情“误解”在《小城故事》里依然是人物命运与故事情节的关键点，但已与偶然的“意外”这种更具现实性的因缘结合起来。这种结合，使《小城故事》越出《忧伤的钥匙》的纯情讲述，有了更现实的都市生活和更复杂一些的精神意蕴。《小城故事》由九个系列短篇组成，郭文斌以幽默、机智的语言，轻松的心情，讲述了都市转型时期充满“喜剧色彩”的情感故事。有友情故事，有爱情故事，有友情与爱情纠结的故事。这些故事中的人物都有些“反常”：或极正经（《深红色》《春首》），或一点正经也没有（《触雪的感觉》《大枣》《证据》《理由》），或友善而暧昧（《我们的生活充满阳光》《忧伤的风衣》《邻居》）。所有这些“反常”都与他们的“痞”“蛮”甚至“野”等性格有关，而更深的原动力是生命的自由“嬉戏”。他们由此惹出的一系列具有“社会性”的偶然事件，使城市平民下岗、商业欺骗、卖淫嫖娼、官场腐败、抢劫凶杀等现代都市的“负面”有所显露，并已触及转型期都市人心中无由发泄而极具破坏力的“骚动情绪”，而这正是陈继明、唐达天、叶舟、史生荣、季栋梁等西部作家倾力揭示、抵抗、批判和深入解析的地方。

郭文斌的注意力不在这里。郭文斌出于善良的天性和独特的价值选择，无意展露“负面”，对“骚动情绪”也不多置词，其艺术审视的目光锁定在都市年轻生命在自由“嬉戏”中呈现出来的感情之“真”、人性之“善”及其“美”的表现上，而这些正是欲望化都市最匮乏的。郭文斌对欲望化都市中年轻生命的自由、爱与美的浪漫书写，改变了人们对 20 世纪 90 年代都市小说“欲望化叙事”的一般印象。郭文斌的都市小说因此有了不可替代的叙事意义。

三

在小说之外，郭文斌也写“纯粹”的抒情散文和富有乡土气息的“乡土散文”，有散文集《空信封》行世。郭文斌的散文善以“情”字为文，他以诗化的语言、精短的篇章和精巧的结构，叙写爱情、友情、亲情和乡情，抒发成长过程中的生命体验和人生感悟，这使他的散文具有柔婉凄美的抒情风格特征。

在《爱情没有药》等叙写青春期爱情的抒情散文中，郭文斌总是让抒情主人公“我”处在爱情的错位、隐秘的渴望、无法沟通的隔膜和难以抵达的单相思中，为爱情独自流血、流泪和心伤。在《生命之河》等叙写生命体验、成长心迹和人生感悟的系列散文中，抒情主人公“我”对生命的时间、处世经验、怀旧情绪、朋友分别的感伤、活着的意义等的独特感悟和机巧、智慧的理解，都能藉一闪而过的念头、思绪、稍纵即逝的感觉、体验，细腻而丰满地呈现出来，使人重新留意起生命中、生活中极易被忽略的一些细致感人的风景。

在郭文斌的散文中，篇幅最长、分量最重的是《永远的堡子》《一片荞地》《老大》等写亲情的篇章。《永远的堡子》中的母亲，对兄嫂的尊重，对丈夫的顺从，对儿女的慈爱，真说得上是感天动地，荡气回肠。这样的母亲是伟大的，她把所有她亲近的人都视为至爱，把人伦视为至尊；这样的母亲也是悲哀的，她是一个好母亲、好妻子、好弟媳，可她唯独忘记了自己还要做一个仅属于自己的“女人”和“人”。不论是《永远的堡子》《一片荞地》还是《老大》，郭文斌都在具有浓厚乡土气息的日常生活细节里，写出父母、兄妹、夫妻间感天动地的血缘亲情，生命的至性至情与大伤痛和大欢欣，就在这斩不断的血缘锁链中。在与生命有关而又有浓厚乡土气息的《点灯时分》等散文中，叙述者“我”饶有兴趣地讲述元宵夜点荞麦灯、大年三十晚上贴窗花、清明节烧冥钱、中秋节吃西瓜、给祖先烧“寒衣”、让小孩“燎干”等乡土文化风俗，从中品味出生命的苦涩和欢欣。譬如，“我”就在“燎干”中品出了这样的意味：“从火上跳过时，只觉得身上的晦气如臊葱臭蒜一样被刺火燎干燎净了。着红的刺如一根根火针疗治着乡亲们的身心疾患和苦难潮湿的日子。而留在我记忆中的却是一种与火相融的美好。现在想来，那

就是一种动态的短暂涅槃吧。或者说是一种生命永恒境界的提示和预告。”（《燎干》）

概言之，不论是写爱情、友情、亲情还是乡情，郭文斌的散文都能“让我们透过一个个美丽的心灵断桥和爱情伤口走进或失之交臂或尘封已久或习焉不察的生命秘密和感情隐私之中，于一种神意的欢欣和诗意的忧伤中把味生命的花开花落。”与重生命之“情”的精神主旨相应，郭文斌的散文善于从细处着笔，追随情绪的瞬息变化，捕捉瞬间的生命感觉，用新奇大胆、富有诗意的语言传达出来，因而在“写法上显得随意、跳荡、不连贯，不刻意经营结构，仿佛文章就在那里等着，在月夜、在床上、在车站、在校园、在教室、在随手可及的地方，他只是信手拈来，稍作连缀而已。突破了传统散文的章法结构，有艺术探险和文本实验的味道。”

评论家钟正平认为：“郭文斌是西海固作家中自觉追求先锋意识的执着者之一，在小说、散文和诗歌创作中，都渗透着对青春生命，对黄土地上的生存图景，对人的精神世界和生命意义的现代思考。在他的笔下，先锋不仅是一种形式，更是一种精神，一种对生命的拷问。”这可视为对郭文斌文学创作的确评。不论是乡土小说还是都市小说，不论是纯粹的抒情散文还是乡土散文，郭文斌都指向对西部生命的歌吟，在生死歌哭中谛听西部生命的脉动，在亲情、友情与爱情的变奏中体察生命的秘密。郭文斌重抒情，轻叙事，总是在淡淡的故事里灌注浓浓的情，正与这样的精神取向有关。郭文斌的文体边界由此变得模糊，他的多数小说像散文，而他的很多散文又像小说，这样的美学风貌与现代文学名家废名、汪曾祺颇为接近，这正是另一篇论郭文斌文章的拟题。郭文斌还在路上，我们有理由相信，他一定会有更多更好的作品不断地惊大我们期盼的目光。

（载于《朔方》2004 年第 12 期）

安详灵魂的诗与思

——郭文斌乡土小说简论

张富宝

郭文斌的乡土小说总是洋溢着故乡的气味，循着大年的红色灯晕，嗅着端午浓浓的艾香，我们心中刹那间便充满了安详与宁静，早已在一种无声的召唤之中不自觉地踏上了返乡之路。直到那时候我们才发现，我们离开了故乡那么久，我们对它的思念是那样醇厚！正如海德格尔曾指出的那样，所谓“返乡”就是寻找“最本己的东西和最美好的东西”。郭文斌正是用他诗性的语言引领我们聆听乡土寂静的言说，回到生命最初的时光，去追寻存在的幸福，去守护“最本己的东西和最美好的东西”。

一

在一个遥远而偏僻的乡土世界里，面对着残酷的自然条件，面对着匮乏的物质境遇，面对着封闭落后的生存环境，文学往往是一种最为便捷、最为尊贵、最为有效的艺术形式，它绚丽多姿的想象、丰富真挚的情感往往会成为苦难的心灵获得抚慰、困顿的精神获得支撑的天然园地，它往往在对苦难和不幸的悟解与体察之中闪耀着一种超越性的光芒。毫无疑问，正是文学的存在，守护着生命的神圣和尊严，拓展着人性的宽度和厚度，文学因而是一种营养丰富的食粮，是一种永恒的梦想，它以食粮滋养贫困，以梦想的激情对抗现实的苍白。

郭文斌就成长于这样的生存背景之中，无疑，他迄今为止最好的小说作品都建基于其丰富而充盈的“乡土经验”之上。在那些细腻柔情、空灵清爽的文字里，郭文斌为我们呈现出了“西海固”大地的另一种质地，他的作品不是对苦难、荒凉、贫瘠的暴露式告白和自虐式展示，而是以一种诗意的方式呈现出乡土大地动人心魄的幸福与安详。这或许是郭文斌的“一厢情愿”，是他的“任性”与“偏执”，但它也成就了郭文斌的品质与趣味。人们突然发现，在当代文学的嗜血、贪婪、性感与矫情的背后，郭文斌“反潮流”式的坚守与追求显得别有意味，他的“另一种乡土”在“不经意间”为当代中国文坛带来了一种清新之风，带来了一种少有的性灵和诗意，带来了一种久违的真诚与感动。

显然，把郭文斌拘囿于乡土作家的层面上实在是对他的一种误解。事实上，郭文斌并没有简单停留在乡土经验的表层上，而是借这种经验开启了一个更为深层次的、更为丰厚广阔的艺术空间——由此，他的文字直接潜入了中国传统文化的根脉之中。换句话说，作为地域背景的“西海固”，只是郭文斌的一种叙事策略，它一方面牵动着人们猎奇般的“期待视野”（譬如乡村的偏远与落后，乡土的神秘与新奇），另一方面却企图引领人们走向归乡之路，回归源头，去追寻生命原初的光亮。而后者，才是郭文斌的真正目标。也正因为此，郭文斌才不惜笔墨地去展示乡土大地的民俗、民情、民风，才不遗余力地描绘乡村社会的礼仪节庆、婚丧嫁娶甚至吃喝拉撒等日常生活细节，他把这一切都放置在一个至真至善至美的“天人和谐”的世界里，——他的作品淡化了故事与情节，却强化了情境与情趣；他的作品仿佛远离了政治和时代，缺乏驳杂的现实感与深厚的历史感，却汇入了中国文化的静水深流；他的主人公多是天真烂漫的儿童，生活在一个相对独立、封闭、远离政治、较少“污染”的田园空间，却带有一种超凡脱俗的清纯气象，给人以空灵澄澈的美感。这里，有“人之初”丰富的生命感性体验，有人对世界的直觉式的诗意把握，有人与自然之间天然的亲和交融；这里，有儒家的礼俗秩序，有道家的操守虚静，也有佛家的慈悲宽容。以此来说，郭文斌笔下的“乡土世界”不正是中国传统文化的另一种表征吗？

其实也正是在这里，在把安详和诗意推向极致的同时，渗透着郭文斌的一种淡淡的“文化乡愁”。《吉祥如意》的结尾以一种看似随意的笔墨写道：

> 现在，六月和五月的怀里每人抱着一抱艾，抱着整整一年的吉祥，走在回家的路上，走在端午里。他们的脚步把我的怀念踩疼，也把我心中的吉祥如意踩疼。

在漫山遍野洋溢着艾香的时候，在可爱的人们沉浸在“端午”的吉祥如意中的时候，“我”的“疼”让人刻骨铭心。这种“疼”是一种爱，是一种领受，是一种执着，同时也是一种警醒。它不仅唤起了“我”的思念、想象与虔诚，同时也深入到“我们”的民族文化心理之中，唤起了“我们”内心蓄积已久的“集体无意识”，——这正是“吉祥如意”的力量，它实际上就潜藏在我们每个人的内心深处，只不过我们自己迷失得太久！《吉祥如意》如同牧歌一样穿过我们的心头，正如捷克作家米兰·昆德拉在《不能承受的生命之轻》中所写的那样：“只要人生活在乡下，置身于大自然，身边拥簇着家畜，在四季交替的怀抱之中，那么，他就始终与幸福相伴，哪怕那仅仅是伊甸园般的田园景象的一束回光。”

二

需要特别强调的是，郭文斌的作品中洋溢着的诗意，或许更大程度上是根植于他对一种独特的“禅意童趣”的秘密洞察，《点灯时分》《大年》《开花的牙》《吉祥如意》等莫不如此。事实上，对这种“禅意童趣”的发现与营构，最能显示郭文斌的艺术才能和艺术价值。譬如在《点灯时分》中郭文斌这样写道：

> 一家人就进入那个“守”。守着守着，六月就听到灯的声音，像是心跳，又像是脚步。这一发现让他大吃一惊，他同样想问爹是怎么回事，但爹的脸上是一个巨大的静。看娘，娘的脸上还是一个巨大的静。看姐，姐的目光纯粹蝴蝶一样坐在灯花上。六月突然觉得有些恐慌，又想刚才爹说只是守着灯花看，看那灯胎是怎样一点点结起来的，就又回到灯花上。看着看着，就看进去了。他仿佛能够感觉得到，那灯花不是别的，正是自己的心，心里有一个灯胎，正在一点点一点点变大，从一个芝麻那样的黑孩儿，变成一个豆大的黑孩儿，在灯花里伸胳膊展腿儿。六月第一次体会到了那种“看进去”的美好，也第一次体会到了那种“守住”的美妙。

这里的“守”“看” 以及“静”无不混杂着一种丰富美妙的感受，它不是在强制与训诫之中进行的，而是在一种主体自觉的状态下，在主人公带着童趣的疑问与幽思中，层层推进、步步深入，既清晰又朦胧，既平实又空灵。于是，那种“看进去的美好”和“守住的美妙”，不仅是一种幸福的感受，更是一种心魂的觉醒；不仅带有一种天真无邪的童趣，更带有一种幽深玄妙的禅意。正是在这样一个安详宁静的世界里，郭文斌捕捉到了“生命最初的时光”，成了美的存在的发现者和守护者。

这样的文字在郭文斌的小说作品里比比皆是。在《吉祥如意》中，两个小主人公五月、六月对“美”的发现和体味，如诗如梦，若虚若实，尤能给人以无限的遐想。当五月和六月带着端午的“神秘的味道”跑到巷道的尽头时：

> 六月问，姐你觉到啥了吗？五月说，觉到啥？六月说，说不明白，但我觉到了。五月说，你是说雾？六月失望地摇了摇头，觉得姐姐和他感觉到的东西离得太远了。五月说，那就是柳枝嘛，再能有啥？六月还是摇了摇头。突然，五月说，我知道了，你是说美？

小说正是在这样一团迷蒙的“香雾”中展开的，在这段简短的对话里，姐弟两人通过充满童真的问难与争辩，最终以自己独特的体验和感悟“觉到”了“美”，从此“美”便停驻在他们的灵魂之中。“美”到底是什么呢？是“真”是“善”？是充实是空无？是一团暧昧不明的思绪还是一种心照不宣的情愫？仿佛一时难以说清却又让人心醉神迷。除此之外，小说中还数次写到主人公对“美”的觉察和感受，足见作者的“别有用心”。对天真无邪的孩子来说，对“美”的发现与追寻无疑具有重大而深远的意义，因为“美”不仅是一种快乐和幸福，更是一种涉世之初的“诗意启蒙”的力量，同时它也将成为灵魂的终极滋养。因此，当他们跟爹一起敬供时，觉得“跪在地上磕头的感觉特别地美好”；当他们在集市上买到五根花绳儿的时候，“那个美啊，简直能把人美死”；当他们上山采艾快到山顶的时候，“从未有过地感觉到‘大家’的美好。每一个人看上去都是那么可爱”；当雾渐渐散去，山上的人们一点点清晰起来的时候，他们东瞅瞅，西瞅瞅，“心里美得有些不知所措”，还惋惜娘和爹“不能看到这些快要把人心撑破了的美”；当他们看见一山的人都在采吉祥如意的时候，便不由自主地发出“多美啊”的感慨……这“美”里有神圣和敬畏，有惊讶和好奇，有兴奋与欢喜，有善良和真纯，更有安详和幸福。这“美”似乎是清晰可辨、伸手可及的，但又似乎是遥远朦胧的，它就像是清爽、香甜的空气一样充斥在我们的内心，涤荡着我们污浊的灵魂。

相比较而言，“童趣”率真直露，而“禅意”则充满智慧机巧。或许，仅有“童趣”会显得简单浅显，仅有“禅意”则会显得矫揉造作，然而在郭文斌的笔下，这两种艺术笔墨完美地融合为一体，并通过一种诗性的语言恰切地呈现了出来。不仅如此，当这种“禅意童趣”以一种隐微的方式与乡村伦理秩序、文化礼俗以及道德教化联系在一起的时候，它就焕发出一种奇特的魅力。“童趣”的率真是一种“自然天性”，它来自于儿童独有的惊异与好奇，而“禅意”的机巧隐藏在儿童的疑问与诘难中，在他们的有心无意中，在他们的对话中、想象中、梦境中、惆怅中、快乐中，它们无疑都以一种素朴的方式传承着，这种方式是耳闻目染、潜移默化、身体力行，是以心传心、以经验传经验，是春风化雨、润物无声，是善念、敬畏、宽容，是礼俗、信仰、真诚……总之，郭文斌以此打开了一个真善美的世界，一个晶莹剔透的世界，一个声色迷离的世界，一个具有无限意味的世界！徜徉在这样一个“没有灰尘，没有噪音，没有污染”的世界里，我们似乎真的“不由自主地返回故乡”，回到了生命“最初的时光”，“像鱼一样无比快乐地穿梭，像花朵一样在阳光中绽放”，这时候我们才恍然大悟，“发现生命的黄金就在而且一直就在最初的地方”。

三

宁夏青年作家大都擅于写民俗事象，譬如写婚丧嫁娶、年关节庆等乡土风俗，以此来展现西北人独特的文化心理状态与精神生态。对这种写作题材的选择，与宁夏青年作家的美学趣味和写作立场关系甚大。对民俗事象的描写，无疑是中国现代乡土小说创作的重要传统之一，早在20世纪20年代，以鲁迅的作品为代表的乡土小说中就有所表现。然而，宁夏青年作家却赋予其一种全新的内涵，这其中郭文斌堪称代表之一。譬如《大年》描绘的是一幅西北农家过大年的风俗图，写农家过大年前后的一系列活动，带有浓郁的地域色彩和文化气氛。写（贴）对联、上祖坟、分年、糊（挂）灯笼、拜年、祭庙、放炮、坐夜、看戏，等等，这是西海固农村世代相传的过年习俗，郭文斌以一种空灵细腻、优美生动的笔墨，写出了过大年时的那种节日的喜庆、快乐与幸福，写出了乡土生活的真纯与善美。

在中国文化传统中，大概红是最有民间意味的色彩，红往往遍布寻常百姓家，红象征着喜庆、吉祥、火热和幸福。结婚办喜事叫“红事”，红被子、红盖头、红双喜等都要红；过春节更离不开红，红春联、红灯笼、红包，等等。于是，当父亲把写成的对联晾晒在院子里的时候，小主人公明明和亮亮“幸福得简直要爆炸了”，明明和亮亮的幸福其实就是过大年时的那种独特的审美感受。于是“一院的红”成了一种温暖的诗意的象征。同时，《大年》中还写到挂红灯笼的那种特殊的意蕴：

> 把灯放在里面，灯笼一下子变成一个家。坐在里面的油灯像是家里的一个什么人，没有它在里面时，灯笼是死的，它一到里面，灯笼就活了。明明和亮亮把灯笼挂在院里的铁丝上，仰了头定定地看。灯光一打，喜鹊就真在梅上叫起来，把明明的心都叫碎了。而猫狗兔则像是刚刚睡醒，要往亮亮的怀里扑。一丝风吹过来，灯光晃了起来。就在明明和亮亮着急时，灯花又稳了下来，像是谁在暗中扶了一把。就有许多感动从明明和亮亮的心里升起。在灯笼蛋黄色的光晕里，明明发现，整个院子也活了起来，有一种淡淡的娘的味道。明明和亮亮在院里东看看，西看看，每个窗格里都贴着窗花，每个门上都贴着门神，门神头顶粘着折成三角形的黄表，父亲说门画没有贴黄表之前是一张画，贴上黄表就是神了。现在，每个门上都贴着门神，让明明觉得满院都是神的眼睛在看着他，随便一伸手就能抓到一大把。

在孩子纯真的眼中，似乎只有至真至美，他们在大年的特殊氛围里，从灯笼里感受到了一种神秘的生命气息，感受到了一种“家”的温暖，感受到了一种母性的光辉（“一种淡淡的娘的味道”），感受到了一种“神”的眷顾。这种感受是细腻的、朦胧的、隐秘的，是渗透在孩子心魂之中的一种美感的真实，仿佛也是与生俱来的。在农村，如果没有春联和红灯就没有过年的气氛；在夜深人静的时候，静静地守着红灯，真的有一种说不出的幸福，那种感觉让人迷醉。显然，“大年”在这里已经不是一种单纯的节庆风俗了，更是一种文化仪式的传承，有一种神圣感和特殊的美学光晕。对于那些生活在苦难当中（物质的匮乏、自然环境的恶劣等）的人们来说，这才是他们真正的节日，只有在这样的节日中，他们才能真正体会到自由、快乐和幸福。郭文斌说：“节日是中国古人非常经典的一种天人合一的方式，一种回到岁月和大地的方式，不然的话我们可能在大地上生存，但是我们已经忽略了大地，我们在岁月之河中穿梭，但是我们已经忽略了岁月。”由此，郭文斌写作的终极目标是为了回归那种“天人合一”的境界，重新为我们找回失落已久的精神家园，并且让人们能够幸福、安详、诗意地栖居其中。无疑，这种对节日、礼仪以及日常生活细节之美的发现、感悟与超越构成了郭文斌小说的主体，在那种安宁、静谧、祥和的情境中，作家深刻地写出了美对人性的浸润和滋养，写出了美对人生的抚慰和升华，写出了真、善、美的统一。

正如评论者所说：“礼俗作为一种特殊的行为，通过外在的符号、工具、程序以及组织者的权威而具有强制性，会营造出特殊的氛围，而使参与者在哀伤、敬畏、狂欢与审美的不同情境中获得行为规范、道德训诫和心灵净化。”正是因为如此，郭文斌毫不吝惜地把笔墨投向西北乡村的风俗人情，他不仅写端午的插柳枝、摆供果、祭祀、绑花绳、采艾草、缝香包，写元宵节的捏灯、点灯、送灯祈福、献月神等，他还写了丧葬仪式。如《三年》中的跪迎纸火，点黄表（木香、金银斗、花圈、香幡），跪听祭辞；《一片荞地》中的正相、凉尸、守丧、做寿木、做献板、领魂幡、杀引路鸡、吊唁、献馍、烧纸、殓棺、下葬，等等。在这些世代相传的风俗仪式中洋溢着对美好生活的祈盼、对周围世界的善意、对生活和生命意义的体味，显现了无限的温情与爱意；同时，也充满了对死亡的尊重与敬畏，甚至还带上了某种神性的神秘意味。

四

郭文斌的乡土小说常常以儿童视角进行叙事，很难说是禅思启发了他对儿童叙事视角的钟情，还是对儿童叙事视角的钟情开启了他的禅思之路，总之，郭文斌企图“……摧毁人们前生今世习惯并板结的意识沉积岩，让人的意识永远保持在‘鲜’的程度，保持在一种激越状态，最终回到意识的原始状态。”根据皮亚杰对儿童思维的研究，认为“儿童最早的活动既显示出在主体和客体之间完全没有分化，也显示了一种根本的自身中心化。”正是在这种“自我中心化”的视角之下，生活的本真和拙朴，人生的丰富和神秘，世事的混茫难解常常以一种新奇、别致的方式呈现出来，不断制造着阅读的诱惑和追寻的快感。郭文斌之所以钟情于书写“童年”，书写懵懂初开时的隐秘的生命意识和性冲动，书写乡土生活中的风俗细节和脉脉温情，显然与此有关。不仅如此，郭文斌笔下的“童年”最主要的主题就是爱与美，他还企图以儿童视角叙事让我们“返回故乡”，去步入“生命最初的时光”，去追寻“生命的黄金”，并以此建立一个纯净透明、美丽亲和的世界去对抗成人世界的呆板无聊、暴力冷酷，去超越现实生活对人的精神压制与束缚。事实上，郭文斌笔下的“童年的诗意”，“已经超越了功利、超越了世俗、超越了污染、超越了遮蔽，它是在岁月之河中被反复地擦亮反复地琢磨的这么一些存在一些精神的羊脂玉”。可以说，宁夏青年作家手中都握有这样的“羊脂玉”，他们在对“童年”的执着叙事中，融入了一种深沉的文化关怀。这里面有对传统文化的敬畏与迷恋，也有对现代文明的焦虑与不安，最重要的是，他们用一种美丽和宁静的姿态对这个“童年已经消逝”

的技术化和消费化时代表达了自己的怀疑与批判。

在《回家的路：我的文字》一文中郭文斌写道：

> 越来越贪恋于那段最初的时光，那段比蜜还甜的最初的时光。属于我的文字常常在那里降落。徜徉其中，沉浸其中，心中就被一种难以言说的幸福填满，在那个没有灰尘，没有噪音，没有污染的世界里，我们像鱼一样无比快乐地穿梭，像花朵一样在阳光中绽放。遗憾的是它实在过于短暂了。不久，我们就把自己弄丢了。我们开始骑着幸福的驴拼命寻找幸福，目光飘在高处，随风而荡。当有一天，我的文字不由自主地返回故乡，我才发现生命的黄金就在而且一直就在最初的地方。那么，我们这么多年的赛跑究竟是为了什么？在回家的路上，宁静而又狂欢地盛开，这便是我的文字，以及随我而行的文字的全部意义。

这段话完全可以看作是郭文斌的写作宣言，它简洁清晰地表明了郭文斌的写作美学、写作风格以及写作意义。就迄今为止郭文斌的全部创作来说，他最为擅长的、最能显示自己艺术个性的、最具有艺术表现力和感染力的，正是对于“那段最初的时光”的“最初的世界”的书写，对那种“原始的空白”的捕捉。这背后渗透着一种浓浓的甜蜜和幸福，一种自在而忠贞的爱，一种深厚而纯净的文化关怀，——它是一种精神信仰，是一种生命激情，也是一种生活理想。郭文斌的这种艺术执着深深地融入到了其文学书写之中，并且在很大程度上决定了他的文学质地，决定了他的文学风格，也决定了他的写作体式。郭文斌还说：“这个世界的本原，如果我们从形而上的角度去考察，在我现在理解它是由一种本善，或者由一种大爱构成的。”正因为如此，他才执着地去关注童年，去返回本源，去追寻生命最初的“黄金时光”，他的“安详哲学”更是对爱、温暖、崇高的关怀，对真善美的坚守。“安详学是快乐学，它启迪‘根本快乐’，旨在帮助现代人找回丢失的幸福，让人们在最朴素、最平常的生活中找到并体会生命最大的快乐。当一个人内心存有安详，仅仅从一餐一饮、半丝半缕中，就可以感受到世界上最大的幸福。否则，即使他拥有世界，也可能和幸福无缘。安详既是一个人的生命力表现，也是一个民族的生命力表现。安详学的灵魂是回到‘灵魂’本身，说到底是回到‘种子快乐’本身。它是对人的终极关怀。”

郭文斌曾说，自己每次写作的时候都要洗脸净手，把书房打扫干净之后才开始写作，那时候便会文思泉涌，便有一种微妙的幸福感和陶醉感传遍全身。这种对写作近乎谦卑的热忱和敬畏，说明了写作本身的神圣与高贵。在很大程度上，这种“清洁的精神”不正是郭文斌的一种生命信仰，一种写作美学吗？因此，在郭文斌的笔下，似乎隐匿了苦难与悲痛，似乎消除了欲望和暴力，似乎只有一个混沌未分却又美妙动人的世界……“艺术的根本仍然在于使生命变得完善，在于制造完美性和充实感；艺术在本质上是对生命的肯定和祝福，使生命神圣化。”郭文斌正在接近这样的“本质”，他自信要以自己的“唯美主义”与“安详哲学”改变人们对“乡土世界”的偏见和成见，他要以文字为渡，引人向善，让人们最终踏上回乡之路，并深入到传统文化的根脉之中，体会生命的快乐与幸福。在此意义上来说，郭文斌的乡土小说是真正的“诗”与“思”相结合的小说，它的语言表现及形式构建如同诗歌一样，无不洋溢着一种美的气息，它的人物无不“诗意地栖居”在大地上，满怀着探索和追问世界的热情，它从深层直指人类的诗意生存，并为我们守护着一个存在的家园！

（载于《宁夏师范学院学报》2011年第2期）

郭文斌乡土小说论析

马晓雁

故乡西海固对郭文斌的创作及其作品的文学特质构成具有特殊而重大的意义。西海固民间生存既是郭文斌写作的背景，也是其乡土小说的母体、主题与基本的素材。《点灯时分》《大年》《吉祥如意》等篇章先后问世，郭文斌用空灵蕴藉的语言、嵌套式的行文结构、孩童的视角、淳朴的西海固地域民俗民风等共同构建出一个诗意的世界，让人们阅读到一种久违的美好。干涸、贫瘠、赤地千里、“苦甲天下”“贫甲天下”“旱甲天下”等词汇是人们常用来描述西海固地域生存的语言，为何到了郭文斌的笔下西海固变得温润、温柔又温暖了呢？这便是郭文斌的特别之处，也是其作品的特质所在。郭文斌说：“对于西海固，大多数人只抓住了它‘尖锐’的一面，‘苦’和‘烈’的一面，却没有认识到西海固的‘寓言’性，没有看到它深藏不露的‘微笑’。当然也就不能表达她的博大、神秘、宁静和安详。培育了西海固连同西海固文学的，不是‘尖锐’，也不是‘苦’和‘烈’，而是一种动态的宁静和安详。”郭文斌将西海固文学中对苦难的自然生存环境的书写转移和提升到了一种祥和的文化生存层面，完成这种转移与提升的因素是多方面的，童性色彩的赋予与建构是十分重要的因素之一。

一、郭文斌乡土小说中的西海固民间生存

仔细分辨，郭文斌乡土小说中的西海固民间生存背景实质上并没有殊异于其他作家对西海固地域生存环境的书写，差异在于作家及作家笔下的人物如何对待和认知那份苦难。在对苦难生存背景的书写上，郭文斌是忠实的，甚至也做了许多典型的呈现，苦难生存在他的笔下依旧是西海固民间生存中的常态，是惯常甚至是恒常的存在。但对苦难的呈现不是作家的目的所在，在苦难之上，他更着意于那些生之美好与生之神圣，着意于对苦难大地上栖居的诗意的呈现。

苦难之惯常

郭文斌写故乡西海固的苦难生活时并没有俯视，他秉持的是温暖平和的情怀与超越自在的心态。结合作家自己的童年记忆和成人经验书写了自己熟悉的乡土世界，写出了乡土世界里鲜活的生命，对生活的理解，一种无法消磨的生命激

情与对美好的向往和营建。

在郭文斌的乡土小说中不回避西海固的苦难与贫穷，他也体察到这片土地上的人们对苦难与贫穷无能为力的忍耐与接受。“贫穷就是贫穷，它不可爱，但也不可怕，人们可以而且能够像享受富足一样享受贫穷。贫穷作为一种生存状态，人们只能接受它，歌颂与诅咒都无济于事。”《剪刀》中展示了苦难中患重病的妻子知道心有余而力不足的丈夫的处境，也知道自己的处境，更知道家庭的贫寒处境，于是在一个平常的日子，妻子为丈夫和孩子打了够他们爷俩吃四十九天的饼子，用一把剪刀结束了自己的生命。没有眼泪，没有恸哭。《撒谎的骨头》中耕地老汉希望多捡些骨头，多卖点钱，给自己的孙女“等等”买新衣服。在艰难的生活面前看不到耕地老汉的抱怨，有的只是对现有生活的平静接受。作者以平静的笔触描述着这片土地上惯常的生存维艰。

但在苦难与贫穷的自然生存背景下，那片土地上的人们也在向往和积极营建美好。那份美好在尚未承受和充分体尝生之艰辛的孩童那里有相对充分的体味。《大年》中写物质资料极端缺乏中的年节，可是明明、亮亮两个孩子在贫苦中感受到的却是无与伦比的乐趣，孩子幼小的心灵在“过年”这个充满了鲜亮色彩的东西里感受到了爱与美，在传统的礼俗和年俗中完成了自己的成长仪式。贫穷与苦难是惯常的，惯常到本来如此的地步。小说中的人物也是平常的邻家孩子、乡里人物，人是最平常最普通的人，写的也是他们的日常生活，但在孩子的故事里永远有爱和美的纯真想象，引导读者在贫穷落后、苦难艰辛后面看到生活的美好。没有人能取代他们去生活，他们生活在过年才能吃到白面馒头的村子，他们生活在没水的世界，要靠天来吃饭，要靠捡骨头为孙女买件花衣服，就是在这样的环境中，在小说世界里、在孩子的内心中感受到的却是自得自足的快乐，而不是对苦难的抱怨和仇恨。

生之美好

《吉祥如意》中的五月和六月来回奔跑在插满柳枝仿佛活起来的巷道中时，六月问五月感觉到什么没有，五月回答说美。六月对姐能用这个词描述自己的感受感到既意外又佩服。旋即他又觉得“美”不能完全代表他所感触到的东西。“或者说，这美，只是他感觉到的东西中的一小点。”这便是美与美好的差别，美太单薄而脆弱，美好温暖、醇厚而博大。谢有顺说：“中国当代文学惯于写黑暗的心，写欲望的景观，写速朽的物质快乐，唯独写不出这种值得珍重的人世……郭文斌为我们写出了一种值得珍重的人世。”当然，他也为我们写出了一种值得珍惜的生活。这里没有冷漠，没有猜疑，没有隔膜，没有防备，人们互相给予着温暖，共同向着“吉祥如意”的山顶攀登。

日子是美好的。日子散发着酒一般的醇香，蜜蜂一样往人的鼻孔里嗡嗡地飞。时令被美好的日子叫醒，五月和六月被美好的日子香醒。人是美好的。六月在一个地埂下发现了沾着露水豆儿的艾，人人都发现了那看都不用看就能发现的艾，可人人都和六月一样，还是想上山，想看大家采艾，想和大家一起采艾。

郭文斌并不否认苦难与贫穷，但他看到了存在于西海固民间生存中更重要的比苦难更为巨大的“美好”，并用孩童的视角来强调这份美好，从而与文本外的现实社会形成鲜明的对照。正如荷尔德林的诗句“充满劳绩，然而，人诗意地栖居于大地之上。”而这份“美好”、这份“安恬”、这份“寓言”式的生存状态正来自西海固民间生存中对美好生活的向往与追求。

商业化、工业化大生产拉开了人与人之间的距离，“利润”成了全世界角逐的焦点。然而，无论“利润”如何增长、如何膨胀，都挽救不了人类日陷愈深的精神困境，信仰萎缩、激情缺失成了这个时代人们的一种病症。《吉祥如意》用孩童的视角写了作者对早年乡村生活的回忆，写了西海固地域上的美好生活景观。这也是郭文斌的一个重大发现，回忆中的乡民与今天的人们追求的目标之间存在着巨大差异。今天的人们“采”的是具体而实在的艾，是欲望，而记忆中的乡民所“采”的是氤氲于山顶的“吉祥如意”，物质的艾倒成了“采”的形式而已。《吉祥如意》告诉我们，我们需要的物质化的东西并不非常多。当娘将端午的花馍馍分了又分放在孩子们的手上时，他们却舍不得吃，因为那一牙花馍馍已远远超越了馍馍本身的含义，其中有娘的辛劳、娘的祝福、娘的爱。

章仲锷先生在《短篇小说：回顾、现状与前瞻》中谈到三年一届的鲁迅文学奖短篇小说评奖，认为题材的创新和创作手法的探索以及对现实生活的独到发现，依然是一些作家孜孜以求的目标。他认为《吉祥如意》正是郭文斌捕捉到了生活独特的“美”并体现出了独特的审美倾向，“这是一篇以优美隽永笔调描写乡村的优美隽永，净化着我们日益浮躁不安的心灵的作品。”

在阅读郭文斌为我们从古老乡土中重拾的美好中，我们也获取着阅读的美好。自20世纪80年代中后期以来，中国当代文学在西方现代主义、后现代主义等思潮的影响下，在商品经济以及工业化大生产等时代背景下开始叙写庸常平凡的生活，“一地鸡毛”式的凡俗生活成了生活的常态。进入21世纪，所谓80后、90后的写作更是光怪陆离。“写黑暗的心，写欲望的景观，写速朽的物质快乐”仿佛成了中国当代文学的写作习惯，文学的神圣性、生活的神圣性一点一点被剥蚀。在几十年的“审丑”中，原本焦躁不安、郁闷疲惫的当代读者们从阅读中获取的更多的是失望、灰暗。而一部好的文学作品不仅在于它能否道出愚昧，更在于它能否塑造出崇高与美好，在于它能否给人向上的动力，能否给人审美的经验，能否给人精神的慰藉。

《吉祥如意》《大年》《点灯时分》等篇章为我们提供了一种生活经验：美好就是一切的和谐，大自然与自我的和谐共存，人与人的和谐共处，男女两性的和谐共生，人与自我的和谐共融。生活是美好的、人是美好的、人世是美好的。当然，更多的是作家内心“故土”及其上生存的美好。

生之神圣

郭文斌不仅写出了以淡薄与平常心稀释和化解苦难的西海固民间生存，不仅写出了在贫穷苦旱中诗意的生存，同时，郭文斌也写出了西海固民间生存中的神秘、神性与神圣。《点灯时分》中娘说麦秆是用来敬神的，要放在高处，不然就弄脏了。六月不明白麦秆怎么能敬神呢。娘说麦秆本身并不能敬神，但是一旦做了灯捻就能敬神了，于是六月就觉得这麦秆一下子神圣起来。这种从点滴开始的神圣萦绕在人们的日常生活中，使得那惯常的生存神圣不可侵犯，使得生存中的那份美好持久而牢靠。生存之神圣正是郭文斌对西海固民间生存的深层理解，这种理解主要通过以下几个方面来体现。

首先，不欺物。

天地万物都有生命、有灵性，甚至带着神性。献月神前五月和六月洗了手脸，然后才往院子里抱炕桌，端灯盏。因为这炕桌、灯盏不是给自己的，是用来献月神的。虽然不是宗教仪式，虽然仅仅是生活中的一个小细节，但全家人都以信徒一样虔诚的心性准备一个生活的过程。献完月神，五月和六月给各个房里端灯盏，不仅每人一个，甚至牲畜、甚至树木都有灯盏。当六月给梨树放灯盏时，他看见走出来一个人从他手里接过了灯盏，六月心里升起了一种特别的温暖，觉得那不再是梨树，而是他们家的一个亲戚。用平等的心去对待一切，从而获得一份感动，获得一份宁静。

其次，不欺人。

《大年》中的亮亮说将写错的对联送给瓜子家，父亲说“正因为是瓜子家，就更不能给他们”，“只有小人才欺负瓜子”。《中秋》中的爹将生活中的一件小事作为考题留给五月和六月，让他们将梨分给村人。当五月公正地将同样数量的梨分给瓜子家的时候，“爹奖励给五月一束赞赏的目光”。爹不仅考虑到每家必须送，还考虑到送到每家后要够他们分给孩子吃。不管是《大年》中的父亲还是《中秋》中的爹，他们都视不欺人为做人最起码的道德要求。

第三，不欺心。

只有不欺心才能做到不欺物、不欺人。《点灯时分》中的奶奶说："一个人一辈子一直有两盏灯跟着，一盏人人都一样，一盏不一样，所以要捏两盏灯。"娘也明白："任何外面的光明都是不长久的，靠不住的，一个人得有自己的光明。"而这光明就在于做任何一件事情都要无愧于人，无愧于自己。《大年》中的父亲有这样的胸襟，不欺人，哪怕是个瓜子。父亲用实际行动让孩子们懂得"忠恕"之道，懂得将心比心。

不欺物、不欺人、不欺心的同时认真而虔诚地生活，从而超脱也超越苦难，从而懂得也获得美好。那美好、那神性就存在于点滴生活中，存在于生活的每一个细节中。因此人们从不忽略细节，他们相信神明，一切都是有"讲究"的。生活不是宗教，细节不是宗教教义，人们却信仰生活，尊重细节，人们付出比宗教更虔诚的情愫去坚守那份"讲究"，并世代相承相续。郭文斌懂得故乡的生存，那将每一个细节当作一个盛大庄重的仪式去完成的生存方式。因此，他笔下的乡民才得以安适、安恬地生活于西海固这片贫穷苦旱之地，并演绎出生存的神圣。丹尼尔·贝尔说："仪式首先依赖一种神圣和亵渎之间的明确界限，这一界限是所有参与文化的人一致同意的。仪式把守着神圣的大门，其功能之一就是唤起的敬畏感保留不断发展的社会必不可少的那些禁忌；仪式，换句话说就是对神圣的戏剧化表现。"

当然，郭文斌具体面对的是西海固的民间生存，但其写作的气质却远远超出了地域的界限，而是提供了一种普遍的生存范式。对待苦难的常态、从贫穷苦旱中获取更巨大的美好、带着神性的生存是郭文斌对西海固民间生存的理解，也是其对美好人情、人性的理解，更是其对世界的理解。作品中童性色彩的建构合情合理地实现了文本对苦难中美好的发现与抟塑。

二、郭文斌乡土小说中儿童性色彩的建构

20 世纪末期，“西海固地区”一度被联合国粮食开发署确定为最不适宜人类生存的地区之一。在文学作品中，西海固大地无论在异域作家还是在本土作家笔下都是一片苦土、焦土，渴水是西海固大地永远的情结。西海固作家笔下的悲剧基本上都是生存悲剧，很少有政治悲剧、社会悲剧、历史悲剧和性格悲剧，他们不约而同地表现着人物对环境的不屈抗争。例如：石舒清“以他的弥漫着生命的元气和强力的文学，诉说着‘西海固’的苦难、沉重、内心的长久隐痛和渴望摆脱孤独，融入时代的不懈追求”，书写着那片“苦土上的岁月与人生”；火会亮的小说在贴近乡土的冷热辛酸中探讨着文化传统的失落，也描述着农村生活的灰暗衰败；马金莲的作品滴水不漏地描绘着西海固大地上的生活流程，并细腻地

刻画出生活的辛酸与贫瘠；王怀凌的诗歌对西海固干涸渴水的神情给予了深情的歌吟，对西海固大地上的恒久的贫瘠给予了深刻的体悟，“西海固只是中国西部的一块补丁／在版图上的位置／叫贫困地区或干旱片带／我在西海固的大地上／穿行／为一滴水的复活同灾难赛跑”。

相比之下，郭文斌却在这个不毛之地中书写出了一种惊人的美好，当《吉祥如意》等作品亮相后，读者普遍反应出“被一种美惊吓的样子”。即使其作品中有对苦难、艰辛乡村生活的关照，也会“努力寻求故乡人物坚韧、明慧的乐观精神，没有彻底的悲剧性”。

在乡土小说的书写中，“现代意义上的中国乡土小说经历了一个从萌生、繁盛、蜕变、断裂、复归到再度新变的复杂而曲折的递嬗过程。”在这个过程中，对乡土的书写大致可以分为两个支流。一派以鲁迅为代表，“既以人道主义的同情关注着农民的不幸，又以现代知识者的眼光审视着种种丑陋的乡俗，在文化冲突的抉择中，常常陷入两难的窘境。”另一派是以沈从文为代表的乡土浪漫派，这一派小说家“主要以自己的乡村经验积存为依托，以民间风土为灵地，在风景画、风俗画、风情画的浪漫绘制中，构筑抵御现代工业文明进击中的梦中桃源”。郭文斌的乡土小说创作也经历过一个漫长的摸索期，在《点灯时分》《大年》《吉祥如意》等篇章受到读者的好评之后，其创作转向对年节文化的描写，集中反映西海固民间生存中美好神圣的一面，在对其“安详”说逐步充实的过程中，郭文斌的乡土小说在“禅”意的基础上又多出了自觉的说教成分（此部分非本论文所阐释目的，故不再赘述）。在这个漫长的过程中，郭文斌的乡土小说所表现出的主要倾向是属于乡土浪漫派的。李兴阳认为“郭文斌乡土小说属于废（废名）、沈（沈从文）、汪（汪曾祺）一路，有‘京派’的韵味与色彩。郭文斌居住于繁华的城市，却把心灵之根留在乡村，他说：‘对我而言，西海固这个名字，已经不单单是一个地理概念，他更是我心灵深处永远的温暖和怀想。’”无论是从现实的角度讲，抑或是从西海固文学的表达传统来讲，郭文斌的乡土文学显然是特别的一例。在他的作品中，多的是传统文化与文字的缠绵而非现实的维艰与文字的纠结；在他的创作中，多的是吉祥如意式的祥和而非贫穷苦旱式的尖烈。为达到祥和的目的，作家回避了现实矛盾，有意以回忆的情感状态从孩童视角入手构筑诗意的故事。这样的叙事气质与策略使得其作品中流曳着一股浓郁的童性之美。总体说来，这种童性之美主要体现在作品中的童心、童趣和童言。

童 心

童心如晨露，晶莹剔透。一颗纯粹的童心在感知世界时是单纯、稚嫩且感性的。它没有成人样的认识事物的能力，不具备成人已经被生活习惯奴役的思维模式，所以无法按照成人的逻辑去理性地把握客观现实，也不能接受成人世界的繁文缛节、勾心斗角、追名逐利和矛盾纠葛。因此，带着一颗童心关注世界时，世界便有了一种近乎透明的色彩。我们世俗纷扰的世界被儿童天真无邪的心灵层层净化。在郭文斌的小说中，尤其是那些具有浓郁年节气氛的篇章中，常常采用孩童视角进行叙事。这样一种叙事策略在很大程度上反映出作家超功利的审美追求与心境，这样的追求与心境则出自作家淡泊宁静的人生态度之中，在于作家葆有的那份天真烂漫的童心之中。

在中国现代文学史上，也有很多作家曾用孩童视角叙事，例如冰心、萧红等人。冰心的博爱与童心自不必多言，萧红更是将女性的敏感细腻与孩子的天真烂漫相结合，带给现代文学一派生机盎然的气息，被称为充满情趣的“后花园”，“因一个孩子的眼睛”，“发现了隐在我们身边的诗情”。郭文斌则将安详平和的心态与未泯的童心结合起来，书写着多情的乡土。带着这样的心态去触及故乡中的贫穷苦旱时，那份贫穷苦旱也变得温润了许多，苦难中的沉重、压抑与沉默被剥除出来，留下的是一种平和安宁的生活的常态。

当现实的苦难来的太沉重，太过于压抑，当成人世界带给人的是无尽的苦恼和纷扰时，当成人世界里天真、纯正变得越来越少时，儿童视角为现实的书写带来了清新和纯真，因此，在郭文斌的写作中，尤其是其年节文化小说中，总是以童心看取世界，看取生活。童心如一台过滤器，使现实的苦难与成人世界的纷扰、城市的喧嚣被一一剔除，留下的是纯真的美好。例如，《大年》写物质资料极端缺乏的年节，可是明明、亮亮两个孩子在贫苦中感受到的却是无与伦比的乐趣。“天色暗下来，院里像是泊着一层水。新衣服发出的光在院里留下一道道弧线，就像鱼从水里划过，明明能够听到鱼从水里划过时哗哗的响声。亮亮跟在明明身后跑着，有点莫名其妙。但他没有理由不这样做，他想明明之所以要这么跑，肯定有他的道理。明明在西屋停下来。亮亮也在西屋停下来，影子一样。坐在炕头上抽烟的父亲微笑着看了他们一眼，没有说话，只是看了他们一眼，一脸的年。桌子上的蜂蜡轻轻地响着，像是谁在小声地咳嗽；炕头的炉火哗哗飚着，映红了父亲的脸膛……那个美啊。”在这段描述中，作者将情感虚拟进亮亮的内心世界。虽然没有丰富的年货，甚至连天气也没有提供更多温暖的色彩。但在年幼的亮亮的内心里，“年”是个神秘的东西，美好的东西。亮亮不能像大人一样理性地对待“年”，漫无目的地追着比他大一点的明明奔跑。他自顾自地沉浸在一种美好的气氛里，而这种美好的气氛并不需要年货与更多喜庆的东西去装点，甚至只要大人说今天在过年，这个“今天”就与所有其他的日子不同起来。可以说亮亮完全奔跑在自己对年的想象之中，至于年到底是什么东西，亮亮并不明白，在亮亮那里，“年”也可以仅仅是父亲被烛火映红了的脸膛。

在静谧的正月十五的夜晚，“天有点冷，地有点凉，但姐弟（五月、六月）二人没怎么觉得，静静地跪在桌前会供。没有风，一个个灯盏像婴儿一样偎在娘一样的月光里。恍惚间，六月发现有一种神秘的交往在灯和月之间进行。接着他又发现每个灯里都是怀着一个月亮的。”《点灯时分》中六月的这一段感受可谓写尽儿童思维与想象世界的奇妙。“娘一样的月光”，这样的思维方式也只有还偎在娘怀里的未长大的孩子才有。从这样的比喻，这样一段感受中可以见得作者对世界的感知方式，他是怀着一颗如儿童般纯洁干净的心去回味故乡的明月的。

事实上，仅仅从明明、亮亮、五月、六月、腊月、正月、忙生、地生、白云、牧牧等一串诗意的名字中，读者即能获得许多关于郭文斌作品内容的信息。童心是其创作中十分重要的一种写作姿态与心态。当那些诗意的名字被放置在具有浓郁民俗民风色彩的年节里时，氤氲于整个篇章中的便是一种散发着香气的美好。那些纯粹、纯洁的孩子也在这样一种传统的礼俗和习俗中完成了自己的成长仪式。

童趣

因为总是带着一颗童心看取世界，所以，郭文斌小说中的细节与情节总有独异之处。正如白烨所说：郭文斌“常常采用童年视角，用孩子的眼光打量一切，用孩子的心灵感受一切，字里行间漫溢着一种清醇而温暖的童趣。可以说，他是在别人忽略不计的生活缝隙发现情趣和寻找诗意的。”

童趣是构成郭文斌乡土小说诗意性的一个重要方面。正是充溢于生活流程中的那些童趣在很大程度上消解着生活中的辛酸、无奈。在文本世界中，正是那些别致的童趣支撑着纯正无瑕的童心。作家在创作的过程中采用了童年视角这一独特的叙事角度，因此，作品中随处都是发生在明明、亮亮、忙生、地生、五月、六月这些孩子之间的童年趣事。例如《大年》中明明和亮亮在院子里的互相追逐，这是一个再简单再朴素不过的游戏，没有玩具、没有游戏规则，甚至亮亮都不知道明明为什么要跑自己为什么要追，但因为是孩子，便感觉这个游戏十分有趣，因为快乐便互相追逐、互相嬉戏。这样一个互相追逐、嬉戏的游戏在《吉祥如意》中稍有变化。从形式上讲，《大年》中是弟弟追哥哥，弟弟小，所以就漫无目的地去追哥哥，感觉很美好就追逐着。在《吉祥如意》中是姐姐五月追弟弟六月。“六月一边跑一边说，养个母鸡能下蛋，找个干部能上县。但五月总是追不上六月。这连她自己都奇怪。

平时，她可是几步就一把把六月压到地上了。后来，她发现自己其实是有私心的。她就是不想追上。她只是喜欢那个追。”虽然五月还不能完全理解和体会爱情婚姻，但她朦朦胧胧的关于情感的认识在萌发。作家用童年趣事的形式将一个少女初始萌生情感的内心世界细腻别致地表达了出来。

再如《玉米》中，作家将故事的时代背景设置在“文革”这样一个政治气氛十分紧张的时期，用儿童视角去反映社会政治在偏远的西海固对懵懂未开的孩子的影响。“文革”对成人而言无疑是个敏感的词汇，但是在孩子的世界里，红红、东东、小红这帮孩子的心灵世界与时代环境之间是疏离的，对于他们而言，社会政治是一个似乎不存在的存在。作者将孩子之间对异性身体的触碰后的心理轨迹细腻地诉诸文字，在本该是一个严肃的时代背景上书写着几个孩子之间萌发的朦胧的性心理。“恋爱要走红色路线”“结婚不误革命生产”这些“文革”话语出现在孩子们的游戏里，在一定程度上也是一种对时代的戏谑。孩子们以儿童游戏的方式模拟着成人世界里的结婚仪式、丧葬仪式。没有了成人世界里那种滞重的神圣，而是孩童心灵中无邪的神秘。红红、东东、小红之间的儿童游戏一方面是孩子的天真无邪使然，另一方面是孩子对成人世界的一种自我理解方式。同时，文本以童趣的方式向读者传达了西海固的婚俗习惯。

童　言

在童心童趣中，郭文斌的作品中俯拾皆是的是那些儿童式的语言。诙谐幽默，却不是成人世界里那种在理性思考之后的嘲讽或辛酸。这些孩子的话语正是他们天真无邪的童心的一种反映。在文本中，作家正是通过孩子的这些话语去反观成人的世界。

例如《吉祥如意》中五月和六月上街挑花绳的时候，在路上，“六月问五月，你说谁的新媳妇最漂亮？五月说，你的啊。六月说，好好说说啊。五月说，你说呢？六月说，要说，肯定是街的新媳妇最漂亮啊。”读者跟着“五月一惊”。于是，在后文中，六月开始用他儿童的思维方式解释为什么“街的新媳妇”最漂亮。从这段对话中也反映出作者那种天人和谐的思想观念，纯粹的快乐在于附着于物质之上的那种气氛与感觉里，而不在于物质本身。

在郭文斌的乡土小说中，孩子的话语大多是在与父母亲等人的对话中显现出童性的。从孩子的追三问四中，我们看到的是孩子的好奇心。比如郭文斌的许多篇章中，孩子会追问母亲某个问题，当母亲回答不上来的时候就支开孩子让他去问父亲。孩子便去父亲那里寻求答案。当父亲也回答不上来的时候，那个威严、神秘的父亲就会回一句：“你说呢？”于是，孩子便被推向孩子的思维世界去思索探究。这样一种儿童的问话方式，在郭文斌那些儿童视角的作品中，首先起到的是塑造人物形象的作用，其次，也是作家的一种叙事技巧。例如在《点灯时分》中，六月一直缠着娘追问，问到后来，娘就引出奶奶常说的一句话："舍得舍得，只有舍才能得，越是舍不得的东西越要舍。"为了引述出这段富含人生哲理的话语，作者在故事情节设置上让六月没完没了地去追问。还有一些连父亲也回答不上来的问题，作家便将其留给读者一道去思考。

当然，在一篇童年视角的小说里，必然要用儿童的口吻讲故事，并伴以儿童的话语。郭文斌的乡土小说中，在让具体的人物形象用儿童的思维方式去说话、行事的同时，还将这些儿童的话语与民间叙事形式、民间叙事本身相结合，形成一种人类最朴素最元初的叙事方式。这是郭文斌"童言"的深刻之处。例如，在《开花的牙》中，牧牧和忙生之间有这样一段对话：

> 我爷爷死了。
>
> 你爷爷死了羊还活着呢。
>
> 羊活着又咋呢？
>
> 剪毛呢。
>
> 剪毛咋呢？
>
> 擀毡呢。

擀毡咋呢?

铺炕呢。

铺炕咋呢?

炕潮着呢。

炕潮着咋呢?

身子光着呢。

身子光着咋呢?

吹灯了。

吹灯了咋呢?

吹灯了吃馒头呢。

吃馒头咋呢?

想呢。

为啥想呢?

不想哪达的你呢。

这样一种回环往复、互问互答或者自问自答的叙事方式，是西海固民间叙事的重要讲述方式之一。在这样一个古老的形式中，包含着人类认识自我的愿望。也是西海固以民间讲述艺术的形式保存下来的人类儿童期的话语形式之一。郭文斌将文本中具体儿童形象的语言跟人类童年期的语言形式以及童年期人们认识自我的愿望用一段儿童对话加以表达，使得文本中的儿童话语不仅在人物形象的塑造上起到了积极作用，更让这样一段话语成为人类生命创造形式的一段寓言与童话。

另外，作家在使用儿童话语的时候，还将一些民间儿歌直接引入作品。“双双核桃双双枣／双双儿女满地跑／坐下一板凳／站下一大阵”“艾叶香／香满堂／桃枝插在大门上／出门一望麦儿黄／这儿端阳／那儿端阳／处处都端阳……这儿吉祥／那儿吉祥／处处都吉祥……”在这些儿歌中，更直接地呈现着西海固民间生存中人们对吉祥如意生活的追求。

三、郭文斌乡土小说儿童性色彩的成因

当很多人质疑郭文斌作品中的“吉祥如意”背离了西海固真实现状之时，更应当仔细分析郭文斌为什么会以这样的方式去理解那贫穷苦旱的故乡生活。笔者认为郭文斌乡土小说之所以写得如诗如画，作家的早期经验、作家的个性以及作家在写作过程中所采用的童年视角和其回忆中乡村的封闭性等各方面因素共同促成了郭文斌小说中祥和宁静的童性气质。

作家早期的乡村生存经验

郭文斌虽然生在贫瘠落后的西海固，和每一个西海固的孩子一样经历过贫穷苦难。但在郭文斌童年的生活里，他和每一个西海固的孩子一样，感受更为巨大的不是贫穷苦旱，而是父母亲人的爱以及氤氲于生活之中的那份美好。在《大年》里，当一家人围着少得可怜的年货开始“散年”时，“母亲说我就不要了，你和亮亮分了吧。明明说一年到头了，你就吃一个吧。亮亮说，对，一年到头了你就吃一个吧。说着，明明给母亲剥了一个水果糖，硬往嘴里喂。母亲躲着，我又不是没吃过。亮亮摸了一下口水说，娘你就吃一个吧。母亲看了亮亮一眼，就张开嘴接受了明明手里的那枚水果糖。亮亮的心里一喜，口水终于流了下来。母亲看见，弯下腰去给亮亮擦。一边擦着，一边把嘴里的水果糖咬成两半，一半给明明，一半给亮亮。明明和亮亮都不接受。母亲说娘吃糖牙疼呢，再说我已经噙了半天了，都已经甜到心上去了。”这样清贫的年让人心酸，但这样的年也让人温暖。作品中那个为了孩子可以做任何牺牲的“母亲”的形象在作品中被凸显的可亲可敬，这样的伟大母亲在西海固大地上却也是平凡普通的一个。是她们朴素而伟大的忍让、牺牲让孩子懂得了生活中最宝贵的东西。母爱让生活在贫穷苦旱中的孩子拥有了温柔、温润的内心。郭文斌作品中的西海固之所以如诗如画，回忆的情感结构是非常重要的一个因素，回忆有美化的作用。回忆钩沉起的是作家对故乡、故土、故人的眷恋以及生命元初体悟到的至美至情。

另外，在文本中，从那个传统文化代言人身份的“父亲”给村里人写对联，让孩子给其他亲房、村里人及孩子送馒头、梨等各种食物的情节模式看，作品中以作家童年记忆为原型的孩子在其具体的生活村庄中处于精神和物质的双重优越状态，甚至在很多篇章中亲房、村里人都要来给父亲拜年，父亲的这种地位也会给年幼的孩子一种优越感。比如在封闭的乡村中，在未成熟的认识中，这种优越感奠定了回忆中乡村美好的情感基础。

孩童视角

郭文斌一系列引起文坛关注的年节文化小说，如《大年》《三年》《吉祥如意》《点灯时分》《中秋》《寒衣》等作品，均从儿童的视角出发，去探寻存在于生活中被年节集中放大的乡风民俗。

用儿童的视角看取世界时，一切都变得十分美好。比如《开花的牙》中的牧牧。家里死人应该是件悲痛的事，可是年幼的牧牧还没有被成人世界的情感逻辑完全濡染，他并不十分明白死人对于亲人来说是件悲痛的事，甚至不明白人死不能复生的道理。在他的眼睛里看到的是来来往往带着怪异表情的人们，是奇奇怪怪的杀鸡端献瓜瓜的仪式，从儿童的天性出发，他认为这是件好玩的事情。并且感叹："要是有几百个爷爷就好了，一天死一个，那就会天天吃献瓜瓜，或者爷爷一天死一次也可以！"孩子的眼睛里热闹是第一位的。这样的情感反应完全异于成人的情感体验。武淑莲在《回望童年——郭文斌短篇小说〈开花的牙〉的独特视角及"童年理念"》一文中认为作家通过该故事梳理了一种让人深思的"童年理念"，即："将儿童看作是独立于成人的个体，让儿童享有与其身心发展相适应的童年生活，并为以后发展奠定了基础。"对于孩子而言，生死处于混沌状态，他们甚至在亲人离去的场面中寻找着属于自己的欢乐。对于孩子而言，贫穷与苦难也是一种混沌状态。

在叙事上采用的儿童视角，使得郭文斌的作品充满了浓烈的孩童气息，在孩子的思维与感受里，更容易看取的是生活中美好的成分，即使在葬礼上，他们没有眼泪，没有生死离别的深刻忧伤，有的是对热闹的寻觅，对于爷爷的死怀有的是一种淡淡的朦胧的失落。"年"在农耕文化背景十分浓厚的西海固乡民的生活中是一年中可以"狂欢"的日子，很多家庭只在年节里才吃一回白面，才吃一回蔬菜。在郭文斌的《大年》里，一块糖在母亲、明明、亮亮之间推来让去，那种浓浓的亲情在困顿的生存面前显得尤为可贵。同时，在读者内心留有一层深深的辛酸。即使如此，在孩子的世界里，年还是快乐的，生活还是美好的。

再如《雨水》，依托西海固的干旱去写少女扣扣的心事。旱魔使得庄稼颗粒无收，庄稼人对雨水的渴盼在扣扣那里更胜一筹，一场淋漓的雨水对扣扣而言，不仅是收成的需要，还是自我终身大事的需要。郭文斌总是把那些具体的自然条件造成的苦难处理在人性苦难之下，将那些人性苦难处理在美好安宁和谐的心灵之下。一场未到来的雨在扣扣解开心事之后也变得不那么沉重不堪了，“她蓦然觉得眼前的这个世界是这么新鲜”。因此，儿童视角在很大程度上消弭了西海固生活中的贫穷、沉重，使文本世界中弥漫着童性的美与纯。

成长之累和城市生活之累的对照

在其散文《忧伤的驿站》中，郭文斌说：“不知从什么时候起，一想起节日，心就被忧伤渍透。而年尤甚。欢乐，如一颗杏子，被跟在童年之后的成熟一棍子打落了。”成长之累几乎是每个人必经的心理历程，只是成长本身所带来的伤痕在某些人那里深一些，尤其在那些心性敏感纤弱的人那里。成长所带来的倦意与恍惚是巨大的，沉沉地压在作者心头。为排遣这巨大的负累，他将注意力转移至回忆里。而回忆中最遥远最美好的莫过于无忧无虑的童年时代。是生活细节将那些童年的欢乐固定成永恒的记忆。作者将这种成长的隐痛明确地书写在其散文《子在川上曰》中。成长“给予我的惊吓胜于突兀闪现在眼前的一条蛇”。刀片挂着那成长的标记胡须时，“生命中有一种多余的东西需要冰冷的金属来收拾。刀片走过，脸上就露出一片虚假的洁净。我知道真正的洁净没有了。我知道生命自从需要打扫开始就向回走了”。真正的洁净就在童性里，而人无法抵御成长对童性的泯灭。

与此同时，郭文斌还承受着从乡村生活转变为城市生活的心理之累。城市美化着生活，城市的物质文明远远高于乡村。跳出农门过上轻松富裕的城市生活是西海固父辈们给予子辈们最大的期冀和最美好的祝福。然而，生活方式的转变是容易的，斩不断的是情感的纽带。童年时代在乡村生活的经历构成了像郭文斌这样“跳出农门”的每一个人。从早期精神分析学的角度讲，人的早期经验会影响人的一生，甚至决定人一生的性情与言行举止。

尽管在成人那里无论从哪个角度讲，“西海固”永远是“面朝黄土背朝天”的苦焦生活。但作为一种早期生存经验，乡村的苦难被记忆剥离的荡然无存，只有那些无忧无虑的烂漫留存了下来。故乡正如精神母亲，无论如何落后贫瘠，对于孩子而言她就是血浓于水的母亲。因此，当郭文斌站在热闹的城市之中时，常会生出“迷失之感”，甚至“索性站在阳台上，面向老家”，这时“身心一下子踏实下来”。面向老家的方向回忆、沉思良久之后，作者有所顿悟，城市的生活早已远离了内心的宁静，当生命搁浅在喧嚣的城市生活之中的时候，便“离开生命的朴真太远了，离开那盏泊在宁静中的大善大美的生命之灯太远了，离开那个最真实的‘在’太远了”。这种远离乡村生活的失落感常常在作家心头泛着波澜。

无论是成长抑或是城市生活，不得不的生活车轮碾压之下，带给作家的是与乡村记忆深深的撕裂感。当这种撕裂感侵袭而来的时候，回忆不失为一个绝佳的避难所。“当初最美，当初也最有生命力。”

作家的个性因素

作家这个人群是心性敏感纤弱的一类人。唯其如此，才具有洞察力，才能比一般人感受得彻底、深刻；其次，才能谈到对语言的把握能力。纵观郭文斌的创作，留给读者的是一个心思细敏的形象，尤其是在他的散文里。例如《一片荞地》里，将母亲生病去世这个过程中的每一个细微的情景作了无比细腻的描摹，一方面显现着作为儿子在失去母亲时的悲恸，另一方面作品为我们刻画出了一个情感纤弱的儿子的形象；再如在其描绘处在爱情中时内心曼妙的变化，等等，无不显露出作者的多愁善感。面对亲情、爱情这样的人间至情，每个人不免会柔情万种。郭文斌的敏感心性还在于面对那些再平凡普通不过的瞬间所生出的心灵震颤。当一场雨袭来，“突然我觉得无比孤独”；一盆花开的时候，“我的心里不由充满了感动”；当面对曾经住过的旧房子时，“不禁有些类似失恋的惆怅，让人难以承受”，等等。

在敏感的心性中，郭文斌又是一个对美有着执着追求的作家。在他的作品中，几乎不表达恶俗。这是作家个性的一种直接反应。很难在郭文斌的作品中找出一个十恶不赦的人。作家平和安宁的个性气质决定了他的拒绝与他的呈现。拒绝恶俗，呈现美好。在文学与生存之间很难用一个符号去诠释它们的关系。作家们会因个性的不同，审美追求的不同，用不同的文学手段去表现或者再现生存。郭文斌的作品无疑是带着浓郁浪漫气息的，在作品中表达着作家的社会理想，与其对美好生活的向往。

在郭文斌引起文学界关于知识分子在当下生存中的冲突与隐遁的争鸣短篇《水随天去》中。郭文斌探讨了知识分子在当下这个喧嚣的时代中的价值失衡感。作品中的知识分子代言人“父亲”最终消失了，不知去向。这样的结局是郭文斌对整个知识分子无立足之净地的表达，也是他自我心声的一个侧面，更有对自我生命感受的释放。在无处可去时，童心童性可谓是一剂良药。

回忆中故乡的封闭性

在郭文斌那些诗意气息浓厚的小说中，尤其是其采用儿童视角进行叙事的篇章中，西海固的生活是一个十分封闭的自足体，明明、亮亮、五月、六月几乎看不见城市文明。在他们生活的世界里，最远的地方是上街，比如《吉祥如意》中五月和六月上街去买花绳。但那个街也是离村落不远的乡上，依旧是在乡村世界里穿行。至于城市文明，在孩子们的世界几乎是个不存在的名词。因此，贫穷苦旱只有在与城市文明的对比中才得以凸显。

比如在《呼吸》中，作家将人与牛、人与人的关系置于极端的干旱中写出西海固人与自然环境之间紧张的关系。连年的干旱使得大地上看不见一丁点绿色，干旱季节里，牛喝不到水、吃不到青草，庄稼人的耕耘也成了无意义的劳动。连年连日的干旱，村里的耕牛受不了，接二连三轰然倒地，人也是缺水上火，水水的嗓子烂得一片一片。在昏迷中，水水做了个梦，梦见天降大雨。雨水对西海固的人们来说仅仅是个梦。当水水从昏迷中醒过来时，她看见了药瓶里清澈的液体。郭富水告诉水水说，那是城里人每天都喝的清水。水水便疑问为什么他们不搬到城里去。对于孩子水水而言，唯一的与城市发生的关系就在那瓶液体里。城市其余的部分依旧是个朦胧神奇的面影。郭富水告诉水水，只有考上大学才能到城里去。这不单是文本里的情节，也是来自于西海固民间生存中的情节。孩子们上学的直接目的就是跳出农门，走向城里。而对于那些更小的孩子而言，对于那些没有被城市文明冲击的孩子而言，贫穷苦旱完全是一种生活的常态，没有必要惊诧，没有必要抱怨。在本来如此的环境中成长的过程中，人们在现有的条件下去寻求生活的安详和谐。因为封闭，没有对比，亦无所谓好坏，人们暂时享有了一份心灵的安宁。

综上所述，郭文斌作品中呈现出了西海固独特的一面——吉祥如意，它温柔、温润、温馨的地方所在。这样一种呈现得益于郭文斌在叙事上所采用的儿童视角。同时，作家的个性特征、社会理想以及在成长的负累、城市生活的负累等众多因素影响下，作品在以回忆的情怀展示故乡、故人、故事时自然带有浓郁的浪漫气息。

郭文斌乡土文学的审美世界、超越性叙事与文化立场

杨若蕙　杨慧茹

自近现代以来，现代文明的扩张与冲击使传统的乡土世界从封闭、谐和的自在状态走向开放、芜杂的多元之境。这是几乎所有中国现当代作家都经历过的历史性转型，也是中国现当代乡土文学得以建构和发展流变的基地和根由。在这一历史转型过程中，每一个乡土作家都致力于建构属于自己的乡土世界，或者通过写实性批判来表达“改造国民灵魂”的启蒙主义文化立场，如鲁迅及受其影响的现代乡土写实小说流派以及20世纪80年代以来的寻根文学之主流；或者通过寻找自然神性生命来对抗和反思现代文明之痼弊，如20世纪30年代的沈从文及此后的京派小说；或通过建构丰润多姿的乡土生活空间书写传统乡土人生的流风余韵，以接续传统文化之根脉，如20世纪20年代的废名以及当代的阿城和贾平凹。于是，乡土不再只是单纯的物理空间，而是分化成了精神理念、文化符号和话语载体，以实现作家们各自别异的理想和抱负。

郭文斌是当代乡土文学的代表性作家，他生于西部乡土，长于西部乡土，对西部乡土满怀眷恋和深情，他甚至直言，记住乡愁，就是记住春天。西部乡土也是他文学书写的精神原乡，但与大多数西部作家不同的是，乡土在郭文斌笔下被营构成了一个丰茂葳蕤、宁静诗意的凝态化的审美场域，那个氤氲着沉静、平和与悠然情趣的乔家庄，实则是一个被作家心灵和情感净化过了的前现代生活空间，蕴涵着自在生命的斑斓色彩和传统文化的丰厚情致，体现着作家对于生命、情感与精神之维的诗意探索。但不可否认的是，对植根于这一乡土世界的传统伦理的过分执着，也限制了郭文斌的思想视野，使其失去了省思传统伦理，并使其失去了与现代文明进行对话交流的可能，制约了其文学境界的扩展与提升。

一、诗意和谐的审美世界

在现代乡土文学中，沈从文无疑是最具有审美现代性品格之流派的代表，在那个奇异多姿、淳美厚朴、如梦似幻的湘西世界里，民风自然纯真，人性质朴健康，风光独特如画，无论自然风景、民俗人情，还是生命形态，无不美轮美奂，和谐生动，形成浑然一体的美的极致之境，其中，自然寄寓着沈从文书写人性之真善美的旨趣，并由此出发，实现其改造民族文化与性格的宏伟抱负。沈从文的文学传统源远流长，在当代文坛激起了众多作家追慕的巨大热情，形成了众流汇集的壮美风潮。其流风所及，也润泽于当代西部文学，涌现出一些致力于书写乡土世界诗意和美的作家。这其中，就有郭文斌，他尽全部气力以营造人与土地、人与自然、人与社会圆融合和、和谐相处、相互生发的整体生命状态，体现出与沈从文一脉相续的诗意叙事的品性与风格。

郭文斌最具代表性的作品是长篇小说《农历》。在这部影响广泛的作品中，他建构了一种富有澄澈的诗意之美的乡土情境。这种诗意之美首先来自作品凝态化了的审美节奏，体现出作家通过独属于乡土世界的时间感受和记录，以修正现代文明生活形态之痼弊的旨趣。郭文斌在《守岁》中一再感叹："要逃脱时间之'年'的攻击，唯有进入时间。"这里的"守"，既是守望，也是守候，是一种沉浸于时间深处的安然姿态和韧性精神，它在方寸之间保留住了时间的静止性，使时间在漂移的过程中又凝固成超然模样。于是，一部在历法节气中更相交替的《农历》，从灯火婆娑的元宵、雨露润泽的清明、烟气袅袅的寒节，到花果丰腴的中秋、秋高气爽的重阳、繁盛锦簇的大年，郭文斌不疾不徐地书写着时间在四季轮回中印刻的每一道痕迹，挥散的每一丝气味。他以寸尺的距离，丈量时间在乡土生活中跋涉而过的脚步；以分秒的速度，感受心灵在天地之间跃动的旋律，使字面上生硬的节岁仪程顿时具有了鲜活的面目和绵长的气息。面对元宵节简朴而又神圣的桌前会供，主人公六月在万籁俱寂的静谧中体验到了灯光与月亮的神秘交往；参加清明节虔敬而又庄重的坟院祭拜，姐姐五月又仿佛瞥见了接受祭祀的先人缓缓归来的脚步；在端午采艾的上山途中，姐弟二人在弥漫的雾气里感受扑面而来的吉祥如意；在星月当空的中秋之夜，姐弟二人在心湖中恍惚开出千万点荷花般的月色。在这里，郭文斌以和自然轮替同步、与生活节奏一致、与生命呼吸共感的叙事笔调，使具体而微的情感变得可看、可听、可嗅、可触，农历岁时所代表的不仅是传统乡土世界的风情民俗，也是被乱花迷眼的现代生活场景和快速推进的现代生活节奏所忽视和遗忘了的自然生命的内在律令，是人与世界互相勾连的整体性的有机联系，是与民族文化心理紧密融合的文化精神。现代生活场景和生活节奏满足了现代人的外在需求与瞬时欲望，却与自然生命相背离，与植根于农耕文明的民族文化心理不合拍。因此，郭文斌几近自然的审美节奏，实质上体现着作家引导现代心灵回归生命本然的努力，也就使其作品具有了风格独异的审美品质。

郭文斌营构的乡土世界，也是一个生命与万物相互感应、相互关爱、相互敞开的世界，在这一诗意化的空间里，所有的物象人事都具有应然的生活气息与生命精神，由此，也就使得所有的生活细节都与生命相关，也都因与生命相关而获得了自足的意义。在现代文明席卷之下，同质化进程将人事物象的细节消磨殆尽，整齐划一的发展与生成模式迎合了工具化、理性化的现代性逻辑，却唯独丢失了世界与生活千姿百态的鲜活与灵动。斯拉沃热·齐泽克说：“上帝存在于细节之中——在这个到处显得单调乏味和千篇一律的世界内，我们只能勉强从感性的细节里辨认神性的维度。”郭文斌用近乎原生态的写实的有些令人感到琐碎的笔触，精心描摹乡土民俗生活纷杂繁缛的细节，细腻完整地呈现了丰腴多姿的地域民俗文化世界，甚至使其作品具有了民俗文化学的意义。比如，在《寒节》一章，从取胡墼、画衣样、铺棉絮、缝寒衣、品麻麸馍馍、包冥纸、列清单，到最后的送寒衣，每一个细节都翔实生动，一丝不苟，使民俗生活事象的点滴意蕴在这纤毫毕现的细节中得到了淋漓尽致的呈现。小说人物在创造细节的同时，也在享受着细节，并在缤纷斑斓的生活世界而非理念世界中，感知生命的温度；作家在叙述细节的同时，也在展现着诗意，引领读者不只是认识已经濒临消亡的乡土民俗，而是进一步思索关于生存的真实与本义。

在这热衷于生活与生命诗意创造的写作旨趣导引下，死亡也被郭文斌衍化成了生命与生活的另类形态。他摒弃了理性冰冷的现代生死观，将死与生相勾连，生是活泼、热闹的，死亦不乏关怀和温情，于是，死亡不是生命的消失，也不是对生活的拒绝，而是成为生命的延续和生活的回转。《开花的牙》中，爷爷的终老仪式，在牧牧的眼里，不啻为一场人间的生命狂欢；《生了好还是熟了好》里，为亡人烧纸的典祭，在明明和阳阳的心里，无异于热闹而丰富的宴会。即使在语调平和的《农历》中，死亡与祭祀也褪去了冰冷灰暗的色彩，充满了人生的感念与温情，恰如河对岸的遥望和挥手。这种生死并重的观念，得益于民间传统的乐生亦重死的文化心理影响。正是由于对生有着难以释怀的依恋，才会对死表现出超越理性认知的珍视。因此，在《农历》中，从头到尾花样繁多的节日岁时，有多少与活着的人与事相关，就有多少与逝去的生命相连，作家笔下浪漫化、仪程化的死亡，成为与生命和生活交错汇聚的幽境，传达的是对现世生命的虔敬与珍爱以及传统文化语境下人们达观的生命想象。

二、乡土地域的超越性叙事

茅盾在《关于乡土文学》中说："关于'乡土文学'，我以为单有了特殊的风土人情的描写，只不过像看一幅异域的图画，虽能引起我们的惊异，然后给我们的，只是好奇心的餍足。因此在特殊的风土人情以外，应当还有普遍性的与我们共同的对于命运的挣扎。"这一观点直指当代某些乡土作家经常陷入的创作藩篱：只为展示乡土而书写乡土，乡土只是作家排遣乡愁的想象性工具，却无法生成更多富有建构性、延展性和生长性的内容和意义。乡土作家，尤其是局限于某一特定地域的乡土作家，如果不能使乡土地域文化转化成具有普遍的人性与生命意义的价值引领，必将受其格局所限而行之不远。

郭文斌的可贵之处在于，他既能立足于西部乡土，又能够超越西部乡土，他以西部为背景，以乡土为题材，但其作品内涵和意义绝不局限于西部乡土，而是融入了作家对于特殊情境下对生命的深切关怀和对人性的厚重悲悯。《玉米》虽只是一个短篇小说，却始终凝聚着一种“将发未发”的原始张力，表面上浮动的是生活的小欢欣和小温柔，背后却藏匿着命运的大创伤和生活的大悲凉。小说的张力层次繁复、意蕴幽深，既有性的张力，也有物与情的张力。主人公东东和红红是涉世未深的小儿女，童心犹在，却也渐渐萌发出青春的悸动。朦胧的好感与恍惚的情愫，使小说中的性始终处于“含苞待放”状态。正是这种刚刚苏醒、未曾明朗的性意识，创设出一种欲说还休的情境，使两位少年男女各自蕴蓄着的朦胧情爱让所有经历过那个年龄阶段的人读之无不怦然心动。在红红帮东东换枕头和扮新娘过家家时，红红无端的柔情和东东不期然的战栗，更是凸显了如窗纸一般“将破未破”的性的张力。小说中更有物与情的张力。小说是关于当代中国特殊困难年代的回忆性书写，豪情万丈的革命话语与贫困匮乏的现实生活形成了鲜明对照，也就此锻造出物质需求与人间温情的内在复杂关联。当关于未来的虚幻想象和承诺遭遇稀得能照出人影的菜汤与粗粝苦涩的红薯片时，当一顿偷偷用莜面做的搅团就能让人吃出身在天堂的感觉时，富裕丰饶的物质想象与贫乏惨淡的现实之间就构成了极大的叙事张力。更重要的是，无论革命话语，还是惨淡现实，都与三个懵懂未开的孩子若即若离，他们之间始终萦绕着源自人类天性的情感暖意，无论是过家家的欢快，还是互相扶持的温情，气氛始终美好、馨香，令人沉醉，展现了一种本色意义上的源自人性之真善美的天然状态，与亢奋、荒谬、不乏疯狂意味的成人世界，和浮夸、虚伪、充满攻讦算计的人情冷暖形成了强烈反差，情的张力也就此凸显。诸种张力的叠加，使小说形成了千回百转、欲说还休的难言之境，生发出想象与现实交错、调笑与讽刺并存、温暖与荒凉相融的参差对照的美感。三种张力犹如三支绷紧的弓弦，随着红红在生产队玉米地里被人强奸这一悲剧性结局令人猝不及防的到来，三支弓弦骤然断裂，简洁而急遽的结尾，标志着小说所极力渲染的时代、人性与记忆参差映照的审美幻境的瞬间破碎，令人无限感慨和唏嘘。

如果说《玉米》展现的是一种弓弦集聚般的融合的张力，《剪刀》则是一种波浪汇涌式的推动的张力。小说从两口子情浓意切的闲言碎语开始，针对花钱看病还是省钱过日子展开了相互调侃。这种调侃表面上互不相让，各执一词，但内里深处却凝结着患难夫妻相濡以沫的生死温情，由于贫穷，使他们不得不如同冰天雪地中的孤独幼兽一般抱团取暖，因为对方的体温是他们各自得以生存下去的唯一支撑。但温暖的爱意与悲怆的现实之间的张力在此仅仅展现了一角，小说的残酷性如波浪般缓缓汇聚，渐渐弥散。文本的后半段，张力的聚集速度明显加快，从床榻上拌嘴的热切，让男人磨剪刀的笃定，喂糖水鸡蛋的疼惜，呼喊丈夫乳名的不忍，到一口气打了四十九个饼子的决绝，层层涌起的心绪之潮，一步步向紧张、沉默、怆然的最后诀别时刻汇涌，终于，在女人用剪刀自我了断的刹那，冲垮情感的堤坝，一泻汪洋，形成悲剧性言说的浩荡江河。郭文斌以一种极其简练克制的语言，只是点出结尾，一带而过，没有多余的话，却形成了想象和思索的巨大空间，掘发出藏匿其中的生命的隐忍与生活的悲寂。

郭文斌以宁夏西海固为书写背景，但地域性的苦难以及应对苦难的态度，真正表达的却是普遍的美好人性与残酷的悲剧命运的对决，是特殊情境中爱与温情的积蓄与释放。小说立足于西部地域，但人性与命运的主题具有共通性，处于命运深渊的人在无法解脱时所呈现出的爱的动人与悲怆，则更具普遍意义。因此，《玉米》和《剪刀》与其说是在书写苦难，毋宁说是在书写人性，作家所倾力描绘的并非苦难的水深火热，而是人类在生存艰难中的温情爱意。这也是一个当代乡土作家超越了乡土地域限制，着眼于一切在命运中沉浮的人，表达自己作为人文知识分子对人类生存境遇所怀有的大悲悯与大关怀的可贵品质。只有达到这一境界，才能体现出超越性乡土书写应有的阔大气象与高远未来。

三、面向传统文化的暧昧立场

在现代以来的乡土书写中，对传统伦理的回望和文化寻根无疑是最突出的主题取向，郭文斌也是如此。在《农历》中，透过作家诗意盎然、平静祥和的乌托邦式书写，可以窥见他“返乡”“回归”话语模式中暧昧的伦理与文化立场。故乡作为一种具有文化指认意义的符号，多以传统社会伦理象征或充满前现代气息的生命乐园的形象出现。之所以如此，与现代文明的痼弊不断加强和显现有关。必须警醒的是，许多作家在寻找乡土、歌吟传统、赞颂农耕的过程中，沉浸其中，无法自拔，将乡土、农耕与传统毫无批判性地视为拯救现代文明痼弊的唯一途径。这种暧昧的文化立场背后，是作家现代意识的匮乏和批评精神的缺失以及由此导致的文化心理上的惰性与依赖。“文化皈依上的依赖性心理和习惯性思维方式，带来的总是可怕的惰性，以致不惜一再放弃了现代立场还是要回到传统文化的魅惑中去碰壁。对于传统文化的暧昧态度只能说明我们认识上的不彻底性和依赖惯性。”

《农历》所营构的温润丰美的乡土世界和安详文化被评论界所称道，尤其是关于“天地人”和谐一体的生命逻辑，更被认为是人类天性的复现和生活常情的葆有。但恰如李敬泽所言：“郭文斌的乡土书写采取的是一种高度自我限制的策略”，回避了太多“不和谐”的地方。其实“天地人”关系的张力，正是现代性的生发之处，隐含着如何看待传统伦理与现代人文主义的关系问题。遗憾的是，郭文斌忽略了这一思考向度，使其自我的思想视野只能局限于传统的农耕的乡土范围，当然也造成了《农历》在审美艺术上不可避免的损伤。《农历》受儒释道三位一体文化的强烈影响，集中体现了作家理想的文化秩序、社会结构和生命形态，作为“大先生”的父亲，更是小说极力推崇的对象。如果说《白鹿原》中的朱先生代表了儒家的精魂，《古船》中的隋抱朴集儒道和西方科学精神于一身，“大先生”则是儒释道与民间乡土文化精神的融合体。就是这样一个在作家心目中近乎完美的人物，在小说文本中却不免僵硬和虚幻，他固然是文化权威，理应庄重威严，却缺乏作为“人”的生动与活性。因此，这一形象实际上既是理念大于形象的有意浇筑的结果，也体现了支撑人物的思想伦理本身的沉滞与生硬。比如《冬至》一节，父亲制《九九消寒图》时，谈及古代妇女的晓妆染梅，女儿五月不禁对大户人家女儿可以晓妆点梅表示羡慕，但当想到父亲教导的《朱子家训》中关于富贵与贫穷的告诫时，旋即又否定了自己的念想，认为自己的想法不对。平心而论，向往一种优雅的生活方式乃人性的正当欲求和自然常情，并无任何可鄙薄之处，但在小说特设的伦理语境下，这一本性欲念被贴上不满足和功利性的标签，这无疑是与肯定人的价值和追求的现代人文主义思想背道而驰的。也由此，凸显了父亲“大先生”及其极力推行的传统伦理的陈腐、刻板与不近人情。《永远的堡子》中，母亲孝敬兄嫂，相夫教子，遵守传统宗法秩序，谨行乡土伦理规范，完美体现了一个儒家人文视野下理想的家庭主妇的生命形态。但这种生命形态是以个人情感的压抑、欲求的束缚和价值的忽视为代价的，母亲无欲、无求、无私的奉献者和牺牲者形象是原乡文化重压下个体自主意识缺失的表现。这种乡土人伦，其实就是“伦”对“人”的淹没，作家在书写时还需要以现代人文视野加以审视和辩证思考，而不是一味地讴歌与颂扬。

郭文斌乡土审美世界的凝态化除了指涉其审美节奏外，

还指向了作家前现代文化想象的固化。在郭文斌极力建构的“乔家庄”这一审美世界里，封闭性和自足性显而易见，这个仿若飘浮云端的乌托邦，虽在作家关于现代文明的反思中衍生，却渐渐显示出弃置现代文明而不顾的端倪，不得不令人警醒。有评论者尖锐深刻地指出：“乡土创作的根本目的是为了通过对乡土的解剖和观照来探索现代性发展的道路，以及由此对于现代性那种追求和犹疑的思想张力。”现代性的风袭浪卷使乡土世界的失落不可避免，也不可溯回，正在改变的乡土世界其实需要与现代文明的对话和交流，而不是躲在一方小天地里自我吟哦。

郭文斌在《农历》之后的书写，更是屡屡走向道德重建和文化复古之路途。传统似乎已经成为道德高尚、精神洁净的代名词，而复古的理念资源，多是儒家文化典籍之类，其中虽不乏作家针对现代生活的解说与阐发，但终难掩饰传统道德说教的枯燥与乏味。在《农历》的部分章节，这种具有道德说教意味的内容已在一定程度上损害了其文学性，而在《寻找安详》《回归喜悦》等中，这一色彩更为浓烈。因此，关于传统、乡土和农耕与现代文明的冲突，郭文斌时时有意规避，并未给予深入思考，于是形成了“在前现代与现代文化价值取向上难以弥合的内在矛盾”，体现出一种暧昧的文化立场，也显示了作家对现代文明把握不足和现代性思维质素缺失的局限。当然，倘若作家能够在这一思考和审美向度上自我修正和纠偏，那他仍是值得期许的西部作家。

（载于《名作欣赏》2017年第32期）

如何看待郭文斌小说中的性

熊修雨

作家陈村曾经和一位女作家做过一次对话，里面涉及很多问题，其中谈话的一个高潮是，两个人很兴奋地谈到了“色情文学”和“情色文学”这两个概念的不同，并且谈到将来要认真地写一部“情色”小说。无论是“情色”还是“色情”，对于中国作家来说其实都是一个敏感而持久的话题，并且几乎都想尽兴地写一把“艺术性”的“性艺术”。但是严格地讲，又几乎没有一个人成功地实现过。20 世纪 90 年代初，贾平凹的《废都》穿插进了与各色“妇人”的翻云覆雨，连“妇人”肌肉里的一点黑痣都写到了。到了《高老庄》，做爱姿势已演进到男人垫着小凳深入探索，这些与其说是性的欢歌，不如说是呈露感官而带来的小屋里的解放，就好像在夏天终于脱下了捂了很久的棉裤。那么，那些颇具个性的女作家们，她们的表现又如何呢？林白和陈染是较早涉及这一领域的，《当子弹穿过苹果》《一个人的战争》看起来是写女性的身体和女性的体验，其实所有的愿望只有一个，即逐步完成女性的自我认识，与性没有直接的关系。而年轻的“上海宝贝”

坐在宾馆的马桶盖子上，感慨着外国男友那“大得吓人的器官”，尽管花样不断翻新，挥霍得无所顾忌，但炫耀出来的不是性，而是性观念。作家们笔下的性世界，距离他们想要达到的境界，究竟还有多远。

在这个时候，有一位作家的表现有所不同。我们是在性描写的前提下展开讨论的，但作家本人可能都没有意识到他的作品焕发出了这方面的光彩，而且几乎是他各种才华中最值得注意的。在今年第5期的《长城》上，刊登了宁夏作家郭文斌的《雨水》，这篇作品发挥了作家一贯的风格，对事物的观察敏感而且细腻，清浅自然的叙述不徐不疾，丝丝入扣，整个作品气韵饱满，充满了张力。郭文斌作品中天生对美感的追求、温馨纤柔的人情味，不是我们今天要谈论的主要话题，就像一直沉浸在《雨水》那缠绵又迷离的氛围中的读者，到小说的最后才突然发现，它原来不是为了表述一段若有若无的恋情的消逝而带来的感伤，小说所要宣扬的，恰恰是性意识的觉醒，它几乎是在呼唤性的到来。年轻的女孩子扣扣去割韭菜的时候，憋了一泡尿到苜蓿地里去小解，由落了一地的杏花回想起从前一起在这里玩的伙伴。在温情脉脉又充满了童趣的游戏中，作者其实已经对其中的性意识进行了暗示，甚至直接的描写，比如双晴从背后捂住扣扣的眼睛时，他的肚子贴在她的后背上使她感到暖和与舒适。而有些游戏比如双晴驮着扣扣在地上爬来爬去，“双晴的小身子一起一伏，她心里的快乐也一起一伏”其实就是性行为的儿童化演示。而这篇小说的魅力或者说力量，并不在于性暗示，而在于对性的认识。在通常的小说中，一个情窦初开的女孩子，当心目中的爱人已经结婚，而自己又将嫁给一个她还没有爱上的男人，往往被处理成一件生不如死的事。《雨水》中的扣扣也经历过这样恹恹成病的时期，但青春的萌动和妹妹与恋人的欢爱终于让她意识到“糜子跟不上了，荞麦还来得及呢”，“再看那些铺在地上的杏花时，扣扣觉得那是一面花床单”。在小说的结尾，扣扣痛痛快快地撒了一泡尿，这个动作虽然是由女性来完成的，但作者把它比喻成滋润着她的一场“透雨”，就像妹妹说的，“真把人美死了”。这篇小说所表达的，其实是对性的肯定，而且性和爱是可以分离的。扣扣喜爱过的地生走了，但年轻女孩子蓬蓬勃勃的生命才刚刚开始，如同水灵灵的韭菜非割不可。爱情的感伤过去了，而旺盛饱满的生命依然在那里召唤，并且使人陶醉。较之爱的偏狭和脆弱，性的涵盖力让人想到天地之宽、生命之美。《雨水》就是这样既充满了渴望，又无比的酣畅淋漓，酥润甘美。

《雨水》是对性的肯定，这样的主题自从新时期文学破土而出，就已经被争先恐后地写过。《雨水》和它们的不同在于，大量的作品都是从这样几点出发：或者是文以载道式的，性和人性的觉醒、解放或扭曲联系在一起；或者是寻根文学式的，将性作为传统文化、地域文化的表现方式，文艺小说由爱到性，新新人类则用性来表现感官、情绪，表达思想观念和行为方式。而《雨水》的立足点就是性本身，它抛开了一切想要依附于它、说明它的形式，独自呈现，而让人们终于明白：性是美的，使人沉醉的，是旺盛的生命自然盛开的形式。

《雨水》的主题不妨看作作者一系列作品主题的出发点，正是在这个基础上，《像阳光一样盛开》表达了人对性天然的渴望。如意看见炕上的父亲将手放在母亲的胸口上，小男孩微妙的心理让他把父亲的手从母亲衣襟底下拽出来，说要暖在炕上暖。从家里出来的如意去找杏花玩，两人隔着门说着对各自父亲的发现。在寒冷中，如意牙齿打着战一字一句地宣布：我想在你的奶上暖一下手。小说到此结束了，而这一由童声发出的宣言还清澈响亮地在下着雪的天地间回荡。

而爱的进行式展现在《快乐的指头与幸福的纸》（以下简称《快乐的指头》）中，作者依然借用了孩子的眼光与游戏：昕昕将指头伸进了改改的小药瓶，“昕昕第一次体会到了一种插入的快感。那种美好的感觉鼓励昕昕再来一次”。作者所要表现的，并不在于儿童的性意识，而是以游戏的形式来形象地表现性过程，这里不仅有手指想要伸进药瓶的渴望、手指一次次戳破窗户纸的快乐，而且以伴随着流血表达了爱的粗暴所带来的奇特体验。小说在表现过程的同时，也回应了《雨水》的主题，即那不仅仅是“指头”的“快乐”，同时也是“纸”的“幸福”。

和涉及性的其他小说不同，郭文斌在作品中没有一次是正面的细致的描写，而经常是暗示的、模拟的，这亦可以称之为艺术性处理的一种，这种含蓄的方式可能符合了作者的心性，而这种艺术化也被同类作家掌握着，使性既被表现，同时又尽可能优雅。而阅读的体验是，像《雨水》《快乐的指头》这样的作品，不仅胜过半遮半掩的“艺术性”，更胜过不遗余力的“性艺术”。一切行为的努力，包括艺术，都要最后落实到效果上。与性主题有关的小说，如果在阅读之后，不能使人产生对性的向往，就像海洋吸引着鱼，天空呼唤着鸟，如果不能在阅读中体验到生命的激情和美好，那么它的努力就要大打折扣，只能是过眼云烟，或者短暂刺激读者内分泌之后的更大的空虚和沉寂。就如同再放肆的性，也无法等同于性感，这是完全不同的两个概念、两种事实。中国当代文坛不乏对“艺术性”的再现性的努力，更不缺少与艺术和道德都无关的“身体写作”，写作可以是极为自由和宽容的，但无论怎样挥洒个性、操持笔墨，最后一定会有一个效果问题。正是在这个意义上，《雨水》《快乐的指头》体现了非常出众的艺术表现力，它们写性就能让人认识到性的美与合理，并且在阅读的过程中，伴随着作者的文字，体会到性感和性的快乐。当冰凉的手一再想放到暖和的胸口上，当任性的手指“噗噗”地穿破薄而脆的窗纸，当血液释放出痛楚的欢快，当使人酥润的雨水终于饱饱地落了下来，在简洁的勾勒中，包容了一个准确、完满的过程。这些实质性的行为，作者都是用比拟和诗化来表现的，不是烟笼寒水月笼沙的含蓄，用的是距离最近的、最直接的比拟。这样，不仅有想象的柔美，又有现实的进行和粗粝。比拟和诗化更因为近在咫尺的想象，构成了可望不可即的未完成的状态。与此同时，作品的语言和情绪的流动、传达，也如同轻轻拂过人心的鹅毛，带来颤动的快乐。在小说的最后，具有男性气质的果敢，总能引向一个酣畅豁然的境界，生命就是这样完成的。

还必须注意的是，郭文斌往往用孩子的眼光和行为来写成人的世界，这几乎是他大部分小说的特色，这对他作品的艺术效果无疑是有影响的。他的主人公不仅是天真的孩子，而且都有一个让人心疼的、充满了西北特色的名字，环环、扣扣、地地、牧牧，而这些人物作者也把他们处理得如同刚从地里生长出来，并从这样的角度来打量世界，表达他们的感受和观念。因此，当《开花的牙》中牧牧第一次接触到死亡，当《被子》里的地地发现爹和娘在打架，当《惊蛰》中的母亲第一次暗示懵懂初开的女儿，这些因为脆弱和稚拙的背景，特别具有怦然击中人心的力量。限制到性主题的范围，由孩子的眼睛来理解和展现性，更具有开辟鸿蒙、地老天荒的意味，真理就是这么古老而单纯。

（载于《小说评论》2005 年第 1 期）

论郭文斌乡土小说慢的艺术

秦智阔

郭文斌的小说以描写西海固乡土生活、节日风俗为特色，给当今文坛吹进一股清风，给浮躁的心灵注入镇定，向我们传达人性的真善美。作家的“工作有两个向度，一是对现实的否定与批判，一是从历史、现实与理想中寻找与构建正面的价值观念。”很显然郭文斌走的是第二条道路，他的小说是向已逝去的乡村田园、文化气息浓厚的民俗的怀念，在美好的童年的回忆中寻求情感的慰藉。他试图将理想中的乡村田园某些理念运用至当今时代，成为现代人精神生活的一部分，为社会价值的重建提供一种传统道德与伦理的考量。迄今为止，郭文斌最有价值的小说主要是那些关于乡土和民风民俗的小说，这些也最能体现作者的价值取向。

在这种价值观念的引导下，郭文斌的小说处于一种慢的节奏，呈现出一种纯粹美的形式，这种慢的优美的艺术是我们现代所缺少和尤其值得珍视的。慢是郭文斌小说的一个重要特点，郭文斌以舒缓的笔调，从容不迫地讲述他的故乡和他的童年故事，如春风化雨，润物无声，实现他给天下父母与孩子带来安详的愿望。郭文斌的小说在一种慢的节奏下进行，呈现一种纯粹而悠扬之美，读者很容易进入阅读状态，享受阅读带来的感动。鲁迅文学院副院长胡平这样评价道：他的小说节奏非常慢，这种慢把人的精神和感受写的真实无以复加。慢，我觉得这是一种非常宝贵的文学品质，非常适合于文学。

一、叙述速度之慢

叙事文学作为话语，它的基本结构是线性历时话语结构，在这种话语结构中，时间是一个基本要素，包括本文时间即阅读作品所需要的实际时间和故事时间即故事中虚构的时间。例如在《农历》中，郭文斌写了一年 15 个节日，故事时间则是 15 天，在每个短篇里，故事时间是大概一天的时间。在《农历》中很大部分是用较长的文本来描述较短的真实时间内所发生的事情，文本时间往往比故事时间要长。

文本速度是所叙述部分和真实时间的长度。也就是说本文速度和故事速度之比形成相对的文本速度。文本速度发生变化就会形成节奏，在节奏里有两个概念即加速和减速或称为“概括”与“描写”。在郭文斌的小说中，描写的部分很多，在其小说中故事时间被稀释，进入一种缓慢的节奏。

在“守灯”一节中：

> 一家人就进入那个“守”。守着守着，六月就听到灯的声音，像是心跳，又像是脚步……六月第一次体会到了那种“看进去”的美和好，也第一次体会到了那种“守住”的美和妙。

这一节，属于场景的描写，是一种减速的状态。故事时间很短暂的一瞬间，郭文斌用了很细致的一段文本去描写，贯穿着六月的心理活动，本文时间被放大，文本速度也就相应慢了下来，造成一种节奏的缓慢，慢到六月能听到灯的声音，能进行那么丰富而有趣的联想，营造出一种一家人守灯时温馨的氛围。这种缓慢的叙事速度是怎样呈现出来的呢？就这一段文字来讲，很大部分是五月自身的体验与感受，对爹、娘和姐的观察感受，观察灯花时的内心联想。小说情节性的内容很少，主要是作者的体验，郭文斌也曾表示：“《吉祥如意》是一个体验型的作家去表达世界的这么一个文本。”正是在体验中，小说中的人物真实而细腻地表达心理感受，并带来一种缓慢的节奏。在郭文斌看来，这种体验性写作更能“准确”“真实”地传达世界，更有美学韵味，也离读者的心灵更近。郭文斌这种体验性的写作方式也使《农历》表现出散文般的优美，如诗般与读者达成共鸣。

当然叙事速度不能一直处于同一速度，没有节奏感，这样会使读者产生乏闷。在郭文斌关于传统节日的小说中，郭文斌采用的方法往往是选取其中最具有节日感的活动，像《元宵》中选取了捏灯盏、送灯、守灯三个重要事件，而这些重要活动之间则形成一种空白，一种极端的加速状态。像捏灯盏直接跳跃了“晚饭前”接着又详细展开送灯盏一节，在送灯盏后又直接跳跃到“吃完了荞麦长面”，略去了吃面的细节。这样在整体偏于一种减速状态，在局部形成加速的节奏处理使小说主要情节得以凸显，在一种悠缓的状态下而不显臃肿，整体节奏如溪水静静流淌，在一些节点上泛起一些小小的“波浪”。

二、农耕文明之慢

在古代，人们在自然四季变化及生物出没的感知中，逐渐形成了时间的自觉性，顺应自然的时间节奏安排日常作息及农事活动。在长期的天象、物候的观察中制定了历法，二十四节气逐渐形成。所谓岁时民俗是指某一群体在一年中某一特定时段（一天或一天以上）举行的具有集体性、礼仪性或习惯性的活动。在《农历》中的每个短篇中，既有元宵、重阳、腊八等岁时民俗，还有节气和岁时民俗重合的，像小满、清明、冬至。岁时民俗在仪式活动的操作和故事讲话中充满这一年的控制和情感的灌注，它承载的民族感情和信仰是作为时间尺度的节气所达不到的。岁时民俗不仅反映了中国古人依自然而制定的时间意识，还具有深厚的历史文化背景。

《农历》分成15个中国传统节日的短篇，其中大部分是岁时民俗的节日，以此为载体展开作者的叙事，15个节日就这样一年又一年地循环着。岁时民俗与中国古代农业耕作有密切的联系：在《中秋》中，即使在节日里，父母还是要把地里的土豆收回家中一起过中秋；在《小满》中，人们要去龙王庙给小麦稳穗以祈求粮食的丰收。农民在固定而循环的农时下进行着农事活动，遵循着自然时间，悠缓而不着急。另外小说充满了农业文明因素，像《元宵》里点灯用的灯捻是用自家的棉花做的，《端午》里插在门上的柳枝、用棉花和传统香料做成的香包，《中秋》里晚上吃的西瓜和自家做的月饼，《大年》里手写的对联和只有过年才会蒸的白面馒头。这些都是自然的产物，在传统农业社会循环的时间状态下的生活状态，小说中的人物都在遵天时而动，没有工业文明下紧张的生活节奏，守护着安静祥和的心灵田园。

以沈从文为代表的京派作家们以他们的乡村经验为依托，在乡村风俗、风情的描绘中，“构筑抵御现代工业文明进击的梦中桃源”；汪曾祺用《受戒》等小说开风气之先，题材内容主要是“回忆”过去的乡土风情风俗，其诗化的语言、对风俗风情的细致描写和独特的叙述方式显示了艺术自觉与成熟。“寻根文学”和“新写实小说”中乡土小说处于一种被用来寻求文化出路的焦虑和生存环境对人的压迫中的控诉的状态下，难以达到汪曾祺的小说中乡土的优雅与纯净。郭文斌的乡土小说又回到京派小说这一传统之中，他选取的是还没有被现代工业文明侵入的农业时期，以民俗节日为载体力图挖掘生活与人性之美，实现对传统的回归，彰显了传统农业社会中人类生活的自然状态，展开了一幅安详的乡土风俗画卷。

在郭文斌的乡土小说中对乡土风俗的描绘着墨较多，汪曾祺曾说：所谓风俗，主要指仪式和节日，仪式即礼。在节日里，要进行种种烦琐的礼仪，这些仪式有严格的程序，缓慢从容地进行着，以显示对神和祖先的尊重。例如在《中秋》中父亲精心挑选给神仙享用的梨子，在中秋之夜全家怀着神圣感对神灵进行祭拜。在《小满》中，五月、六月进行充满童趣而又庄严的对龙王的祭拜仪式。

英国经验主义学派的代表人物埃德蒙·伯克在讨论崇高时认为，人在惊惧的时候，崇高使人来不及推理，就用它的不可抗拒的力量把人卷走。五月、六月一家人正是在对各路神仙的敬畏中，在心中不自觉地产生一种崇高，并营造一种崇高的场面；五月和六月在祭拜龙王时也抱有敬畏的态度，期盼农业的丰收，营造了一种纯粹而神圣的氛围。康德认为，对自然的崇高感就是对我们自己使命的崇敬。康德在这种崇高感中发掘出人本身的价值与尊严，也就是在五月、六月一家祭拜的庄严过程中他们一家人也因此充满了人性的光辉。

著名评论家雷达评价郭文斌的小说道：“读完郭文斌的小说让人大吃一惊。没想到还有那么美的短篇小说。没想到还有这么美、这么纯粹、这么含蓄、这么隽永、这么润物无声的小说。”雷达对郭文斌做出这种评价除了小说涉及的乡村自然之外，更多的是乡村社会礼仪下产生的庄重肃穆感觉和小说人物虔诚的理念与信仰。郭文斌写乡村传统节日下深藏着的丰富农耕文化底蕴，写乡村人物独有的纯洁心灵，也是在新的时期对乡土小说的一种发展，更是民间审美意识在乡土小说中的重现。

三、童年回忆之慢

西海固是联合国粮食开发署划定的最不适宜人类居住的地区之一，而在郭文斌的眼中，那里是人类心灵的安详之地——那里的人们有自在的舒缓的生活节奏。黑格尔说：“艺术也可以说是把每一个形象的看得见的外表上的每一点都化成眼睛或灵魂的住所，使他把心灵显现出来……人们从这眼睛就可以认识到内在的无限的自由的心灵。”用移情说便是“这里的意蕴并不属于对象本身，而在于所唤醒的心情。”唤起郭文斌那份心情的则是童年的回忆，那份在童年记忆中的纯真与美好。在一次访谈中，被问到所描写的是否是童年经历时，郭文斌做出肯定的回答，并将他的那段儿童回忆比喻为一块“羊脂玉”。

那段儿时的时光是郭文斌最珍贵的回忆，是他创作有关儿童题材小说的灵感来源，也是他情感坚守的净土。在五四时代就有鲁迅这样的大家创作童年回忆小说，像《社戏》，鲁迅在现实的残酷中回忆着童年令人向往的乡村田园，萧红的《呼兰河传》是对故乡呼兰河自然与生活在这里人们的回忆，王蒙的《活动变人形》中回忆儿时的自己和父亲的关系，这些都是以儿童回忆作为作品的主要内容，以童年回忆为主要题材的小说在现当代文学史上一直存在，成为一道独特的风景。

在郭文斌童年视角的小说中，主要挖掘小说人物的主观感情，有意或无意回避西海固恶劣的生存环境和西部自然景观，是成人的叙述者以儿童的视角去回忆那块“记忆中的黄金”。在《最上面的那只梨》中，满屯和满年为了得到树顶上的那只酸梨，绞尽脑汁却把裤子刮了个口子，还把新疆杨给折断了，但又不得不向母亲撒谎，“栽赃”王大爷，吃羊粪蛋。富有童趣但也表现出作者的对物质贫乏生存环境下儿童的辛酸感情。在《大年》《吉祥如意》中这种物质贫乏时代的辛酸被喜庆的节日气氛和孩子心中对节日的期待和享受一扫而空，呈现出的是文化的盛宴和儿童无邪纯真的心灵世界。在郭文斌的儿童回忆小说中他主要是以儿童时代的纯真达到一种纯粹而独特的审美体验，营造一种理想化的空间，带来一种陌生化的效果。

当郭文斌陷入自己珍贵的童年回忆中时，他的节奏是缓慢的、优美的，他用一种优雅、缓慢的节奏享受童年的美好，往往一些负面的因素会被忽略，并在潜意识中美化自己的童年，也就是“选择性的遗忘”。米兰·昆德拉曾说：温情只有当我们已届成年，满怀恐惧地回想起种种我们在童年时不可能意识到的童年的好处时才能存在。对郭文斌来说，虽然儿时的西海固是贫穷的，但当回想起在穷苦年月过节的场面时，他的内心是极度欢悦的。在郭文斌的小说中，过年时孩子可以分到糖和核桃，吃到一年也吃不了几次的白面馍馍，包含着儿时对节日巨大的心理期待与精神满足。

在农村儿时的时光中，儿童的生活节奏是缓慢的，他们没有成年人劳务的困扰，可以自由而轻松地享受儿时的活动带来的愉悦。在乡村度过了自己童年时期的郭文斌在城市生活的快节奏下有些茫然，人们对节日也少了曾经的那种期待，失去了童年时期最纯真的味道。回忆童年成为郭文斌很重要的写作方式，他企图用童年时期人们安详的生活给自己以宽慰，并以自己的童年美好经历给现代的人们传达那份岁月静好。

四、安详教育之慢

在郭文斌看来，现代人的心灵出现了问题，他开出的药方是寻找安详，安详即一种宁静、沉稳、和谐的生活，这也是一种慢的艺术。“鲁迅文学奖”对《吉祥如意》的授奖词是：以优美隽永的笔调描述乡村的优美隽永，净化着我们日益浮躁不安的心灵。郭文斌的小说以对传统乡村的优美描述，让我们反思当今的浮躁生活，让我们慢下来去体会人生与生活的味道，使心灵得以回归与安放。

针对社会中出现的种种问题，郭文斌提出：“小说是要为‘现实’负责，但更应为‘心灵’服务，就像‘点灯时分’，把灯点亮才是关键。”这盏灯就是郭文斌提出的“寻找安详”，并在作品中努力建构的“安详”的理论体系。像《农历》中最为出众的几篇：《元宵》《端午》《大年》，有评论家称其为“乡村教育诗”。这些“乡村教育诗”充满乡村的诗情画意，优雅与安详，并以传统节日和民风民俗为载体。

汪曾祺说道：我以为风俗是一个民族集体创作的生活的抒情诗。郭文斌正是用这种在自然、在历史中逐渐形成的风俗提炼中国传统的道德和人文理念，并试图对当今价值体系的重建提供思路。除此之外，郭文斌在构建自己的理论体系时，很注重吸收中国传统的思想，例如他出版的《孔子到底离我们有多远》《〈弟子规〉到底说什么》等书，试图通过对儒家传统思想新的阐释来影响现代人的生活理念，并在小说中融入这种思想。在《大年》中，父亲宁愿揭掉自己家的对联也要给瓜子家的门上贴上对联，给家境贫穷的环环家送馒头和窗花以及父亲的其他言行表明他就是中国传统儒家长者的化身。而五月和六月则如同两个精灵，他们充满好奇心与探求，为什么“积善之家牛羊满圈，向阳门第骡马成群”拜年的时候不能说，而长生的一句“三太爷你咋还活着呢？”却让三太爷高兴，其中的究竟在小说结尾五月、六月也没搞清楚。他们俩如同道家所向往的生活状态，如婴孩般“无知”，达到一种纯真的生活状态。这是对传统思想的回归，同时也是对现代快节奏文化的一种反思。

郭文斌小说中的安详教育理念以及希望读者通过阅读作品学会安详的愿望也让小说的节奏变得缓慢，他希望读者可以享受其中的故事。

皮亚杰的认知发展理论认为儿童是在操控和探索周围世界基础上主动建构知识的。郭文斌的《农历》中的五月、六月总是对风俗中的种种礼仪表示疑问，也正是在父亲和母亲的解释和回答中，五月、六月得以领悟生活中的人情道理、人与自然的关系，并养成一颗向善的心灵。在小说中没有父母对五月、六月刻板的教化，他们通过习俗真正做到了中国传统教育思想中的“言传身教”。

除了在传统节日的巡礼中传达教育思想，郭文斌的小说中还有苦难教育。《剪刀》塑造了一位完全不同于都市生活的西北大地上纯朴而善良的女性形象，她考虑家人比考虑自己多，为了不给家人增加负担，独自承受疾病的痛苦，用剪刀结束自己的生命，在平凡中呈现出苦难的悲壮。

结　语

郭文斌的乡土小说和京派作家的作品相比，可以发现有较多相似的地方，在农村生活过并且热爱故土的作家，当他们书写自己的故乡时，其风格很容易找到相同的地方。他们拥有相近的心性去真挚地书写乡村田园，正如艾青那句：“为什么我的眼里常含泪水？因为我对这土地爱得深沉……”“一个对乡村文化心怀敬畏的写作者必须放缓自己的脚步，使他的书写成为一种慢的艺术。”郭文斌笔下的慢是对乡村文化的熟悉、热爱与敬畏。

在一次对郭文斌的访谈中，姜广平提到文学应该倡导一种“慢”的艺术，郭文斌也提到文学最终要回到心跳的速度，因为那是感动的速度，感动只有心灵同频共振的时候才能发生，为此慢是归途。郭文斌寻找到了一条慢的归途，形成了慢的艺术风格，他在小说中以真诚和读者实现心灵的交流，以图实现安详的教育，并形成了一种纯粹而独特的审美体验。

柔软的力量

朱世忠

柔软是郭文斌获得鲁迅文学奖最突出的力量。

1. 这个世界纷繁复杂，各种审美观相互碰撞。浮躁已经严重影响着我们的生活状态。沙尘暴危及客观世界，使我们对绿色充满了向往。心灵世界的烦乱也像沙尘暴一样迷离着我们的视线，影响着我们的价值判断，我们需要清澈的水、清新的空气、蔚蓝的天空和灿烂的阳光，郭文斌的文字之所以产生穿透力，是因为他的文字以润物无声的状态，用柔软的力量浸润人们的烦躁和零乱。

2. 创作目的影响作家的创作状态。

郭文斌始终牢记着一件事，他不止一次讲过这件事。在他的家乡，有一对青年男女用鲜血浸染了他们的爱情。事件之后，人们在整理男青年的遗物时发现，在做出血淋淋的决定的时候，男青年只从家里带走了两本书，其中一本就是被年轻人广泛阅读的郭文斌的散文集《空信封》。

这成为郭文斌的心病，郭文斌不知道，也许他永远没办法知道，在那个青年选择诀别这个世界的时候，他的《空信封》

起到了什么作用。这件事情，深刻地影响了郭文斌的创作态度，让这位年轻的作家有了深刻感悟："创作是危险的事情"。从此以后，郭文斌给自己划定了创作的道德底线，能给自己的儿子阅读的作品，才让它变成铅字。

3. 能评判作家和作品的人，不一定是评论家。有一位书法家告诉我，郭文斌的作品充满了禅意；有位记者说，郭文斌的作品，在营造一个场。理解生活其实不难，透析生活，用个人的世界观去影响生活、引领生活，就不是一件容易的事。郭文斌的任何作品，都渗透了美好、快乐、甜蜜，还有人性中最原始的温馨、安详。作家用爱心滋润每个细节，这些细节像绿叶一样，轻轻摇曳，染绿我们的眼睛、染绿我们的心灵。郭文斌作品中的禅意，就是他一再强调的最值得推崇和保留的人类精神世界里的善良和希望；郭文斌的场就是把人类自身所具有的真善美进行强化，从而引导我们靠近生命的本真，孜孜不倦地追求美好。

郭文斌的作品充满了道德力量。

4. 小说需要情节，情节复杂曲折是构成小说力度的基本元素，这是传统小说的不二法宝。但是郭文斌的小说，就技术手段而言，淡化波澜起伏，隐匿强烈冲突，用平静简单的现代叙事手法，进行意识交流，吸引我们平心静气、凝神静思。

5. 阅读也是危险的事情。现代传媒会把成千上万的信息塞进我们的大脑。严格地说，对任何阅读者来讲，断然地分清文学的低俗和高雅是很难做到的一件事。保持阅读的纯洁，保持阅读心态不被污染，非常重要。郭文斌的文字还承担了阅读快感之外的责任，阅读郭文斌的作品，一定不会使我们的眼睛和心态变灰。

读郭文斌和他的文字可以规避阅读的危险。

诅咒，还是祝福

——读《郭文斌精选集》

孔 见

诗以言志，对于众多写作人而言，文字的结构在于抒发自己胸臆间抑郁的情志，把哽在咽喉间的那根带血的刺吐出来，将内心沉积的痰气清理干净，获得一种酣畅淋漓的快慰。一旦不平之气抒泄完了，写作的精神头只能依借对功名利禄的兴致，否则就难以为继。但有少数写作者并不止步于此，他们希望手中的笔能够撬动一些事物，树立某种东西，使世道人心有所改变；他们希望自己吞吐的文字，能够给这个并不十分美好的世界增补一些景气；他们甚至赋予文学某种扭转乾坤的权能。因此，他们的表达带有鲜明乃至强烈的道德倾向，对现实叙述也有相应的裁剪。郭文斌就是这样的写作者，在当代的空旷里，他们为众不多。

对于任何人，都有一个接受现实的问题。倘若能够接受现实的全部，满心欢喜地拥抱这个世界，那他是一个真正幸福的人。但事实上，我们通常能够接受的只是现实的一部分，甚至是很小很小的部分，即便是自己生老病死的生命。那部分无法吞咽下去的现实，夜深人静时就来折磨我们，跟我们过不去。我们于是就跟这些过不去的事物较上劲，忘记了我们还有别的事情，忘了来到这个世界的初衷。一旦如此，我们与这个世界的怨恨就可能愈演愈烈，到了某种程度，你就可能而且需要成为一个诗人，因为诗可以怨，愤怒能够出诗人。在文学的世界，聚集着众多难以接受现实的人，事实上他们也不知道如何改变现实，以及改变这种现实需要付出的成本，更不想成为成本的一部分。或许是因为如此，文学有着深厚的批判现实主义传统。在中国，从屈原的《离骚》，到陶渊明的《归去来兮辞》，再到《红楼梦》，愤世嫉俗的思潮演绎到极致便是绝尘弃世，逃亡虚空。在西方，批判现实主义一度成为文学的主流，特别是十九世纪的法国，它深深影响了中国现当代文学。这种传统在我们的思维里搭起了一种观念：文学的天职是揭露与批判。就像黑熊以腐烂的尸体为食，作家是以社会与人性的溃烂、龌龊为创作源泉。因此，社会腐败与人性堕落的时代是作家创作的沃土，即所谓国家不幸诗家幸是也。作家的笔必须是一把匕首，插入黑暗的心脏；它必须是一道光，直射进地狱阴森恐怖的核心。倘若不是这样，就不成其为严肃的文学，就是故作多情的风花雪月。

对社会存在的不合理现状加以揭露、鞭挞，乃至诅咒，体现社会良知的未泯，唤醒人们对丑恶与腐朽现象的愤懑，从而推动社会的变革与进步，成为历史发展的驱动力。马克思和列宁都曾经赞扬过巴尔扎克、果戈理等作家对社会革命的影响。文学批判能够干预并促进现实的迁移，至今似乎仍是文学工作者秉持的信念。黑暗、龌龊、仇恨、愤怒、控诉、抗争、牺牲，成为许多故事推进的基本逻辑。在许多人心里，真正的文学应当是悲剧，倘若有人写着写着便唱起了赞歌，就被斥为媚俗与粉饰太平，就成了商女不知亡国恨。然而，任何合理的观念一旦被推向绝对，都会变得荒谬。在一种传统中，当揭露与控诉追加到某种程度时，它的积极意义就可能倒转。想想吧，当天下的乌鸦都一般黑时，谁会徒劳地去做一只白色的乌鸦？当污浊已经成为世道的常态的时候，同流合污、浑水摸鱼不就成了明智的选择？

并不是任何现实和人心都经得起暴风骤雨的抽打和雷霆万钧般的诅咒。某些历史阶段，现实脆弱得经不起响亮的鞭策。批判不断追加，愈演愈烈，最终可能成为现实不堪的重负。讳医忌药，杜绝逆言固然可恶，但过于迫切的要求和近乎绝望的斥骂可能于事无补，甚至恰得其反。更何况，批判也可以成为一种媚俗的方式，让一些人从中渔利。特别是批判不再体现一种健全的理性，而是成为一种作秀姿态的时候，诅咒是比歌颂更加恶心的行径。

想当初，文学并不是一上来就破口大骂的，许多民族文学的源头差不多都是一些赞美诗。《诗经》基本上是颂歌，咏叹自然与先人的恩泽，咏叹劳动的颗粒与爱情的芬芳，咏叹窈窕淑女与品质如玉的君子。几千年下来，对自然的赞叹，诗人们一直都不吝啬自己的灵感，但对社会与人性的称扬却变得越来越勉强，越来越虚情假意，言不由衷。或许是受文学之外有形无形的约束，当代文学对社会的批判不见得有多少深刻，但对人性的批判却长驱直入，几乎到了不给人类留情面的程度。在书写人内心的猥琐、阴险、狡诈、歹毒的方面，作家们可谓极尽其能事，表现出非凡的天才。影视界一度流行的宫廷戏和商战片，大都聚焦在人与人之间的如何使坏，用尽人间的韬略与伎俩，将利益关系中的对手往死里掐。即便是那些被认为是严肃文学代表并赢得巨大宠荣的作家作品中，他们刻画得最成功的都不是什么好人。特别是在描绘一些具有传统文化背景的人物时，由于缺乏应有的理解力，也往往将其妖魔化、玄诞化。不能说这些叙事没有一点生活经验的依托，当代社会恶性竞争中暴露出来的人性的狰狞，已经超出了作家们的想象力。但是，这难道就是生活的全部吗？如果将人都描绘成为一种穷凶极恶的物种，不值得信任、爱戴与珍惜的可怕的妖孽，社会也就成了群魔乱舞的阴曹洞府，我们对自身的认同和对同类的慈爱与关怀，便找不到可以安放的地方。事实上，过度渲染世态的炎凉与人心的叵测，对于人性中善良的情感构成了极大的压抑。一旦这种压抑积累到某种程度而又找不到出路时，我们很容易在精神上上当受骗，成为某种邪教的信徒。

显然，郭文斌的写作，承接的不是这种不断强化的批判现实主义，而是一种源自“风雅颂”的更加古老的传统。他企图从甚嚣尘上的市声中回退到一种无邪的初心，来体味和赞叹那些美好的事物，守护一些古老的价值。作为一个涉世不浅的成年人，对于社会生活中表现出来的人性的不美好，甚至极其丑陋的现象，文斌并非视而不见，或是熟视无睹，只是他知道寄生在不美好乃至丑陋现象中的人，本身并没有赚到实际意义的便宜，他们在攫取眼前那点蝇头小利的同时，断送了自己身上最珍贵与闪光的宝藏，玷污了自己生命源头的水流，其中包括内心的安详与纯真的快乐。在跟自己的良知做斗争的过程，他们对自己的伤害比对社会的伤害甚至更加深重，因为人是无法完全蒙昧住自己良心的，他的一切行为最终都要接受自己良知的审判。良心上的亏损使他们的心性蒙受耻辱，他们失去俯仰无愧疚的光明与骄豪，他们其实是一些无知的受害者，误入歧途的羔羊。作为一个有着深远洞察力和善良情怀的人，犯不着去与他们一般见识，与他们纠缠一起并在溺水中同归于沉沦。我想正是这种清高的姿态，让他在包容了人间的不平之事之后，还有一种由衷的喜悦来祝福那些心向往之的事物。

在文斌的选集中，有相当大的篇幅，用以叙述人与人之间相互给予的温暖与照亮，特别是在艰难的岁月里，对于亲人与他者毫无保留的关怀与奉献。有的篇目读起来催人泪下，极具感化力，近乎赞美诗。《永远的堡子》里的母亲，《大山行孝记》里的儿子，都是极其平凡的人，所能给予的东西也十分有限，但他们的行为让你感受到感天动地的伟大。时下的阅读里，被崇高与伟大的情怀所感动与激励的情形实在是久违了。在人道主义的名义下，人性的光辉已经被埋汰得太深。那些庄严与神圣的信念与品行，在戏谑、嘲弄和装神弄鬼的仪式之中也几乎被亵渎与消解殆尽了，而在看到太多该诅咒与吐槽的现象之后，我们希望能够看到给予我们希望与信心的东西，让我们认识人高贵的所在。今天，我们比任何时代都需要出示足够的材料来证明人性的美好，证明人是一种值得尊重与珍惜的事物。有时候在大街上走着，我真想找个人，向他深深地鞠上一躬，但又怕把人家给吓着。

《农历》是全面灌注着文斌先生文学理念的长篇小说，也是他最具创意性的作品，是真正意义上的文化寻根之作。该书通过偏远乡村里一家子人细碎的日常生活，来诠释农历各个节日里蕴含着的温馨寓意。历书一般看来只是时间周而复始的度量衡，中国的农历却不完全是这样，古代先贤在设置一部时序表的时候，并不仅仅局限于对时间进行分割，而是倾注了对自然和人文的深刻理解。尤其是那些节日的设置，其中包含的祝福、追怀、期许与暗示，体现了先贤对人天关系与生命本源感而遂通的领悟，其仪轨灌注着强大的正念。文斌认为，“静泊在农历深处的这些‘节’，正是中国人的

'心灯'，也是岁月和大地的'心灯'"。他希望能够将这些日渐昏暗的灯盏捻亮起来，给孩子们的心智注入些微的光芒。他赋予文学以传薪火、接慧命的使命。小说通过涉世未深的一双姐弟和父亲"大先生"的对话，揭示节日及其相关的民俗礼仪中积淀的人文精神（作者称之为"农历精神"）。许多人看来是腐朽礼教的范畴，在作者灵性充沛的叙事中，还原为生趣盎然的生活图景，呈现出中国式的天、地、人、神四维的诗意栖居。从农历里走过来的孩子们，通过一个个节日的鲜活记忆，能够感同身受地经验和领会了守、净、蜕、清、稳、感、慈、救、恩、孝、诚、敬等的价值，作为自己生存的基石，获得精神的滋养。在自由的风越刮越大的时代的坡地上，人更需要信念来作为自己安身立命的屋子筑基。

通过文学来宣扬某种道德，历来都是一件犯忌的事情。郭文斌的写作多少带有冒险性质，在美学上也会遇上一些难以克服的障碍，甚至会显现出某些破绽来，招引怀疑与非议。但对于文斌而言，他"一定要写那种能够唤醒读者内心温暖、善良、崇高的文字"的心，已经超出了某种狭窄的文学审美范畴。在文学的诸多功能之中，他要彰显的是教化功能。他在自己文字中所倡导的安详理念，正是他勉力践行并且从中受益的，完全不同于庙堂上自欺欺人的说教。他所赞美的事物，特别是具体的人，如果我们深入了解，可能会发现并非尽善尽美，甚至存在值得质疑的地方。包括文斌自己，不见得已经止于至善，也有一个自我磋磨的过程。但这并不影响他对呈现在眼前的闪光事物的称扬和某种高尚情操的倡导。他相信，比起声嘶力竭的批评，这种肯定和激励的方式更能够扩大人性美好一面的生长。我们经常在不了解某件事情的全部原委之时就开始牛气冲天地斥责了，我们为什么一定要等到确认一个人是尽善尽美之后才来赞美呢?

文学的利剑是应该去戳穿社会与人性的黑暗的，但在虚伪矫情的赞颂与气急败坏的批判之外，文学也应该有一种真诚的祝福来平衡凌厉的批判所带来的杀伤力，帮助我们守候或建立内心的田园。而这种祝福，也可以理解为杜鹃啼血的呼唤。实际上，对黑暗最有力的诅咒，莫过于放声歌唱我的太阳。

（载于《文艺报》2016 年 6 月 29 日）

为现代人“回家”点亮心灯

——读《郭文斌精选集》

古耜

如果把现代人比作一匹奔腾不羁的烈马，那么，在我看来，所谓“本来要奔向草原，结果却闯入了马厩”的说法，便是其命运悖论的传神写照。不是吗？近三百年来，自诩为万物之灵长的人类，凭借手中掌握的科技利器，一直在现代化的征途上高歌猛进，所向披靡。然而，就在财源滚滚、奇迹连连之际，他们蓦然回首却发现，自己并没有真正踏上人类发展的康庄大道，反倒是无形中陷入了空前的困局和危局——由疯狂无序的开发所导致的生态失衡、环境破败，已经深度危害到人类的生存质量、生命安全，以及社会发展的科学性与可持续性；商业时代的拜物主义和趋利原则正在泛化，由此派生的人类的浮躁、冷漠、偏执、狂妄、贪婪、自私、虚伪、短视等，大肆蔓延，几成顽疾，以致从根本上破坏了现代人精神圈层的健康、和谐与澄明。

毫无疑问，面对此情此景，一向担负着人类心灵滋养和精神救赎之使命的文学创作，是不能回避和缺席的。也正是在这样的人文背景之下，植根于中国西部大地的实力作家郭文斌，向世人捧出了一个独具精神价值和艺术神采的文学世界——大抵是二十世纪八九十年代之交，还在教育学院读书的郭文斌，便以诗歌、散文、随笔、小说等多种形式，开启了自己文学的寻梦之旅。最初一段时间，他笔下的作品多从温馨的乡土记忆或多彩的校园体验出发，去书写民风的淳朴、人性的善良、爱情的纯真、大自然的神奇等，即在一个比较宽泛的语境里，发掘和发扬生活中固有的美好亮丽的东西。进入21世纪之后，随着社会观察的日益深入和精神认知的不断提升，郭文斌越来越清醒地意识到现代人精神生态所出现的种种病灶和危机，以及对其加以修复与改变的刻不容缓和时不我待。于是，他笔下那些着重表现生活之光和人性之美的文字，便逐渐增添了与现代人对话，为现代人疗伤的品质。反映到创作上，便是推出了一系列旨在唤醒心灵迷失，同时构建正面价值的作品。如先后获“人民文学奖”和“鲁迅文学奖”的短篇小说《吉祥如意》，获“北京文学奖”的短篇小说《冬至》，获第八届“茅盾文学奖”提名的长篇小说《农历》，在文坛内外广泛传播、多有好评的散文集《守岁》，随笔集《寻找安详》《〈弟子规〉到底说什么》，以及作家在担任央视大型纪录片《记住乡愁》《中国年俗》文字统筹时写下的相关文章。前不久，作家从已问世的数百万言的作品中选优拔萃，裒为《郭文斌精选集》一帙七卷，由中华书局郑重推出。这时，一个忧心常在而又智慧充盈的郭文斌便立体多面地站在了读者面前。

在郭文斌看来，现代人最大的痛苦，“一是无家可归，二是找不到回家的路”。此种苦果之所以酿成，其原因在于：“四种飓风把现代人带离家园。一是泛滥的欲望，二是泛滥的物质，三是泛滥的传媒，四是泛滥的速度。”其中，“泛滥的欲望抢占了人们的灵魂，泛滥的物质抢占了人们的精神，泛滥的传媒抢占了人们的眼睛，泛滥的速度抢占了人们的时间。”（《安详视野中的〈弟子规〉：回“家”》）因此，对于亟待解除心灵痛苦和精神迷惘的现代人来说，探寻一条“回家”之路至关重要，自有纲举目张的意义。而所谓“回家”，按照郭文斌的理解，就是人置身于天地自然之下所进行的反思与检讨，调整与扬弃，是人在摆脱物欲和“心魔”之后的精神还乡，即回到内心原有的朴素、清洁与快乐。从这样的理念出发，郭文斌将“回家”视为与现代人对话的聚焦点和切入点，同时也作为自己创作的基本线索和稳定主题，不仅用议论来直接诠释，而且通过艺术形象加以生动演绎。

应当看到，郭文斌的选择体现了一种难能可贵的警醒与睿智。事实已经证明，在很多时候，很多情况下，“回家”恰恰就是先行，就是抵达——当一路狂奔的人们，被自己的愚昧和盲目迎头棒喝，不得不做周而复始的运动时，却发现你早已在那里以逸待劳。你的原地不动，也就成了捷足先登。

针对现代人的躁动不安，一味求进，韩少功曾做过诚恳的提示：“不断的物质进步与不断的精神回退，是两个并行不悖的过程，可靠的进步也必须同时是回退。这种回退，需要我们经常减除物质欲望，减除对知识、技术的依赖和迷信，需要我们一次次回归到原始的赤子状态，直接面对一座高山或一片森林来理解生命的意义。”（《进步的回退》）我想，韩少功的“回退”和郭文斌的“回家”，堪称同频共振，声应气求，它们都是留给现代人的精神清凉剂。

然而，人生多歧路，“何处是归程”？对此，郭文斌给出的答案概括说来就是：重返本真，重返自然，回归历史，回归传统。而对于传统，郭文斌又有着属于自己的划分和理解。在他看来：“中华传统文化主要由两部分组成，一部分是经典传统，一部分是民间传统。经典传统固然重要，但民间传统更重要。因为经典只有化在民间，成为气候，成为地力，才能成为营养，也才能保有生命力，否则就只是一些华美的句段，也不牢靠。民间是大地，是土壤，经典是大地上的植物。只要大地在，就会有根在，只要有根在，就会春来草自青。”（《想写一本吉祥之书》）正是基于以上体认，郭文斌在化传统为归程的过程中，切实付出了两方面的艰辛劳动：

第一，坚持回归经典传统，认真研读古代典籍，以随笔和演讲的形式，潜心发掘和阐扬其中的精华妙谛。在这一向度上，作家除了做广泛的涉猎，着重解读了孔子的快乐，老庄的通达，《了凡四训》的明心见性、自救救人，《弟子规》的孝悌仁爱、见贤思齐。其中对《弟子规》的阐释尤其系统深入，其字里行间不仅每见别有会心之点，而且多有正本清源之处，从而为现代人的成才和“回家”提供了久湮不彰的精神滋养。

第二，也是更重要的，就是坚持回归民间传统，注重开掘记忆储存，以小说和散文的形式，形象再现诗意盎然且生机沛然的人生画卷。围绕这一向度，作家充分调动丰厚的生活积累和独特的艺术才情，精心幻化出一个洋溢着东方气派与传统韵致的文学世界。其中长篇小说《农历》透过一年之中所有的传统节日或节气，表现出人在天地自然之间的无比澄明和由衷欢悦。而那一对精灵可爱的山乡儿童——五月和六月，凭借一种童年视角的映照，简直就是天人合一、天地狂欢的化身，令人过目难忘。短篇小说《今夜我只想你》，也许算不上作家的重要作品，但主人公李北烛深怀的对世间一切生命的悲悯与牵念，以及由此决定的爱情取舍，依旧让人怦然心动。还有散文《点灯时分》《永远的堡子》《大山行孝记》等，那一个个浸透了民族风俗或人伦之美的生活场景与人物细节，无不具有动情走心的审美效果。毫无疑问，所有这些都是匆匆赶路的现代人所需要和所想要的。它们是作家为现代人“回家”而热情点亮的一盏盏心灯。

对于中国传统文化，郭文斌以虔敬之心和礼赞之情，实施着认真的梳理、解读和阐发。但所有这些并不是经院式、注疏式和封闭式的，而是以传统文化为基本坐标，同时密切联系现代人的精神语境和生活现实，进行再度思考、重新整合的结果。正因为如此，在郭文斌笔下流淌的传统文化的河流里，出现了若干属于作家自己的精神命题，诸如“寻找安详”“回归喜悦”“文学的祝福性”“正能量阅读观”等。围绕这些命题，作家做出的具体诠释，或许还有不够精确、不甚周严之处，但是，倘若就整体意蕴而言，却显然实践着鲁迅当年提出的“取今复古，别立新宗”的主张。譬如，那“寻找安详”的说法，就一方面闪烁着源于道家文化的静默无为、无用之用的生存智慧，一方面打通了现代西哲倡导的“简单生活”“诗意栖居”的先锋理念。而所谓“回归喜悦”的观点，则既容纳了美国心理学家大卫·霍金斯博士的能量层级理论，又自觉或不自觉地连接着李泽厚有关中华民族拥有乐感文化的说法。至于“文学的祝福性”，更是可以让人联想起包括孔子“温柔敦厚”论在内的诸多中外文学主张，甚至联想到文艺起源于宗教的说法。其实，诚挚表达对人类命运的美好祝愿，从来就是文学的神圣使命之一。

值得特别称道的是，在确立自己的精神命题时，郭文斌没有满足于时下文学界常见的逻辑自洽和坐而论道，而是从知行合一的目标与原则出发，进一步探讨了如何将精神命题落实于人生实践的问题，并提出了相应的措施和路径。譬如，在谈论安详时，作家不仅强调了“享受安详”“向孔子学习安详”，同时还阐明了人通过什么“走进安详”，如何“在生活中应用安详”。同样，作家呼唤“回归喜悦”，也是一边讲述喜悦的真谛和意义，一边探讨走向喜悦的方式和通道。即使是导读《弟子规》一书，作家也是既提炼出“打开《弟子规》的六把钥匙”，又总结了“践行《弟子规》的六条原则”，以求让书中内容有益于读者的世间行为。这样一种追求，显然将文学的教化功能推向了极致。

近代以降，中国大地经历着欧风美雨的一次次冲击，言必称西学，已成为思想文化领域不少人的心理积习与精神偏颇。在这种情况下，郭文斌以逆行者的姿态，努力向中国传统文化提取精神资源，无疑具有补偏救弊乃至取精用宏的积极意义。我们预祝他在这条路上且行且悟，再接再厉，不断取得新成绩。

（载于《博览群书》2016 年第 9 期）

菩萨低眉式的醒世书写

——论郭文斌的文学创作

周仲谋

在批判现实主义文学仍然占据主流的当下文坛，郭文斌的文学创作显得颇为与众不同。他的写作与现实之间没有那种剑拔弩张的紧张关系。相反，他是“满心欢喜地拥抱这个世界”，“希望自己吞吐的文字，能够给这个并不十分美好的世界增补一些景气”。郭文斌的创作是一种面向内心、回望传统的安详书写，在这个喧嚣躁动的社会里，有其超出文学之外的价值和意义。

一、精神乡愁中的传统回望

郭文斌的创作试图为现代人接续断裂的文化之根，帮助人们回归久违的精神家园。宽泛地讲，现代人都有一种精神上的“乡愁”，在工业文明和商业文明的冲击下，传统文化的精神家园分崩离析，使现代人产生强烈的“离散”之感。正因为如此，在现代人的内心深处才会产生找寻精神故乡的强烈渴望。郭文斌敏锐地把握住了现代人的这种情感体验，他的不少作品都在书写记忆中的故乡，字里行间弥漫着浓浓的乡愁。他描写的虽然是个人体会和个体经验，却有很强的代表性。从某种意义上说，故乡是一个永远回不去的地方，即便人们能够回到地理意义上的那个故乡，但是记忆中发生在故乡的那些事情却已经一去不复返了，而且随着社会的剧烈变革和快速发展，故乡已经发生了很大的变化。这时候人们会发现，眼前的故乡和记忆中的故乡很不一样。就像鲁迅在小说《故乡》开头写到的那样：“苍黄的天底下，远近横着几个萧索的荒村，没有一些活气。我的心禁不住悲凉起来了。啊！这不是我二十年来时时记得的故乡？我所记得的故乡全不如此。我的故乡好得多了。但要我记起他的美丽，说出他的佳处来，却又没有影像，没有言辞了。”在人们的记忆中，会不自觉地对故乡进行美化，对不愉快的事情进行选择性遗忘。因此有人说，“故乡是因为忘记才成为故乡的。”故乡之所以美丽而令人怀念，是记忆与忘却共同合作的结果。故乡是遥远的存在，只有处在遥远的地方，可以用来回想曾经往事的，才是故乡。郭文斌笔下那美丽的令人魂牵梦萦的故乡，或许正是一个回不去的地方，因此他才会反复地书写这种“乡愁”，书写故乡大地上淳朴的民风民俗，来完成一次次的“精神还乡”。

小说《农历》是郭文斌的代表作，也是一部以农历节气为线索描写民风民俗的厚重之作。小说以散文化的笔触，细致介绍了故乡过去的种种习俗，这些习俗是与睿智的传统文化和质朴的民间道德紧密结合在一起的。小说中的父亲形象是一位知书达理、德高望重的长者，像《白鹿原》中的朱先生一样，是智慧和道德的化身。五月和六月两个小孩儿天真烂漫，活泼单纯，童言无忌，童心无邪，见山是山，见水是水，俨然自然之子。散文化的笔法赋予小说优美的意境，作者笔下那个质朴的世界，如同沈从文小说《边城》中的湘西世界，也让人想起废名的小说《竹林的故事》和《桥》。

在《农历》中，郭文斌试图写出民间的“农历精神”，由此重建传统文化和传统价值。如果传统文化的根脉能够得以接续，或许就可以找到失落的精神故乡。在郭文斌看来，“‘农历’的品质是无私，是奉献，是感恩，是敬畏”。《农历》里有一种明显的敬畏感，对天地的敬畏、对神灵的敬畏、对祖先的敬畏、对生命的敬畏，还有对传统、民俗、文化、道德的敬畏。例如《农历》第一节《元宵》，写母亲做灯盏，用来当灯捻的麦秆一定要放在高处贮藏，以免沾上污秽。点灯的时候全家人要下跪。这就是“敬畏”。还有《龙节》二月二龙抬头的日子，不能动针线剪刀，怕扎着龙眼，围仓时全家人也要下跪，祈福五谷丰登，这也是一种“敬畏”。上述发自心底的敬畏，使作品弥漫着天、地、人、神相互感应的神圣意味，充溢着难能可贵的庄严肃穆气息。而这种敬畏感恰恰是现代人严重缺失的。

与现实中的社会相比，《农历》中的乡土社会是如此和谐，如此美好，美好得如同一个晶莹剔透的梦，让人担心轻轻一碰就会破碎。有意思的是，当小说写到“大年”的时候，正是以六月的梦境为线索展开叙述的，主体部分写六月在半睡半醒和梦境之中对过年的渴望，穿插部分则是关于过年的种种愉悦记忆。或许在无意识中，作者把整部农历中最美好的部分当成了一个梦境来描写，不过，他试图把这个梦境永恒化，使其不因时间的流逝而褪色变质，成为一方可以时时回望的精神净土。小说中这样写道：

> 你说老天爷为啥要造时间?
>
> 因为人们有妄想。
>
> 为啥有了妄想老天爷就要造时间?
>
> 讲给你也听不懂。
>
> 你没讲咋知道我听不懂?
>
> 如果人们能把妄想除尽，时间就消失了。
>
> 六月真不懂。
>
> 给你讲个故事吧。唐朝有一位智者大师，有一天念《法华经》，念到《药王品》时入定了，在定中他看到佛还在灵山讲《法华经》。智者大师出定

之后告诉弟子，灵山一会至今未散！这时离佛灭度已经一千五百多年。

《农历》中呈现的乡土社会和文化传统，是可以永在的，不朽的，就像故事中佛在灵山讲《法华经》的情形一样，只要人们内心消除了妄念，入了定，就可以随时随地回到这片精神的故土。

二、面向心灵的醒世文字

与批判现实主义文学不同，郭文斌的写作不是面向社会现实的外部，而是面向社会现实内部，面向世人内心，是直指心灵的写作。郭文斌的作品里有一种宁静安详之气，作者的心是很静的，因为唯有心静，才能写出如此安详的文字。在当今消费社会和视觉文化语境下，迷惑人心的东西太多了，红尘俗世有太多欲望让人沉迷，失去本性和本真的自我，在欲望的泥沼中打滚，越陷越深。因此郭文斌在书中呼唤众生“醒来”，去“寻找安详”。其实真正的幸福不在外面，而在人们内心里面。郭文斌的不少作品带有劝喻世人的意味，如一缕缕清风，吹去人们心上的尘埃，让读者的内心也变得平静安详了。

固然，诗可以怨，但是最高的审美境界却是“乐”，这里的“乐”，既指音乐，也指“喜悦”。孔子说，“兴于诗，立于礼，成于乐”，又说，“知之者不如好之者，好之者不如乐之者”，“乐”和“悦”是相同的。在郭文斌的作品中，可以看到中国民间的礼乐传统，又可以看到作者内心的安详、平和、喜悦。郭文斌内心超然出世，看淡得失，不以物喜，不以己悲；外在行动上积极入世，弘扬传统文化，提倡传统道德的教化作用，劝人向善，广结善缘。郭文斌自己说，他所倡导的文学是祝福性的，建构性的。其实这种祝福性的文学观，反而把郭文斌的创作意义说小了。实际上，郭文斌的创作具有极强的醒世意义，对世道人心大有裨益。人心迷失了，价值观念和道德法则就成了无人遵守的一纸空文，要重塑价值体系，必须先从人心的觉悟入手。正是在这样的情况下，郭文斌的《寻找安详》《醒来》等作品才更显得弥足珍贵，透过安祥宁静的文字，不知不觉化解人们心中的戾气、怨气，让世人在潜移默化中渐渐觉悟。

也许有评论者认为，郭文斌的书缺乏现实批判的力度，是从时间中抽离出来的美好记忆或想象，是处于真空状态中的写作。这样的论断是不太公允的。郭文斌出生在宁夏最为贫困的西海固地区，对于苦难有更多切身的体会，也有更多的发言权，他完全可以采取愤怒或控诉的方式进行写作，但是他并没有这样做。郭文斌选择了一种温和得多的方式来书写自己的故乡，他忍受了苦难，吞咽了苦难，将其化为安详宁静的文字，从笔尖流淌而出。郭文斌的写作不是金刚怒目，而是菩萨低眉，他像一个虔诚的善男子，切身躬行“戒定慧”的佛学经义，叩问天地苍生的生命真谛。同时郭文斌又是入世的，他看到了这个时代人们内心的不安和焦虑，反复劝导世人放下执念，回归生命的根本喜悦。能够超越自我的苦难，并去解脱别人的苦难，这该是怎样的一种大胸襟呢？

郭文斌面向心灵的醒世文字，有相当一部分是散文，他在社会上影响比较大的作品也是散文，如畅销书《寻找安详》等。唯一觉得遗憾的是，这些散文作品在表现手法上略显通俗直白，未臻浑融有味之境。

总而言之，在这个日益喧嚣浮躁的世界，郭文斌的作品如空山灵雨，洗去人们心头的污垢；如空谷足音，带人走出迷茫和困惑。读郭文斌的书，会让人烦恼渐消，从而帮助人们找到本真的自我，遇到最初的那个自己。

（载于《当代文坛》2021 年第 1 期）

“精神家园”的回归与重建
——郭文斌论

田 频

回归、重建“精神家园”，是人类社会进入20世纪以来出现的一种愈渐强烈的精神需求。对理想家园的憧憬和寻找，是文学责无旁贷的责任，也是五四以来鲁迅等知识分子一直苦苦追寻的“乌托邦”梦想。从一定意义上说，文学，作为一种精神产品，应该让自己成为“烛照人类前行的灯火”。这盏“灯火”在宁夏作家郭文斌笔下得到了传承。

“安详哲学”——回归之路

作为地球上万物之灵长的人类，自诞生之日起就一直在关注自己的命运，探索自己心灵世界的奥秘。中外文学史上那些优秀的文学作品之所以能够流芳百世，就是因为它们给人类提供了一片精神的绿洲，让在空虚和孤独中精神漂泊的人们得以重回“精神家园”。所谓“精神家园”，是指人类在长期的历史发展过程中形成、具有精神支撑功能的精神文化系统，它是人类灵魂的港湾和精神的栖息之地。然而，这块圣洁的“精神家园”却随着现代工业文明的发展逐渐沦丧，以至难以寻觅。现代工业文明的先进成果，给人们带来了丰富的物质享受，同时也带来了人类精神生活的日渐空虚，人类正面临交流的失语和精神上的危机。当现代化的洪流势不可挡地席卷着世界的每一个角落时，当物质的欲望越来越强烈时，人们该以何种方式寄托精神，滋养灵魂？如何回到失落已久的“精神家园”？郭文斌用他的“安详哲学”为我们搭建了一条通往“精神家园”的康庄大道。

郭文斌于2006年提出“安详哲学”，他的作品《寻找安详》，如天籁般纯净安详，被认为具有安妥灵魂、温暖人心的作用。何谓“安详”？正如郭文斌在作品中描述，“安详是一种不需要条件作保障的快乐，它是一种根本快乐、永恒快乐、深度快乐。旨在帮助现代人找回丢失的幸福，让人们在最朴素、最平常的生活中找到并体会生命最大的快乐。安详既是生命的方向，也是生命的目的。它既可以让富者贵，也可以让贫者尊。它是对人的终极关怀。”说到底，“安详是一条离家最近的路。”这里的“家”，就是我们苦苦寻觅的“精神家园”，安详是通往此地最近的路。对安详的理解，浸透着作家对生命的体悟，凝聚着作家对人生的哲思，体现了一个行者在经过心灵的万重苦旅之后的灿烂涅槃。隐含在文字背后的安详的力量，如黑夜闪烁的星光，将带领那些迷失了方向且正在困境中迷茫、徘徊的跋涉者走出心灵的沼泽，为他们照亮回家的路。

以西北大地为创作背景，郭文斌用他“洋溢着浓浓艾香”的“小说节日史”创作体系，让世人阅读到了同属于西北大地上的一种诗意的美好，并借助“安详哲学”，一步一步将现代人带入寻找人类最终的灵魂归属地——“精神家园”。

最初提出“安详哲学”，用郭文斌自己的话说，“纯属客串”。在2006年前后的一段日子，他发现传媒上的主要位置多是关于“天灾人祸”的报道，触目惊心。于是他不停地思索这个地球到底怎么了？最终得出结论：天灾是因为大地失去了安详，人祸是因为人心失去了安详。针对现代人精神生活等方面存在的弊病，郭文斌提出了“安详哲学”。但是不久他发现自己的“安详学”如空中楼阁，没有坚实的理论基础做支撑。于是，郭文斌把关注的目光投向了《论语》《弟子规》《了凡四训》等经典，并且密切联系现实生活，结合自己的亲身体会，总结、完善了“安详哲学”。在《寻找安详》一书中，郭文斌用“给、守、勤、静、信”指引人们怎样才能走进安详，获得安详。“给”就是劝说人们要奉献自己，回报社会。融化“自我”这块坚冰，清除这一通往安详道路的最大的障碍。“守”是让心归到本位，让行归于伦常。通俗来讲，就是回到“现场”。“现场感”的提出，是获得安详的一个重要方法。“现场感”意即让自己的注意力集中在当下正在做的事情或者说的话中，是一种身心全然在场又被“感”的状态，“这时”“这事”同时和“身”“心”“感”发生关联。只有拥有“现场感”，我们才能把生命变成和谐，把生活变成诗意，才能获得真正的智慧和安详。“勤”意味着行动力，它强调的是从衣食住行、待人接物中的每一个细节做起，不放过每一个因缘。“静”不仅是一种生命力，还是一种跟踪力、观照力、觉察力，更是一种回家的方式，是一叶可以带着我们回家的美丽扁舟。拥有“静”，我们才能感受到世界的富有和美丽，才能获得和谐和幸福。“信”，是道德，是伦理，是因缘，是程序，它要求人们去行善。通过郭文斌的解读，读者领悟到获得安详的途径：“通过‘给’，我们把心路腾开，把心的空间放大，从‘小我’转变到‘大我’；通过‘守’，我们回到现场，回到本质，回到根；通过‘勤’，我们给自己不断‘升级’，同时不给习气以空间和机会；通过‘静’，我们的心湖能够映照明月，能够明察秋毫；通过‘信’，我们的心得到大定。”最终，通过“给、守、勤、静、信”，我们走进安详，获得安详。

在提倡“安详哲学”之时，郭文斌提出了一个属于他自己的大胆解读。他认为《论语》就是一个大安详源，孔圣人一生所做的事就是教弟子如何找到安详。作家从一个独特的角度去透视孔子和他的《论语》，也为读者的视界打开了一扇新的窗户：向孔子学习安详。孔子提倡的“克己复礼为仁”“吾日三省吾身” “学而时习之，不亦说（悦）乎” “仁远乎哉？我欲仁，斯仁至矣！”都是在教人们如何克服生命惯性、逐步回归人生初始状态，进而找到安详。再如孔子在《为政》篇中所说，“吾十有五而志于学，三十而立，四十而不惑，五十而知天命，六十而耳顺，七十而从心所欲，不逾矩。”这里的“学”，郭文斌认为，就是学习安详；“立”就是找到了安详；之后的二十年，则是经过了“不惑”，最终明白“天命”；又经过十年，达到宠辱不惊的境界，即“耳顺”；复经过十年，得到了大自在，从心所欲的大快乐，也就是郭文斌所指的大安详。郭文斌把孔子和现实生活紧密联系在一起，用孔圣人的话来教导人们怎样才能获得安详。在生活节奏不断加快，生存竞争日趋激烈的现代社会，安详更是能起到温暖人心，引领人们回归到梦想中的“精神家园”的巨大作用。郭文斌用他自己的方式，告诉千万读者，只要我们以安详为路径，不仅可以得到心灵的抚慰，获得完全的喜悦，而且回到梦想中的“精神家园”也是可以实现的。

故乡——“精神家园”的地基

故乡，是影响和形成人们早期经历的主要场所，凝聚着人类难以割舍的情感和无尽的眷恋。书写故乡，是作家表达情感和回忆的一种重要方式。晚年的汪曾祺曾说：“人之一生感情最深的，莫过于家乡、父母和童年。离开家乡很远了，但家乡的蟪蛄之声尚犹在耳。‘仍怜故乡水，万里送行舟’，不论走到天涯海角，故乡总是忘不了的。”故乡，对于人类特别是远方的游子来说，是人们在精神疲惫时得以休憩、享受心灵宁静的灵魂栖息之地。

书写故乡在中国现代文学中是一个重要的文学现象。中国幅员辽阔，由于自然条件、历史、文化等诸多因素的长期影响，形成各地特有的风俗习惯、生活方式。当作家描写自己故乡的时候，自然而然地会把故乡的地方特色表现出来，故乡既是作家们的写作资源和思想资源，同时也是其在写作方式上的自觉追求。这类以故乡为创作母题的小说，以其丰富真实的生活内容、绚丽多姿的地方色彩，赢得读者的青睐。比如我们熟悉的沈从文，用他绚丽多姿的笔触向世人描绘了一个神秘、绮丽的湘西世界。另外还有赵树理的“山西小说”、贾平凹的“商州小说”、阎连科的“耙耧山脉”等，都书写了他们各自迥异的故乡。郭文斌继承了现代文学中鲁迅、废名、沈从文等人开创的书写故乡的传统，在书写故乡西海固时，有别于人们对于西海固贫瘠、落后的固有印象。他最想突出的是西海固人们对生活美好、诗意的追求。汪曾祺曾说，“作家的责任是给读者以喜悦，让读者感觉到活着是美的，有诗意的，生活是可欣赏的。”“小说的作用是使这个世界更诗化。”郭文斌用他的小说实践着使世界更诗化的梦想。他对记忆中的故乡“提纯”，用优美、诗意的笔调来滋润故乡西海固这片干涸的土地，旨在把西海固作为构建自己“精神家园”的地基，在自己的文学王国中建立一个超然淡泊、宁静和谐、充满爱和安详的世外桃源。

对于“精神家园”的寻找，鲁迅作为一个启蒙者，选择的是往前走，有着“绝不转回去”的决绝；郭文斌却选择了回归，把找寻的目光投向了生他、养他的故乡。郭文斌的作品，绝大多数是以故乡——西海固为背景，书写故乡的事和故乡的人，浓厚的故乡情结，一直贯穿在他的主要作品中。如他曾发表的《吉祥如意》《大年》《开花的牙》《永远的堡子》等作品，都是描写发生在这片充满诗情画意的土地之上的故事。郭文斌的童年和少年是在人类不宜生存之地——西海固度过的。西海固位于中国宁夏回族自治区南部，联合国粮食开发署确定其为最不适宜人类生存的地区之一，贫穷、饥饿、灾荒伴随着西海固人的成长历程。长久以来，作家们对西海固恶劣的自然生存条件的书写是一个显著的共同特征，他们用自己的笔描写着西海固“贫甲天下”“苦甲天下”“旱甲天下”的景象。然而郭文斌在描写故乡西海固时，却秉持着一种温暖平和的情怀，对西海固苦难的自然生存背景的描写提升到了一种祥和的文化生存状态，使得他笔下的西海固充满了安详与温暖。虽然西海固人生活在贫瘠的黄土地上，生活在过年才能吃到白面馒头的村子，但是就是在这样难以想象的艰苦环境中，人们心中没有对苦难的抱怨和仇恨，作品中洋溢着的是自给自足的快乐、天人合一的安详。正如郭文斌所说："对于西海固，大多数人只抓住了它'尖锐'的一面，'苦'和'烈'的一面，却没有认识到西海固的'寓言'性，没有看到她深藏不露的'微笑'。当然也就不能表达她的博大、神秘、宁静和安详。培育了西海固连同西海固文学的，不是'尖锐'，也不是'苦'和'烈'，而是一种动态的宁静和安详。"他用平和的心态触摸、感受着隐藏于生活深层中的温暖和真实，在生活的苦难、困顿中发现美好和温情；在物质的贫乏、窘迫中寻觅真诚和诗意。

郭文斌结合自己的童年记忆和文学经验写出了对故乡西海固的热爱，对生活的理解，以及苦中作乐的生命激情和乐观情绪。在《大年》这篇小说中，郭文斌细细地回味了一家子过年的情景：

> 爹说，等你娘来了一块儿吃。五月六月就到厨房去叫娘。娘说，我正忙着呢，你们先吃吧。六月一把拽了娘的后襟子，把娘拽到上房里。娘说，我刚才把些馍馍渣子吃了。爹说，年三十么，一块吃吧。爹说这话时，五月端了一碗饭给娘，娘不好意

思地接过，看了看，给爹说，我给你拨一些吧，我吃不完这些。爹说，你就吃吧。五月和六月跟上说，你就吃吧。说着，一人端起一碗长面，预备赛跑似的等爹和娘动筷子。

这段关于童年往事的温暖回忆文字，让阅读者感到既辛酸又欣慰。大年中的这一家人，面对着物质资料极度短缺的现实，却相濡以沫，相互关心，沉浸在无与伦比的快乐当中，浓浓的亲情在困顿的生活面前显得尤为可贵。郭文斌写故乡西海固的苦难生活时，秉持着一颗温暖平和的情怀与超越此在的心态，在面对这些生存的苦难时，“苦而不痛，难而不畏”，把这些苦难视为人生存之“常”，以平静的笔触描述着这片土地上惯常的生存之艰。“贫穷就是贫穷，它不可爱，但也不可怕，人们可以而且能够像享受富足一样享受贫穷。贫穷作为一种生存状态，人们只能接受它，歌颂与诅咒都无济于事。”这句话道出了郭文斌对贫穷独特的诠释，面对贫穷和苦难，郭文斌不仅写出了惊人的美好，更引发了人们对于生命真谛的思考。基于这样的生命观，郭文斌的作品就具有了内在性、深刻性和超越性的特点。在苦难面前，作者没有被打倒或被文学异化，反而在创作之中开放出美丽和幸福的花朵，使深重的生命有了轻松的飞扬，这就是郭文斌不同于别的作家带给人们的震撼。

把故乡西海固作为“精神家园”的地基，作家不仅仅是出于对故土的无限眷恋，在这里，也是一种叙事策略，他引领人们走向归乡之路，回归本源，去寻觅生命原初的光亮。通过作家的笔，让消失了的宁静、安详重新浮现，让曾经的美好永驻心田。故乡，不再是传统意义上的故乡，而是作者有意搭建的具有复杂意象和多重视角审视下的精神世界，它是郭文斌心目中人性最后的救赎地的象征，也是人类灵魂最后的栖息地。郭文斌在这种诗意美学的创造中达到了对生命的回归与超越，在淳朴、安详的西海固上，为人们重建了一个安详、和谐的“精神家园”。

传统文化——“精神家园”的梁柱

郭文斌并没有简单停留在对“精神家园”的寻找上，在把自己的故乡作为“精神家园”的地基同时，他把关注的视角直接潜入中国传统文化的根脉中，从民族之根中汲取养分，来建设“精神家园”的梁柱。如果说沈从文是用“爱”和“美”来搭建自己的“希腊小庙”，那么郭文斌则是用“安详哲学”为指引，用“传统文化”为梁柱，在故土之上重建人类的“精神家园”。

郭文斌不仅有着深厚的传统文化修养，而且是中国传统文化的忠实推崇者，对于传统文化，他始终怀着崇尚和敬畏之心。在其作品中，读者随时可以发现关于传统文化的情感体验和价值认同。传统文化是我们的民族之根，儒、释、道三家文化是其构成体系中的主流部分。特别是以孔子为代表的儒家思想，经历代统治者的推崇，对中国社会的发展、演变起到了至关重要的作用。正如李泽厚所言，儒家思想“对中华民族起了任何思想学说所难以比拟匹敌的巨大作用。”郭文斌创作的乡土题材小说，渗透着浓厚的儒家文化思想。长篇小说《农历》，全篇洋溢着浓浓的儒家情怀。作者在小说中植入了大量儒家文化思想及教育内容，爹对五月、六月的教育多选取儒家的文化信条。比如说：“百善孝为先，万恶淫为首”“慎终须尽三年孝，追远常怀一片心”“非礼勿视”等 ，体现了儒家价值伦理体系在乡土民间所起到的道德规范的重要作用，也使得小说自然显现出浓厚的道德力量，让读者不由得追怀起孔子所向往和推崇的礼乐时代。此外，郭文斌的小说更多时候呈现出儒、释、道三者互为融合的文化蕴涵：仁爱谦恭的儒家、顿悟超脱的禅家、逍遥自得的道家，三者皆融会贯通于作品之中。在《水随天去》这篇小说中，通过描写父亲水上行从正常到怪异，以致最后离家出走的反常行为，追问了生命的真谛，探索了人类挣脱物质和精神束缚的可能性：禅宗的顿悟是否可以使人们放弃“现实之有”，进入“精神之无”？父亲是一个典型的集儒、释、道三家文化于一体的文化传承，他的生存哲学与人生观游走于三家文化的长廊中，可以说，是三家文化共同塑造了父亲这个典型的人物形象。父亲的仁爱、超脱等性格的塑造，给作品蒙上了一层神秘梦幻的面纱，传统文化也随之焕发出令人迷醉的光芒。

与儒、释、道等传统文化并驾齐驱影响、滋养着世世代代华夏子孙心灵的当属传统节日。这些年复一年、一成不变的传统节日风俗，用它自身神奇的力量，滋养着一个民族的血肉，支撑着人类的“精神家园”。优美、温馨的传统节日不仅集中体现了中国文化，而且在过节这种喜庆的氛围中，让人们体会到与当今世俗完全不同的生活场景，感受到民俗的独特魅力。从最开始的《大年》，到获得“鲁迅文学奖”的《吉祥如意》，再到获得“茅盾文学奖”提名的《农历》，传统节日在郭文斌笔下获得了全新的生命演绎，他将自己的乡土生存经验集中表现在带有浓郁农耕文化气息的年节中，用文学的形式对传统节日做考量，逐步确立了自己独特的创作风格，形成了“小说节日史”的创作体系。

长篇小说《农历》，由十五个传统节日组成，书中按照时间顺序，以细腻明快的笔法，从新年的第一个节日“元宵节”一直写到年尾的“大年”，把各个节日中的纪念活动、程序、步骤等一一细细描写，全景式地展现了中国传统节日民俗的多彩风貌，堪称一部魅力四射的乡村文化百科全书。比如“元宵”要用荞面和荞秆做明心灯、吃长面、献月神；“干节”要燎干、打干梢、扬灰；“龙节”不能动针线、要换夹衣、围仓、剃头、敲梁劝鼠、炒豌豆；“清明”要买纸、做针线、上坟；“小满”要吃苦苦菜、稳麦穗；“端午”要发甜醅、门上插柳条、供神、采艾、佩戴红绳及香包；“七巧”要给牛找嫩草、给牛洗澡、晒书；“中元”要敬神唱戏、游村、还愿；“中秋”要下梨、挖土豆、烙月饼、献月神；“重阳”要抢山头、祭神、诵《孝经》；“寒节”要给已故的祖先烧送寒衣；“冬至”要祭神、吃饺子、守水、制《九九消寒图》、制画板；“腊八”要喝粥、供粥；“大年”要写对联、贴春联、上坟、祭神、泼散、分年、贴窗花、守夜；“上九”灶火出庄，要请神、游庙，等等。作者不厌其烦地描写传统节日中的点点滴滴，富有民族繁衍生息的厚重感，营造了一种小世界安稳吉祥的氛围。郭文斌对民俗的理解和运用，印证了户晓辉的论断，“民俗长期充当了寻求本真之物的一个工具，满足了逃避现代性的渴望。”他用文学的形式切入乡村文化的根基与血脉，铺展出一幅生机勃勃的中国乡村文化长卷，完整细致而又充满风趣典雅地对民俗节日进行了回忆，引发人们重新关注传统文化所具有的真正存在价值，进而对现代生活下人性异化现象做出思考和反思，重新唤起民俗文化的巨大影响力，如童谣般的安魂曲为现代疲惫流浪的人建造精神的故乡，帮助迷惘、孤独的现代人找到心灵安放的栖息之所。

五月、六月这两个精灵般的孩童的参与，使得作品中这些丰富多彩的民俗活动变得越发鲜活，充满了人间情趣和俗世风情。作者巧妙地用五月、六月相互诘问的方式展开叙述："六月问，水为啥不争？因为水是君子啊。啥是君子啊？君子就是不争的人啊。那孔子的七十二位弟子都是水做的？哈哈，应该吧。"再如："忏悔就是洗心对不对？六月问。五月直起身来，看着六月。六月说，爹说手拿了脏东西要洗手，眼睛看了脏东西要洗眼，那心想了脏东西也要洗心吗？五月说，对啊，很对啊，赶快把你的心掏出来洗啊。"这些看似简单、幼稚的对话，从这对未经尘世污染的姐弟俩口中说出，却蕴含着非常值得追索和深入研究的内容。这里，作者借用五月、六月的诘问，从少年这个人生最美好的时段切入古老、坚韧的乡村文化，引领人们更加深入思考人生，从而关注心灵的安放意义。郭文斌的作品有意淡化故事与情节，远离政治和时代，却汇入中国主流文化的博大精深和民俗文化的静水深流，使人"感动得落泪"。《农历》描绘的只是西北地区一处乡村风俗画，但它讲述的却是生命的潜流和文化的根基。作者不遗余力地去展示故乡的民俗节日，婚丧嫁娶、礼仪节庆、吃喝拉撒等日常生活细节，并把这一切都放置在一个天人合一的世外桃源之中，为世人营造了乡土记忆中吸引着人们回归并重建的"精神家园"。

简言之，郭文斌的文学作品，具有清新脱俗的气质和感人至深的力量；“渗透着对青春生命，对黄土地上的生存图景，对人的精神世界和生命意义的现代思考。”在他的文学世界中，没有苦难与悲痛，也没有欲望与暴力，只有人类苦苦追寻的快乐与安详。他怀着一颗赤诚的文学之心，用他独有的感性，坚守着纯净的文学理想，捍卫着文学的尊严与神圣，以“安详哲学”为路径，深入到传统文化和民俗文化的根脉之中，体会生命的本真意义。在遥远而偏僻的中国西北一隅，以传统文化为梁柱，为人类重建失落已久的“精神家园”，让人类旅行已久的心在“安详哲学”的带领下找到回家的路。

（载于《小说评论》2016 年第 3 期）

现代性语境下的传统文化记忆与认同

——郭文斌文学创作论

吴世奇

一

出生于20世纪60年代中期的宁夏作协主席郭文斌，若以散文集《空信封》为其文学创作起点，从事文学创作至今有二十多年的时间了。郭文斌在文学创作过程中对传统与现代、精神与物质、痛苦与安详等许多关系做出了十分深刻的剖析，并逐渐提出了安详生活观、安全阅读观、底线出版观、祝福性文学观等理念，引起了较为广泛的社会关注与讨论。

无论是共时性地把其与生于同时代的其他作家并置起来考察，还是历时性地把其放置在百年中国新文学谱系中观照，郭文斌的文学创作都具有较为突出的艺术特色。与不少作家功力限于特定的一种文体相比，郭文斌的文学创作可谓样式丰富，诗歌、散文、小说皆颇有特色，从《潮湿年代》《永远的乡愁》《农历》等作品中即可体悟到作者文学创作空间的宽广与深远。或许正是缘于这种文学创作的多元化，郭文斌的文学创作文体间的界限不是那么分明，更多的是文体间互相渗透、互相融合，这使得其文学创作显示出与众不同的艺术质地。贯穿郭文斌文学创作始终的，抑或是其文学创作的艺术内核，或许大致上可以概括为“诗性”，它是“通过平静的叙事渐渐地呈现出来的，具有内敛而深沉的特点”。这种诗性的获得，与郭文斌出生地宁夏西吉的自然地理、风俗人情、思想文化以及其家庭环境、教育经历、成长体验等诸多因素密不可分，最为重要的是其对中华民族传统文化精华的吸收与运用。这既是郭文斌文学创作的重要资源，也是其文学创作的价值追求，亦即在现代性与全球化浪潮的冲击下，增强民族文化自信心与认同感，在传统文化自身肌体上生发出适于当下社会人们“诗意栖居”的“家园”，最终实现人心得以慰藉、人性得以复归、人生得以升华的创作动机。

郭文斌的文学创作之路起步于20世纪90年代后期，当时充满激情与理想的80年代文坛已经成为历史，一场关于“人文精神”的大讨论也落下了帷幕，伴随着市场经济体制确立而来的是国家现代化进程的加速、大众文化的兴起、“市场意识形态”的笼罩、价值伦理的混乱等，文学创作与市场机制的关系变得空前暧昧与复杂。尽管从宏观层面上而言，现代性正无孔不入地渗透到社会的各个角落，它不仅改变了人们的生产方式、组织方式、生活方式，同时也深刻地影响着人们的思想情感、思维方式、价值观念。但是，从微观层面上考察的话，由于自然环境、文化风俗、宗教信仰等诸多因素的影响，同一时间下不同空间呈现出千差万别的社会风貌。郭文斌的故乡宁夏西吉与东部沿海城市相比，属于偏远闭塞、经济落后、思想古朴的地区，21 世纪初期现代化与全球化的大潮似乎尚未波及至此，这也许是郭文斌在现代性语境下具有强烈的传统文化自觉与认同意识的客观因素。

虽然郭文斌从事文学创作前期并没有明确的创作方向，《空信封》《小城故事》《爱情故事》等作品都是一种探索与尝试，在表现对象上既有对乡村的书写，又有对城市的叙述，并未形成后来着力弘扬乡村社会思想文化、价值体系以及伦理道德的风格。但毋庸置疑的一点是，郭文斌的文学创作与乡村生活经验密不可分，乡村“是他关照世界的一个基点”。在一定程度上而言，郭文斌的文学创作同当下许多“乡土文学”具有较大的相似性，作家本身在物质空间上早已“离乡”，但在精神空间上却又时而“返乡”，尤其是当乡村空间逐渐被城市空间挤压、侵占的时候，置身城市的作家在“怀乡”情结作用下会对城市产生心理上的疏远。虽然与东部沿海地区相比，西北地区的现代性发育程度较低、现代化进程较慢，但这并未影响郭文斌对现代性的深刻认识。郭文斌敏锐地洞察到中国的现代性尚未完成，面对现代性发展过程中所引起的社会思想观念、价值体系、伦理道德等诸多层面的动荡不安，郭文斌选择以“回归传统”的途径来疗救。郭文斌认为传统文化具有调节人们自身与外界关系的功能，只有“在传统所提供的世界观中，人们才会感到稳定和安全”。

二

现代性是一个较为复杂的概念，中西学者对其内涵与外延各抒己见、莫衷一是，即使有关中国现代性体验发生的问题，学界至今也尚未达成共识。在有关现代性的讨论中，往往又绕不开其与现代化的关系，特别是在西方社会进入批判现代性的后现代阶段，我国现代化进程尚未完成的语境下，厘清二者之间的关系，显得更加紧迫与必要。“现代性是历史进步的产物，人类为了追求现代性，于是有了现代化运动。”从世界范围内来考察，现代化进程最早出现在西方，现代性体验最早发生在西方，西方学界也相对较早地对现代性进行研究。西方学界对现代性的研究涉及许多领域，涵盖哲学、历史学、社会学、经济学、政治学等诸多学科，由于各个领域研究范式以及个体观察视角的不同，西方学者对现代性概念的界定与阐释带有较大的局限性与含混性。例如，哈贝马斯倾向于把现代性看作一种社会知识和时代，“深深地打上了个人自由的烙印”，并且这种现代性至今尚未完成。福柯把现代性理解为一种态度和气质，主要指的是一种与“现实相联系的模式”、一种“思想和感觉的方式”、一种“行为和举止的方式”。吉登斯侧重从时间与制度层面探讨现代性，认为现代性“大约十七世纪出现在欧洲”，是一种“不同程度地在世界范围内产生着影响的社会生活或组织模式”。虽然西方学者关于现代性的探讨并未给出明确的答案，但他们的考察路径给了中国学者不少启发，使得有关中国现代性的讨论能够具有较为开阔的视野。

与西方相比，中国现代性的发生带有浓厚的移植性色彩。王宁、王一川、汪晖等许多国内学者对中国现代性问题进行了深入研究，运用更适于中国人思维习惯及言说方式的语言，深入浅出地阐释出现代性的内涵，现代性“说到底是一种生产和生活制度”。从描述性定义的角度来看，现代性是一种社会属性，常常与“传统性”相对应，如果说传统性是“农业社会”的属性，那么现代性属于“工业社会”，它从传统性的母体中变异而来，主要分为精神维度和制度维度两个部分，具化为社会现代化进程中的各个方面，则是经济市场化、政治民主化、思想理性化等，其突出特征是“现代”“自由”“理性”。

若要进一步地理解现代性，必须厘清其与现代化的关系，这不仅具有学理上的价值，也包含重要的现实意义。关于现代性与现代化的关系，可以从以下几个方面考察：现代化是一个动态的、社会获得现代性的过程，它按照现代性的规约发展，现代性是一种静态的、现代化社会所具备的属性；现代性在时间上略微早于现代化而产生，现代性在发展过程中形成了一系列较为普遍、稳定的文化模式和社会机制时，现代化运动也随之发生了；现代性和现代化在内容与形式上具有许多重合部分，例如自由、民主、平等既是现代性的应有之义，也是现代化的组成要素，在一定程度上诚如吉登斯所言，“现代性是现代社会或者工业文明的缩略语。”概而言之，现代性是现代化的前提与支撑，在现代化过程中现代性因子不断聚积、沉淀，最终实现二者的有机融合。

当郭文斌在大西北进行文学创作时，中国社会正发生翻天覆地的变化，以工业化、城市化、市场化为特征的现代化以前所未有的速度推进。由于中国现代性发生的内在驱动力不足以及地域社会经济发展不平衡，形成了前现代性、现代性、后现代性在中国并存的格局，主体上呈现为现代性范围的快速扩展。特别是在全球化的浪潮席卷下，各地区人员、商品、信息、文化交流愈发便捷与频繁，致使社会总体发展水平较低的地区也在经历现代性的渗透，“现代性正在内在地经历全球化的过程”，全球化在一定程度上就是现代性的全球化。

面对中国社会现代化进程中的诸多问题，特别是伴随全球化而强势东进的西方文化，郭文斌选择了回归传统，“把传统现代化，就像过去蒸米用柴火，现在用电饭锅一样”，不是“创造一种大米”，而是“探索更好的蒸法”。面对郭文斌的这一做法，我们首先要解决一个理论前提，即传统与现代是否格格不入，传统性与现代性之间是否具有一定的承续性，特别是具体到传统文化与现代文化二者之间。自 19 世纪中后期以来，中国的文化生态发生了巨大变化，传统文化逐渐式微而现代文化强势兴起，中国的思想文化在传统与现代的巨大张力中艰难前行。毋庸置疑，传统与现代有着千丝万缕的关联，“人作为有限的存在，是处于传统文化之中的”，文化创新建立在对传统文化继承、修正、补充的基础上，“传统只能在当下人们的生存活动中去寻找”。现代是在传统的基础上发展而来，尤其是思想文化层面上的传统与现代，更是不能完全割裂的，无论在表层上反传统的态度如何决绝，但在深层上二者是融会贯通的。纵观百年中国新文学，大致有三个时期对传统文化造成强烈冲击，但是传统文化并未因此而灭亡。这不仅因为生活在特定文化传统中的个体，难以完全超脱传统的文化心理结构影响，更是缘于中国数千年优秀传统文化存在的合理性。即使是在强烈反传统时期，传统文化依然通过各种形式传承下来，张清华在研究“十七年文学”时就发现，中国传统叙事模式蕴藏在《铁木前传》《林海雪原》《烈火金刚》等作品中，他把这种创作上有意识或者无意识借鉴传统文学的现象，在陈思和“民间隐形结构”的基础上称之为“传统隐形结构”。在现代性语境中考察传统文化，固然会把其落后、消极，甚至封建的一面揭露出来，但我们应该认识到传统文化的多面性，把传统文化中超越时空限制的部分重新照亮，这与现代性的“祛魅”追求并不冲突。

三

中华民族在数千年的发展过程中，逐渐形成了以儒家文化为核心，融合释家、道家、墨家、法家等诸多流派的传统文化体系，并以官方与民间两个主要文化系统传承。在郭文斌的文学创作中，鲜明地体现出这一特征，《朱子家训》《了凡四训》《太上感应篇》《弟子规》等成为其文学创作的重要支撑。回归传统文化，让郭文斌的文学创作充满诗性，这不仅因为其在文学创作中引用了传统经典，更重要的是其把传统文化经典内化于心，在语言运用以及意境营造上也就自然而然地诗意盎然。例如，在《农历》中随处可见诗化的句子，“六月觉得那不是一背篓干梢，而是树一冬天做的梦”“火是木头的解放”“那不是蜡烛，那是一串串在房檐上睡觉的光明”，这似乎不是小说，更像是散文诗。其实，郭文斌的小说可以归入新文学传统中的诗化小说，诗化小说采用诗性的思维、淡化情节结构、注重意境的营造，“它呈现出了一些独特的形式特征，如分解叙事，经验的零碎化，借助于意象和象征以及小说中注重引入散文、诗歌及其他艺术形式等等。”

郭文斌对传统文化的价值建构主要通过书写乡村社会的风俗人情来展现，特别是在长篇小说《农历》中，作者主要以五月和六月两个儿童的视角，通过元宵、清明、中秋、上九等十五个传统节日，向读者展示风俗、仪式的同时，也体现出其对乡土中国价值体系的认同。郭文斌无意于仅从表层上介绍一种风俗，而是把它当作一种文化记忆，由此来增强社会对传统文化的认同。在百年中国新文学发展史中，对待传统文化有两种比较极端的态度值得警惕，一种是文化复古主义，他们在伦理本位主义的基础上强调传统文化的超时空性，“新儒家”的兴起以及“国学热”现象与此不无关系。另一种是断然否定传统文化的历史虚无主义，持此观点的学者在看似“历史唯物主义”的方法论下，认为传统文化存在的社会基础是农业文明，随着工业文明的发展传统文化已经失去了存在的依托。这其实是一种“机械决定论”的观点，因为从马克思主义哲学来看尽管社会存在决定社会意识，但是社会意识具有能动性，并非完全与社会存在合拍，文化发展可能滞后或者超前于社会发展。郭文斌在文学创作中对待传统文化采取了较为辩证的观点，其一方面大力倡导“要让文化归位”，另一方面又不断提醒“它应该是优秀的中华传统文化的当代化”“优秀的西方文化的中国化”。

“我不反对外来文化，但现在的问题是，中华文明本有的一些文化精华被淹没，被轻视，主体营养在沉睡。正如我不反对西方节日，但我也不赞成忽视自己的节日。”郭文斌对待传统文化具有较强的“文化自觉”意识，其这种辩证地看待民族文化与世界文化的观念，与人类学家有很多相通之处。中国著名人类学家费孝通于20世纪90年代，针对少数民族文化转型问题提出了“文化自觉”的概念，文化自觉指的是“生活在一定文化中的人对其文化有自知之明，明白它的来历、形成过程、所具的特色和它发展的趋向，不带任何文化回归的意思，不是要复旧，同时也不主张全盘西化或全盘他化。”概而言之，文化自觉具有三层意蕴：“首先，自觉延续民族文化中具有普适性意义的部分；其次，注重理解和诠释他者文化的经验和长处，自觉吸收他者文化中的精华；第三，在分析、比较、鉴别、吸收和整合传统文化、他者文化的过程中，自觉实现文化创新。”传统文化自觉要以坚守民族文化主体性为前提，通过文化比较、文化批判、文化反思、文化融合等途径，实现文化创新与转型，即传统文化的现代化。在《寻找安详》《回归喜悦》《〈弟子规〉到底说什么》等作品中，生动地体现了郭文斌的“文化自觉”，其把传统文化经典著作放置在当下语境中并借鉴西方相关理论去阐释，使得传统文化生发出适应于当下的文化因子，为“让优秀的中华民族传统文化再度成为人们的生活方式、工作状态”，提供了理论支撑与现实可行性。

郭文斌在文学创作中对传统文化的继承，在一定意义上具备十分重要的文学史价值与意义。尽管自 19 世纪中后期开始，中国社会经历了多次大规模的反传统运动，但传统文化的基因仍然遗传下来。具体到文学创作领域，从新文学发生初期刘半农、沈尹默等人汲取民间歌谣、习语以革新诗歌的语言及形式，到抗战时期关于“民族形式”的论争，再到“寻根文学”时期地域文化的发掘，直至当下的文学创作，民族传统文化一直或隐或现地伴随着中国新文学的发展。从宏观层面来看，郭文斌文学创作中对传统文化的弘扬，与二十世纪五六十年代以来世界范围内的民族文化认同一脉相承。自二十世纪中叶开始，拉美地区逐渐摆脱了西方列强的殖民统治，随着民族意识的兴起，民族文学获得较大发展，特别是受哥伦比亚作家马尔克斯获得诺奖的影响，世界各民族国家加大了对本民族文化的重视程度。随着亨廷顿“文明冲突论”以及约瑟夫“软实力理论”在世界范围内的扩散，加之西方文化的强势对外输出，坚守民族文化成为许多民族国家抵抗西方文化霸权的重要途径。一般说来，民族是指有着共同语言、风俗习惯、文化传统、生产方式、心理认同的人的共同体，维系民族共同体的根本力量不是强制力，而是在文化、心理上的归属感以及认同感。民族文化是一个民族的精神基因，“先于民族主义出现的文化体系，在日后既孕育了民族主义，同时也变成民族主义形成的背景”。大力发展民族文学，既能弘扬与传播民族文化、民族精神，使民族文学成为超民族文学，也能加强民族的向心力、凝聚力。正因如此，郭文斌文学创作中对传统文化的推崇具有了双重价值，既是中国社会现代化进程中对传统文化的认同，也是全球化浪潮下对民族文化的坚守。

中国社会的现代性尚未完成，但现代性所带来的问题与挑战正日益显现，现代人面临着诸如欲望泛滥、精神紊乱、思想贫瘠、生态失衡等多种问题，这就需要对现代性进行反思，从而寻找一个可供现代人“诗意栖居”的“家园”。郭文斌经过长期的探索，找到的办法是回归传统文化，建立以“农历精神”为突出特征的传统价值体系。具体到文学创作层面，郭文斌的探索体现在其文学创作中对传统文化富含诗性的表达，这与废名、沈从文、孙犁、汪曾祺以及阿城、韩少功、李杭育等人有着异曲同工之妙。评论界对郭文斌的文学创作有着多元的解读，有的从儿童视角的选择以及儿童形象的塑造出发，有的聚焦于文本中的节俗，有的侧重于其价值建构的尝试，等等，但最为核心的或许是郭文斌在现代性语境下的传统文化自觉与认同。也许这可以称为郭文斌文学创作的价值追求，其安详生活观、安全阅读观、底线出版观、祝福性文学观正是实现这一价值追求的具体实践，最终归宿即解决现代化进程中人所面临的问题，这也正契合了“文学是人学”的命题。叶舒宪从文化意义上认为，“文学是人类独有的符号创造的世界，它作为文化动物——人的精神生存的特殊家园，对于调节情感、意志和理性之间的冲突和张力，消解内心生活的障碍，维持身与心、个人与社会之间的健康均衡关系，培育健全完满的人性，均具有不可替代的作用。”另外，值得再次强调的是，“郭文斌虽然将价值的源头认定在传统，实际上他对中外生活、道德、伦理与审美等价值还是作了比较和研究的”，例如在《〈弟子规〉到底说什么》《回归喜悦》《寻找安详》中其对安详的叙述就“既有中国传统哲学，也有西方古希腊的生活哲学和现代简朴主义与生态思想”，郭文斌对传统的弘扬并不等于拒斥现代，坚守民族文化也不意味着反对其他民族文化。

四

经过二十多年的探索，郭文斌的文学创作找到了“一条回家的路”，也逐渐进入了“安详”的状态，郭文斌面对现代性的强势话语而为传统文化发声，至少具有十分重要的探索价值。由于全球化的推进，中国在现代化进程中会受到西方后现代主义思潮的影响，这使得中国社会发展中所出现的问题是多种因素交织作用的结果。因此，包括郭文斌在内的不少知识分子对社会的认知难免具有一定的局限性，他们为社会发展问题寻找的解决方案的针对性以及有效性也就值得商榷。郭文斌与中西方许多哲学家、人类学家、文学家一样，致力于寻找一个可供人们“诗意栖居”的家园，在其看来它是以“农历精神”为核心的民族传统文化，是“一种把人带向高级生命认同的力量，一种把人从物质倾向带向精神倾向，又从精神倾向带向自然倾向的力量。”

毋庸置疑，郭文斌的出发点是真诚的、纯粹的，但我们也不得不正视理想与现实可能存在的脱节之处。从郭文斌的个人成长经历来看，其走上文学创作道路之际中国社会启蒙理性话语依然强势，现代性正以空前的速度随着市场经济体制的确立蔓延到中国社会各个角落，这是任何人都无法阻挡的历史潮流。由此而来的是生产方式、生活方式、思维方式等一系列的现代化，传统的农业文明时期的文化模式、组织方式、社会机制等逐渐被取代，传统的乡村文明空间也日益受到城市文明的挤压。在这样的时代语境下，郭文斌对文学治疗功能的重视具有人类学意义上的价值，与全球范围内保护民族传统文化遗产运动相呼应，这对保护文化生态的多样性功不可没。另外，从文学治疗的功能上看，文学的认识功能、教育功能、审美功能都是后期逐渐形成的，中外文学发生之初最早形成的即是治疗功能，只不过那时的文学与巫术、祭祀、占卜等仪式混杂在一起。“当人们在欣赏文学作品时，把自己置于艺术世界，并与作者对话、共鸣，达到视界交融的境界”，从而能够在文学接受过程中宣泄情绪、净化心灵、陶冶情操等，让身心从世俗世界暂时超脱出来。但是，郭文斌在《回归喜悦》《寻找安详》《农历》等作品中突出文学的治疗功能时，相对忽视了文学的社会批判功能，容易遮蔽社会的阴暗面以及人性的困境，这无疑应该值得作者深思。另外，文学的治疗功能在当下也不能盲目认同，在当下新的社会核心价值观以及伦理道德体系尚未健全的语境下，文学接过宗教以及哲学的接力棒，给人心灵以呵护是文学的应有之义，但也应该看到文学治疗功能的实现必须符合诸多约束性条件，这也需要作者有清醒的认识。

另外，从表层文本来看，郭文斌在文学创作中对传统文化的吸收与运用还有一定的改善空间。诗性是郭文斌文学创作的一个关键词，也是其文学作品的主要艺术特色，但与废名、沈从文、孙犁、汪曾祺等同样擅长营造诗意艺术氛围的作家相比，郭文斌对传统文学经典的借鉴，无论是在内容上还是在技法上，都令读者感到有些欠缺圆润、流畅。以废名为参照标准概而言之，与郭文斌文学创作中插入传统文学经典语句不同，废名真正地把诗词化入了小说的意境营造中，使诗词与小说自然融合，了无痕迹。相较之下，郭文斌在这方面的功力还有待增强，例如在《农历》中大篇幅引用《太上感应篇》《目连救母》《了凡四训》，尽管从“镶嵌文本”角度而言有一定合理性，但所引用的诸多“小文本”与整个“大文本”显得融合度不够高，给人有点骨肉分离之感。

总而言之，郭文斌“师古而不复古，坚守而不保守”，其文学创作具有鲜明的艺术个性，其对传统文化的认同与运用，以及在现代性语境下为人们寻找“家园”的探索与努力，都具有重要的理论以及现实意义。特别是在全球化浪潮冲击下，世界范围内的文化寻根运动影响深远，以及关于“口传与非物质文化遗产”的抢救、整理、研究持续不断，郭文斌的文学创作对增强民族认同以及保护文化生态平衡，特别是对长期启蒙理性“祛魅”所造成的“文化失忆”“集体遗忘”现象的改观，都具有十分重要的镜鉴作用。尽管郭文斌的传统价值体系建构在一定程度上更像是为农业文明谱写的一支挽歌，其文学创作中对传统文化的叙述也有着可以改进之处，但这都不会遮蔽郭文斌文学创作的独特价值。郭文斌的文学创作尚未终止，其仍然在探索之中，随着郭文斌对中国社会现代化认识的加深，以及其文学创作的不断创新，必将会有超越自己的作品呈现在读者面前。

[载于《河北科技师范学院学报（社会科学版）》2017 年第 2 期]

郭文斌小说的安、情和杂

陈国和

改革开放40年，中国文学的一个重要组成部分，就是西部作家的发现和“文化西部”的构建。西部作家在伤痕文学、反思文学中上演了各种文学主题：文明与愚昧的冲突、肉体与灵魂的对立、人性与救赎的纠缠。20世纪80年代西部文学成为中国文学的独特风景线：苦难、沧桑而又坚韧。经过20世纪90年代西部文学短暂的沉寂期，21世纪前后的西部文学（我这里主要指西北文学）主要作家有石舒清、郭文斌、张学东等。“大地皈依”和“乡土亲和”成为西部文学的主旋律（丁帆语），昂扬激越或温情浪漫成为诗意西部文学的鲜明的艺术风格。其中，宁夏作协主席、宁夏文联副主席、《黄河文学》主编郭文斌的小说创作在同代作家中显得尤为独特，笔者将他的这种创作特色概括为安、情和杂。

所谓“安”，郭文斌鲜明地提出“安详”的文学观。他在长篇小说《农历》的创作谈中说：“作为一本书的《农历》，它首先是一个祝福，对岁月的，对大地的，对恩人的，对读者的。同时，我还在想，小说是要为‘现实’负责，但更应为‘心灵’

服务。”郭文斌既不像鲁迅等现代知识分子站在启蒙的立场批判农民的愚昧和落后，也不像柳青那种以革命同志的文化身份即时论证新制度的优越性，甚至郭文斌也不同于沈从文在诗意的回望中描写“人性的神庙”，构筑梦幻的桃花源。郭文斌的叙事策略既不指向彼岸、真理和革命，也不是壮怀激烈、大义凛然，而是一种平和、冲淡和日常，是对温柔敦厚的文化传统的认同和接受。郭文斌喜欢谈禅、论道、话圣，并且在诸子典籍中发现生活的智慧。在短篇小说《点灯时分》中，他通过正月十五点灯这一民俗想到“守”的意义。当正月十五的花灯点燃的那一刻，那跳跃的火苗、绚烂的灯花，会在瞬间让一个中国人的心灵领略到与众不同的神秘味道。而对灯花“神的味道”的独特感受，是传统文化基因的作用，是感官和心灵对传统文化符号本能的敏锐捕捉。正因为这种文化符号的烙印已经深入到一个人的血液之中，所以它一旦出现，便能瞬间毫不费力地撩拨人的情思，直击心灵的最深处。守着灯花，就是守着传统，守着自己，体味自然、生活、人心以及人情的美好。郭文斌在传统及民间文化中发掘安宁、吉祥、祝福等文化因素，从而践行了“安详”的创作伦理。

所谓“情”，即抒情。郭文斌的小说具有鲜明的抒情性。郭文斌被称为“北方的汪曾祺”，这种判断源于其作品的阅读印象。主要表现在三个方面：

第一、空灵清幽的意境。意境说属于中国文学理论的重要范畴。刘勰在《文心雕龙·情采》中说："文采所以饰言，而辩丽本于情性。"它不仅仅适用于传统诗歌，而且适用于现代小说。郭文斌的小说不重人物形象的塑造、故事情节的编排，而重意境、意象和感觉的渲染，具有鲜明的主体意识。与追新逐异、瞬息万变的现代叙事不同，郭文斌的小说是一种慢的艺术。他笔下的世界仿佛静止不动，笔下的人物都是尊重传统、敬畏自然、内心善良的普通人。第二、小说的散文化和诗化。郭文斌善于通过儿童视角，采取比喻、通感等修辞，进行诗情画意、清秀隽永的景物和人物描写。如《农历·端午》中，"雾仍然像影子一样随着他们。六月的目光使劲用力，把雾往开顶。雾的罩子就像气球一样被撑开。在罩子的边儿上，六月看见了星星点点的人。"郭文斌的文字焕发了新的美学活力，也具有诗歌、散文的美学神韵，从而使得他的小说呈现出鲜明的抒情特征。第三、题材的日常生活化。乡村生活日常场景的展开主要依靠的就是风俗及其所表现出的传统文化。小说《农历》直接以十五个节日作为章节，经营全篇。这里的节日不仅是农事和季节，更是乡村的日常生活和生命营养。郭文斌认为，相对于经典传统、精英传统，民间传统更牢靠、更有生命力。他笔下的生老病死、婚丧嫁娶以及节日、节气、岁时等民俗，包含了仁义礼智信、温良恭俭让等儒家传统文化的核心内容。同时，郭文斌的小说语言淡雅，句子简短，节奏舒缓，语调舒朗，非常适合轻松对话的氛围，也符合汉语表达的习惯，伸展出了大量的抒情空间。

所谓“杂”，主要是指郭文斌乡村小说不同的文体参与叙事，形成我中有你、你中有我的叙事形式，从而丰富了小说的内涵。这主要表现在传统民间通俗文体与现代小说文体的结合，现代文体如诗歌、散文和小说等抒情和叙事文体的相互渗透以及不同媒介叙事的相互融合、彼此融会等。这使得郭文斌的小说叙述具有含蓄委婉、朦胧蕴藉的美感。

如果说，《大年》《点灯时分》《吉祥如意》《端午》还只是现代叙事与变文结合的尝试，那么《农历》则是小说与变文的有机融合了。在《农历·中元》中，郭文斌直接把《目连救母》这一世代传唱的民间戏曲录入文中，并且成为小说叙事的重要组成部分。乡村的日常生活充盈其间，乡村的生活空间得以诗意的扩张，并且在传统农历节日仪式的聚焦下熠熠生辉。这里的乡村时间几乎停滞，既有庄重的仪式感又有实在的生活感。对联、诗歌、散文、叙事杂糅相间、错落有致；生活场景、礼仪程序混为一体，有机相融。

郭文斌聚焦乡村日常生活，在安详哲学的召唤下丰富了中国文学。在“祝福”“有情”情感召唤下，郭文斌书写了西部大地跳动的脉搏，展现了改革开放 40 年乡村社会改革的伟大进程。

（载于《文汇报》2019 年 6 月 24 日）

别致在童趣

——简说郭文斌的短篇小说

白 烨

郭文斌自 20 世纪 90 年代步入文学写作，在小说、散文领域都有不少的成果，但他真正引起文坛的广泛关注，还是 2004 年发表了短篇小说《大年》之后。这一年，他的《大年》在《钟山》第 2 期首发。之后，《小说选刊》于第 5 期选载；与此同时，《作品与争鸣》又将《大年》作为“争鸣作品”在 5 月号转载，并配发两篇角度不同、看法各异的评论，人们由此开始关注这个偏居西部的宁夏作家和他那与众不同的小说作品。

郭文斌的短篇小说之所以让人感觉别致与异样，是他常选取一种日常化的童年视角来切入生活，打量人生；作品在天真的童趣中别具纯真的情趣，浑朴的意趣。在表现和呈现这样的“小人物”、小故事的同时，字里行间还溢渗着人间的温暖与心态的安详，这与人们所想象的西部的荒疏与苍茫很不搭界，也与人们在其他人的作品里看到的酷烈与悲壮完全不同。这样的作品是否有价值？这样的写作是否有意义？这在一个时期成了一种疑问。在当年对《大年》的批评中，就曾有这样的言论：

“作者对饥饿和贫穷的描述，采用唱田园牧歌式的口吻，就是对这一文学资源的浪费。”然而，正是这种不同意见的争论，把郭文斌推到了争鸣的平台，也把他推到了文坛的前台。

2005年初，宁夏人民出版社推出了郭文斌短篇小说集《大年》，有关方面在南京和北京召开了《大年》研讨会，与会的专家学者经过讨论大致形成了基本的共识，如南京研讨会认为：在郭文斌的小说里，有西部自然的严酷与物质生活的贫困，但郭文斌并不刻意书写严酷与贫困，这些内容都被放置在浓厚的人间亲情中，也就是说，郭文斌关注的不是前者而是后者，生命的交相感应与人际间的真情交流，冲淡了自然的严酷与生活中的苦难。“要考察中国文学与农民的关系，郭文斌的乡土小说是可以选择的重要文本。”在北京的研讨会上，与会的评论家高度肯定郭文斌小说创作所表现出来的鲜明的个人特色，正如雷达所指出的那样，“郭文斌的作品提供的美学价值，是值得我们珍视的。”“他用貌似原生态的笔墨，把一种储存在民族民间的正在消失的美好的情感保存下来。那种正在消失和在西部还没完全消失的乡土的记忆、乡土的美感，通过家庭、通过童年、通过孩子，表达得非常富有诗意。”

此后，郭文斌凭借着短篇小说《吉祥如意》，先是在2006年度“茅台杯”人民文学奖评选中获得优秀短篇小说奖，接着又在2003年至2006年度“小说选刊奖”评选中获得短篇第一名，最后又在2007年的全国第四届鲁迅文学奖评选中荣获了全国优秀短篇小说奖。三个奖项都有颁奖词，这些颁奖词都从各自的角度解读了《吉祥如意》这篇作品，评说了郭文斌的个性化写作。如2006年“人民文学奖”颁奖时，颁奖词这样说：“回望了传统乡村生活之深厚喜乐，在短篇小说的有限尺度内以丰沛的细节，书写了温暖的大地。”“小说选刊奖”的颁奖词为：“郭文斌的小说以富于诗情画意的成功描绘，令我们对那片土地充满敬意，对汉字表意功能的理解和尊重，使小说叙事充满魅力，本奖同时表彰作者对中国传统美学中‘意境’的成功运用。”第四届“鲁迅文学奖”的颁奖词是：“以优美隽永的笔调描述乡村的优美隽永，净化着我们日益浮躁不安的心灵。”这里频频出现的“大地”“优美”，实为理解郭文斌写作的关键词，他正是以文字之“优美”来尽情抒写“大地”之“优美”的。

在郭文斌迄今的短篇写作中，我一直相当偏好《大年》。我以为，有时候一篇短篇小说写好了，写精了，其意义与影响不会亚于一部一般化的长篇小说。郭文斌的《大年》，正可作如是观。《大年》可以说是20世纪以来当代短篇小说创作中最为重要的收获之一，尤其是在农村题材方面，称得上是一个难得的精品。作品以西部乡村孩子年节时分的所经所感，写他们在贫苦生活中的成长、念想及其充溢于父母之间、兄弟之间的脉脉温情。西部的乡村孩子在物质生活上是很贫困，但他们也有属于自己的快乐，那就是在与大人的交往中满足童年的好奇心，在与伙伴的交往中获得正在起根发苗的自尊心。诸如，为写对联的父亲准备好笔、墨、纸，跟着父亲给长辈磕头拜年，还有穿新衣、放花炮、等着分糖果，等等。因为他们的要求与向往压根不高，所以很容易就得到满足，满足了就格外地高兴，并把这种高兴向家人表现出来。在这一点上，郭文斌写出了西部孩童的自知、自得与自持。郭文斌的小说在叙事上也很有特点，他在述故事、写人物时，一般没有特别的心理描写，他把简洁的心理描写融化在叙事过程之中，用简约而有蕴涵的语言表现情态中的心态，使得整个作品单纯又丰富、真实又幽默。比如《大年》中写明明、亮亮撒尿写字这段，就非常精彩。先从两个孩童的调皮开始，渐渐地显现出兄弟之间心照不宣的情谊。他的短篇小说《剪刀》，也是一部精彩的作品，这部作品写丈夫与妻子之间的斗嘴、斗气，但是爱情和亲情在夫妻之间的打斗中呈现出来，让人看到贫困夫妻之间的相互理解和相濡以沫，最后妻子以死来完成她对丈夫的爱和对孩子的爱。作品文字简洁，但充满了浑朴氤氲的气息。他多次获奖的《吉祥如意》，也把他的才情发挥得淋漓尽致。作品写五月和六月姐弟俩过端午，一方面写他们得遇端午佳节的满心喜悦，一方面写姐弟之间的亲情以及蕴藏在其间的朦朦胧胧的情窦的萌动。这一切自然而然地掺和着，让人倍感童年的美好、成长的美好，乃至生命的美好、人性的美好、日子的美好。在一幅诗意盎然的画面里透射出来的是童年人生的天然性，是人在童年的真性情。

总体上看郭文斌的作品，我以为它与我们看到的别的乡土题材的作品很不一样，它提供了一种对乡土、乡民的再认识，这种认识不同于简单的经济考量与道德判断。而是用一种客观的、从容的、平和的、达观的态度，用一种本真的态度去描写一种本色的生活。因而，他虽然也在写乡土、抒乡情，但他常常采用童年视角，用孩子的眼光打量一切，用孩子的心灵感受一切，字里行间漫溢着一种清醇而温暖的童趣。可以说，他是在别人忽略不计的生活缝隙发现情趣和寻找诗意的。

阅读和品味郭文斌的作品，我们会在脑海里不断闪现出这样一些词来：比如本色、本相、本质、本心、本性、本真，等等，这使得在人生与人性上追根寻本，成为他的一个重要的文学品格。“本性化”的特点是回归本来，立足本有。郭文斌在意的是人的常情的拥有与常性的葆有，看重的是人的个性保持与天性流露，并以此摈弃变态、抵抗扭曲，因而他在自己的作品中，普遍重视童年生活情趣，高度强调日常生活情味，力求把一种宁泊淡定的人生美学定格在西海固并传达给更多的人。

选自《郭文斌论》（宁夏人民出版社 2008 年出版）

还原与建构
——郭文斌小说的情感叙事

贾艳艳

自20世纪80年代末以来，随着中心价值的解体与公共化激情的消退，“解构”与“去蔽”几乎成为文学叙事的法则，被抽取了情感与价值判断的冷漠化叙述一时成为主导性的写作潮流。时至今日，经历过各种舶来的思想的洞穿与烛照，重新面向建构的文学叙事，必然意味着更为艰难的探索与更趋个人化的创造。当代文学的复杂与生动，在于它随时敏感地参与和传递着时代文化心理的变迁，并与之相互投射，因而不可能只是一种声音。近几年来，一些写作者朝向建构的自觉与努力，已然印证着当代文学正在走出“只破不立”的格局。郭文斌的探索，便是其中值得关注的一位。

即使在同一地域的作家群中，郭文斌的小说也以其诗性唯美的风格独树一帜，不乏评论者对此进行过精确而又细致的论析。我认为郭文斌小说的难得与可贵，不仅在于独特的美学风格与审美价值，还在于他始终面向肯定性的建构与思考。作为一位宁夏西海固走出来的作家，郭文斌的小说没有回避苦难，但他不直接去描写苦难的尖锐和酷烈，而着意于表现“非常”生存环境下作为常态存在的宁静与安详。这种审美倾向曾使郭文斌的小说引起争议。那种认为郭文斌以田园牧歌美化苦难的观点，在我看来至少忽略了这样一个重要的事实：叙事中无处不在而又含蓄节制的情感，使郭文斌笔下的西海固那种宁静与安详的生命形态，并不纯然是一种客体化的审美对象。只有写作者把自身完全浸润其中，才会有流贯于字里行间的深情与温暖，我们在阅读中也才能真切体会到并为之而感动。可以说，正是那种无法模拟无法复制的情感，使郭文斌笔下的西海固与“他者”化审美目光或虚构出的“桃花源”有了根本的区别，不仅具有无法替代的审美意义，而且有了认识论意义上的真实性。你无法不相信：这就是真实的西海固，西海固人就是这样安详地生活着。深挚的情感，使郭文斌笔下的西海固成为一种寓言，个体生命、具体类群与整个民族的心灵史由此建立起深度的关联。郭文斌的写作也因此超越了地域和“西部”。

情感对于郭文斌小说的重要性，不仅在于小说以人情之美为描写对象，还在于情感是叙事进入生活世界和展开心灵世界的基本方式。阅读郭文斌的小说，如果你曾经感动，那一定是和其中的情感之美之朴素与纯粹有关。从《大年》到《吉祥如意》，再到前不久推出的《清明》，郭文斌似乎正在致力于“小说节日志”的创作，通过仪式化的风俗与场景的描绘，重新发掘传统文化的价值。“传统”在这里，显然是针对“现代”的某种精神匮乏所开出的药方。开药方，那就意味着要寻出病症，它可能促发传统与现代之间的精神对话，但也要求作者必须在更具整体感的宏阔的文化视野中展开思考。于是，在很多作家钟情于从欲望角度挖掘人性的复杂或纵深的时候，郭文斌却执着于描写传统文化与生活习俗中的人情之美，试图从一种关系结构中展开叙事与探索。如果节日和风俗仅仅被叙写为由传统文化推衍而来的仪式和场景，那就仍然不能解释我们为何能从中获得感动。事实上，现当代文学以风俗描写见长的小说并不鲜见，但郭文斌的小说还是让我们感到了不一样的新鲜与灵动。在叙事中担当主角的，是细腻的心灵感受而非客观化的仪式场景，并且这心灵来自于天真无邪的孩童。于是，我们看到了不变的传统和风俗，但是却并没有对此习以为常的麻木，相反，每一种细微的环节、事物、场景与情愫，都要被纯洁朴素的儿童的心灵与目光重新观照、发现，生出清新无比的喜悦与感动。传统，已不仅仅意味着“过去”，也绝不仅仅是形式的组合与展演，而化为身处当下的我们每个人都曾经亲历、久违而又重逢的生命感觉与情感体验，叙事由此获得“传统”与“当下”的共鸣，并在这种共鸣中实现对民族文化精神和生命本意的还原。

在此意义上，也就不难理解为什么郭文斌笔下的西海固总是与清澈的童心如影随形。如果说儿童视角作为一种叙事策略，指向一种普遍意义与时间层面的“本原”；那么贫苦的物质生存环境，则从具体地域的生活方式与空间层面促成叙事对“本原”的回归。多了珍重的体验，少了放纵的迷失，西海固人因而活得十分安恬。所谓节日，也就是一个在民族历史与传统文化中有着特别精神意义的日子里，天地万物与尚没有蒙尘的心灵一起隆重登场，以质朴本真的方式相遇、交融，获得一种具有生命感，同时又超越个体、时间与空间的统一。这里，显然存在着一种典型的神话思维，或者说情感化的思维。是情感，而不是别的什么，构成了郭文斌的小说中人与世界的基本关系。这样的情感，不仅存在于人与人之间，也随时发生于人与自然、与世间万物、与瞬间的情景或偶然的机缘之间。如果说心灵与物象之间的交感，指向一种珍重的情感，那么心灵与心灵间的彼此感应，就是作为情感世界之本源的“爱”。这样的珍重与爱，显然已经超出了传统伦理理性与道德情感的范畴。郭文斌在作品集的序与跋中常常谈禅，并在写作之余传播着“安详哲学”——大概指向一种珍重人世、顺应天意的生命态度，内容上并没有逃出儒释道的传统文化思想框架。然而，郭文斌的小说并不是对传统的简单回归，他所要进行的还原与建构，也并非用现代意识对传统进行拼接与包装。或许可以这样说，对于郭文斌的小说所追求的生命本意来说，传统本身是不可或缺又无可替代的“回家的路”，并非那个最终的“家”。

在《如莲的心事》中，郭文斌写道：“这些年，人们过于强调了人性，却忽略了天性。而我觉得，作家的使命可能就是传达、传承这个‘天性’。”“当天人合一时，人性即天性。”传统文化中的“天人合一”，偏向于从道德本性的角度理解天人的一体化。儒家文化或以“天命”与“人德”相匹配，或以“天理”与“人性”相贯通，都是从道德内涵来规范天人关系。而老庄所提倡的“道法自然”，落脚于“无为而无不为”，也属于人的修养境界，是传统儒家以外的另一种道德观。在郭文斌的小说中，孩童对于原欲与性的懵懂与好奇，对于死亡的天真理解，对于仪式与风俗的心灵感受，显然都已超出了道德的内涵，更为贴近一种生命的原色。此外，传统文化对天人合一关系的把握，倾向于一种周而复始的循环论，甚至由循环论导致“天不变，道亦不变”的孤立静止的观念，最终否定历史的推陈出新，维护现实的伦理秩序。郭文斌的小说对“天人合一”的把握，则表现为一种对于天性与生命本意的返归。“返归”这个动作的反复发生，其实已然包含了“现在”的位置，也是叙事者对现实的态度与立场。因而，郭文斌的“天人合一”追求的，确乎可以说是一种“动态的宁静与安详”。

在郭文斌看来，“人的成长是一个不断被污染的过程，只不过有些人能够通过污染超越污染，有些人则不能。而写作应该是一个反污染的过程，接近生命本意的过程。”（《如莲的心事》）既然成长不可避免，那么，污染是否也是一种天意呢？最有力的反污染，是否真的就只是反成长、回到童心？通过写作，郭文斌“以笔为渡”，一次次走上“回家的路”，苦苦思索与建构着他的“整体”，表现出一个作家严肃的思考与自觉的承担。他警惕着过多的“二分性”的介入，但却多少忽视了天人之间的张力恰恰也植根于人自身的二重性存在。传统文化的“天人合一”偏重于从本初本然的层面看天人关系，强调天与人的同源一体，但对于两者之间的分化与张力则重视不够，以人应天、以己徇众成为人们生活的基本秩序，甚而一度导向“存天理而灭人欲”的极端。郭文斌对天人关系的把握，显然没有拘囿于伦理理性，也不从正面去触碰这道难题。他说：“当天人合一时，人性即天性。但当天人严重的不和谐时，那么人性就不是天性，可能就是别的什么性。”（《如莲的心事》）有些思想止步、语焉不详的意味，但却清醒地承认了人与天在现实层面并不始终统一。郭文斌强调作家的使命是传达“天性”，与其说他的乡土小说是一种美化或者净化，不如说是有意识地选择与摘除后的真实，这里已然隐含着对“人”作为整体性的放弃。

与此相应，童年视角的乡土小说中，自然而然也就消弭了人与天不和谐的一面。倒是他的都市题材小说，较多触及人心的贪欲和偶然（“天意”）降临于无辜者身上的厄运。比起乡土小说的宁静与纯粹，都市小说的叙事因此充满变数，同时也无法回避“污染”，从而有了其乡土小说由于时间上的“逆向”返归所难以抵达的现实感、命运感以及更为复杂的精神意蕴。与此同时，郭文斌的叙事依然保持了温情脉脉的叙事基调，并且都市的人生依然是随时绽放“真”“善”“美”的情感故事。虽然不无命运的叵测与悲剧性的人生，但真情的存在犹如一把“忧伤的钥匙”，开启生命通向永恒的奥秘。对于人心的污染，郭文斌不多置词，着力于捕捉人物看似反常的行为中自然生命存在的方式，如《触雪的感觉》《邻居》《大枣》《我们的生活充满阳光》《忧伤的风衣》等。看多了20世纪90年代都市小说中的冷漠化叙事，郭文斌的都市小说令人眼前升起一抹情感的温度与亮色，凸现出不可替代的叙事意义。

情感的存在离不开价值的支撑，但情感本身并不仅仅意味着统一感的获得，以及由此而来的爱、珍重与温暖。生命的有限性决定了每个人都必然遭遇痛感，而自我的成长又难以从根本上避免价值的冲突。郭文斌的乡土小说中，显然并不存在真正的冲突与痛苦。《开花的牙》《三年》《清明》等小说都写到死亡，但童心观照下的死亡作为生命的本然，传达的是生生不息、乐天安命的宁静与安恬。在郭文斌的小说中，《水随天去》可算是一个难得的特例。这篇都市题材小说写得别有深意：在父亲的行为方式与生命状态中，始终贯穿着个体生命自由与个体所处的情感关系结构的冲突，经过反复的矛盾与纠结，父亲最终离家出走，选择了生命的自由与精神的逍遥。郭文斌小说中的人物尽管都生活在情感构筑的关系结构世界中，但他通过写作想要返归的那个“本原”、那种生命的本意，才是他小说世界中“最高的肯定性”，父亲最终的选择因而具有了必然性。这篇小说的出色还在于，尽管在父亲的意识与行为选择中，与他人的情感关联是自我通向自由生命的桎梏，然而叙事却并没有因此陷入二元对立的价值判断。小说的叙事选择了作为儿子的“我”的视角，一方面参与着父亲所置身的现实关系结构，一方面又是独立于父亲这个被讲述者的生命个体，最终超越伦理情感，对父亲的选择表达了理解与认同。传统文化的人格结构中，“自我”始终依附于伦理关系而在，并没有个体意义的价值系统。父亲空有寻找“自我”的自觉，但却不能在现实层面使这种自觉与自我的行为相统一，从而不可能找到使自我生命得以充实的精神内涵。无论逃离、隐遁还是出走前的“心斋”“坐忘”，父亲对现实的反抗都只是一种对“关系结构”的自我隔绝，显然并没有实现精神的超越，反而更像是对自我的损耗。父亲尽管选择了对情感的否弃，但作者通过“我”对父亲的怀念再次把父亲和“我”一起放置于情感关系中结束了小说的叙事。否弃了情感联结，“自我”还剩下什么？这真是一个值得深思的问题。这篇小说深刻地揭示出情感化叙事的困境：纯粹的关系结构并不能安放完整意义的“自我”，从而无法使个体生命在现实层面获得通向自由的支撑。

走出儿童视角的郭文斌，对“天性”的还原必然导向对自由生命的建构。他的“安详哲学”所包含的对天性的顺应、对人世的珍重，因而也就必然渗入更多理性的内容。新推出的小说《清明》中，便显现出更多思想性的痕迹：在五月、六月两个孩子的眼中，“这老得不像样子的荒草就是清明”，显然对应着“天意”；而爹则把这个传统的节日解释为“不浊为清，不迷为明”。对比《吉祥如意》中采艾的情节，《清明》中两个孩子则在背诵大段经书，传统伦理对童心的教化作用被加强了。两个孩子头脑中冒出来的思想，因为“不安全”的个体感而被叙事予以否弃。在郭文斌的小说中，我们可以始终感觉到一种“相信”的力量，不仅相信情感，而且相信更高的“整体”的存在。然而，矛盾也在这里。固然“‘个人’在更多的时候意味着自私，意味着有求”（《如莲的心事》），然而无法想象有谁能够背对如此的“人”的现实去建构“整体”。童心乃是天成，固然纯粹而又自由，但毕竟是一种单向的“返归”，缺乏足够的开放性，叙事就难以摆脱重复感。并且，自然生命倘若不能经由自我理性的引导进入自觉的生命，就谈不上生命的自由，从而就不可能获得“安详”。

郭文斌期望“让天真带着他的笔旅行，避开知识。”（《回家的路：我的文字》）这令我想起另一句话：“期望创造艺术真品的艺术家必须认识到民族的真实首先是它的现实。他必须继续前行，直至找到未来知识出现的地方。”两句看似矛盾的话有内在的一致。写作应该避开的知识，是一切现有的文化理念，而不是以反智为目的。同理，写作者相信“整体”的存在，也不意味着他笔下的人物要直接成为“整体”性的注脚，而应该让他们保持“天真”。如果“安详哲学”指向一种源于传统又超越传统的更高层次的“天人合一”，那就必然只能诉诸人的自觉生命与自然生命的统一。如何牢牢地立足于自然生命的根基，以此为本原积极开启个体生命理性的自觉，也许无法绕开对传统伦理理性的创造性反叛或批判性继承。相信郭文斌对此有更为深入的思考，期待他的写作持续开放出更大的可能性。

（载于《黄河文学》2009 年第 9 期）

传统文化精神的自觉表现与表达效果
——郭文斌小说创作新论

孙纪文　王佐红

郭文斌是国内近年来受到广泛关注的宁夏作家。他的小说创作风貌渐进成熟，相对固定，已形成独特的个性特征。评论者对他的小说给予多方面的关注，批评内容关涉到了其对苦难、乡土、“文革”的记忆书写，对人类精神困惑的诗意探求，性描写的独特视角，叙事审美的诗意化，小说蕴涵的消解现代性，童年视角的运用，语言的诗意化追求，等等。这些评论是颇有眼界的。近些年来，郭文斌小说创作所体现出来的对传统文化精神的自觉表现问题更值得深究。小说文本表现得怎样？有怎样的文学表达效果？这是本文着重言说的论题。

一

诚然，也有评论者对郭文斌小说创作中的传统文化因子和艺术表达问题进行了初步评述，如范晓棠、吴义勤曾论及郭文斌的小说人物有"遁入空寂和对佛教禅宗的领悟"倾向，李兴阳曾论及郭文斌小说《水随天去》有一种"以道家思想为底蕴的对生命真意的执意追问和以儒家思想为底蕴的对人间真情的珍重与眷恋"的味道，但限于论题的要求，类似的评述并未详论。因而，郭文斌小说创作如何对传统文化精神进行表现以及产生怎样的文学表达效果是非常有必要继续追问的。

我们注意到，注重从传统文化中汲取营养的郭文斌，其作品在受西方文学影响的同时，很自然很充分地流露出对传统文化精神的偏爱。传统文化构成体系中，儒、释、道三家文化是整个体系的主流部分，而郭文斌的小说正与三家文化精神息息相关。

儒家文化以儒家思想为指导，倡导血缘人伦、道德理性、修身存养、现世事功，中心思想是孝、悌、忠、信、礼、义、廉、耻，核心思想是"仁"。儒家文化经历代统治者的推崇，对中国文化的发展起到了非常重要的作用，时至今日，儒家文化依然存在于人们的深层观念中，诚如李泽厚所言，以孔子为代表的儒家思想"对中华民族起了其他任何思想学说所难以比拟匹敌的巨大作用"。郭文斌的作品中渗透着浓厚的儒家文化思想的内容，尤其体现在乡土题材的小说写作中。如长篇小说《农历》就非常集中地显示出儒家文化的重要性。

在以“五月、六月、父亲、母亲”为组合的对话里，多处渗透着儒家的文化思想与教育信条。如《元宵》中五月的话：“爹不是说过，百善孝为先，万恶淫为首嘛。”又如《元宵》中“六月说，是不是我爹写的那句话，‘慎终须尽三年孝，追远常怀一片心’？”再如《龙节》里五月的疑问：“你说，做和尚快乐还是做君子快乐？”再如《重阳》里面五月的话：“是啊，要不爹为啥说孔老夫子教导我们‘非礼勿视’呢。”还有《腊八》里面集中写到的五月、六月背会了的《弟子规》《朱子家训》《太上感应篇》《孝经》《论语》等，都是文化经典。

郭文斌在小说对话与文本情节里植入许多儒家文化思想及教育信条，足见其对儒家文化的热爱。在小说中，儒家文化思想以及儒学信条与五月、六月等少年形象的塑造是密切相连的，并借此体现儒家价值伦理体系在乡土与民间叙事的重要作用。因此，他的小说自然显出一种浓厚的道德力量，呈现出一种有意味的说教色彩。再如短篇小说《大年》《吉祥如意》等作品，也洋溢着浓浓的儒家情怀。这些作品多以儿童视角构筑儿童形象，而贯穿其中的仁爱、礼让、谦恭、孝悌等人伦价值观无疑是儒家的，小说似乎带领读者回到了其乐融融的孔子闲居时代。

“禅”是佛教中国化的一个产物。在中国现当代作家中，受“禅”的影响颇深的作家很多，如废名、汪曾祺、贾平凹、韩少功、范小青等。“禅宗诉诸本心，诉诸悟性，诉诸天马行空的思维方式，诉诸宁静、含蓄、幽深的审美情趣，因而具有不同于喧闹的现代派的品格。这样的品格不仅体现了传统文化的独特魅力，而且也是这人世间相当一部分淡泊名利、乐天达观者倾心的人生境界。”郭文斌对“禅”的参悟颇深，可从他的几本文集的序（跋）中看出，如《空信封》的跋《学习微笑》，《大年》的自序《以笔为渡》，《大年》的跋《回家的路：我的文字》，《点灯时分》的自序《写作可能是一个秘密》，《点灯时分》的跋《如莲的心事》等，这些文章在阐述其人文思想及文学情怀的过程中，就夹带着谈禅论道的味道，颇有悟性。另如小说《上岛》《恰似你的温柔》的故事情节也是围绕着谈禅与论道进行的。小说《水随天去》是他在这方面的一个杰出文本。小说描写了一位父亲在写作过程中心灵一步步地变化，从正常到怪异、不爱说话、行为反常，以至于最后离家出走。通过“父亲”追问生命真谛的心路历程和与现实的纠缠扭结及他的最终弃世的描述，小说思考着生命不可承受之轻的困惑，探索着人类超越物质和精神束缚的可能性。这种对生命的终极关怀是以“父亲”的禅宗思想哲学为背景的，禅宗顿悟使“父亲”抛弃了所谓的“现实之有”而进入“精神之无”，从而使郭文斌的这篇小说富有深意。这种深意若不仰仗于中国传统“禅”的思想文化基础是很难达到这样的高度的。《陪木子李到平凉》也是一篇充满了禅味的小说，讲述了一个令人诧异的故事：“我”与同行石书棋陪同北京来的编辑木子李到平凉寻访，寻访一座古旧的官堡和一位高傲冷美的女子那玉红，借此展示了我与那玉红的不解情缘，抒写了土匪与压寨夫人的浪漫传奇，叙述了震湖与古官堡的历史故事。小说布满了神秘和机趣，像是一个个寓言。有许多内容表达了却难以言传，许多细节如在目前却难以捕捉，这正是“禅”家文化神秘性色彩的显现。它留给读者充分的思考空间和无尽的想象余地，像是一个启人心智的秘密。小说前面设置的两个富有“禅”味的思考题：“1：那玉红于我有意义吗？如果有，那意义何在？如果没有，那上帝为什么让我在那个胡同口看到她？ 2：那玉红于木子李有意义吗？如果有，那意义何在？如果没有，上帝又为什么让他从我口里听到她？”就是一组最好的启示，也是理解文章的一把钥匙。可以说他的这篇简短的小说正是有了“禅”味，才避免了直白，变得耐人寻味起来。

道家文化不同于儒家文化，它重视人性的自由与解放。道家讲求“心斋”“坐忘”“化蝶”等境界功夫以面对纷繁的世界，凭借“乘天地之正，而御六气之辩，以游无穷”“以朴应冗，以简应繁”的自然之道获得人生的“至乐”之趣，此所谓“精神的自由”。道家文化在中国音乐、绘画、文学、雕刻等各方面有广泛而深远的影响。郭文斌的小说中也浸染着道家文化的意味，这种意味一方面通过他小说里所描写的民间道教风俗表现出来。比如《大年》里面的《祈雨歌》：“天上没有一丝儿云，半年没下个雨星星，火土烫得人脚面疼，已经两年（者）没收成。跪请玉皇生怜悯，也请我佛发悲心，降旨龙王把雨下，普降甘霖润群生，来年为你塑金身。”可以说，道教风俗已化为故事情节的一部分。另一方面通过主人公精神逍遥的状态来显示道家文化的超然，这既增强了小说耐人寻味的品质，也彰显出道家文化独特的魅力。比如小说《水随天去》有禅味，同样充满着道家思想的精神旨趣，“父亲”的弃世行为，既是一种生命自适的体现，也是一种返还于璞、追求精神自由的体现，暗含着道家文化玄妙的特点和追问生命本真意义的诉求。再如小说《寻找丢失的眼睛》也抒发了道家情怀。小说的味道并不在于表现男主角吴子善从“有欲”到“无欲”的过程，而是他回归自然、回归本我的情态和选择更令人折服，他在女友李小红面前坦然接受一切，坦然放下自己，心里毫无芥蒂，举动安详超然，他的睡姿“初看是男子汉，再看呈女儿态；一会儿是吴子善本人，一会儿是整个宇宙”。这文字，这胸襟，接近人性的深层，探寻本真的回归，与道家思想的底蕴颇为契合。

当然，郭文斌的小说中所折射出的文化蕴涵，有时是儒、释、道三家思想互为融合的。比如在小说《水随天去》中，儒、释、道文化精神都有所体现，或者说，儒家思想的人间伦理情怀、禅家顿悟的超脱以及道家超然逍遥的思想融会贯通于一篇小说的叙事中。“父亲”的生命哲学与人生观念于三家文化的长廊里御风行进，世界成了人心安详如意的镜像。

同样，《农历》的叙事话语中也流露出对儒、释、道三家思想的钟爱。在小说里“父亲”较多地以儒家的文化信条教育“五月”“六月”两个孩子，而“母亲”讲给两个孩子的多是佛教的文化故事，比如《元宵》中“娘说，知道荞麦是咋来的吗？五月和六月说不知道。娘说，这荞是一个姑娘的名字，她是观音菩萨的一个女弟子，非常漂亮，也非常聪明，却是个瞎子……”又如《龙节》里娘唱到的“身是菩提树，心如明镜台，时时勤拂拭，莫使染尘埃。”而一些民俗，如“上庙”“拜玉皇大帝”“敬神”等内容则为道教文化的体现。尤其是小说中散发出的节令韵味与儒、释、道三家文化在民间不同的印记和变迁息息相关，更平添了一种民族艺术精神正在鼓动的力量。

二

在传统文化的构成体系中，民俗文化是其重要的组成部分，也是经典文化在民间的延伸与“变异”。郭文斌的长篇小说《农历》之所以被肯定、被聚焦，甚至可以说被推举为茅盾文学奖提名，就在于那细致入微、充满民间情怀的民俗文化的书写被阅读者所认同。进一步说，《农历》的特色、《农历》

的价值，就在于民俗文化的完整性文学呈现方面，而不在于文学叙事的故事性和宏大性。全书以农历15个传统节日设目，分别是“元宵”“干节”“龙节”“清明”“小满”“端午”“七巧”“中元”“中秋”“重阳”“寒节”“冬至”“腊八”“大年”“上九”，正好构成一个年度的循环。全书通过“五月”“六月”两个孩子的视角，以“小说节日史”的方式呈现中国汉民族民间文化的根基和潜流，展示以汉民族为主体的民族生活的民间传统与民间风俗的多彩风貌。比如“元宵”要捏荞面灯盏，而且要分别捏成一家人的属相，要吃荞面长面，要献月神；“干节”里要燎干，燎完要扬熄灭的草灰，念一种谷物的名字扬一锨灰，根据火星的明亮大小看当年成什么庄稼；“龙节”不能动针线，要剃头，要吃炒豆子；“清明”要给祖先上坟挂纸、祭奠祖先；“小满”要去龙王庙给麦子稳穗，或者在麦垄里铲些苦苦菜下饭吃。“端午”要采艾，佩戴香包；“七巧”要给牲畜“过节”，拉它们出去游逛；“中元”要敬神唱戏；“中秋”要吃月饼，献月神；“重阳”要登高抢山头；“寒节”要给故去的祖先烧送寒衣；“冬至”要吃扁食（饺子）；“腊八”要喝粥、供粥；“大年”要上庙、贴对联、拜年等；“上九”要耍社火、唱皮影戏。生活画面可谓林林总总，富有民族繁衍生息的厚重感。亦可从中看出农业社会时代以汉民族文化为主体的民间文化的丰富性、杂糅性、包容性与有序性。《农历》对这些民俗文化的叙写完整而细致，风趣而不失典雅。小说通过孩子过农历节日的感受，并通过孩子之口追问节日里一系列问题与获得答案的叙事策略，展示出民俗文化的丰富内容，揭示出民间信仰的育人功效。叙述口吻认真而庄重，叙事过程有序而灵动，表现出以汉民族文化为主体的民俗文化在乡间家庭的自觉传承与延续的文化人类学意义。也可以说，《农历》所体现的民俗文化结构其实是农业社会时代所具有的乡土秩序与文明形态，包含的是回溯历史的沧桑感，牵连的是传统文化的起承转合，其中的变迁仅仅用“感喟”与“无奈”是不足以形容的。当然，小说毕竟在呈现民间民俗文化的状貌，其价值取向自然与经典文化形态有所区别，所以，叙事内容免不了一些封建迷信的存在，于此，我们既不能怪罪郭文斌的笔法，也不能讥讽民俗文化的低级，这是发生在我们历史长河中的农历事实，而这农历事实才是我们应该剖析的文化遗产。

客观地说，郭文斌的长篇小说《农历》是以小说元素打动人的，而不是以民俗文化的讲稿著作说服人的。它以文学的语言展示了农历与乡土人物感情世界的密切关系，并由此使读者品尝了农业社会中农历的文学味道和文化味道，因而，《农历》承载着浓厚的乡土情怀和人文情怀。并且，有些民俗文化在当今的生活语境中已无法完整地复现，有些充满文化意味的仪式已不具有可操作性，但《农历》将不能忘却的记忆用文学作品的形式书写出来，附着了一定的文化底蕴，从这个层面讲，郭文斌的《农历》是一部折射民俗文化传统的小说。

三

对传统文化的自觉体认与文学表达，使得郭文斌的小说与传统文化思想之间形成了一定的亲和关系，或者说，审美趣味与文化力量的联合使他的小说既富有文学性，又富有文化性。从表达效果看，传统文化的潜滋暗长与文本艺术的有机结合，必然孕育特殊的文学表达效果。由于小说的底蕴中有儒家文化的道德力量与教育意味、佛家禅宗文化的超脱与空寂、道家文化的逍遥自然，因而，小说既有脉脉的伦常宽厚情愫，又有嬉笑自如的民间情怀，还有花自飘零水自流的雅量风致。儒家文化的体现让郭文斌的小说道德力量深厚、说教意味明显，主题思想更符合现实功用；佛家文化的渗透让他的小说风格与思想显得神秘、飘然、虚空、诗意；道家文化的体现则让他的小说旨趣显得幽深、逍遥、本真，具有追问的力量。整体的融会与贯通，足以显出郭文斌的小说独特的自我面目。而且，传统文化艺术精神的远致高韵也让郭文斌的小说叙事别有风采，比如道家自然之趣的浸染使小说的描述颇有境界，如《寻找丢失的眼睛》中有这样一段描写：

李小红冲完澡出来，屋子里弥漫了一种香味。她到厨房一看，吴子善正操勺做饭。她动手帮他，他没有拒绝。还是素菜，但多了许多品种。有比较贵的蕨菜，刺五加等，还有许多是她叫不上名字的。还是那样优雅，却比上次多了些轻松，多了些高贵，一举一动有种御风而行的潇洒。吃饭时，他不时地给她夹菜，神态中有种父亲的慈祥和平和。

再比如禅味十足的语言拓展了作品的审美空间。如《陪木子李到平凉》中有这样一段描写：

几年之后的今天，我坐在书案前，再次翻阅木子李的《岸边的日子》，当我读到第135页：我们被一条河拦住，河水汤汤，车子不敢贸然开下去，我和北隐下河，脱鞋，试水深浅……站在此岸，用青草擦鞋时，我突然看到，河水以一种少见的从容向远方流去……那玉红的名字再次从我的脑海中跳了出来，就像土匪。

这些画面，虚实结合，现实的事物和幻想的图景同时出现在主人公和读者的面前，往往给小说蒙上一层神秘的梦幻色彩，既有道家庄子《逍遥游》的放达，也有禅宗不即不离的感悟，为读者展开想象提供了平台，也提供了天高云淡的意境。

当然，这禅味，这超然，在给读者带来愉悦的同时，也带来一定的阅读迷惑：尽管作品中对人生意义的理解和对人的命运的独特把握得益于“禅”、得益于道，但郭文斌可能面临着较大的困惑，即“表达什么”和“表达的必要与否”以及“怎样表达”“度的把握”的问题。“因为谈禅谈到最后，谈到极致就是空，就是清风明月，你都清风明月了，红尘滚滚中的人心的闹闹嚷嚷乱七八糟就找不到了。我觉得谈禅可以适可而止，作为一个审美的取向，它会使我们看不清很多东西”。这正是著名评论家李敬泽对郭文斌的创作提出的疑问。李敬泽的意思是，一个作家的内心如果空了，如果清风明月了，红尘中的一切纷扰喧嚣都不复存在了，那他还写什么，没有什么好写，又有什么写的必要呢，即使能写出来，也会显得气力弱，不够猛烈。但我们知道，李敬泽谈的只是如果，尘世中的我们，心灵是很难达到至空和清风明月的，作为一种高度它确实存在于我们的心中，但要实现它，还有太远的距离。所以在这种“如果”和“实现”之间，郭文斌还有很长很险的路要走。这正是他所面临的挑战和下一步突破的可能性所在。同样，以表现民俗文化见长的郭文斌的小说，带来的是深长悠远的历史沧桑感，生成的是幽幽杳渺的民俗情结。然而，郭文斌在深入民俗文化后取得小说成绩的同时，正像《农历》

北京研讨会上某些评论家言说的那样，也应该深入思考传统文化价值与现代文明价值如何能融通创新等更多更深层次的问题。如果于此有文学上的新突破与新表现，当是时下价值观有些混乱、传统风俗有些断裂所造成的文化危机感的最好的文学收获。

传统文化博大精深，其审美艺术精神更是中国作家独特的文学资源和精神财富。郭文斌创作的一些小说回归传统文化的长河中，很自觉很悠长地领悟传统文化的魅力并进行了文学表达，也取得相当程度的表达效果。然而，现代化是一个不可逆转的事实，现代化产生的现代性虽然给人们带来新的困惑与焦虑，但同时也传达给人们自由、自醒与进步的召唤声音。作为作家，在认识中国传统文化资源时，一方面要对其中的积极、和谐、美善的要素进行发扬和表现，以增强忧患意识、责任意识、担当意识和创新意识，另一方面也要对传统文化中落后腐朽的成分进行反思与批驳，如此，则可把握传统文化的精神实质，游弋于中国传统艺术精神的长河中而自新。

[本文为教育部人文社会科学研究规划基金项目《新时期宁夏小说评论史》，项目批准号：11YJA751064]

（载于《文艺评论》2012年第7期）

重温故乡

——郭文斌的小说创作

段崇轩

身在城市心系故乡

如同众多的读书人一样，我也是一个出生成长在农村，尔后读书工作，进入城市的人。在城市打拼生活的时间远远超过了在农村生活的时间，故乡已变得越来越模糊而遥远。但睡梦中浮现的却常常是儿时的农村，生活中依循的往往是过去的习惯，譬如吃饭穿衣、说话行事。面对五光十色的城市、回望面目沧桑的故乡，怎样理解、评价它们，总是让人困惑不已。读罢郭文斌的小说，我突然在困惑的迷雾中看到了一片蓝天，听到了一缕天籁，对置身其中的城市有了新的认知，对淡漠的乡村有了新的感悟。文斌比我小几岁，出生在 20 世纪 60 年代的西部农村，“文革”伴随着他的童年和少年，之后他考上大学进入城市，从人民教师到文学编辑，继而成为一名作家。他的人生经历似乎与我相似，养育他的宁夏固原地区与我的故乡晋北农村，同属中国北部，从地图上看距离并不遥远。他的小说拂去了城市眼花缭乱的物质表象，揭示了现代人躁动、空虚、变异的精神状态，表现了他们对心灵彼岸的追寻。他的小说拨开了农村厚厚的政治历史尘埃，以一颗纯净、鲜活的童心，重温和发掘了乡村文明之美、乡民人性之美，表现了作家呼唤真善美的情怀。这些描写，无不给我感动、震动和启迪。他是以佛家的慈悲之心和禅宗的“悟性”去写城市和乡村的，我不敢说他的解读、领悟有多少真理，但他全新的眼光、鲜活的思辨，却给我们敞开了另一扇窗户，展示了别一样的世界。

评论家对郭文斌的小说，往往看重的是他的乡土小说，而忽略了他的城市小说。我以为，城市小说同样是郭文斌创作中的重要组成部分。只是这一部分由于作家同城市心理上的距离，写得有点清浅、粗放罢了。郭文斌的城市小说与乡土小说创作始终是并行发展的，有时会出现交错、糅合现象。只是到2004年《大年》的走红、2006年《吉祥如意》的获奖，让文坛给他戴了一顶“乡土作家”的帽子。

在郭文斌的三十余篇中短篇小说中，城市题材的有十多篇。在这些作品中，作家没有过多地去展示日新月异的现代化气象，而是突出描写了生活在城市中的人们，他们的生存、精神、情感状态，特别是他们的爱情、婚姻等情状。在作家看来，现代城市、机关生活、商界竞争等，已耗损、麻木、扭曲了人们的精神和情感，使他们处于一种“非我”之中。他们只有在回到自然、故乡中才能得到解脱、安详。这种感受和认识，一定是作家的一种切肤体验，代表了一些从乡村走进城市的知识分子的心理。而对城市的厌倦、对现代化的隔膜，必然会驱使作家转身回眸、重温故乡。也就是说，身在城市才使他回望故乡，而乡村经验又使他对城市有了深切的洞察。乡村是他心中的绿洲，是他观照世界的一个基点。

郭文斌的城市小说，有多篇是由系列小说构成的。这些篇章有一个较集中的主题，每篇短小精粹，描写灵动，犹如一幅幅速写，虽说不上精深，却耐人寻味。《小城故事》一组九则短篇，描绘了城市中形形色色的众生相。譬如机关小干部的无所事事，用说黄段子、打牌、互请吃饭等打发日子，用“预谋”的“计策”调戏女孩子来寻找乐趣；譬如朋友之间搞“恶作剧”，致使感情很好的夫妻之间发生误会，造成了丈夫对妻子的误伤。在这里，城市的生活、城市的人生，都是虚无的、颓废的、病态的，它表现了当下城市人的一种精神病相。《雪迹》一组三篇系列小说，用荒诞的手法，写了城市中的一些怪诞现象。如在失眠者的眼中，老师和学生都在睡梦中办公上课；如博学的生物教授，居然不认识从国外带回来的水果。这些小说的主题是模糊的，作家似在表现社会人生的复杂、神秘，人自身的脆弱、无奈和不能自主。

城市人的情感、爱情、婚姻生活，是郭文斌着力表现的领域。《爱情故事》中的四个短篇，叙述的都是令人感伤的爱情、婚姻故事。不管是女中学生对军训教官的“单相思”，还是乡村教师同女学生的“师生恋”，抑或两个大学同学整整七年的“苦恋”，最终都没有结果，甚至是一枚苦果。究竟是人的问题，还是社会的问题，作品给我们留下了广阔的思索空间。《忧伤的钥匙》描述了一个凄美动人的爱情故事。语文老师荻和学生莉心灵相通、志趣相投，产生了刻骨铭心的爱情。他们的爱是圣洁的、美好的，但又是有悖于常理和现实的，因此是不可能实现的。他们因爱得深而发生误会、互相折磨，最终只能痛苦地分离。这是一首纯净而美艳的爱情诗篇，其中蕴含着作家对现代人爱情的探究与反思。

每个作家都会寻找自己的精神栖息地。既然城市无以安置自己的灵魂，那么回归自然和乡村，就成为他们必然的选择。郭文斌有两篇以旅游为题材的小说，《陪木子李到平凉》和《世界上最好看的手》，平凉凝重的震湖和古堡，青海奇丽的可可西里和昆仑雪山，再加上纯朴而美好的爱情故事，使久居城市的年轻人得到一种难得的精神解脱，成为作品意味深长的主调。而在《五谷丰登》里，作家索性把城市的过年和故乡的过年糅合、对比起来去写，城市的年过得是如此草率、虚假、匆忙，而故乡的年过得是那样隆重、虔诚、悠长。城市的年带给人们的是一种烦躁、紧迫，乡村的年赐给人们的是一种安详、欢乐。于是作者在文中说：“我打开电脑，开始写这些文字，以一种书写的形式温习大年，我没有想到，它会把我的伤心打碎，把我的泪水带出来。”这是一个深陷城市的乡村游子的典型心态。

永远的民情风俗

在现当代文学史上，乡土或乡村小说有两个生生不息的创作潮流，一个是以鲁迅、赵树理、高晓声为代表的现实主义创作，另一个是以废名、沈从文、汪曾祺为标志的抒情主义叙事。很显然，郭文斌承传的是后一种文脉，我还以为，他借鉴了孙犁小说追求“美的极致境界”的思想。他的乡土小说，有两个重要特点，一是以童年视角切入，二是以节日民俗为表现题材。童年视角使作家以一种纯净、轻松、敏感的心态进入故乡世界，而节日民俗更凸显了西部乡村的地域特色、民间文化。李建军说：“在郭文斌的‘诗意化叙事’的作品中，给人留下深刻印象的，是那些以儿童作叙事对象或从儿童视角展开叙事的小说。”郭文斌小说的重要贡献，就是以作家一颗纯粹的童心，回到曾经的时代，重新体验那时的社会生活、世道人心、民情风俗以及儿童自己的游戏世界，并发掘出民间社会丰饶的思想意义来。当然世事无常，郭文斌重温的未必是当时的本真状况，他确实是有意淡化了乡村苦难的一面，但也无疑保留了当时的诸多情状和特征，引领我们回到那个朴素而温馨的童年时代。

郭文斌的童年正值“文革”时期。但作家没有把笔墨停滞在乡村社会的政治变动上，而仅仅把它作为一个背景，却把笔触更多地倾注在乡村社会的日常生活和儿童们的自娱自上。《学习》写满囤、满年弟兄俩想摘下老院里梨树上仅存的一颗酸梨子，爬上树顶摘不到，挖来新疆杨树苗打不下，偷了生产队葵花秆捅不掉，最后只好强咽口水留到明天再说。弟兄俩的顽劣、机智、大胆、执着等性格写得活灵活现。但从他们的唱歌、对话中，我们可以感受到是“文革”年代。特别是满囤从树上摔下来自觉要死，央求弟弟给他从生产队掰一穗玉米吃了再死的情节中，我们一下子恍然大悟：原来弟兄俩千方百计要弄下这只酸梨子，是因为他们的饥饿。小说的内涵突然间丰盈起来。《玉米》写的是“文革”时候，大人们搞农田大会战，留下红红、东东、小红等几个孩子在家里玩游戏、写作业。什么“荞面搅团团”“迎新娘”“医生看病”……他们一边念叨着最激进的革命口号，一边玩着最传统的乡村游戏，构成了一幅斑驳而奇妙的反讽图画。小说结尾写已经成大孩子的红红，因饥饿而去偷生产队的玉米，被看田人抓获并强奸，骤然间给这个童话世界投下了巨大的阴影。作家对那个荒谬时代的揭露，对那些可爱孩子的同情，表现得含蓄而深切。

写农村孩子性意识的萌芽、生长，可以说是郭文斌的一个“绝活”。我们似乎再没有看到比之写得更微妙、传神的了。《门》里的小男孩如意，穿着母亲给他做的新棉衣去找隔壁的小伙伴杏花玩儿，大门关着，他们隔着街门说话、在门上画画猜谜。如意说的“天比张寡妇的尻蛋子还冷”的话，来自他的父亲之口；如意在门上画一个奶让杏花猜，最后说“我想在你的奶上暖一下手”，同样来自他的父亲的“启示”。乡村的风俗、大人的“暗示”，使他们自然而然得到了性的启蒙。《快乐的指头与幸福的纸》写农村女孩子青春期对性的恐慌和想象，“指头”与“纸”就是性行为的暗喻。《雨水》写心无芥蒂的男女孩子们，在玩耍、游戏中，年龄较大的女孩子的成熟，对小伙伴朦胧的感情和性爱，而真正出嫁时候的惆怅和悲伤，写得如歌如诉。郭文斌笔下的性，写得微妙、明净、优美。它是人的一种自然生长，是生命的一种勃发。乡村社会为它提供了广阔的空间，民情风俗中的渗透，大人们的身教言传，自然环境的便利与多样，无不培育着一种朴素、健康的性意识和性能力。与城市人那种隐晦、造作的性爱形成了鲜明的对比。

民情风俗是乡土小说的重要元素。汪曾祺说：“我以为风俗是一个民族集体创作的生活的抒情诗。”他认为：“风俗，不论是自然形成的，还是包含一定的人为的成分（如自上而下的推行），都反映了一个民族对生活的挚爱，对‘活着’所感到的欢悦……风俗中保留一个民族的常绿的童心，并对这种童心加以圣化。风俗使一个民族永不衰老。风俗是民族感情的重要的组成部分。”二十世纪六七十年代，在中国北部、西部偏远的农村，民俗作为一种文化“小传统”，顽强地保留、延续下来。在我的记忆中，农村的婚丧嫁娶、农历节日等，就集中地体现了一方水土的民风民俗。郭文斌以一颗赤诚的童心，以一副灵动温润的笔调，逼真地再现了西部乡村的民俗生活和民俗文化，展现了西部乡民的生存和精神状态。

死与生在西部农村是一件重要的、神圣的事情，体现了中国民间“重生”和“厚葬”的文化传统。郭文斌写死的小说有好几篇。《开花的牙》透过孩子牧牧的眼睛，全景式地展现了爷爷死后全家乃至全村人操办丧事的宏大场面，描写了他对爷爷的感情、想念以及对死亡的混沌无知。《一片荞地》以第一人称的叙事角度，精雕细刻了母亲痛苦的死亡过程和“我”对母亲的深情回忆，读来感人肺腑。《三年》以孩子明明、阳阳的视角，写家里为去世的爷爷过三周年，仪式的严格、繁杂、隆重，使懵懵懂懂的孩子受到了民间风俗的熏陶。郭文斌写生的小说有《大生产》，作品以弟弟正月、姐姐腊月为视角人物，写了一个男孩子的诞生，给全家以及每个人带来的紧张、期盼和惊喜。姐弟俩也在这场“大生产”中，渐渐懂得了结婚、生育这些人生大事。

郭文斌最出色的是那些写乡村节日风俗的短篇小说。一年中的四个重要节日他都写了。《大年》以明明、亮亮为主人公，用纪实的手法描述了从腊月三十到大年初一的情景，写对联、蒸花馍、上祖坟、分糖果、拜大年……真实而完整地保留了西部农村过年的内容和程序，不仅具有审美意义，同时富有民俗价值。《点灯时分》写的是乡村的元宵节，姐姐五月、弟弟六月为视角人物。一个普通农家怎样精心地做灯（荞面灯），为守孝的人家送灯，晚上给月亮神献灯。在这一系列活动中，寄托了人们对天地、神灵、人生的美好祈愿，幼年的孩子们也在美妙的节日中长大成人。这种做灯、点灯的风俗，是西部农村特有的。《吉祥如意》还是以五月、六月姐弟俩为主角，中心情节是过端午节。爹、娘、姐弟全家四口人早早就为过节做着买香料、缝香包的准备，节日这天更是忙着做甜醅、插柳条、采艾草等事务。全家、全村弥漫在浓浓的香气里，每个人都沉浸在“吉祥”和“如意”中。作者把节日变成了一首诗。《中秋》自然写的是民间的八月十五，视角人物依旧，小说侧重写了这一天的下梨、吃长面、赏月亮等情景，把天上嫦娥、吴刚的起舞与地上的供拜融为一体，人神同庆，天地合一，把民间的节日写得出神入化。民情风俗是一个民族、一方土地的魂魄，它是美丽的，也是永恒的。

对生活的哲理感悟

郭文斌曾在一篇文章里谈道：他得过一种“怪病”——想来是神经衰弱之类，遍访良医而不得治。后来邂逅一位“高人”，开了一服药，名曰：安详。药剂竟是一个书单：《论语》《老子》《庄子》等。对这些古代经典，他说“再熟悉不过”，后来更是潜心研读，“感觉到心里有一扇扇窗户打开了”，身体心灵都得到了一种从未有过的“安详”。“高人”开列的和郭文斌阅读的四五部典籍，使他有了一种看待社会人生的“慧眼”。他不仅在日常生活中，譬如看到园丁手中的花苗、水龙头流泻出的清水、天上洒下的阳光乃至一个个无言的汉字，会有一种“悟性”产生；而且在他的文学创作中，面对要写的故事、画面、人物等，也会灵感闪现、直抵堂奥，融入他独特的思想、感情和体验，从而使他的小说摇曳多姿、意蕴丰沛。《寻找丢失的眼睛》和《瑜伽》里的吴子善、谢子长，都是城市中的成功人士，拥有令人艳羡的地位和财富，但他们却自觉地放弃名利，去过简朴的生活，不近女色，甚至深入基层去体验艰苦，追求一种清静安详的生活。正如谢子长对瑜伽的理解：“是和自己的本质同在。”学习瑜伽就是要回到人的“无我”“大我”境界。《睡在我们杯里的茶》中的年轻女子徐小帆，历经二次婚爱变故，依然“神态十分安详，并且还带着淡淡的微笑”。因为她具有一种淡定、超然、宽厚的精神人格。《上岛》里的白领男子程荷锄，面对红颜知己李小鹏以及她的关怀体贴、一往情深，虽然心有所动、相谈甚欢，但仍能“抱元守一”、从容自若。因为他已洞彻世事人生，变得无欲无求，面对喜爱的女人，心中涌出的是一种做“父亲”的感觉。这种人物，在当下的城市中自然少之又少，甚至可以说是作家创造的一种“理想化”形象，但他们确实代表了现代人的一种精神探索和追求。

郭文斌的乡土小说则蕴含了作家儒道佛兼容并蓄的思想观念。中国的农村，特别是北部和西部，蕴含着丰富而驳杂的儒道佛思想，这种文化渊源创造了民间的生活形态和民风民俗。因此郭文斌用他的思想眼光观照农村和农民生活，就看得格外深入，保持着一种本真而鲜活的状态。如年幼的六月从给守孝的人家送灯盏一事，与娘探讨孝的规矩和禁忌，同爹谈论孔子“慎终追远”一语中包含的感恩、行善等意思，虽然半懂不懂，但觉得“心里有一个自己的‘懂’发生”。类似描写，都体现出一种浓郁的儒家思想和文化。在郭文斌的乡土小说中，多次写到爹娘和奶奶对儿孙的教育，他们口中不时冒出“慈悲”“行善”“缘分”“轮回”等词语。这些思想在郭文斌那里，不仅是一种重要的思想资源，同时也是一种观察社会人生的思维方法。当代作家的思想构成是极为复杂的，但流行的社会学理念、现代思想等无疑是一种主流。传统的儒道佛思想在一些作家那里则呈现一种碎片化状态，像郭文斌这样有着较厚实的形而上修养的作家还不多见。但形而上作为一种哲学理论，它在解读世界时破译了某个方面，也会遮蔽另外一些方面。这是所有思想理论的宿命。我们在郭文斌的小说中，也看到了这种局限和遮蔽。譬如他在生活的许多“局部”有新的发现，但在“整体”上却显得茫然；譬如对乡村“诗意”的一面表现得很出色，但对乡村“苦难”的一面则有所弱化。这些问题是值得作家注意的。

写意式的人物形象

不论是长篇小说，还是中短篇小说，人物塑造都是一个重要课题。一个作家的创作达到何种高度，人物塑造是一个关键因素。有评论者在谈到郭文斌的一些小说人物时指出“形象简单而又模糊”“没有赋予人物以必要的真实性”。用现实主义文学理论衡量郭文斌笔下的人物形象，这些判断是有道理的。但是，郭文斌塑造的大抵是一些非现实主义的、带有意象色彩的人物，这样的判断就有点不合适了。小说人物类型之多样和复杂，文学理论至今没有梳理清楚。但我以为除那种普遍的性格人物、理性人物之外，还有一种即是意象人物。沈从文小说中的翠翠、孙犁作品里的编席女人，似乎都是这样一类形象。对短篇小说来说，塑造那种鲜明、丰满的性格化人物，其实很难；而刻画一种“神似”的意象式人物，倒是一种明智的选择。郭文斌的创作，注重的是对人物的精神世界、心灵追求的发掘，注重的是对人物的主观感受、直觉领悟的传达，这必然使他的人物带上一种写意式的审美特色。

郭文斌的小说有明显的散文化、诗歌化倾向。作者同时兼写这两种文体。散文、诗歌不大注重写人物，着力的是抒情、意象、象征，等等。这种创作惯性在有形无形中影响着郭文斌的小说创作。对散文、诗歌表现方法的汲纳，使他的小说优美抒情、丰姿绰约；同时也带来了人物淡化、主题散漫的缺陷。这就是有所得必有所失吧。

一个作家写得最好的人物，往往是他最熟悉、最有感情的人物。郭文斌写过不少城市人物，但大多没有深入到他们的灵魂之中，只是急于传达一种思想观念，因此有较多的理念化痕迹。而他笔下的乡村人物则鲜活、有力得多。作家对乡村中的老汉形象颇有感情。《撒谎的骨头》中的耕地老汉，儿子儿媳远在城里打工，与孙女厮守在家，相依为命。耕地老汉为给孙女买新衣服，在野地里捡骨头攒钱，几经艰险、遭受屈辱，微小的希望总是难以实现。作者并没有下力刻画耕地老汉的种种性格，而是突出表现了他坚韧的生存意志和深厚的爱女温情，把西部农民的精神风貌表现得极为动人。《呼吸》里的郭富水老汉，在百年大旱、赤地千里的绝境中，依然驾着即将倒地的黄牛耕耘、播种。牛渴累而死，村里举行隆重的安葬仪式，庄稼不出苗，一遍一遍地播下种子。作者雕塑了一种不屈不挠、顽强抗争的老农民形象。作家对乡村中的女性形象“情有独钟”。《剪刀》是“一曲爱情与亲情交织的生命悲歌”。作品中的女人，对自己的男人和儿子柔情似水，但面对自己无医可治的绝症又表现得心如铁石。“女人是在儿子放学之前动手的，用的就是那把剪刀。”女人的这一举动，使她的人格和生命瞬间得到了升华。一柔一刚两种精神个性，对立而和谐地凝聚在一个妇女身上，体现的正是西部女性的精神特征。《草场》是“一首乡村教育诗”。娘曾经是读书人、城里人，误入风尘又回到村里。她用自己痛苦的失身经历和生活感悟，启发和教育女儿桃花要守住自己，并如愿安排了女儿的婚事，然后溘然长逝。在失败中寻求自新，在生活中感悟“真谛”，把人生的希望寄托在女儿身上，这里的娘属于乡村女性中的“智者”。《我们心中的雪》是一个“优美而感伤的早恋童话”。儿时的“我”与杏花两小无猜，青梅竹马，度过了那么多难忘的岁月。杏花既是一个漂亮、活泼的女孩子，又是一个懂事、体贴的大姐姐。现在我们却分隔在城乡，有了各自的生活世界。当“我”重返故里，与杏花相聚，“抬起头，正遇上杏花甘甜、满足而又潮湿的目光。心就变成一个舌头，一个童年伸向天空的舌头，任凭杏花目光的雪花，落下来，落下来。”在作家温情而怅然的叙述中，一个纯朴而美好的乡村女性形象跃然纸上。

在女人、娘、杏花这些女性身上，不能说没有性格，但并不鲜明，作家重点表现的也不在此。这些女性形象突出的是什么呢？是一种形而上的美的精神、人格、人情、人性，等等，因此具有一种“形散而神聚”的写意特征。

《水随天去》是郭文斌的一篇重要小说。作家以第一人称叙事，怀着复杂的感情，塑造了一个“另类”父亲——水上行的形象。这是一个对世俗生活没有热情、在现实社会常常碰壁的人，是一个渴望自由和孤独的人。因此最终离家出走。在这一人物身上，蕴含了作家对人生意义、出路的探寻，是一个复杂有价值的大写意人物。

在郭文斌的乡土小说中，还有一些特别的人物，那就是常常作为亲历者和叙述者的六月、正月、明明等。虽然交涉有所不同，但都是作品中的小主人公，均出自一个原型。他天真活泼、勤学好思、善良仁义，在物质生活极度贫乏而文化传统博大深厚的乡村世界中，一步一步地长大、懂事起来。无疑，这是作家的一个自传性形象，同时也是作家的一个艺术创造。值得我们深入探究。

（载于《南方文坛》2010 年第 1 期）

论郭文斌文学创作的特点

李 贤

如果从1997年郭文斌在《朔方》上发表小说特辑算起，他的文学创作已经有20年的历程。从2000年开始，郭文斌的创作进入爆发期，小说、散文、诗歌都取得了不俗的成就，长篇小说《农历》获得第八届茅盾文学奖提名，中、短篇小说也多次获奖，散文集《点灯时分》出版后，获得众多读者的好评，《寻找安详》《〈弟子规〉到底说什么》被认为是“填充了社会转型时期终端价值观的空档”。他的文学作品有鲜明而强烈的地域性，但又超越了地域文学的意义。他在民间文化与时代精神的双重影响下创作，以现实主义的写作手法为主，也有先锋文学的尝试。他用诗化、散文化的语言描写西部民间与风俗，在对传统文化的叙述中弘扬传统文化精神。追求文学的社会价值是由他的创作观所决定的，这一特点几乎贯穿于他所有的作品中。他在多样化的文学创作中形成了稳健的写作风格，大致有以下五个特征。

一、以表现民间传统为主旨

郭文斌的创作内容既有对宁夏人民日常生活的诗意叙述，又有直接以传统风俗与经典读本为主题的阐释，这可能与他的“民间传统比经典传统更牢靠”的观点有关。他写西部农村的生活，文本中的自然环境与生活风俗是地域性的，作品中的人物说着当地的方言，甚至是不同的人说着同样的方言，因此，他的作品可以理解为地域文学。如果再系统地阅读就会发现，贯穿他作品的线索是清晰的，这就是对民间传统的不同演绎。而民间传统是不能用地域性来限定的，尤其是隐含在其中的民间文化，他文本中的民间文化并未局限在宁夏之境。也就是说，在郭文斌的创作系统中，有一个相对完整的民间文化体系，其作品中的人物都受这一文化体系的影响，他们秉承着传统文化中的美德和谐地生活着，作者在作品中营造了一个祥和、温暖的存在空间。即使是写《玉米》《剪刀》这样苦难主题的小说，郭文斌的关注点依然放在“善”上，苦难因人性的光辉而削弱，形成了“含泪的笑”这一独特的情感体验。这可能就是作者追求的人性理想，或者说理想的人性。无论是写苦难还是写非苦难的日常生活，无论是写乡村还是写都市，他总能将传统文化的要义渗入其中，或是文尾点题，或是借主人公之口说出。

中华民族传统文化的一大特色就是厚德载物。孔子以“礼”释“仁”，认为“仁”与“礼”是相互制约、相互统一的，而两者的统一就是“德”。郭文斌的作品不断地解读着“仁”与“礼”。“德”是他文本中出现频率较高的一个字。文本中的人大都能以“德”自律有序地生活着，处处体现了“礼”，这在家庭伦理中得到较为完整的表现。这一理想的文本环境与当下的影视剧和同类题材的创作相比，有其现实的教育意义。中国传统文化的最高境界之一是和谐，每一个事物都应按照其自身的规律自然地发展。他以文学的方式阐释了这一境界，他的散文强调人与人的和谐、个人自我身心的和谐及人与自然的和谐。在《布底鞋》中，“灯下弯成一张弓的母亲”的形象与朱自清《背影》中父亲的形象相似，作者引申出“真正的监督和鼓励是无声的”，将个人的情怀上升到“大我”的高度。而“农历”作为中国传统的历法本身就包含着天、地、人之间的关系，是一种人与自然的和谐。在此意义上，具有地域文学特征的民间文化有了普遍的意义。郭文斌对经典读本的解读和对日常生活的叙述是相互参照、互相解释的。即使是早期的一些个人化、较为感性、先锋性的作品，也渗透着“理性节制情感”的原则，这“理性”之源还是“礼”。

二、以儿童视角为主要叙述方式

“在文学方面，我们所要求的从来不是原始的事实或事件，而是以某种方式被描写出来的事实或事件，从两个不同的视点观察同一个事实就会写出两种截然不同的事件。”文本的叙述视角直接影响表达的效果和读者的阅读体验。郭文斌的创作大都以儿童作为故事的讲述者，以孩子的眼光对事情的是非曲直进行判断。有时是两种视角交叉进行，通过从儿童到成人再到儿童的角色置换，在两种视角的对比中展开叙述，打造出一个较为别致的文本环境，形成一种陌生化的效果。《开花的牙》借放放和牧牧两个孩子的视角写人的生与死这一主题。“要是有几百个爷爷就好了，一天死一个，那就会天天吃上献瓜瓜。”“放放说爷爷乘着白仙鹤上天了。”“他还是不明白，问，死了还能活过来吗？他没有想到娘会非常紧张地一把将他的嘴捂住。”孩子不知“死”是生命的终结，将这一生命现象与“吃”相联系，爷爷在孩子心中是永远的“生”。寻找不到爷爷的孩子看见“爷爷在开花，一片一片的”。这篇小说的主题是沉重的，地域民俗是情节展开的背景，如果以成人的视角来写会是压抑的。儿童视角的运用淡化了死别的悲痛，因为种种礼俗而有诸多忌讳的丧葬在孩子们的眼中变成了一件“好玩”以至于有点期待的事了。这样，整个文本呈现出一种悲而不哀、向死若生的情感氛围。“儿童用一种未受熏染的眼光观察每一件事情，功利因素对他来说是陌生的，他们凭借敏锐明澈的眼睛，按照本来的面貌记录一切事物。”以孩子的视角观察事物避免了成人的价值判断，而儿童纯真的言语在很多时候又恰好道破了人生的真相。在大智若愚与不谙世情的感悟中，后者的艺术力量更耐人寻味。

他的创作没有单一的儿童视角，始终有成人的价值判断作为参照，以“看见的”表达“看不见的”，延缓了文本的叙述节奏，形成一种思维的变频。读者在阅读时会不自觉地转换思维，文本的留白不断被填充，文本的意义在不断转换中充实。他的散文和诗歌中也有儿童视角的运用：《一片荞地》和《永远的堡子》写母亲形象与母爱的深沉及失去母爱的悲痛，以“我”的成长为主线，极具感染力。《一只手拍手的声音》从诗题到诗境都很有画面感，“灯下，小孩看见墙上有一只凤凰”。结合文本的意境来看，他的创作不是一般意义上的儿童文学，更多的是一种写作技巧，这种写作技巧类似于鲁迅、萧红等一些作家作品中的儿童叙事，郭文斌将这种技巧自如地运用于多种文体中。

三、诗化、散文化的语言风格

《潮湿年代》是一本诗集，也是一首诗的名字。“雪”

是他诗歌中出现最多的一个意象，被赋予了多重意义。《一片雪地》是诗集的第一篇，也是最具风格的一篇，散文诗的形式，由 29 个小节组成，或是一行字构成一节，或是一段话构成一节，每一节都注重意象的选用，每一节都有单独的意境，而整首诗似乎又没有统一的主题。除了“看着，千万不要去碰它”与“雪”稍有联系之外，再也找不到关联处，以散文化的语言表达了朦胧、晦涩的诗意。《潮湿年代》一诗化用了戴望舒诗歌中的意象，又凝练了一些生活场景为意象，整首诗歌就是一个意象群，而诗歌语言却是散文化的。诗歌本是语言凝练的艺术，他的这种寓无形于有形、抽象性的诗歌创作体现了他创作风格的多样性。相比较而言，他的散文“闲话风”一类的居多，“独语体”的较少，或是描写生活场景，或是表达个人感悟，大多数是简洁、质朴、直白的语言风格。《点灯时分》详细描写了母亲的荞面灯：“灯盏拳头一般大，上面有一盏芯，盛得一勺清油，捻子是半截麦秆上缠上了棉花。”以凝练通俗的语言描绘出一幅可感的画面，他散文中这样的生活场景很多。虽然一个作家的创作风格具有多样性，语言特征却具有相对的稳定性。考察其他作家的作品可以发现，作家前后期创作风格可能会有明显的变化，而语言风格的差异却较小。诗化、散文化的语言是郭文斌创作的明显特征，这种种的“不像”恰好形成了一种风格。

他的小说文本似乎没有现实主义文学作品的逻辑性，但有着内在的一致性，呈现出“一种小说特有的随笔艺术”。《农历》是一部有着散文风格的小说，以漫不经心的内在情感节奏叙述，让说着方言的五月和六月背着古诗词或谚语歌出现在读者眼前，整个文本被一种浓郁的民间文化氛围所包围。对于熟悉当地民俗的人来说，会觉得真实；而对于不熟悉的人来说，会觉得好玩，拉近了五月和六月这两个主人公与读者的距离。因为是以孩子的视角叙述，语言上就不得不以孩子的思维为出发点，写孩子可能会说的话，一些看上去没有逻辑性、随意性的日常对话被写入作品，甚至还有同样的句子在不同章节中出现，单独来看有点费解，但从整体看，就会发现他的这种散文化的语言风格体现并兼顾了小说文本内在逻辑与情感的一致性。

四、虚实相生的哲理体悟

这一特点由他作品中的意象所决定，深沉的情感隐藏在奇特的意象群内。他的散文是在场景或事件的白描中将感悟升华，而在他的小说中，有几篇是具有先锋文学特征的。《陪木子李到平凉》风格的特别显而易见，从两道思考题进入正文，文本时间与故事时间交叉或呼应，以儿童的视角写那玉红如何影响一个少年的成长。那玉红是“我”的精神动力，青年时期的"我"始终是远远地遥望她，并把她留在梦境里，工作后有过短暂的偶遇依然无交流，甚至"我"给她寄过一张名为"站台"的贺卡，再次去寻找时却得知她自杀了。文本结尾处把那玉红比做"土匪"，温馨美好的记忆与现实的突兀交织在一起。"那玉红的名字再次从我的脑海中跳了出来，就像土匪。"这个比喻出乎读者的阅读期待，两者有可比性吗？那玉红与土匪唯一的共同性是两者都成为了历史，都见证了时间的变化，"河水以一种少见的从容向远方流去"。借此，作者含蓄地表达了人存在的意义，时间存在的意义，甚至还有理想的失落与无奈。《水随天去》《我们心中的雪》《睡在我们怀里的茶》也是短篇。《水随天去》的结尾留下了《边城》式的疑问："去年秋天，一位笔名叫水上行的作家离家出走，为人们留下了无尽的猜测。"小说到此结束，故事自此在每位读者心中展开。《我们心中的雪》看上去是写实，实际上是围绕一个中心意象"雪"进行叙述，象征着童年纯洁的情感，也象征着因长大而失去的某些品格。《睡在我们怀里的茶》写两性之间的情感，以"茶"为喻。这几篇小说都没有传统意义上的人物特征，作者好像是要刻意淡化个体形象，没有准确的性格描写，也没有细腻的内心刻画，散文化的语言，于淡然绵长中娓娓道来，强调的是一种现象和故事本身，而不是一个人，试图在这些故事中发现并解决一些普遍而永恒的问题。作者这一类型的作品，文本叙述是多种人称互换，结尾大都是开放性的。

《农历》是他历经12年创作而成的，被认为“是一部以美学方式探讨中国农村传统生活方式的长篇”。它由15个短篇组成，写了15个农历节日。这部小说没有情节的统一性，主题在这里被高度抽象出来，所有章节都贯穿着一个共同的主题——农历。这15个节日，不仅仅是季节的更替与农业生产，不仅形成小说文本内在隐秘的逻辑，还有生命的形成，以及作家对天人和谐理想状态的探究。表现哲学的感悟可能是作家创作中无意识的追求，与一般现实主义作品相比，郭文斌创作中的儿童叙述视角与散文化的语言风格在形式上将这一层面隐藏了。

五、弘善扬美的文学价值观

郭文斌不止一次提到小说的时代价值：“首先是善，然后才是真与美。”这一点是理解他创作的关键，也是走进他文本世界的重要途径。作家的创作观决定了文学作品的整体风貌，把民间文化及经典写入文本是一种继承和创新。郭文斌是一个有着社会责任感的作家，强调文学的社会价值，体现了文史一体的文学价值观。“所谓文史一体是指沿着文学与历史（政治）一体化的方向建构和进行价值取向的文学价值观念体系。它的核心是把文学活动纳入具体历史活动之中，以文学对现实的实际效用来评估它的价值。”寻求作品的文学性、时代性与价值性的统一，几乎是每位作家的追求，文学的意义及价值是任何时代都不能回避的话题。郭文斌的创作历程体现了他对这一问题的思考。他早期的作品较多关注个人化的层面，注重文学技艺。1998 年，他开始将创作题材转向传统民间文化，弘扬传统文化中的善，发现民间日常生活中的真与美，将实现作品的社会价值放在首位。这一变化与时代主流思潮有密切的关系。郭文斌以文学作品解读经典，以文释文，期望传统文化的精神得以传承。因此，读他的小说有时会有一种说教感，大段的古典或民间诗词被引入文本，这些诗词用来阐释“仁、义、礼”，以及如何做到“善”。他的整个创作大都围绕“弘善扬美”这一理念，追求文学的社会价值。他在写《农历》时将其定位于“父母推荐给孩子读的书，孩子推荐给父母读的书”，他的小说弘扬“善”，他的散文传播着民间传统文化，随笔集《回归喜悦》《寻找安详》更是试图以文学疗愈时代中不安定的心灵，或者给忙碌疲惫的人以安慰。

结 语

以上五个方面是对郭文斌文学创作的一个宏观概述，还没有涵盖他创作中“个人化”的一面，特别是对他的诗歌还没有展开论述，《潮湿年代》这本诗集的艺术成就隐藏在他的小说与散文中，还没有被充分认识。郭文斌的文学创作涉猎广泛，众体兼备，将之置于中国当代文学作品和文学思潮中考量，会发现他创作的前后期存在一个明显的转变，不追随思潮而写作，却能在思潮中发现写作的另一条道路，始终注重文学的社会价值。先锋文学特征的创作与现实主义的创作形成了他作品风格的强烈反差，这体现了作家深厚的文学素养。儿童视角的叙述方式减缓了文本的节奏和沉重的道德判断，成人的价值观以对比的形式出现，形成一种“互文”的效果。受创作对象与文学观的影响，他的文本语言是诗化的、散文化的，在意象的重叠与重复、重述中表达哲理体悟，并以这种语言风格建构了文本内在的统一性。从地域文学的角度来看，以表现民间传统为主旨的创作打破了地理空间的限制，甚至演绎为“至礼、至德、至和谐”的日常生活世界，超越了地域文学的意义。

[载于《华北水利水电大学学报（社会科学版）》2017年第6期]

在温情中呼唤信仰
——论郭文斌的小说创作

冯静静

20 世纪末 21 世纪初，郭文斌笔下涌现出一批乡土浪漫派作品，这包括描写传统节日的《大年》《吉祥如意》《中秋》等，以及描写死亡婚丧的《一片荞地》《开花的牙》等。作者用饱含诗意与浪漫的笔调绘制出美好和谐的乡土世界，为读者留下美好的乡间记忆。在“天山天池 · 西部写作营”活动上，有这样一段对郭文斌的评论：“郭文斌谈到很多人问中国为什么出不了大师，他认为问题在于信仰的缺失。民间信仰也好，不管哪一种，一个作家都应该给予关注。作家要去思考人与天的关系，与地的关系。郭文斌认为自己的《农历》就是在补这一课。”郭文斌的作品《农历》出版时，他曾说过：“《农历》如一面镜子，让我看到了自己的狭隘、自私。现代人的所作所为是带着冒犯性的，我们没有带着敬畏与尊重在生活。”从这里可以看出郭文斌描写传统节日、民俗的意义所在，那就是呼唤人类敬畏之心，谋求人与天地之间的和谐。

一、敬畏天地

郭文斌描写的传统节日中有许多敬天地的民俗，如描写端午节的《吉祥如意》中写到吉祥和如意一家过端午节的场景：

> 爹和娘已经在院子里摆好了供桌。等他们洗完脸，娘已经把甜醅子和花馍馍端到桌子上了。还有新下来的梨、大枣。在蒙蒙夜色里，有一种神秘的味道。
>
> 爹向天点了一炷香，往地上奠了米酒，无比庄严地说：
>
> “……艾叶香 / 香满堂 / 桃枝插在大门上 / 出门一望麦儿黄 / 这儿吉祥 / 那儿吉祥 / 处处都吉祥……”

这段话详细描写了乡间百姓在端午节时摆供桌敬天地的民俗，从“无比庄严”以及“父亲”念的供词中便可看出老百姓对天地的敬畏之心。然而，这种敬畏难道仅仅源于一种对先辈习惯的传承，或者说是一种对幸福的祈愿吗？不尽然。在我看来，这其中实际上蕴含着一种由内而外的信仰，以《点灯时分》为例，“母亲”说：“假如你是一个好人，一个对世道有用的人，老天爷就不会收去那口气；假如你是一个坏人，一个对世道无用的人，老天爷就让阎罗派黑白无常来收那口气了。”这个“老天爷”其实是老百姓心中的一杆秤，这杆秤称出孰是孰非、孰功孰过。老百姓心中有了这杆秤，就有了自身行为好与坏的标准，也就有了世道的是非与分明。小说中的人物对天地满怀敬畏之心，因为他们相信天地的公正无私。郭文斌强调对天地敬畏，实际上是对人类美好情操的呼唤。

二、敬畏礼俗

千年农耕文明孕育了中华儿女，以血缘关系凝聚起来的一个个大家族长期生存在这块广袤的土地上。日常礼俗是人们在长期生产、生活基础上逐渐形成的，随着历史脚步的前移渐渐凝聚为中华民族的一种传统和习惯。在郭文斌描绘的乡土世界里，人们秉承先辈留下的良好礼俗，家人、亲朋、邻里之间相濡以沫，十分和谐。

《大年》里描写了明明和亮亮一家除夕之夜的情景。文中写到因“父亲”书法好，自明明小时起全村的春联都是父亲写的，因此常常使得自家过年十分匆忙，但父亲对此毫无怨言。当明明、亮亮提议把意外写错的一副对联送给别人时，父亲会呵斥他们；当他们与辈分长于自己的同龄人玩耍并互称哥们时，父亲会严肃地教育他们。父亲的这些行为看似落后、不合时宜，但细细推敲，可以看出这些是对日常礼俗朴素的敬畏之情。这种敬畏强调对长辈的尊敬，也呼唤人性的真、善、美，批判世间的假、恶、丑，对于塑造良好人格有着重要意义。

再以《中秋》为例。五月六月家种了一棵梨树，每当中秋时节梨儿熟时，爹娘便让他们给邻居送一些梨子。当送到村里杏花娘家时，杏花娘从自家拿些花红塞给五月六月，并说“这是讲究”。这种“讲究”实际上代表了一种感恩之心，即对他人所赠之物表示由衷的感谢，并尽自己所能予以回报，表现出乡人朴素的美德情操。

由此可以看出，郭文斌笔下生活着一些淳朴善良的乡人，他们牢记先辈留下的道德训诫，对他人充满尊敬与真情。他们心中荡漾着人类最原始的美德，这种美德源于内心对日常礼俗的敬畏。同时，这些礼俗早已定格在他们心中，寄托了他们对美好人性、美好生活的追求与向往。

三、敬畏生命

敬畏生命，当然是指对生命价值和意义的敬畏，这个价值和意义，是独立的神圣的道德精神。“崇高的人格令人敬畏，因为他是崇高的化身。”从中可以看出，生命之所以受到敬畏，源于超越生命本身的精神之美。郭文斌在作品中表现出对生命的敬畏之心，即对人类美好道德情操的赞颂。郭文斌描写的乡村生命对崇高的人格有着很深厚的敬佩之情，这从他笔下有关丧礼的片段便可看出。《一片荞地》中的母亲生前善良，文中有描述：“庄里人的闲时光差不多都是在娘屋里度过的……娘也不急，总是那么宁静地坐着，如同守护着自己的儿女一样。”当娘病了时，“全庄人几乎停了家事，自动给娘取药、帮哥磨面、收拾丧葬一应物什……如同亲儿孙一样，不辞劳苦”。文中的母亲生前富有爱心，与邻为善、真心相处，所以母亲生病后村里人竭尽所能帮着照顾、料理后事，对待“母亲”就像对自己的母亲一样。这源于对母亲的回报，也源于对母亲人格精神的尊敬。

同时，村里人在母亲丧礼上予以她很高的评价：“人们谈论娘自从进了郭家的门是如何地上敬老下爱小……如何的一副菩萨心肠，就是在最困难的时候也没忘周济揭不开锅的人，就在腿疼得动弹不了时还给庄里几个单身媳妇当义务保姆，一手抱着自己的孙子一手抱着别人家的孙子……”从这段话语可以看出，即使肉体生命消逝后，其精神品格依然为世人所记忆、评判。丧葬礼作为一种古老民俗把对已逝之人的评价纳入其中，显示了人们对生命、对美好品格的尊重与敬仰，表达了人们对生命由衷的敬畏之心。

四、儿童视角下的温情叙事

郭文斌在作品中呼唤人类的敬畏之心，他不是刻板地讲道理、灌输理论，而是使这种呼唤在他的温情叙事中得到淋漓尽致的展现。他笔下的温情叙事主要表现在对儿童情趣的采掘方面。

郭文斌的许多作品都融入了儿童角色，五月六月、明明亮亮等儿童形象令人读来心中生起无限暖意，虽然也夹杂着几许怜悯，因为他们生活在物质资源贫乏的年代。郭文斌带领读者用一颗童心感受西海固，在童心世界里，灾难、贫穷、死亡的灰暗色调均被淡化，正如白烨所说，郭文斌“常常采用童年视角，用孩子的眼光打量一切，用孩子的心灵感受一切，字里行间漫溢着一种清醇而温暖的童趣。可以说，他是在别人忽略不计的生活缝隙发现情趣和寻找诗意的”。正因如此，人们能够在暖暖的童心世界中感受着乡土儿女对天地、礼俗、生命的敬畏之心。

《吉祥如意》中写到五月六月一家过端午节，文中有一段描述，“娘说：‘你看今年这甜醅发的，就像是好日子一样。’六月看看五月，五月看看六月，用目光传递着这一喜讯。五月把舌头伸给娘，说：‘让我尝一下，看是真发还是假发。娘说，还没供呢，端午吃东西可是要供的。’”母亲在端午节时对“吃东西要供”的说法很是坚信，但五月六月俏皮、贪嘴的特征在这里一览无余，令人心生暖意。使得读者在轻松、愉悦的环境中体会“端午进供”的神圣性。

《开花的牙》一文中讲述了儿童牧牧一家为爷爷办丧礼之事。丧礼在常人看来是充满悲痛的，然而在牧牧眼中完全不一样：“牧牧不知道出迎是什么意思……爹倒踏着一双蒙着白布的鞋，穿着长长的白褂子，带着一种很可笑的帽子，手里拄着一个缠着白纸条的柳木棒，弓着腰，鸡啄米一样往出跑。”在这段话中，牧牧眼中的“可笑的帽子”“鸡啄米一样”把丧礼的沉重淡化了，使人在平和安详中感受丧礼庄严肃穆的内蕴。

总之，郭文斌在风俗描绘中充分采掘童真童趣，使得文章流露出暖暖的诗意、暖暖的温馨。在这温暖的世界中寄托了作者对信仰的呼唤。

当下社会，人类急需敬畏之心。敬畏天地，因为在我们心中，天地间有一双无形的眼睛看着人类的举动，是非公正尽收眼底。敬畏礼俗，因为它是先祖给我们留下的良好传统，我们能用它换取人与人之间的和谐相处。敬畏生命，因为生命之所以永恒，源于它的无私与伟岸。我们拥有了一颗敬畏之心，就能以它为自己生活的灯塔，向着美好的生活一步步靠近。郭文斌用温馨浪漫的笔触留给读者许久的感动与回忆，也带来童心童趣下温情的信仰呼唤。可以说，郭文斌留给当下一笔厚重的信仰寄托。

（载于《名作欣赏》2013 年第 15 期）

在回家的文字中唤归西部民间精神
——浅析郭文斌的温暖书写

杨万慧

“一定的地理空间是形成作家创作风格的重要因素，也是作家‘精神原乡’的生成背景”，郭文斌生长在西北，西北的风俗民情、地域风貌以及历史文化是他生活的背景，同样也是他的作品生成的根基和土壤，这些独具地域色彩的风俗民情、地域风物等无不渗透在他的作品中，他的作品也无不张扬着西部民间精神。吴亮在《什么是西部精神》一文中认为西部精神主要表现为“凝重而持重，保守而知足，质朴而沉稳”“重人伦而轻实利，尊奉祖先”“拥有历史绵延感，不易被世俗变迁所动”，同时西部民间精神又是“闭锁型”的，“排外，不求变化，过于倚重人伦关系的净化而压抑人的自然秉性和求新欲……”“总的来说，中国的西部精神是继承的、默契的、无言的、静默的和始终如一的。”西部民间精神渗透在西部人民的生活中，展露在一言一行中。郭文斌用他看似平常，实则不平常的文字书写西部民间的生活方式、风俗习惯和方言土语，张扬西部民间精神，寻找并希冀留住民族之根。作品中的语言、主题、题材、人物、原型、意象、景观等全都是西部这片土地独特的产物，带有浓郁的地域文化色彩。

一、贫瘠中的谨严仪式与苦难中的温暖伦常

郭文斌认为：“‘农历’是中华民族的根基、底气、基因、暖床。”“‘农历精神’无疑是中华民族的生命力所在，凝聚力所在，也是魅力所在。”在长篇小说《农历》中，他带着读者一起郑重地过了十五个农历节日，让读者跟着小主人公五月和六月一起品尝了童年时期的节日味道。随着全球化的推进，西方文化不断冲击着中华民族本土传统文化，越来越多的人开始过“洋节”，而漠视或轻视我们自己的节日。郭文斌身为一名土生土长的西北人，有着西部民间固守传统、“不为世俗变迁所动”的内在品质，他笔下的人物也表现着西部民间精神的内核，他们尊重所有的传统节日，沿袭着祖先的传统，郑重地过每一个节日，珍重节日恩赐的幸福，虔诚地“看住”其中的美好。

元宵节点灯盏、干节打干梢、龙节剃发、清明祭祀亡人、小满时节稳穗、端午插柳采艾、中元报谢父母、中秋团圆赏月、重阳登高远眺、寒节体恤亡人……《农历》中每个传统节日

都被郑重地对待，物资匮乏的年代人们自己捏灯盏，自己打干梢，自己做月饼，庄重而专一地守岁，满怀感恩地品味吃食。在《农历 · 元宵》篇中，五月和六月跟着娘亲手捏荞面灯盏，有给活着的人的，有给亡人的，也有给猫、狗、鸡等动物和各个房间的，每人每物每屋都有属于自己的那盏灯。做灯捻的麦秆也早早地被放在了高处，以免弄脏，灯芯要用新棉花，而且“献月的灯盏必须是最周正的”“供桌必须用清水洗三遍，五月已经洗过四遍；盘子也要拿清水洗三遍，六月洗了五遍；供桌必须放在当院，六月拿尺子量了六遍。在娘蒸灯盏时，他们已经把这些活干好了，这些流程，他们去年就已经掌握了。”每一个细节都不含糊，也不将就，这样浓烈而不敷衍的仪式感，体现了他们对生活的热爱和对生命的敬重。同时，也体现了一个传承，五月和六月作为下一代，节日的每个准备活动他们都带着极大的热情参与其中，而且爹和娘也会放手让他们提前上任挑大梁。

韩少功在《文学的“根”》一文中提出：“真正的西部文学，就不能没有传统文化的骨血。这大概不是出于一种恋旧情绪和地方观念，不是对方言、歇后语之类浅薄地爱好；而是一种对民族的重新认识、一种审美意识中潜在历史因素的苏醒，一种追求和把握无限感和永恒感的对象化表现。”由于工业文明和商业文化的侵袭，人们已经慢不下来，习惯了快节奏生活的现代人再无法静默不躁地感受等待长者写对联的年味，无法静静地待在家里，让灵魂和肉体放松，一寸一寸地感受时间存在与流动，也无法体会在寒节亲手为亡人缝制寒衣的敬畏感。但这些被我们忽视的传统，其实正是我们中华民族的“根”，是乡土中国永葆青春的精髓所在。许多节日是中国人共同的节日，但每个地域的人都有自己独特的过节方式，郭文斌笔下的过节方式都带着西部民间的印记，比如干节打干梢、寒节做寒衣。生老病死、婚丧嫁娶、饮食起用、宗庙祭祀、神话传说等，也带着独特的地域色彩。

身处中华大地的内陆，闭塞的地理位置，同样造就了西部人民保守而知足的内在品质，而那些带有独特地域印记的节俗恰恰在这样的环境下得到了更好地保存。这片土地是贫瘠苦难的，但又是郑重而温情的，郭文斌在“苦难叙事成了主流的时代，对苦难有了一种超然的理解”，书写了这片与苦难结伴而行的土地上的温暖人情，这正是西部精神的情感内化。

谢有顺在《文学的常道》中这样评价郭文斌：“这是一个有根的作家，他的作品，从大地中来，有故土的气息，同时又对生命饱含正直的理解。他以自己那通达而智慧的心，打量世界，所发现的，往往是别人所难以发现的自得和优美。在苦难叙事成了主流的时代，对苦难有一种超然的理解，更能显出作家的宽广和坚韧——这正是郭文斌的写作个性。”由于各种地理条件和历史原因，西部大地焦渴且匮乏，最不缺的似乎就是苦难，但是郭文斌用温暖清净的文字在满溢的苦难中开出了温情的花朵。尽管这片土地匮乏枯黄，但每个人的内心却都像一眼清亮的活泉，丰盈而通透。

在《农历·大年》篇中“爹”写对联时有个字写错了，“六月说，要不重写吧。爹说，那不白白地把一绺纸浪费了。六月说，要不等一会儿给别人家吧。爹说，那不行，咋能把一个错对联给别人家呢，六月你这点不好。说着，写下‘积’字。六月说，那就给瓜子家，反正他家没人去。不想爹陡地停了笔，定了神看六月。五月知道爹生气了。”后来，自家的对联还没写完，托“爹”写对联的葵生就来了，“爹果然放下自家的，给葵生写”。后来葵生从衣服里翻出五角钱，要提前给娘拜年，娘万般推辞拒收，让他留着给孩子买本子。当葵生念叨等将来日子过好了时，“娘说，好着呢，一家人只要平平安安、吉吉利利，就是好，就是福”。葵生离开时，娘又给他装了几个馒头，让他带去给媳妇和孩子。等到分年时，“当爹把炕柜上锁着水果糖的抽屉拉开的时候，五月和六月的眼睛同时变成探照灯”，分到糖后，“五月给娘剥了一个水果糖，硬往嘴里喂”，娘也是各种推辞，想要留给他们吃，后来推辞不得，“就张开嘴接受了五月手里的那枚水果糖。六月心里一喜，口水终于流了下来。娘看见，弯下腰去给六月擦。一边擦着，一边把嘴里的水果糖咬成两半，一半给五月，一半给六月。五月和六月不接受。娘说，娘吃糖牙疼呢，再说，我已经噙了半天了，都已经甜到心上去了。可是五月和六月还是不要”。《农历 · 中秋》篇中一家人收获了后院的八十五只梨，爹让五月和六月分给村上十二户人家，只给自家留了二十五只梨，并跟五月和六月说“这任何东西，大家分享才有味道”。《农历 · 元宵》篇中，娘惦记着卯子家守孝，让五月和六月去给他们送灯盏，当他们到卯子家时，发现“卯子家的面案被各式各样的灯盏放满了。”

因为匮乏，所以五角钱、几个白面馒头、一颗糖、几只梨、几个灯盏都弥足珍贵，但这片土地上的人“物质匮乏而不甘精神平庸”，他们知足，并且愿意与邻里乡亲分享生活的馈赠，让一棵梨树上结出的果实恩养了一个村庄；他们母慈子孝，让一颗糖的甜蜜在几人舌尖辗转。恰恰是因为这样醇厚善美的道德人伦，这片苦难、落后、封闭的乡土才散发着脉脉温情。这样西部式重情轻利的诚挚人情也正是这片土地苦难却不自苦的根由，滋养着盛开在苦难中的朵朵繁花。

二、复魅中的敬畏感恩与枯渴中的隐忍坚韧

《农历》中每个节日里首先想到的是祭天地、祭鬼神、祭宗祖，而且“祭神如神在”“宗祖虽远，祭祀不可不诚”“慎终须尽三年孝，追远常怀一片心”，体现了强烈的敬畏之心。

因为畏天地，畏天命，所以人们谨遵人道秩序，控制欲念，懂得知足，努力为善积德，并且劝人为善，坚信“积善人家庆有余”。《农历》中爹告诫五月和六月：“如果一个人不行好，就是再吃斋念佛，也是枉然，就是念佛把喉咙喊破，也是枉然。如果嘴上念佛，却去做坏事，罪过更大。”

因为物质匮乏，所以一粥一饭，当思来之不易；半丝半缕，恒念物力维艰。郭文斌笔下的西部人民因为条件恶劣，靠天地长养，生活极其贫乏，相互扶持生存，故而更加惜物恋人，在他们眼中万物皆有灵，一草一木都值得被敬畏和感恩。《农历》中，爹常教诲五月、六月要对别人好，要对天地感恩，要对众生感恩，阳光、空气、水、土、火、粮食等人都无法自己造，我们享受着生活的恩赐，又怎能不感恩？后来，六月摘梨时，就惦记着给树留了一只。爹让他们给其他人家分梨时，起先六月舍不得，爹便说：“这一个梨树要长成，需要阳光、地力、水，等等。阳光不是咱们家的吧？水不是咱们家的吧？”所以不能独占。冬至时，一家人在炕上吃扁食，六月胡思乱想，故而错过了几个饺子的味道，但他控制不住“想”，所以大为苦恼，姐姐五月说：“爹说过多少遍，只有啥都不想吃喝才能对得住吃喝，才能对得住美味，不然就是错过，而错过是罪。”饭后，二人守着供桌上的水碗，等着出字，二人已经冻得发抖，却不忍进屋，因为舍不得水独独在院子里受冻，后来二人更是为水念《往生咒》。干节时，打不落干梢的六月提议“我们干脆折一些树枝拖回去算了”，五月及时劝阻他，并说：“能够打下来的是早已死了的梢子，打不下来说明人家还活着，你能把一个活人拉到火葬场去烧吗？”六月不解：“人是人，树是树。”五月又搬出“爹”的话：“爹说一立冬就不能砍树了，也不能折树。因为冬天树已经睡觉了。如果要放倒一棵大树，只能在秋天，如果要调树苗栽新树，可以在春天，而且放树时还要祭树神，经过树神同意才能放。”

因为常怀敬畏与感恩之心，所以心灵澄净，常记行善，懂得知足。他笔下西部民间的敬畏意识不仅仅是一种对先辈节俗的传承，一种敬重万物的信仰，更是苦难中的人民那一颗颗通透干净的赤子之心的涌动。郭文斌在《守岁》的前言中感谢了编辑、出版社和读者，也没有忘记感恩“因为这些文字将要化为纸浆的树”。这种天人合一的大悲悯情怀是西部民间敬畏与感恩精神的内化，他烙刻在作家的血肉中，也投射到了他的作品中。因为苦难，才知来之不易，所以常怀敬畏与感恩之心，所以畏天道、尊人情、守时令：逢年过节时郑重地给长辈叩头请安，虔诚地供奉神明宗祖，邻里相亲，善待一草一木，感恩阳光雨露的恩赐，以此拥抱这“值得珍重的人世”。

恰如郑义在《老井》中塑造的几代父子顽固而执着地挖井找水的老井村一样，郭文斌也用他看似平常的语言书写了西部这片黄土地的焦渴和坚韧。在短篇小说《雨水》中扣扣和童年玩伴地生、双晴在游戏中滋生情愫，但她最终没能和他们中的任何一个结缘，因为他们搬家了，搬到吃自来水的吊庄去了。眼见着扣扣耗大了年龄，焦心的扣扣爹托表姐为扣扣物色合适的人选，终于选定一个叫得水的小伙子做招女婿，但得水的家乡吃水比扣扣家还困难，“小伙子长得像一株旱地里的高粱”“脸和手显然都是突击洗的”。为了弄到办喜事需要的水，“得水到外村去偷水，被派出所抓去关了一个星期”，后来得水的爹“到川里去驼水，死在半路上”。得水名为“得水”，从一出生就被寄予了祖辈最热切的求水的渴望，但最终付出了沉重的代价，才得到上天的一点点怜悯——得水的父亲日思夜想的透雨终于落下。他们还会继续受缺水的苦，但希望总会有，因为他们这片干涸的土地上的人民内心从不枯渴，所以“糜子跟不上了，荞麦还来得及呢。”

《剪刀》中“女人”生病了没钱医治，让自家“男人”给她想办法治病，“男人”虽然嘴上说着：“富贵娘四十五就死了，吉祥娘也没活到四十，和她们比起来，你都算高寿了，再活，还是这么个样儿，还能活出个啥名堂来？”但还是毫无怨言地操持家内外，想方设法地凑钱给“女人”看病。“女人”最后选择了用剪刀了断生命，她不是多么大无畏，只是不愿再拖累“男人”和孩子。在生命的最后，她拖着病躯为丈夫和孩子们打了四十九个饼，想着等丈夫、儿子把这四十九个大饼吃完，也就出了七七了。虽然这样的悲怆是环境所迫，但这样的死却是向着生的，正如郭文斌对庄子大道的理解“人不必执着于生，因为生若是一场远游，那么死就等同于归。”正是因为这样的悲伤和苦难是含着隐忍与坚韧的，所以不是赤裸裸切肤般的钝痛，而是怀揣着静默的爱与温情的暖伤。

“越是艰苦的自然越是突显人类的无畏，越是多灾多难的历史，越是造就顽强而坚韧的民族精神”。西部这片土地上的子民因为艰难的自然物质条件，曲折前行，但是他们不畏苦难，顽强地与苦难抗争，表现出极大的忍耐力，敢爱敢恨，让苦难也带着爱的影子。

三、眷恋中难掩失落的影子

《农历·七巧》篇中写到“六月惊醒，心里特别难受，要是能回到过去就好了，爹说从七月一就开始‘对银河’了……可是现在却没人组织了。”《农历·冬至》篇中“爹说，先人们常常用这个对联推测这一年的雨水多寡和丰歉。六月问，咋推测？爹说，我记不大清了，你爷爷会。六月就觉着太遗憾了，爹应该把他们记在本子上才对。”那样他就会传给子子孙孙，不让他们留遗憾。六月难解难料的是人们走得越来越快，生活也会越来越缺乏质感，快步行进中传统文化断裂了，记忆中的节日味道也已慢慢地稀释了。《我们心中的雪》

中如意和杏花日日都想回到生养他们的家乡，夜夜都在梦中回到故土，但现实中的他们总像“小时候被狼追赶着似的，总觉得手边有干不完的活儿”，到最后发现都是在“瞎忙”。童年时的雪天，他们“比赛着伸出长长的舌头，屏着呼吸，耐着性子，等待着天上的雪花一片一片落下来，落下来。然后用心体会雪花留在舌头上的轻浅的脚步，体会着一种带着淡淡温热的冰凉的美好，一种无声无息心甘情愿的消失的美好”，现在他们都被生活追赶着，停不下来品尝美好，雪片年年都会落下，但他们再难品尝到记忆中的美好。

郭文斌的文字往往让人沉浸在美好自得的诗意人生中，却也逃不开梦醒时分的孤独与无奈。“记忆中永远是懒洋洋的阳光”“一种鸡蛋清一样漾在心里的美好”，但好梦醒来时却是“有些百无聊赖”。当代的西部人与所有现代人一样被时代裹挟着前进，被物质包围着，满眼满心的诱惑，在喧哗与骚动中没法叫暂停。住在狭小的“方盒”中，没有寸土可供泼散，没有寸时可供静享安闲。高叫着流行与新潮，看不清自己与后人的去路，也找不到父辈、祖辈来时的路。

西部这片闭塞、贫瘠的土地也挤上了现代化的列车，现代的飓风强力到达了这块神奇的土地，那焦黄的高原或浩瀚沙漠上原始、古拙的生存模式正在被打破。这注定是一个“前不见古人，后不见来者”的独特的文明转型阶段。无论西部民间的传统生活方式和文明多么根深蒂固，依然不可避免地要遭到改写和流失。经济的发展带来了物质的极大满足，改变了人们贫瘠的生活面貌，但同时也在逐渐改变人们丰盈美好的心理和伦理道德建构。

结 语

越来越多的作家屈身于世俗，进行媚俗写作，或者执着于宏大叙事，或者执着于揭示丑恶，“惯于写黑暗的心，写欲望的景观，写速朽的物质快乐”。也有许多文人看到了自己应该承担的责任，扎根于中华民族的精神基点，坚守于书写真正的文化精神。李杭育在《文化的尴尬》中提到好的作家不能满足于时代意识，而要有民族文化的深厚积淀和历史意识，他认为“一个好的作家，仅仅能够把握时代潮流，而‘同步前进’是很不够的。仅仅一个时代在他是很不满足的。大作家不仅属于一个时代，他的情感和智慧应能超越时代，不仅有感于今人，也能与古人和后人沟通。他眼前过往着现世景象，耳边常有‘时代的呼唤’，而冥冥之中，他又必定感受到另一个更深沉、更浑厚因而也更迷人的呼唤——他的民族文化的呼唤。”郭文斌便是这样的作家。他有着西部人的质朴与持重，躬耕于书写日常生活、凡人琐事，执着于传统文化精神的传承，坚持用干净温暖的文字书写苦难中的美好，坚持写“带读者回家的文字”，尽力保持中华民族的体面，在夸示世道险恶的主流中勇敢发出背驰的声音，书写让生活向上、让人向善的文字。希图在怀想的美好中，寻找深植于西部民间沃土的“根”的存在，扫除蒙在精神内质上的灰尘，帮助更多的人回到“精神原乡”。

（载于《飞天》2017 年第 6 期）

也许还是误读着

——郭文斌作品读后感

穹 宇

早年阅读郭文斌的作品是从《宁夏日报》“六盘山”文艺副刊开始的，《点灯时分》《一片荞地》《宁静的小学》《永远的堡子》一篇篇读下来，那些我所熟知的乡情人物、风物风俗，在他的文字里，温暖而空灵。而我更喜欢的是他每个篇什中已客观存在的那个“场”，郭文斌是塑造这种“场”的高手。如果说文章的风格如人的性格，这个“场”便有如一个人的气质。鲜明的良好的性格让人喜欢，而独特的气质就让人刮目相看了。这“场”作为文字的气质是十分难得的，郭文斌的文字，却难能可贵地具有这样的气质。

如他写病中的娘：

“给牛将料拌上。”

“天黑了，娃娃还没回来。”

“萌萌不知乖着吗？”

我忙叫来儿子，儿子喊了一声奶奶，喊得惊天动地。娘嘴唇动了一下，却流下泪来。惹得我们都抹泪。每次给娘买些东西，让娘存着想吃就吃，娘口头上答应着，但还没等我从房门里出去就喊孙子。娘的眼睛看不见，以为我走远了。我生气地说，娘你真是。娘就笑一下。

——《一片荞地》

读郭文斌的散文，以至于到后来，连带着对报纸副刊的编辑李乃扬先生也生出好感来。当时我想，这是一个多么厉害的编辑啊。之后，学写散文，每当将自己的稿子誊写清楚，装入信封封了口，就习惯于在信封正面写上这位先生的名字寄给他。总之，我十分关注过《宁夏日报》“六盘山”副刊，与一位编辑有关，更与一位作者有关，这位作者就是郭文斌。

他的小说自《开花的牙》开始，基本上都是儿童眼中的乡村生活，像著名的《雨水》《大年》《吉祥如意》《大生产》等，直到刚刚发表的《点灯时分》和《清晨》，大多如此。

关于郭文斌的小说，著名评论家和非著名评论家以及他的热心读者们说过很多好话，我不再一一赘述，我只说他的容易被误读的方面。

他的小说，他的文字，是不是我们阅读后自以为的那样：浅显而平淡呢？

他的儿童视角，他的一个民俗（如《大年》写春联），一个风物（如《点灯时分》的荞面灯），一个仪式（如《开花的牙》的爷爷的葬礼），一个节日（如《吉祥如意》的端午节），一个节气（如《雨水》的二十四节气中的雨水），一个乡嬉（如《雨水》的姐弟二人玩“赶集”）……不全知全能的叙述，也不选择宏大叙事，如此这般地开一个小小切口，我以为，他是在怀着对文字的敬畏之心的看似小心翼翼的温情叙述中更真切地接近原本。

如他的《吉祥如意》：

> “六月说，我看地生对我姐有意思呢。娘说，是吗，让地生做你姐夫你愿意吗？六月说，不愿意，他又不是干部。娘说，那你长大了好好读书，给咱们考个干部。六月说，那当然。等我考上干部后，就让我姐嫁给我。五月一下子就用被子蒙了头。娘哈哈哈地大笑。六月说，就是嘛，我爹常说，肥水不流外人田，我姐姐为啥要嫁给别人家？娘说，这世上的事啊，你还不懂。有些东西啊，恰恰自家人占不着，也不能占。给了别人家，就吉祥，就如意。所以你奶奶常说，舍得舍得，只有舍了才能得。越是舍不得的东西越要舍。这老天爷啊，就树了这么一个理儿。六月说，这老天爷是不是老糊涂了。娘说，他才不糊涂呢。”

如他的《点灯时分》：

一家人就进入那个“守”。守着守着，六月就听到灯的声音，像是心跳，又像是脚步。这一发现让他大吃一惊，他同样想问爹是怎么回事，但爹的脸上是一个巨大的静。看娘，娘的脸上还是一个巨大的静。看姐，姐的目光纯粹蝴蝶一样坐在灯花上。六月突然觉得有些恐慌，又想刚才爹说只是守着灯花看，看那灯胎是怎样一点点结起来的，就又回到灯花上。看着看着，就看进去了。他仿佛能够感觉得到，那灯花不是别的，正是自己的心，心里有一个灯胎，正在一点点一点点变大，从一个芝麻那样的黑孩儿，变成一个豆大的黑孩儿，在灯花里伸胳膊展腿儿。六月第一次体会到了那种“看进去”的美好，也第一次体会到了那种“守住”的美妙。

一如他的随笔《孔子离我们到底有多远》，那种处处留有余地的笔法，那样一个又一个信手拈来的小小的故事，确实不见整段的所谓提炼出的理论文字。它的这篇篇幅较长的随笔，写孔子的思想，写他对孔子的解读，一个又一个典籍故事和日常生活经历的叙述，好像没有太说破，但文章就写成了。如：

看中央电视台采访深圳爱心大使丛飞，他有一句口头禅：停不下来了。就连好事做到一定程度都会停不下来，何况坏事，所以有许多腐化堕落分子，从他们的交代中我们知道有些人也是有过回头动机的，但是他停不下来了，所以孔子说一个人要有“慎终追远”的功夫，就是说当一件事没有发生时，我们就要察觉它，把握它，所谓众生畏果，菩萨畏因，因为你种下一个因，肯定就有一个果，肯定就要你去收场，也就是说，我们要学会把错误消灭在起心动念那里。所以孔子说：“道之以政，齐之以刑，民免而无耻。道之以德，齐之以礼，有耻且格。”法治是必要的，但法治是不究竟的，你在墙上弄上玻璃碴，只不过是提醒小偷翻墙时更加小心而已。因此，管理和教化要从开头做起，要从那个“因”上做起，让那个念头一升起就被照灭。我们老祖先创造的这个“照”字真是好，后来被释家拿去常用，勉强说就是你的自觉要像日月高照，不要让心里有瞬间的暗影存在，丝毫的杂念升起，一旦升起，就照灭它。用“照”“灭”之，真是妙不可言。我们想想，一个人心中连一丝一毫的杂念都没有了，他还能够去犯罪吗？

再如：

周游列国的时候，各国都排斥孔子，生怕他夺取政权，唯有在卫国，卫灵公、南子、一般大臣都对孔子很好。孔子的弟子听了谣言，认为孔子可能要当卫国的国君。一天，冉有给子贡说，夫子是否真像大家说的那样，要在卫国做王？子贡去问孔子。“伯夷叔齐何人也？曰：古之贤人也。曰：怨乎？曰：求仁而得仁，又何怨？出曰：夫子不为也。”宁为帝王师，不为帝王位。多年来，我们一直都在误读孔子，认为他一生在为出仕奔波，事实恰恰相反，他的不出仕不得志是故意的，他如果想当国王，那太容易了，在当时小国寡民的情况下，他有弟子三千，贤者七十二，其中有像颜回那样的道德家，子路那样的军事家，子贡那样的外交家（当时有人问楚王，楚国有这样的人才吗，楚王说，一个都没有）。但他就是不那样干，他是故意在大地上奔走，他故意不如意，他的身影……

这是一种春秋笔法还是一种宗教经典的笔法？以我阅读的视界，不能确定。也许是他提到过的《了凡四训》给了他更多的启示。

说来惭愧，我在他提到《了凡四训》之前，不知道有这本书，为此专门到一个小书店里去找，见到了一本黄皮的文白对译的书，正是这本，当时随便翻到一页上，文字写道：

> 余行一事，随以笔记；汝母不能书，每行一事，辄用鹅毛管，印一朱圈于历日之上。或施食贫人，或放生命，一日有多至十余者。至癸未（公元1583年）八月，三千之数已满。

只此两三句，我一下就想到了郭文斌的小说《世界上最美丽的手》所写到的那双因放生而美丽的“手”，还有散文《一片荞地》和《永远的堡子》里的“娘”的形象，我轻轻合上了书页，我想，什么时候自己才有一种安详的心境，至少是比较安静的心境来读它呢。我没有购书，是因为我知道这是一本跟郭文斌最有机缘的好书，与我有机缘的那一本又在哪里。

还有人说郭文斌的诗歌有点“梨花体”、口水诗的嫌疑。他的诗跟我们见到的大多数诗人写的诗确实有些大不一样，就是你找不到它的来头，你寻求了好长时间，结果发现他仿佛跟哪位外国诗人也靠不上边。而他自称把诗当作日记来写便是很贴切的一个说法，这是他日常生活中的一些诗意的闪现的记录吧。如：

我的手里是一首诗
父亲的手里是一杆庄稼
天不下雨
诗和庄稼
谁安慰谁

——《无援》

再如：

花是突然之间盛开的
比突然还突然
让人防不胜防
没有人曾经能够
也没有人将会能够
把花消灭

——《一朵花的开放》

他这些诗，特别是句子的构成，读起来有些仄，有些如针如芒的尖锐，感受得到他内心深处关于日常生活的、青春的、爱情的、亲情的、故土的一种深切的疼，仿佛他的对四面八方的各种侵犯的一次次的防卫和还击，一次次的直接抵达，以至于满怀的悲悯。这跟阅读他的散文体验是一致的。在他的早期爱情小说里，比如《忧伤的钥匙》里，也有这种深切的疼。而在他的儿童视角的小说里，这种阅读体验却一下子消隐不见，这恐怕不是文体结构不同的原因。

这样一来，我所读到的郭文斌才是立体的，而不是平面的了。

“电影《功夫》里有个情节，音乐可以杀人，我觉得不是演绎，音乐的确可以杀人。文字也可以杀人，当我们每天看着安详的文字，就心平，而只有心平才能气和。而气，在中国就是原始生命力。恶劣的文字通过眼睛，种在心田，无异于毒药。在我看来，文字就是大米，大米养身，文字养心。”难怪郭文斌曾经如是说。

昆德拉说：“人类一思考，上帝就发笑。”

也许在我说别人在误读郭文斌的时候，我依然在误读。

如果一个作家常常要接受被误读的待遇，这也许是一种幸福。

且算我自己的一个声音吧。

选自《郭文斌论》（宁夏人民出版社 2008 年出版）

多元文化时代的安详反思

季春雨

“莫春者，春服既成。冠者五六人，童子六七人，浴乎沂，风乎舞雩，咏而归。”很久以前古人就以己之愿，生动而自由地活着。享受丰富物质的现代人却容易陷入一种追求外物永无止境的圈套。作为社会左膀右臂的精神文化与物质文化，在多元化的新时代下显现出自身失衡与协调失衡的弊病。仅在21世纪的十多年中，已经繁衍出各种各样的对精神境界的探索与呈现，似乎正在形成一个潮流。他们或表达已沦陷的灵魂的迷茫与空虚，或诉说记忆深处具有启发意义的过去的故事。宁夏作家郭文斌也在其中，是朝着传统文化追溯的支脉中的一员。他的作品讲述着安静而美好的小故事，其笔下的“安详”是一种生命属性、生活状态，而凝结于传统民间文化的安详自有其厚度和底蕴，却不免存在着局限性。就《农历》这本中国味儿浓烈的小说来讲，可以从中找到作家自传性因素的证据，带着暖人心扉的温度；同时又有沉陷其中、难以自拔之嫌。

一、非羊肠孤径

“安详”并不是作家创造出来的新词了，古往今来不少人表达过近似的意思。不同的人对安详的心境有着不同理解，自然也出现了不同的要实现它的方式，本着一个共同的目标，又深浅有别。郭文斌的小说《农历》从传统民俗文化的角度上，创造出一方和谐美好的净土，给燥热不安的社会环境带来一股清凉的气息。小说里的村子笼罩着浓厚的宗法精神，优秀的传统道德在这里得以完美的继承。人们日出而作，日落而息，你谦我让，充满发自心底的快乐。“因为安详的品质是‘根’，是‘性’，是‘顺’，是‘诚’，是‘爱’，是‘敬’，是‘悦’。”而作家又让安详的根生长在传统民间文化的土壤中，回顾历史与传统的厚重积淀，总能让人有一种踏实的感觉，这是寻找到“家园”的欣慰感。当现代人找不到走回自己精神后花园的路时，回望传统文化精神也是一种机智的方式。

安详是平和地接受生活的安排。小说中六月一家并没有奢望获取怎样的财富，而是踏踏实实地干好自己的活儿，管好自己的家。郭文斌认为，“现场即永恒”。活好当下就是把握住过去与未来。六月一家每一天都活得很实在，没有对过去不满的怨怒，也没有对未来不测的忧虑。安详又是顺遂心意、知足常乐，不妄想眼下的一切皆能满足欲望。中国人从来都不缺乏“阿Q精神”，灵活善变而游刃有余。然而这并不意味着没有危险因素的存在，如此的安详会产生副产品——麻痹，本有惰性的人不再努力创造了，只安于现状便好了。因此安详本不是无所事事，而是有志有为。“放弃这个词本身就是执着，正确的做法应该是安处。”在郭文斌的主要作品中都或多或少地流露出安详的思想，以安详贯穿始终也形成了打不开的桎梏。

追溯传统民俗的方式未免有些单调，假使所有人都能够轻而易举地被传统文化精神所感染和熏陶，那么现在存在的问题也许并没有如此之复杂了。事实上，不是所有人的神经都对从过去传承到当下的民俗文化保留着敏感，安详也可以从他处来。周国平的《安静》教人从自身找到一处心灵的平静，世界的平静是从你的内心开始的；毕淑敏的散文《预约死亡》以“生”与“死”的对立给人活着的启示，因为死神在某个地方不经意地招招手，人才会更明白活要活得知足和坦然；南怀瑾的禅释教人一种豁达的态度，人生的酸甜苦辣都毫不吝啬地给你品尝的机会；法国作家安娜·戈华达的《更好的人生》用一种舒缓而有力的叙述告诉人“遇见即幸运”，不管是否能够彻底拥有，所为之做出的改变足以值得纪念。李佩甫等作家在城乡二元叙事中，把目光投向了相对纯粹的乡村，在城乡之间的游走中懂得回馈曾经哺育过自己的故乡是一种充实和安详。《生命册》同样在寻找精神的安详，不过它走向的是故乡，找到的是精神萌生之初的根。从不同的方向走向安详，给人在寻找“家园”的历程中提供了更多的可能性，安详既然是一种活生生的生命状态，就不能被绑在一处动弹不得，毕竟探索和开拓是前进的必要保障。

二、非千人一面

中国传统文化是一个极其深厚的依托，有着丰富的内涵可以去挖掘和寄寓。转向传统民间文化的这一脉的安详，并非人尽一样，不同环境下的个体自有不同的安详状态。安详是具有阶层性、地域性的，《农历》中六月一家安分守己的生活是北方农村里勤恳的农民日常的一个小小缩影，但在今天看来，这个散发着和暖光芒的缩影也无法笼罩所有的乡村。闭塞在一定程度上有助于保留这种自给自足的安详，可开放与沟通是这个时代不可逆转的强有力的潮流。作家也曾表达过，他对当下的状况也很无奈，已经找不回小时候过节的那种纯粹的快乐了。这种矛盾的来源之一是阶层性的流变，当生活的环境和条件发生不小的改变时，到达安详的方式和程度也会发生改变。正如乞丐很容易满足于有一顿饱饭，然后可以舒舒服服地晒太阳；而对于工人，不仅想要把自己的工作干得出色，而且期望能涨工资、发奖金，倘若没有办到，未免要生出一番失落感。农民与其他阶层或者其他职业的人所想要达到的安详有很大的不同，以一种封闭在传统民俗文化里的安详试图去说服所有人，是不具有现实可行性的。

安详甚至在不同性别之间也存在差异，女性倾向于家庭的美满，而男性更满足于事业的有成。人不是那么容易满足的，因为想要得到的实在太多，才容易在得与失中迷失。心理学家萨提亚在她的冰山模型中关注到这一点，在一层层深入下去的分析里，人会看清自己的渴望与期待，很多时候这些欲望并不是那么无懈可击、理所当然。人直视自己的欲望，要么就淡化甚至消除它，以达到身心和谐；要么就拼命地去完成它，享受获得的满足与喜悦。安详像是对无尽欲望的斗争，开辟出一条“回归平凡”的途径:“安详学是快乐学，它启迪‘根本快乐’，旨在帮助现代人找回丢失的幸福，让人们在最朴素、最平常的生活中找到并体会生命最大的快乐。当一个人内心存有安详，仅仅从一餐一饮、半丝半缕中，就可以感受到世界上最大的幸福。”正是时代多元化的依托，使安详能够遍地开花，不拘泥于某个特定的群体中。

在文本阅读中，读者往往以自我为中心，带着千差万别的期待视野，得到与众不同的独特体悟。安详的传达则符合德国接受美学家姚斯所主张的主人公与读者互相作用的“净化”模式。我们能从作者所描绘的纯粹美好的乡土世界中获得心灵净化的审美愉悦，又反过来对自己关于安详的理解进行丰富与调适。“安详本身就是和谐力。”中国人讲究“和”

的精神，和谐是生命永恒的主题。六月一家所在的村子每逢节日，都有一定的仪式，饱含着祈福的美好愿望。这是天人和谐的渴望，今天已经很难再去复制这种形式，只能从中领悟到感受与感动。正如一千个人眼里有一千个哈姆莱特一样，人被深刻地触动内心的瞬间各不相同，体悟到的内心安详也会千姿百态，和谐的各方被不计其数地重组，形成一个更广大的和谐的域。

三、非一蹴而就

安详教人抹去浮躁和虚妄的尘埃，重现淳朴与真实的心灵世界。但它也是一种很容易被打破的心境，要达到稳定的状态，还需要较长的时间去磨砺。《农历》中当五月、六月背着满筐子的梨送出去的时候，也带回了满满的各种各样的收获，这是乡亲们的一番好意与回报。六月之前的担心被一扫而光，只剩下满心的快活和悟出来的一个纯粹的道理。这不是高楼里居住的人们所谓“冷漠”的邻里关系，乡村的流动性相对地要小很多，经过漫长的磨合期，才“远亲不如近邻”。安详是对这一类精神状态的诗意概括。自改革开放以来，文学创作逐渐有一脉力量自觉地转向为在物质追求中迷失的人寻找一个切实可靠的精神依赖，为漂泊的灵魂找回生命得以存在的根。

重拾传统文化不是一朝一夕就能完成的事，弘扬优秀传统文化是民族之大任。一个民族最可怕的事情是忘本，而认同自己的根是活得安详的基础。中华优秀传统文化是一棵枝叶茂盛的大树，又可以分出形态不一的枝杈。《农历》中记录了许多民间祈福时念唱的小调，具有很强的感染力和民俗色彩。比如在龙节时唱开的“二月二，龙抬头，大仓满，小仓流。”端午节的时候念的：“艾叶香，香满堂，桃枝插在大门上，出门一望麦儿黄，这儿端阳，那儿端阳，处处都端阳。”还有常讲的民俗故事，如牛郎织女、目连救母等。对此作家也进行过肯定：“中华民族五千年基本的社会稳定和安宁，正是得益于这种向内寻找幸福的文化。”安详的村庄好似千年以前陶渊明笔下的桃花源，是理想的象牙塔。这份由衷而发的快乐具有一定的狭隘性、封闭性。它需要再一次生长，需要在当下时代里扎下根，发新芽。

安详要从一种精神理想走向现实指导，其间的路还漫漫修远，我们上下求索的是古今的传承，脚下踏着的是时代的土壤。中国传统文化的包容性和开放性使它能广泛地接受其他民族的优秀文化，并为自己所用而愈加深厚博大。在纵向发展的这条线轴上回顾过去，让人清醒；面向未来，给人希望。《增广贤文》中曰：“学如逆水行舟不进则退。”安于传统，更要丰富传统，让古旧的与崭新的完美对接。吸收当下时代

这里的安详既是指向传统文化的，又是指向人心灵深处的。在克服了路径单一、差异模糊等问题后，于闲淡中见清奇、在古朴里感动人的安详精神也许会有更大的作用。

（载于《牡丹江大学学报》2017 年第 26 卷第 11 期）

的精神精华必不可少，这是年轻一代所创造、所熟悉的。在呼吁人们多读一点书、多做一点向内的思考时，还要结合新的形式，比如新媒体，影视正有着广泛的传播性和影响力。年轻人是希望的主力军，应迎合其兴趣点并循循善诱地感染，而不是百般无奈地妥协。郭文斌的电视散文《塬上的风》等是这种探索的例证，用一种更直观、更广泛、更有感染力的形式作最真挚的表达，使现代与传统能够无缝连接，创造出具有时代特色的更容易为人所接受的安详范式。

结 语

郭文斌的《农历》忠实地记录了西北土地上淳朴农民的生活状态和生活信仰，勾勒出一幅祥和安乐的生命图景。在孩子一个接着一个看似幼稚的问题与大人认真而幽默的回答中，了解原来生命是这样发芽并生长得郁郁葱葱的。《农历》并不是一个多么完整的故事，没有一波三折的情节，却完整地呈现出一年四季二十四个节气里的民俗文化，笼罩着一种非实非虚的神秘色彩。作者认为“《农历》探明：中华民族有着最为成熟的快乐生产技术，有着最为科学的吉祥涵养法，有着世界上最大的幸福金矿。”“寻找安详”是想给现代人指出一条最近的回家之路，不管身处何方都可以随时切入。

郭文斌精选集

郭文斌研究

（下）

闻玉霞 主编

山东教育出版社

·济南·

从女性形象的塑造看郭文斌作品中的男性中心视角

——以《农历》《瑜伽》《永远的乡愁》为例

张佳璇

郭文斌是一个独具特色的作家，他不仅著作颇丰，且具有广泛影响力。还提出了“安详诗学”这种修养身心的哲学。他所提倡的“安详诗学”为忙碌的人们提供了一方宁静之地，也为当代社会提供了一方养心之地。他的主要著作有长篇小说《农历》、散文集《还乡》、小说集《瑜伽》、诗集《我被我的眼睛带坏》等。短篇小说《吉祥如意》先后斩获“人民文学奖”“小说选刊奖”“鲁迅文学奖”。他提倡并且亲身实践的“安详诗学”得到很多人的认同，也让很多迷失的孩子重新走上了人生正道。

郭文斌的作品中出现的女性形象，如果按照生活环境来划分，可以分为农村女性、城市女性。农村女性主要包括已婚妇女和未婚女孩。农村已婚妇女形象如长篇小说《农历》中的母亲和散文集《永远的乡愁》一些篇目中的母亲；未婚女孩形象，比如《农历》中的五月和《玉米》中的红红。还有生活在城市的女性，如《今夜我只想你》中的左春玫和《水随天去》中的妻子。这些女性形象于共性中具有个性，其中共性居多，具体体现在性格特征和道德品质相似，承担的家庭角色也相似。在郭文斌的作品中，男性往往是一个家庭的“主宰”，掌握着家庭的话语权。郭文斌的创作视角是一种以男性为中心的视角，男性往往在社会地位、家庭地位上高于女性，在知识水平上也常常优于女性，而女性基本都受教育程度有限，承担照顾一家人的责任等。

一、农村中已婚妇女形象

（一）《农历》中的母亲

《农历》是郭文斌的一部长篇小说，小说以中国农历历法中的十五个节日为时间线索，以西北农村的一个四口之家为窗口，讲述了西北农村的传统节日仪式以及风俗习惯。小说以一个节日为一个章节，在每个章节中，都有父亲、母亲、女儿五月和儿子六月这四个主要人物。其实在《农历》中，作者并没有在人物塑造上花费大量笔墨，小说的人物形象被淡化了，作者倾注大量笔墨描写中国人的节日风俗史，作者注重的是小说显现出的安详美学和价值观。在《农历》这部小说中，母亲这一形象作为中国传统妇女的代表，占据着一定地位，母亲的身上具有温柔、勤劳、善良、顺从等特点。从家庭分工来看，在小说《农历》中，家庭的分工是传统“男主外、女主内”的模式，母亲承担着照顾丈夫和孩子的饮食起居等事务，是“家务主心骨”，而父亲是村里的知识分子，有一箱子书，知道许多中国古代文学作品，会在过年的时候为自己家和村里人写对联，能够在自己家里乃至全村的祭祀活动中唱诵祭文，而且能给孩子们讲授很多中国古代经典文学作品。在对孩子的管教上，母亲在大部分情况下承担着为孩子做饭洗衣的责任，父亲则担负着孩子的传道解惑责任，是孩子们学习上和道德上的导师。作者这样安排有其社会背景的考量，因为小说中地域的限制，在中国西北农村的家庭中，男女分工基本上是这样一种模式，所以，这种背景下的母亲只能是一个传统的农村妇女。作者在序言中说：“我把《农历》的写作视为一次行孝。因为在我看来，‘农历’是中华民族的根基、底气、暖床。……‘农历精神’无疑是中华民族的生命力所在，凝聚力所在，也是魅力所在。”《农历》的创作是作者对中华文化精华中逐渐被轻视的部分的继承和弘扬，这样的创作无疑具有重大的意义。不过，作者在赞美传统文化的同时显露出来的对中国传统家庭分工的认同，也表现出作者创作中的男性中心视角。

（二）短篇小说集《瑜伽》中的妇女

《瑜伽》是作者的一部短篇小说集，在小说《清晨》中，从家庭分工来看，母亲清晨承担着扫院子、打扫屋子、擦洗屋内器具等事务，而父亲的活儿则是压粪。闲暇时父亲在火炉边读经，母亲做针线。就母亲对自我的认同而言，母亲是以男性为中心的妇女，在《清晨》中有这样一段话：

> 六月扑哧一声笑了。娘回过头来，看了他一眼，说，你狗日的笑啥呢？六月说，我笑你不会当家做主。娘说，娘当然不能当了家做了主，让你爹干啥呢？

通过这段对话可见，母亲对自己的身份认同并不敢和一家之主联系起来，而是认为只有男性才能作为一家之主，这种身份认同其实是传统社会中女卑男尊思想的体现。这样的思想实际上是社会对男性的认同。男性认同指的是社会的核心文化观念对社会正态的、褒扬的、有价值的认定，总是与男性气质相联系，从而导致了普遍认同的“男主外、女主内”的男女分工模式，把在公共领域的、有报酬的劳动视为劳动、事业，而社会普遍不认同主要由女性承担的、无报酬的家务活。母亲受传统文化中“男尊女卑”的影响是非常深的，她不能意识到自己和男性拥有平等的地位，可以在家庭中掌握话语权，这种“男性认同”观念在母亲的内心是根深蒂固的，这也是传统妇女的主要特征。

《剪刀》中的女人得了重病，为了不拖累丈夫和孩子，在为丈夫和儿子做了四十九个大饼后用剪刀结束了自己的生命，文中写道“看着眼前热气腾腾晃人眼扎人心的饼子，女人想，等他们父子把这四十九个大饼吃完，也就出了七七了。”即使在自杀前，妻子也会考虑好丈夫和儿子在她死后的吃饭问题。郭文斌塑造的这个女性形象感人至深，这个深爱和理解丈夫并且富有牺牲精神的女人，是带着坚定和不舍自杀的。

（三）散文集《永远的乡愁》中的母亲

《永远的乡愁》是一部回忆性的散文集，其中《一片荞地》《永远的堡子》等散文表达了作者对母亲深深的怀念。通过郭文斌的这几篇描写母亲的文章，可以一窥郭文斌小时候生活的家庭环境。在中国大西北的农村，在作者的父亲母亲正值壮年的年代，农村中的家庭还是传统家庭。在作者的原生家庭里，母亲在不自觉中处于较低的地位，以现代男女平等思想来看，母亲在婚姻中其实是作为男性的附庸而存在的。

散文《一片荞地》讲述了母亲弥留之际的境况，作者用感人至深的文字表达了对母亲的爱和怀念。母亲没有文化，但是一辈子任劳任怨，对老人、丈夫、孩子们的照顾无微不至，而且在非常艰难的条件下把孩子养育大，是一位伟大的农村妇女。而在《永远的堡子》这篇文章中，母亲任劳任怨、勤劳肯干、善良大方的品质更加突出，只因为母亲的公公婆婆临死前的一句“好生待你兄嫂”，母亲就将之当作毕生的事业，将兄嫂当作公公婆婆一样奉养到去世。因为母亲的嫂子，即作者的伯母是小脚，所以母亲就承担了家里所有的家务活儿，而且每顿饭都用近乎请示的语气去问伯母做什么饭。如果伯父伯母到了饭点没回家，母亲也不让自己的孩子吃饭。母亲会毫无怨言地帮小脚的伯母洗裹脚布，俨然把伯母当作自己的婆婆来奉养。并且将自己的两个儿子都写在无子的伯父伯母名下。母亲就是这样一个恪守传统纲常的女性，一辈子似乎都是为了别人而活，全然没有考虑过自己的想法，也从来没有抱怨，这是很多善良的传统农村妇女的写照。郭文斌在散文中描写了母亲这种毫不为己、完全利他、无私奉献的行为，也高度赞扬了母亲对大伯大娘的无私付出，认为正是因为母亲的付出才使得这个大家庭非常和睦。作为一个女人，在这样的家庭中生活真的非常劳累，没有任何自己的个人空间和追求，甚至母亲和伯母生了气后还要遭到父亲的毒打，但母亲依然平静地接受了父亲的毒打而没有丝毫反抗。郭文斌在作品中也表达了对母亲的同情：“现在想来，如果分开过，无疑对大家都有好处，特别对母亲是一个巨大的解放。”

但郭文斌站在母亲立场上的思考似乎有点少，《永远的堡子》这篇散文中，更多地表现出作者对“堡子”的怀念，对母亲无私奉献精神的怀念，少了点对母亲“不争不反抗”的同情。

总之，在郭文斌的作品中，农村已婚妇女总是与“善良、勤劳、牺牲、任劳任怨、传统女性分工”等特征联系起来，郭文斌笔下的农村妇女，她们身处特殊的时代和地域，几乎都不能认识到女性与男性具有平等的权利，依然恪守着传统的纲常，在家庭中地位比男性低，家庭中的决策权、话语权也总是由男性掌握。

二、农村未婚女孩形象

在郭文斌的作品中，农村的未婚女孩形象也是非常重要的，未婚女孩在郭文斌的笔下得到了许多的赞美，具有善良、淳朴、温顺、乐于奉献等特征。在郭文斌的作品中，女孩儿还具有其特殊的品格，即“母性”，女孩子在姐弟关系或者是和其他男孩子相处时，总是出于本能地怜惜和照顾男孩。

长篇小说《农历》中五月和六月的关系非常好，两个人在一起时，姐姐五月非常照顾弟弟，能为了弟弟牺牲自己的利益。五月和六月在端午节上山采艾的途中，五月不停地把弄手中的香包，六月想起来他把自己的香包忘在枕头下面了，所以他就不断地抢姐姐的香包闻香气，虽然姐姐也往回抢了好几次，但是从心底还是让着弟弟的，如“五月想骂一句什么话，但看着六月可怜的样子，又忍住了。”“这时的六月整个儿变成了一个大大的鼻子，瘫在那儿，一张一合。五月的心里又生起怜悯来，反正肥水没流外人田，要不就让他再闻闻吧，就把香包伸给六月”。当五月和六月遇见蛇的时候，五月会出于本能，迅速而从容地移到六月身边，把六月抱在怀里护着。在《重阳》一节中，作者写道：“五月看着六月拖着梦的尾巴穿衣服的样子，忍不住在那胖墩墩的脸蛋上拍了一巴掌。六月就顺势倒在五月的怀里，五月喜欢六月倒在自己怀里的感觉，却不愿意承认这种喜欢。”还有，在非常冷的早晨，两人坐在黄牛背上出门时，“来自五月怀抱的温暖一阵阵钻进六月的骨头里。这是一种不同于被窝的温暖。五月的小肚子贴在他的屁股上、腰上，胸怀贴在他的后背上。”“五月的怀抱不同于爹的，也不同于娘的，既软又硬，既喧又瓷，还有一种特别的味道，怎么说呢，没法说。六月常常在这种没法说的味道里进入梦乡。”这些行为都可以看出作为姐姐的五月对弟弟的照顾，姐姐面对弟弟时，总是出于本能地想抱着弟弟，保护弟弟，这既是非常纯真的姐姐对弟弟的感情，却也带着五月的一种类似于“母性”的情感。

短篇小说集《瑜伽》里有篇小说叫《我们心中的雪》，杏花会在她和五月吃烧土豆时挑最大的给五月吃，而且为了让五月多吃点，“她的嘴皮只是往土豆上一搭，并不咬，就有一块自动落在她的嘴里。一搭两搭，土豆的肉就没了，手里只剩下一个金碗一样的壳儿。举在我的面前，说，我老汉牙不行，送给你娃娃吧。那时，我还真以为是她的牙不行，现在想来，她还是想让我多吃一点。”在《玉米》中，红红为了让小红和东东吃饱，在夜里去偷生产队的玉米却被人强奸了。在这两个故事中，杏花与五月，红红与东东都没有血缘上的关系，只是纯粹的小孩之间的友谊，作者在描写没有血缘关系的男孩和女孩相处时，女孩子还是会照顾男孩子，用本能的善良和博大来疼惜、保护男孩，这正是杏花和红红身上体现出的“母性”特征。

这些未婚女孩无论年龄大小，总是具有善良、勤劳、大方、乐于牺牲和奉献等特点，这些女孩子几乎构成了一个群体，在郭文斌的作品中，女孩子总是以这样的形象出现，总是用美好的品质对待他人，在与同龄男孩儿的相处中愿意让着男孩儿，照顾和疼惜男孩。这样的女孩子无疑是美好的，但也可看出郭文斌在写作上的男性中心视角。

三、城市女性形象

郭文斌的作品大多数以农村生活为背景，女性形象也大都是农村妇女形象。但他也在城市工作和生活了好多年，所以也有城市女性形象出现在他的作品当中，比如《今夜我只想你》中的左春玫和《水随天去》中的母亲等。

城市女性和郭文斌塑造的农村妇女有所不同。《今夜我只想你》中的左春玫是一个城市未婚知识女性形象，她不再是一个以照顾家人为生活要务的传统妇女，而是有自己的学业和事业，独自在国外生活，是一个完全独立的知识女性。这样的现代独立女性在郭文斌的作品中出现的不多，她也有作者笔下农村传统妇女的一般品格，如善良、大方等。在《今夜我只想你》中，左春玫听到犯罪分子猎杀藏羚羊的情景时，主动提出要捐钱。听到青海的湟鱼十年才长一斤，她不惜借钱去买湟鱼放生，虽然一个人买了湟鱼放生并不能改变湟鱼被非法捕捞的现状，但出于自己的善良和社会责任感，她依然毫不犹豫地买了湟鱼放生。

在《水随天去》这篇小说中，作者也塑造了一个生活在城市的女性形象。这篇小说以孩子的视角来描写父亲水上行离家出走的前前后后，母亲也是小说中一个重要的角色。在作者以农村为写作背景的作品中，因为农村女性受教育水平较低，女性很难认识到自己和男性具有平等的地位。所以在作者以农村为背景的作品中，男性地位常常高于女性，女性在家庭中一般地位较低，自觉地承担着照顾全家人的责任。可在《水随天去》中，父亲是一个作家、学者，而母亲也是有工作的知识分子，但还是要承担家中几乎所有的事务。母亲除了每天要上班，应付工作中的事情，还要照顾丈夫和孩子的饮食起居等事务，与农村妇女相较甚至显得更忙。父亲却对家庭的吃穿用度不管不顾，一味地把工资寄回老家，也几乎从来不帮母亲干家务活儿。引用文中母亲的话说就是“我辛辛苦苦地把你们父子供奉上，把你们全家供奉上，把你们全村供奉上，你们倒还觉不来了，倒还不知好歹了……”而且父亲仿佛故意跟母亲对着干似的，母亲爱干净他偏往家里带乞丐，而且还让妻子、孩子都与乞丐一同吃饭，就连妻子特意给他准备的床铺也让给乞丐，妻子生气发牢骚，他会故意打开窗子让别人听，这样让妻子更加生气。直到小说最后，父亲的离家出走，彻底伤透了母亲的心。这样的结局让为了家庭付出了大半生的母亲非常难过，也对母亲很不公平。即使是城市中有知识的现代女性，在家庭中也不能摆脱以男性为中心的地位，要照顾家里的一切，可即使照顾好了丈夫的饮食起居，也难逃被男性伤害的命运。作为男人可以想做什么就做什么，全然不顾妻子和孩子的感受。这样的情节设置也反映了郭文斌写作时的男性中心视角。

在郭文斌的关于城市家庭的描写中，在城市生活的女性知识分子，虽然脱离了传统的封建大家庭的束缚，在一个小家庭中生活，但其承担的家庭事务也逃不出传统“男主外、女主内”的家庭分工，要比男性承担更多照顾家庭的责任。

生活在城市的女性需要面对的压力更大，不仅有工作上的压力，还要照管家庭。郭文斌多年来致力于弘扬传统文化和道德，中国古典文化对他的影响非常大，他也具有深厚的古典文学的功底，作品中常常透露出深厚的古典文学的底蕴，而且无论在作品还是在生活中，郭文斌都在努力弘扬传统文化。在中国传统社会中，妇女的地位非常低，女性是作为男性的附庸而存在的，但作者在弘扬传统文化的同时，似乎没有足够重视这个问题，所以作品中容易显现出以男性为中心的视角。

四、传统文化的弘扬与男性中心视角

李兴阳教授在一篇论文中写道：“郭文斌的乡土叙事，都指向对西部生命的歌吟，在生死歌哭中谛听西部生命的脉动，在民俗人生的变奏中体察生命的秘密，试图以此抵达博大、神秘、宁静和安详之境。在物欲喧嚣的现代性语境中，郭文斌抒写心灵乡土的清洁文字是可以养心的。”一般情况下，对郭文斌作品的研究正是从民俗、传统文化、精神家园、乡土小说、风俗史等角度着手的，郭文斌作品的意义也正在于此。所以，即便是在小说中，叙述重点也不在于情节，不会靠着情节的安排和布局奇巧来吸引读者，而是着力于营造一种温暖、宁静、安详的意境，使人们在美好的意境中回归中国传统乡土社会。郭文斌致力于把中国西北农村的民间传统用文字记录和传承下来，致力于弘扬中国文化中的优良传统，致力于用文字照亮现代中国人的心灵。所以郭文斌作品的意义是非常重大的，是现代人对逐渐或者已经散失的东西的“寻根”和“回归”。同样，郭文斌也代表了中国当代文学的一种新的美学追求，在“祝福”而不是“批判”中用文字点醒中国人。

郭文斌正是因为受传统文化影响颇深，所以在写作中不自觉地受到传统社会家庭制度的影响，在作品中表现出男性中心视角。中国古代数千年以来一直是男权制社会，男权制也称父权制，其与男权、男权主义、男性主义、父权、家长制等名词在学术定义上重叠，表达方式交互使用，是男子在家庭、社会中的支配性特权。男性中心主义是男权制体系下的一种思维模式，意指完全建立于男性经验为基础上的理论和实践，成为不容置疑的准则。

郭文斌是一个对传统文化推崇备至的人，在他的作品和日常生活中，还有在他的讲座和访谈中，都可以看出他对传统文化的推崇。他的作品有明显的向中国古代传统价值观靠拢的倾向，还专门写过《〈弟子规〉到底说什么》一书来阐释《弟子规》中的中国文化，写过《醒来》和《寻找安详》两本书来弘扬传统文化和他自己提出的“安详诗学”。在郭文斌的作品中，虽然作者并不把刻画和塑造人物作为写作的主要任务，淡化了人物在作品中占据的地位，但从《瑜伽》《农历》《永远的乡愁》这三部作品对女性形象的塑造来看，其女性形象的特征还是非常鲜明的，不论是农村女性还是城市女性，郭文斌塑造的女性身上都具有善良、大方、勤劳、任劳任怨、富有牺牲精神等特点。郭文斌的作品中很少出现具有其他性格特征的女性，可见郭文斌对这种女性形象是情有独钟的。男性在他的作品中往往具有统治、权威、掌握话语权等特点，女性往往具有服从、温顺、无决定权等重要特点，这正是郭文斌作品中体现出的男性中心视角。

（载于《六盘山》2021 年第 1 期）

《农历》：一部中国化的小说

於可训

初读郭文斌的《农历》，感到十分新奇。从体式上看，这部作品似乎不像小说，或不太像小说，但读进去以后，却又放不下来，倒觉得比读通常的小说倍感温暖，且时常勾起一些童年的回忆，让人乐而忘返。所谓小说云云，这时候倒不去想它了，相反，却让我想起了以前读过的一本书，这本书的名字叫《荆楚岁时记》。《荆楚岁时记》也是一本与“农历”有关的书，是记录中国古代荆楚之地的岁时节令、风物故事的。只不过写法与郭文斌的《农历》，大异其趣。它只实录其事，却无想象和虚构，所以不能叫小说，只能叫笔记。这又让我想起了我多次说过的笔记与小说的关系。笔记是中国古代的一种独特的文体，你说它是散文，它确实是一种散体的文字，而且某些特征也与今天的散文类似，你说它是小说，它确有许多篇什兼具今天我们所说的小说的某些要素，所以有人又把这一部分叫作“笔记小说”。但问题是，古人把小说也归入散文，因为它也是散体的文字。这么一说，笔记与小说的关系，似乎就有点复杂，二者既属同一家族，却又要分领不同的姓氏，怎么的都让人觉得有点搅和。这当然都是那些爱动脑筋的人把问题复杂化了，叫我这个头脑简单的人看来，你就别管什么散文不散文、小说不小说啦，笔记就是笔记，你可以说它是散文有些又可能是小说，你也可以说它既不是散文也不是小说。我这样说，不是在胡搅蛮缠，有意混淆散文和小说的界限，而是因为你所谓的散文、小说云云，用的都是西方的标准，拿来鉴别中国古代的笔记，并不恰当，或不完全恰当。如果你硬要说笔记与散文、小说有关的话，那这散文也是中国古人心目中的散文，即所谓散体的文字，那小说当然也只能是中国古人心目中的小说，即活在笔记文中的那种小说，也就是前人所说的"笔记小说"。正是在这个意义上，今天的中国作家才可以用笔记的"散体之神"来改善已经全盘西化了的现代中国小说，才可以让笔记中固有的小说元素得以回生再造，成为今人所说的新笔记小说。

说到新笔记小说，人们自然会想到20世纪80年代中期前后的那股创作热潮。那时受文学革新的推动，读者和作家都感到以前的小说太刻板、太写实、太人物中心、太典型化了，而且还要表现重大题材、时代主题，太不自由潇洒了，需要减减压、松松绑，于是便乘"寻根文学"翻腾先人遗物之机，顺手拣起了笔记文体，学着其中的样子做了笔记小说，即后之所谓新笔记小说。因为写的人多，竟成一时之盛，演为一种创作热潮，很是红火了一阵。但时过境迁，再回过头去看看那时的新笔记小说，除了三几高手略有古意，或稍具文人雅趣外，多数也仅止于改善小说一途，并未真得笔记文体三味。

等到我读了《农历》之后，始觉沉寂多年的新笔记小说，不但在郭文斌这里又得复活，而且在各方面都进到了一个新的境界。这境界不仅在于《农历》的写岁时节令、民情风俗，如《荆楚岁时记》那样的实录其事，同时还在于这实录者，不是单纯的民俗事象、节庆场景和具体的风俗器物，而是人的全部日常生活，是由这些岁时节令和民俗生活编织起来的人的全部生存活动，以及贯穿其中的人的欲望、感受、期待、意想和全部精神信仰。从这个意义上说，《农历》又不是一般意义上的新笔记小说，而是一部民俗文化和民间生活，也包括民间信仰的“百科全书”。或者也可以说，是一部远比《荆楚岁时记》要丰富多彩的《西北岁时记》。我曾在一篇文章中说：“笔记就其总体而言，其内容可谓包罗万象，其写法则不拘一格。大到天下国家、自然万物、人间万象，小到身边琐事、市井轶闻、海外奇谈，皆可入笔记。这些不拘大小雅俗、纯杂奇正的题材，或经作者深思熟虑，或不过是偶然所得，但一入笔记，便沾染了作者的思想和性情，便是一种有文学性的文字，便可称之为一种广义的散文。”现在，我还要加上一句话，倘有五月、六月这样精灵式的人物游走其间，便可称之为一种中国化的小说。

说《农历》是一部中国化的小说，除了上面所说的理由，即它的“包罗万象”的生活内容和杂糅叙事、抒情、议论于一炉的“不拘一格”的写法，包括穿插其间的各种文学的和非文学的、文人的和民间的、书面的和口头的、通俗的和雅致的文体之外，还有很重要的一点，就是它所具有的教化的功能和作用。中国文学向来重视对人的教化，小说、戏曲等通俗的文体兴起之后，文学的教化功能更为强大，所发挥的作用也更强烈。后来受西方影响，加上某种功利因素的作用，中国文学所固有的这种潜意识的教化，似乎逐渐为有意识的思考所取代，同时也由无形的浸染逐渐为有形的模仿所代替，文学的教化功能由是日衰，教化的作用由是渐弱。但在郭文斌的《农历》中，我似乎又看到了文学这种潜移默化、浸润无形的教化作用在逐渐复苏。《农历》也许不会给你树立一个学习的榜样，也不会带给你艰深的思考，或引导你去追问人生的终极问题。但却会让你沉浸其间，随着岁时节令的推移，让你通过日常生活的细节，通过世代传承的风俗，一点一滴地去体验生存的滋味和乐趣，一点一滴地去体味生命的意义和价值。它不指点你最终的去处，一切只在过程之中，也不预支未来的祸福，一切只在生之欢乐。这样的理念，也许就是郭文斌所倡导的“安详哲学”。他用这种包罗万象的笔记文体，不拘一格的现代写法，通过一部《农历》和他众多的作品、言论，向人们传播他的“安详哲学”，可以说是把文学的教化作用，在当今社会，发挥到了极致。就冲这一点，我们在接受郭文斌的文学“祝福”的同时，也应该对郭文斌报以深深的“祝福”。

（载于《文艺报》2019 年 3 月 1 日）

为了不再遗憾的写作
——评郭文斌长篇小说《农历》

汪 政

也许，这是郭文斌多年的一个心愿，为中国的农历做一个“传”。前几年，他断断续续写出了《大年》《点灯时分》《吉祥如意》《中秋》《端午》等作品，而且，作品中的人物也差不多，一对本分的守着自己几亩地的夫妻，大儿子分出去了，大闺女也嫁出去了，膝下还有俩儿女，大些的是个女孩儿，叫五月，小些的是个男孩儿，叫六月，都在刚记事的天真年纪。现在，这一对夫妻牵着这一双儿女，从那些短篇故事中走进了长篇小说《农历》，他们要用一年的时间为我们演示中国农村原汁原味的日常生活，给现代化中的人们讲述他们生命的节奏，生活的原则，感情的寄托，他们的价值和他们的根。

这部长篇小说从“元宵”开篇，到“上九”结煞，刚好一个轮回。中间既有我们非常熟悉的大年、中秋，也有我们非常陌生的龙节、中元，有的是农历的节气，有的是农历的节日。人们，尤其是都市的人们，现在对农历已经不那么看重了，有多少人还按农历安排自己的生活呢？农历是中国古人发明的，据说最早诞生于夏朝，后来经过了多次修正。它是根据太阳和月亮运行的规律总结推衍出来的，因为太阳的运行产生了季节的变化，农事的安排必须适应这种变化，古人据此设置二十四节气以指导农业生产。农历文化实际上是一个非常丰富的话语系统，它不仅仅是一个时间表，而是包含着天文、地理、宗教、习俗、生产、生活等许多方面。在古代，二十四节气对农业生产具有强制性指导意义，而每一次生产行为都包含祭祀、禁忌、庆祝、劝勉以及实际生产行为等许多程序和仪式，每一道程序又都包含着它的起源、沿革、传统等文化增殖。对中国人来说，这是一笔丰厚而宝贵的文化遗产。

当然，作为文学，作为长篇小说，《农历》并不是一部有关历法的科普读物，或者说，郭文斌要表达的是比单一的农历、传统世俗节日要多得多的文化释义与文化情感。他试图以农历为依傍、描绘出一个自满自足的生活环境与人伦关系，来演绎传统文化对生活的意义，塑造较为典型的传统文化人格，叙述个体在这个文化系统中的养成。作品的父亲与母亲显然是传统文化人格的典型，父亲不过是一个农民，但这个农民有着全面而朴素的文化传承，他熟悉农事，勤劳、本分、善良、聪明，受过初步的识字教育，对传统文化的几部启蒙经典如《三字经》《百家姓》《千字文》《太上感应篇》《朱子家训》等谙熟于心，同时对风俗习惯十分了解，所以，在作品中，父亲实际上扮演着一个榜样，一个传道、授业、解惑的角色。母亲在作品中的地位和角色与父亲相仿，只不过她更典范地显示出中国传统农村女性的文化身份，同时，由于受教育的程度与方式的差别，她对下一代的启发更多的是情感，她对孩子的教诲有时也会借助于语文典籍，但这些典籍并不是典型的经典文本，而是传说、民间故事、歌谣以及戏曲等。也许是为了突出传统乡村中文化传承的方式，郭文斌没有刻意点明现代学校的存在，这样，我们可以对作品中五月、六月这两个孩子的文化接受与人格养成途径进行梳理。节日是重要的教育契机，因为节日是传统文化的重要载体，传统有时隐藏在生活的背后，隐藏在人们思想的深处，而节日就是人们定时选择的时间，将文化与传统集中地、强烈地表现出来，过节的每一个步骤与细节都有着具体的规定与释义，而节日的气氛则可以使人们沉浸在不同的情感体验中进而受到感化。《农历》以较为典范的传统节日与节气使五月、六月对一年的生活以及如何过这一年的生活有了大致的了解。结构则是父与子的对话，上一辈在传统文化传承中肩负着义不容辞的责任，而晚辈在接受中也责任重大，父亲的示范与讲解，儿女的询问、质疑、接受与思考形成了总体的对话结构，这种结构既体现在家庭中，也体现在家庭以外，从而形成一个统一体，以保证这一结构的同一性，只有具备这种同一性，文化的传承与接受才是畅通的。而内容与材料则是多样的。

最重要的是日常生活，中国民俗节日本来就产生于农事，是为人们的生产生活服务的，所以本身就是人们日常生活的一部分，只不过在一个特定的日子，人们的日常生活增加了内容，或原有的内容增加和增强了表现形式，但它并没有终止日常生活的流程，因此，日常生活最能彰显文化的根基，也最能使人从中得到浸染与化育。《农历》说到底是一家人过日子的书，但文化即在其中。除了日常生活，就是各种各样的文化文本与文化符号，除了我们前面提到的经典与民间传说故事外，表演作为一种虚拟的方式在作品中也起着十分重要的作用，比如《中元》一章即是现实叙事与传统皮影戏《目连救母》的交叉，《目连救母》几乎是全本，因为它是传统敬畏文化的典型象征，所以很好地解释了六月有关孝、天、地、人等许多的疑惑。

我以为郭文斌的这次传统文化叙事颇费心事，有两个方面值得一提，一是它的形制显然受到了中国古代“变文”文体的影响。当初，在一些短篇写作中还不太看得出来，现在变为长篇，其特点一下子就显现出来了。书中的四个人物既是故事的主要人物，又是叙述人，特别是五月、六月，更兼有结构性人物或线索人物的功能，有了这样的人物，再以日常生活作为背景，抽象的文化叙事就变为生动的文学叙事了。第二个就是跨文体的组合形成的复调，《农历》的文本是复合式的，以农历时节为线索的叙述是一个文本，它具有不可逆的线性特征，以保证农历节气的完整性。五月一家的生活是另一个文本，它是现象层面与故事层面的，它的意义在于提供传统乡村生活自满自足的画面。典籍、传说、戏文是非连续性的，它镶嵌在上述两层叙事中，形式灵活，可以是植入性的原始文本，也可以是转述，可以是完整的，也可以是片段的，它们代表了传统文化的权威，使农历的时间形式获得内容，使故事的日常性获得升华。这三重文本的呈现方式不同，叙述形态不同，语体风格不同，语义层面也不一致，从而制造了作品的复调，形成了另一种深层次的对话关系。

郭文斌这次写作的意义在哪里？有关传统文化的式微的判断已成定论，有关保护传统民俗节日的呼声也与日俱增，甚至进入了“申遗”的范围，但《农历》并没有多少的悲怆，更没有多少声嘶力竭的呼告，相反，它写得很安静，很平和。确实如此，随着生产方式的变更，建立在农耕文明上的传统民俗节日的瓦解也许是必然的，而随着社会的转型，传统文化的价值观可能也要退出主流，《农历》讲述的是一个看不出明显的时代印记的乡村一年的生活故事，而在现实中，乡村早已破败，自给自足的生活方式早已解体，不管是农历的规定性时序结构，还是代与代之间的文化传承也早已断裂。我们虽然有足够多的理由来阐述传统文化在乡村重建中的作用，从文化多样性的角度来申说乡土文化的地位，但在狂澜既倒之时转换一种方式也许是冷静而现实的，比如完整的呈现与原味的讲述，它能使正在逝去的事物本真地存现在话语中。郭文斌在《冬至》这一章有一个情节，父亲说先人们常用“春泉垂春柳春染春美，秋院挂秋柿秋送秋香”的对联推测这一年的雨水的多寡和收成的丰歉，当六月追问如何推测时父亲说他记不太清了，六月顿觉遗憾：“爹当时应该把它记在本子上才对。我可一定要记牢，到时传给我的儿子，再让我的儿子传给我的孙子，再让我的孙子传给我的重孙，子子孙孙，孙孙子子……我可不愿意让他们遗憾。”

也许，这就是郭文斌的心事。他要写出过去的故事，一幅完整的风俗画，而且要写得美丽、吉祥，为的是让未来不再遗憾，有一份美好的怀想。

（载于《中华读书报》2011 年 1 月 26 日）

文化的力量在哪里？
——读郭文斌长篇小说《农历》札记

木 弓

一

郭文斌的《农历》是一部思想主题厚重、文化内涵丰富的乡土小说，整个故事就是讲述两个孩子五月、六月在农历各个节气中的经历，实际上是讲孩子们如何在各个节气的民俗生活的养育中成长成人，如何从父辈那里承接一种传统文化，在具体实行细节中滋长出自己的价值观、道德观、生活观以及自己的思想文化品质与性格。如元宵节大人们如何做灯盏，清明节如何祭祀，端午节有什么风俗，中秋节又会怎么过。孩子们就是在一年那些不厌其烦的节气民俗规矩细节里认识了农家的生活，知道了做人的准则，强化了文化敬畏意识，培育了一种源于乡土的农家特有的个性。

很有意思的是，小说对农村社火有着细致而生动的描写，并突出表现了其独有的文化价值以及对孩子们精神心灵的教育功能。这些民俗的文化精神会集中在社火形式中得以弘扬和艺术表达，其文化的传承作用以及对一个人精神心理的深远影响力是难以估计的。我们注意到，小说的两个少年主人公特别是六月对社戏那种天然的热爱和投入，正是一代人接受文化传统并使之弘扬的天生品质。

由此，我们会更丰富地体味小说主题的意味和意蕴——民俗文化对于乡土来说，是精神之魂，是智慧的源泉，也是乡土的福祉。小说最后在社火表演的高潮中说“回首再把人间望，福在大地已生根”，这两句民谣式的箴言点亮了作品的思想之火。

二

我曾经比较集中地思考过乡土民俗问题，对那种近似于迷信的顽强不息的民俗文化过程越来越有一种认识和敬畏。现在读《农历》，一方面有找到知音的感觉，一方面必须承认小说所表现的民俗本质内涵，比我丰富得多，深刻得多。小说对各个节气民俗文化表现细节充满情感的津津乐道把我们带进一个与当今世俗完全不同的生活场景，让我们感受到民俗的独有魅力。这种年复一年看上去没有什么变化的农家风俗文化，就有一种神奇的力量，滋养着一个民族的血肉，形成一个民族的血脉，推动着一个民族的进步，也成为一个民族能够立足于世界的身份和标识。今天，世界上任何一个民族都不会低估这种力量；我们必须敬畏这样的力量。

我们一直在讲创造先进文化，实际上，先进文化这个概念一度被读解为西方文化。好在，我们正在走出这样的思想误区。我们会越来越深刻认识到，一个民族文化的进步是和一个民族生活进步联系在一起的。有了这样的进步，才会创造先进文化。先进文化一定是民族生活创造的，不可能是别人送的。当我们认识到乡土民俗文化这样伟大的力量时，难道不能认识到这样的文化也具进步性和先进性吗。回答是肯定的。

没有了民俗，也就没有了乡土，也就没有了文化。文化保护首先就要保护民俗文化。当一个国家意识到自己的民俗文化与自己民族这种血脉关系的神圣性时，就要不遗余力去保护。保护的方式包括立法。也许，对民俗的文化立法可能越来越需要。

三

读郭文斌的《农历》，一直会联想到丰子恺的绘画。伟大、优秀的艺术内涵饱满、丰厚，但意境上通常很单纯，很率真。丰子恺的作品是这样，郭文斌的小说也是这样。当然，我们只是说，郭文斌的小说正在追求这样的思想境界，正在努力创造这样的意境。我们会注意到小说中这个农民家庭的人际关系的和谐。一个知书达礼的智慧父亲和一个朴实无华心灵手巧的母亲所支撑的农家，正是一幅优美的风俗画。

当然，我们会注意到，小说在展现各个农历节气许许多多的风俗时，显然有意回避当代农村生活中尖锐的矛盾冲突，把乡土描绘成一个桃花源一样的世界。这是否会是对真实生活的一种粉饰或失真。小说主题内涵并不是试图揭示当代农村社会经济现实矛盾冲突的本质，而是组合一个民俗风情中的乡村形态。我们不必用“农村题材”那种理性模式去规范它。实际上，当我们带着一种现实的指向去读小说时，仍然会体味到作品思想的用意。我们今天的农村民俗在功利竞争的现实中不断失去，不断被流行时尚文化所替代，这种文化损失和伤害的后果很可怕。作家在自己的作品中重新复活了应该有的人性化的生活的文化场景，意义不是很重要吗?

四

《农历》对中国的乡土小说创作具有开拓性意义。我们知道，新中国以后的农村题材小说的思想艺术旨趣和现代文学中的乡土小说完全不一样。当“农村题材”小说成为主流后，乡土意义上的小说发展会处于徘徊状态，其弱势弱点就会凸显。如这个走向的小说并不是表现真实的乡土，而是传达文人的情怀、意趣和理想。

我们知道，郭文斌是一个传统文人色彩极重的作家。他不仅是有着深厚的传统文化修养的作家，更是中国传统文化的忠实、坚定践行者。他的这种意志一直引导着我们去注意他作品中的作家个性品质表达，以为他是用爱、善以及禅在结构他的小说内涵，从而忽视到他试图超越自己的努力。事实上，我之所以看重《农历》是注意到作家告诉我们，他对传统的坚持和忠诚力量源泉来自他的乡土民俗生活，他试图把他的智慧还原给自己的乡土，表达他对乡土的挚爱、敬畏和忠诚。他并没滥用他所坚持的文人气，也不卖弄他那种文人文化，而是想把表现的重心转向乡土生活本身，尽管我们在他的小说中仍然读出不少禅意性的说教。

《农历》对乡土民俗细节的细致描写是作品区别于文人化的乡土小说的本质特征，也是对乡土小说新的开拓。它从文人意气的小圈子走出来，到人民的风俗生活当中去寻找艺术的进步与创新。这应该看成是中国当代小说创作的新气象。

（载于《文艺评论》2012 年第 1 期）

民俗文化的艺术化
——以郭文斌《农历》为中心

王光东　陆星瑶

郭文斌的长篇小说《农历》与学理化的民俗研究有所区别，它是艺术的、是生命的、是文化的，洋溢着一种质朴的生活经验和一种鲜活的生活情感。这部长篇小说，把民俗文化艺术化地呈现出来，在民间审美形态的呈现方面做了非常有意义的探索和实践。这种意义在于：他赋予了民俗文化形式以生命和审美的意义，在天、地、人、道德、信仰、人性诸多联系中写出了中国民间文化所包含的深层内涵，这是中国人的生命、文化之根。他发掘了中国民间文化里面所包含的温暖、光明、吉祥的生命传承力量，这种力量蕴含在我们生命里面，是我们前行的动力。与这样的一个民俗文化相关的那种奉献、感恩、无私、孝敬、仁爱等精神也是我们当下需要守望和坚守的精神，这正是这部作品在当代社会应有的价值和意义。

一

民俗，即民间风俗，是一个国家或民族中广大民众所创造、享用和传承的生活文化。《农历》正呈现了一幅恬淡烂漫的风俗画，其中十五个故事独立成篇，自“元宵”始，于“上九”终，以农历节日为支点撬开家乡民俗人情、民俗节日中蕴含的民族心理、道德伦理、精神气质、价值取向和审美情趣，在天、地、人、道德、信仰、人心的联系中道出中国民间文化包含的深层内涵，从农历节日中凝练出“农历精神”。

作者提到，十五个节日，每个都有一个主题，是古人为我们开发的十五种“化育”课，蕴含着经久不衰的民间文化精神，是对人生的吉祥祝福，也是中国人特有的生活基调和为人处世的美好情怀。

岁时节日在年度时间中的分布错落有致，人们在日常与非日常之间穿梭，生活的点点滴滴由此深情地展开。小说中提到的第一个节日是元宵节，作品中对元宵节的描写是从一家人前期认真的筹备开始，捏灯坯、剪灯衣、做灯捻，待到月上墙头开始献月神、点灯、添油，一家人进入那个“守”，感受“守住” 的美和妙。一寸一寸的时间里，是人们对月神的崇拜，是对自然的敬畏。二月二，龙抬头，惊蛰前后，阳气上升，人们祈求玉龙抬头降雨人间，实现五谷丰登的心愿。清明节祭祖，“祖宗虽远，祭祀不可不诚”，裁纸、染色、印钱、前往爷爷的坟地挂纸、燃烧黄表和纸钱，而后扔献饭、祭酒、磕头，父亲一整套祭祀仪式娴熟虔诚，清明的祭祀是中国传统的祖先崇拜，也是儒家孝道的坚守和传承。入夏时分，农事间忙，冬谷既尽，宿麦未登，再则炎夏暑热，疾病易生，文中提到的夏季的主要民俗节日是小满与端午。“四月中，小满者，物致于此小得盈满”，水稻灌浆，谷穗小满。《农历》中的小满日，是稳穗的节气，也正是嫂嫂生育的日子，女性在传统节庆文化中的生育本能和家庭职责被强调。小满意味着孕育和繁衍，新生与喜庆。农历五月初五是端午节，据闻一多《端午节的历史教育》一文考证，端午原是古代吴越民族举行龙图腾祭的日子，端午的意义从原始的呼求生命平安，到避邪驱疫，于六朝初才补充祭祀伟大爱国诗人屈原的传说。人们通过对端午节俗的再解释，表达出对具有高尚人格的人物的崇敬，爱国的民族精神得以传承。驱瘟保健，追念先贤成为端午节的两大主题，一则是祈求平安的生存，一则是民族内聚的文化情怀。作品中的人们在灾厄多发的五月五采艾草、做香包、插桃枝祈愿，体现的就是本于水土的生存关怀。金秋时节，新谷登场，瓜果成熟，秋天的节日风俗喜悦烂漫，七巧“对银河”歌颂牛郎织女的爱情传说；中秋团聚赏月；九九重阳，登山谢神恩，这些节日风俗是为了报答神明，也是为了慰劳自己。冬季来临，仓廪丰足，冬季的节日充满了对天地的感恩。冬至时节敬扁食，敬清水；

腊八节供腊八粥。过了腊八就是年，大年是最为隆重的节日，也是一家人最为忙碌和喜悦的节日。年节的主题围绕着辞旧迎新展开，向祝愿、祝福延伸开去。父亲帮各家各户写对联，满院的春和福是年节喜庆氛围的文字表达和视觉渲染，大年里无边无际的鞭炮声是年节的听觉符号，轰天炸雷的响声烘托出红火热闹的浓浓年味。祭祖拜年是大年中的重要习俗，与上述民俗活动一起祈求平安吉祥，构成一个喜庆欢乐、万象更新的年。

二

《农历》中乔家下庄是生于斯、死于斯的乡土社会，乡民接触生而与俱的人事，有机地团结成礼俗社会，因稳定而熟悉，因熟悉而规范，从土地上生长出来的生活逻辑和生活智慧是如此深厚、博大。节日民俗以特定的时间、特定的地域为时空布局，在这一时空中，人与自然、人与物、人与人密切结合，休戚与共。作者挖掘出蕴含在乡土民俗节日中的民众的审美观、人生观与幸福观，朴素的文化叙事中渗透着民间社会对自然、人生和社会的理解，蕴含着善与美的光芒，这种善与美构成了乔家下庄的一种生活方式。

元宵节，卯子家因守丧不能做灯盏，各家各户主动送来各式各样的灯盏，六月从放满灯盏的面案中悟出了父亲所讲的大同社会。中秋节五月、六月挨家挨户给大伙送自家的梨子，收获了大家的夸奖和感激，以及回赠的番瓜、苹果、花红、玉米……礼物的流动里呈现的是《礼记》中那句“礼尚往来”传达出的情谊、关爱、眷恋与温暖。礼物的互惠和馈赠是一种社会交换方式和人际交往方式，更是一种伦理化的情感表达。清明节时五月与六月在集市上被大伙儿簇拥着背《朱子家训》，六月为自己是“大先生”家的而感到自豪。背诵经书赢得了大家的齐声赞美，换来各类祭祀用品和各式糖果，可见乔家下庄人对知识的向往和尊重，对文化人的尊敬和佩服。五月和六月经此一事更坚定了父亲教导的“几百年人家无非积善，第一等好事只是读书”。

作品中的父亲和母亲总能从民间俗事中凝练出朴素的道理来，父亲教诲“大善人以无求心做事，所谓‘施恩不图报，与人不追悔’是也；所谓‘受恩莫忘，施惠勿念’是也；所谓‘善与人见，不是真善，恶恐人知，便是大恶’是也”。“中庸之道就是既能把自己想做的事做成，又不伤及他人。”二月二龙节的剃头习俗中，父亲总结出一个“仁”字，“人自己一不会生，二不会死，就是剃个头，都得靠别人，因此要对别人好，要对天地感恩，对众生感恩”。又从剃头的过程里悟出大道理，“你要剃头时不痛，就要在醒时挨些烫。你要将来享福，就要现在多受苦”。母亲在打扫锅底的灰痂时说道。打扫人心上的灰痂更加费劲。而使人心不变黑的方法是读圣贤书。五月、六月在挖萝卜时发现萝卜未熟决定埋回去，因为想起母亲说的“凡是能够长的，都是一个命，如果没有熟，害了它们是有罪的”。人们对待物的态度也是敬畏悲悯的。一个个民俗节日，都是一则则教人“如何做人处世”的道理的载体。

如上可见民间在处理“人与人”“人与己”“人与物”上是有自己的规矩和智慧的，这些外显的道理通过有形或无形的教化内化成个人的精神，是成长过程不可分离的一部分。民间文化中这种美好的、温暖的、吉祥的生命力量，在人身上通过奉献、感恩、无私、孝敬、仁爱……这些与“农历”相关的美好品质而体现。作者谈到，“‘化育’比‘灌输’更有用，‘养成’比‘治疗’更关键”。在熟人社会里，道理是“习”得的，审美是“习”得的，习是无形的化育和陶冶。元宵守灯，六月第一次体会到“看进去”的美和好；端午采艾，六月便沉浸到“采”的美好中去，觉得一山的人都在采吉祥如意；重阳祭祀，六月从父亲虔诚的脸上看到一个无比坚决的“空”；腊八学父亲挑豆子，六月发现了豆子的千姿百态，仿佛进入另一个世界。规矩是“习”出来的礼俗，从俗是自内而外的规约，在五月和六月无形的习中，美和善得到传承。在这里，吉祥就是规范，就是心安。供天之前，六月也打消了先尝馍馍的念头，“爹说君子就是要在平时不好的念头才冒出来时就一棒把它打下去，就是要狠斗私字一闪念”。对天神应敬畏，对私心应克制，这些道理已经深植于五月、六月的心中，维护着内心秩序，外化为个人行为习惯。

“人心就像是一块田，要四季守护，精心守护。耕也是读，读也是耕，有耕有读才是家。”《农历》凝结出农耕文化中质朴的道德，这些道德通过有形的民俗活动和无形的生活熏陶而代代相传，影响着人们的生活方式，人们也借此得以从容地去感悟人生的真谛、生活的韵味和自然的情致。这种善与美的朴素精神就像一束光照亮了我们的过去、现在和未来。

三

在中国当代文学的许多作品中，民间审美形态呈现出多样性和复杂性。曲波的《林海雪原》对演义传统的继承，莫言在“高密东北乡”对民间想象力量的发现，张炜《九月寓言》中的诗意乌托邦，等等。作家们以不同的审美方式与民间文化形态发生联结，民间以多样化的方式丰富了现当代文学的想象空间和美学形式。而《农历》的意义在于民间的内容和形式完全成为小说文体的有机组成部分。可以说《农历》开拓了民间审美的又一种形态。笔者认为，《农历》小说主要艺术特色有二：一是以时间呼应天道的思维方式，二是民俗事象纳入文本建构。

小说以“农历”为题，全书以十五个农历节日为时间脉络：元宵、干节、龙节、清明、小满、端午、七巧、中元、中秋、重阳、寒食、东至、腊八、大年和上九，四季一轮回，为一组农历节日体系。与天地合其德，与日月合其明，与四时合其序，农历作为时间标识不只是纯粹的时间刻度，而隐喻着关于宇宙的密码，农历节日则为人们创造了独特的生活节奏。《农历》叙事的过程，实际上也是把自然时间人文化的过程，把农历节日中所蕴含的中国特色的时间意识和其间文化哲学铺陈展现的过程。从文本外部来看，叙事时间和自然时间高度合一，一家人的日常生活，牢牢遵循着农历的时间框架运行。龙节换衣，小满稳穗，重阳登高，在吉年吉月吉日吉时共迎新春，人们对时间的感知、配置和运用都遵循着自然规律的脉络和秩序，张弛有度，应时而作，天人合一。从内部叙事层面来看，文本的疏密程度和时间速度形成叙事节奏，舒展自如。除了随着农历节日跨度的时间形态外，《农历》中还存在着对时间的静静的体悟。在元宵的守灯和大年的守岁中，“静静地待在家中，一寸一寸地感觉时间”，民俗活动使得时间点有了独特的仪式感和典重感，时间像糖一点一点融化，像雪一片一片降落，主人公五月、六月感受着时间，为时间流逝而紧张惆怅。在作品呈现的动与静的光阴里，读者能感受到朴素自然的敬畏光阴的时间观，以及光阴里风俗文化清晰的脉动。这样的叙述在平凡中蕴藏着奥秘，隐藏着中国人的哲学智慧和天人合一的观念。

民俗叙事也是《农历》这部作品值得重视的一个特点，以民俗活动为叙写对象，民俗生活在无形中形成小说叙事的潜在结构。十五个民俗节日构成了小说十五个篇章的架构，在每一章节里又以描写各项民俗活动推动故事发展。例如“龙节”一章围绕着二月二的各项民俗活动而展开，换夹衣、围仓、剃头发、打扫卫生，一项项活动充实了这一天。再如“端午”一节，详细地叙述了采艾草、做香囊的过程；分梨和赏月的故事构成了“中秋”一章；“上九节”主要描写了“社火出庄”的各项议程。《农历》完成了民俗事项到文学意象的转化。

《农历》将民俗文艺嵌入作品中，不仅体现出民俗生活的美，而且使民俗美成为艺术美的组成部分。“二月二，龙抬头，大仓满，小仓流。二月二，敲锅底，烧陈菜来吃陈米；二月二，敲炕头，吃香喝辣不犯愁；二月二，敲屋山，金子银子往家流；二月二，敲砖台，蝎子不蛰光腚孩；二月二，照房梁，蝎子蜈蚣无处藏；二月二，龙抬头，孩子大人要剃头。”一方面，五月、六月一边演唱民谣，一边进行敲敲打打的民俗活动，将节日的气氛推向高潮，形成浓郁的节日氛围，另一方面，民俗文艺的表演在龙节的各项活动中完成，民谣所表达的内容和感情本身就是生动活泼的民俗活动的反应。再如七巧节，文章大量笔墨记叙了上庄和下庄“对银河”的过程，有“河汉清且浅，相去复几许”对“盈盈一水间，脉脉不得语”的文人诗词，也有“阿哥是火暖不上”对“尕妹是水喝不上”的民间俗句，可见“对银河”是一场大俗大雅的民间盛会，除了四位牛郎织女外，作者描写刻画了举行活动的麦场，主持活动的社长，上下庄人经久不息的掌声，构成完整的“对银河”，再现了民间文学口头讲述的生活现场。《农历》把民歌民谣、戏曲故事、神话传说、民间故事等纳入创作中，通过作品中人物的歌唱、表演、讲述呈现，实现了对话和交流，从而获得了新的生命的情感和力量。关于文学的最普遍和最朴素的观点可能就是“文学是生活的再现”，《农历》将民俗美融入艺术美通过“再现”实现。民俗叙事一方面保持了民俗的真实感，使得眼睛可见的民俗活动的外部世界生动再现，另一方面也再现了无法直接观察到的人们在节日中的内心世界，对天、地、人和自然的敬畏，对生活的祝福和期盼。

《农历》将民俗纳入文学视野另一方面的意义在于探索了文学为民俗构建美学空间的可能性。作者提到十五个节日每个都有一个主题，其实民俗节日就是一个个文化符号的载体，是对生活风俗的编码。通过节日的传承，民俗中蕴含的传统文化也得以传承。《农历》以文学的方式将十五个节日一一解码，除了对民俗生活现场的再现，《农历》也以瑰丽的想象、文学的话语实现了对民俗文化载体的模仿和超越。《农历》通过艺术化的方式构建美学空间，将农历节日中蕴含的美好情感一一呈现，以唤起读者对农历、对民俗节日的记忆和认同。

（载于《中国当代文学研究》2019 年第 6 期）

所有的念想都因了农历

张燕玲

一直在作品中怀抱“寻找安详”“吉祥如意”念想的郭文斌，终于在他的长篇小说《农历》中安放了他的念想。因为在郭文斌看来，对于现代人，尤其是对于那些整天处于致命焦虑中的人来说，以安详作为生命的方向，才是每天疲于奔命的人们尽快摆脱焦虑的救赎之路。于是，他虚构了他的理想国——安详欢喜的上庄。初读以为这是一部献给孩子的农事诗，掩卷之余才知道，最应阅读的是我们成人，因为它借助儿童视角来呈现人性的本质与救赎，这是一部关于固守与出走、矛盾与救赎的书。

首先，固守与出走是郭文斌面对现代社会的基本态度。一如阿贝尔·雅卡尔所言：“要是我们执意往经济主义道路走，准保回到野蛮的状态，就像赫胥黎在《人之杰》或奥威尔在《1984》中所描写的那样，对这样的人类，我们应当学会说‘不’。”人类快节奏地向前赶路，慌乱得连路两边的风景都来不及看，更少有人留意他们遗忘与流失了什么，少有人在现代虚华生活中，想起他们曾经有过的与自然拥有密切关系的生活，曾经有过的在一个个节气与节日中翻过的一页页农历，忘却了那些曾经支撑着他们安身立命的传统社会的基石。我不知道郭文斌是否是在一个不能回老家过大年的年夜里，念想曾经有过的所有农历里的节日，念想远去的欢喜，在这份心灵的守望中，开始写《农历》，但是我注意到，在那个“就像新婚之夜没有进洞房”的日子里，当他带着他的有关过大年的文字在键盘上行走时，“我没想到，它会把我的伤心打翻，把我的泪水带出来”（《农历·望》）。他要通过对乡村伦理与农耕文明的美善描绘，从经济社会出走并说出他的“不”，他要固守他念想中的乡土文明，固守传统社会结构的基石。

上庄在郭文斌笔下是牧歌式的田园，最动人的牧童便是六月了。六月是主人公，是一个嘀咕大问题“‘想’老管不住的人”，他是童真、童心与经典化的民间传统的化身，也是本书的灵魂。郭文斌以纯正、沉静的儿童本位叙事，以孩子的眼睛看万物见心灵，以孩子的本真描述世界的美与善。因此在天真烂漫、聪明早慧的六月和他的姐姐五月眼里，万物有灵，天地有心，人心美善，他们与慈爱的母亲，尤其是与他们的启蒙老师、被村里称为“大先生”的父亲，共同演绎并串联了一村人的十五个农历节日。背负乡间文明与乡村伦理大任的他们与乡邻们互助互爱，这里人人受欢迎，个个生活和美安详，该下地时及时下地，该祭拜时虔敬祭拜，该过节时欢喜过节，一如六月探寻的“火是木的解放”“水是脸的解放，也就是净的解放，也就是美的解放”，一种身心真正“解放”了的日子。而六月自在的情状，天真烂漫、聪敏自然、妙趣横生、放慢了脚步的乡间生活，飞扬着一种精神的光芒和祥和的气氛，人物为此有了翅膀，飞进读者的心里。郭文斌的弦外余音是他守望的安详大地、修成正果的人心与丰厚的民间传统，并使之扎根读者，欢喜人心。为了守望这份安详，理想人物六月修身养性，快乐成长。端午采艾草时，“五月六月从未有过地感觉到‘大家’的美好”，而且一山的人都在采吉祥如意。“五月就把目光开成一束花，送给六月”，过年时，“老天下雪花，五月六月剪窗花。二人手里各拿一把小剪刀，按照爹给他们的花样剪。当剪刀在三色纸上噌噌噌地剪过时，六月突然觉得，年是一朵花，已经在他和五月的手上开放了”。这快乐潜入元宵的灯花、潜入干节的打干枝、潜入小满侄儿的生育诗、潜入清明老得不像样子的荒草、潜入中元目连救母的戏文、潜入七巧的牛郎织女、潜入中秋养在碗里的月亮之鱼、潜入重阳的十全十美、潜入腊八冬至水的上善、潜入大年的分年守夜以及改弟的家……随处结祥云，人人皆欢喜。这快乐充满了如流水般和谐自然的韵律，令我们明白安详是本书真正的主人公，明白六月一个个的欢喜中隐含着对友谊、忠孝、感恩、同情、自由、公正、劳动等精神成长关键词的认识，他与五月对民间经典的学习与背诵，显现的聪慧灵性与精神气质。

这种固守与出走是审美的、个性的，也是独具魅力的。从现实出走，回到故乡，以六月过元宵为切口，切入了烂漫与念想，回归了本真与幸福。这种幸福散发着地气，弥漫着大年的喜乐。从《大年》《吉祥如意》《点灯时分》《寻找安详》，乡土一直就是支撑郭文斌创作的根器，而中华文明一直也是扩大他内心世界的精神源泉，悲悯情怀则提升着他作品的精神向度，为此《农历》以乡村十五个传统节日设目，从元宵开始，到“上九”结束，正好是一个四季的循环。作者是以“小说节日史”的方式呈现中国文化的根基和潜流，以此拯救和重建乡土中国的传统文明，他不希望我们在倒脏水时把婴儿也倒掉。我明白了郭文斌近似着魔的热情正是来自这份对经典化民间传统的钟情。在他唯美的、散发书卷气的散文化笔调下，上庄的年节、西北的节日风俗、民间文艺与方言俚语“进入眼帘它是花朵，进入心灵它是根”，显现了作者西北文化生生不息的血脉。同时，复调的大量运用，不时使现实与历史、现实与戏文、现实与梦境交相辉映，相生相应，产生一种互文的效果。慢慢翻阅书页，别样的情绪渐渐涌动，温情而沉静，在六月开蒙的天真烂漫、快乐闲适与温柔敦厚中，自我便幻化出一方心灵的牧歌田园，在此走出现代社会，在此回归本真固守好的传统。郭文斌不仅给了我们一个绵长的念想，同时也唤醒了我们的审美感受力。

其次，矛盾与救赎是郭文斌对正在裂变的乡土文明重建的忧思与努力。面对现代化进程的脚步与乡土文明行将瓦解的矛盾，郭文斌痛心不已，他急于为远去的农耕文明唱挽歌，因而文以载道，为此郭文斌故意隐去现代生活与现代文明，隐去时代背景，而六月与五月也年龄模糊，读者只能从“坐车五月要买票，六月不用买票”去大致判断，然而年幼的六月却可在“上九”做了乡间只有德高望重者方能担任的仪程官，并表现出少儿罕见的文胆与口才，令人生疑也生敬意。同时，没有学校生活，也就没有现代教育的甘与苦。没有苦恼，没有矛盾，全村人全年都随着“农历”、依照传统过着一个个节日。大家都生活在“安详”与“欢喜”之中，就连一无所有、无心过年睡大觉的改弟爹也被六月们的爱与喜感动而起身糊过年灯笼了。上庄的人们都是无条件地感到快乐，因为“如果一个人心中全是欢喜，真的全是欢喜，他就不会没饭吃没衣穿，他走到哪儿哪儿就是吉地，他任何时候出行就是吉时，任何人见到他都会心生欢喜”。常回乡村老家的郭文斌，不可能无视现实存在，如此营造安详和欢喜便有了乌托邦的意味，或说童话的质地与理想的信念。隐去矛盾的阅读是愉悦美善的，但掩卷之余矛盾却直击心扉，悲哀不期而至：《农历》的欢喜世界，早已渐行渐远了；描绘安详，是为了救赎，那么沉醉“欢喜”，是否意味着对乡村忧思的忘却与逃避？

也许，作者正是这样让我们在书的世界里暂时远离尘埃，远离经济时代的恐慌，回归传统节日里的欢喜，回归农历，“天然”与“安详”地养植德行与快乐，在民间化的经典与传统中自我救赎，尤其希望还孩子们一个自在快乐的童年，人人都像六月那样自由自在地成长。在这个意义上，孩子需要六月，成人社会需要这种关怀与审美。

（载于《文艺报》2011 年 1 月 10 日）

一部真正意义上的文化寻根小说
——读郭文斌的长篇小说《农历》

汪守德

文斌的长篇小说《农历》，堪称是一部奇特而富有魅力的乡村文化小说。一段时间以来，我们难得看到写得如此干净纯粹而富于诗意、弥漫着浓郁自然和谐气韵的作品。曾生长于宁夏乡村的作者，乡村生活或许曾给过他许多的苦难和快乐，并且留下十分深刻而清晰的影像。当他告别乡村进入城市并经历城市文化的长久浸染之后，是文学的缘由使其情不自禁地以现代目光回视乡村生活，那些对于乡村的生活记忆和文化记忆，便统统复活和发酵，使他一定常常产生背井离乡的游子般激动。每一位从乡间走出的作者，都会在心中将故乡保留成一片圣土，文斌则更是如此，难以释怀的情感促使其以文学的方式，写一部关于乡村的独具风味和价值的作品。作者仿佛是自传式的淡定而又激情的抒写，从普通个体切入乡村文化的根基与血脉，铺展出一部富含情感容量和生活情致的中国乡村文化长卷。

小说以我国传统节日设目的结构方式可谓别出心裁。节日与节气是中国农耕文化的一种重要载体，在民族文化心理中有着谜一样的力量与意义。它不仅仅具有鲜明民族习俗的特征，更凝结着民族的过往历史、丰富情感和美好期冀。而小说精心选择的节日与节气及其周而复始的循环与轮回，无疑是对民族文化心理和生活过程的一次较为完整的展示和认识，作者所欲在作品中呈现和表达的乡村文化的外在形式和内在蕴涵便浑然天成地包含其中了。小说的主人公六月和五月都是乡间自由的风吹拂之下成长的花蕾初绽的少年，自然是所有节日的最热衷者，更是传统文化新的承受者。似乎只有他们才是节日的真正主角，最能天然地感知和享受节日的快乐。在以节日和节气为核心构成的具有隆重仪式意味的乡间时刻，他们无拘无束地敞开自己的心灵和感官，来接触、体验和认识这个世界。小说独具匠心地从少年这个人生最美好的时段切入，使乡间的一切都如露珠般新鲜和灿烂。文化的古老和少年的崭新不仅是一种有意味的对比，更令乡村的生活显示出丰富而鲜活的形态，反映出乡村坚韧沉着而又生机盎然的景象，也给乡村的人生寄予了无限想象和希望的空间。

显然，小说是在一种人生的源头与起点上展开描写的。六月带着与生俱来的无穷疑问开始了自己最初的人生之旅，相对闭合的乡村生活，纷至沓来的种种节日，质朴淳厚的父母、兄姐、朋友与乡邻，几乎就是其少年时光的全部世界。他仿佛就是我们每个人少时的代表和化身，引领我们从往事门前走过，重温少年的美好时光。原初或原始的情感与心理萌动，使六月从认识的混沌中睁开眼睛好奇地打量这个世界，他同这个世界的关系似乎都是由刨根问底式的连串的问号组成，这是属于少年的典型的心理、思维和行为特征。小说刻意把姐姐五月设计为与他交流沟通和相互诘问的对象，因而两人的对手戏无处不在地进行着，两颗幼稚或青春心灵对未知事物的对话与探究，也在各种场合和各个层面展开。既是姐弟，也是朋友，又是异性的关系，使两人之间的对话充满了直率与隐含、尖锐与柔和、赞赏与龃龉等多种可能性。在此过程中，作品以极其诗意的笔墨，描写乡村生活怎样以最温暖的形式，亲人们怎样以最具亲情的方式，敞开胸怀拥抱尚在懵懂之中的少时儿女，让他们在一个既是感性的，又是理性的世界里徜徉，自觉不自觉教他们以人生的常识与经验，帮助他们认识和理解日常人伦、生产劳作、生死繁衍乃至世间万物，感受和领悟生活的现实和逻辑及其种种玄妙韵味。

在作者的笔下，乡村的日常生活有着极大的丰富性。乡风民俗、传说神话、诗词歌咏，川流不息地从遥远的源头汩汩流转而来，并且围绕接踵而至的节日陀螺般展开，形成乡村文化的深厚积淀与浓郁氛围，并且融入六月的生活的点点滴滴，以润物无声或强烈夸张的形式，浸泡、熏染和撞击着他们的少年之心。他总是以少年的视角来观察生活现象和奥秘，来完成和实现一个少年对生命历程中遭遇的各种问题的随机式的关注和提问。而提问的过程显然就是吸取养分的过程，解疑释惑的过程，因而就是六月成长的过程。伴随着六月心灵的袒露与递进，小说将人物成长的历史与故事写得妙趣横生、耐人寻味。他对这个似知未知、似懂非懂的世界的万事万物，无论是囫囵吞枣，或是细嚼慢咽；无论是茅塞顿开般领悟，或是困顿不解般迷惑，由于他的成长之路始终绵延在亲情的关爱之中，并且有着乡村文化乳汁的充沛浇灌，使少年的生活既像雾一样混沌朦胧，也像春光一样和煦明媚，更像泉水一样欢快清澈。以乡村文化为背景映衬的六月敏感的童心，像一条活泼的溪水在充满激情地流淌，使作者所描绘的这种看似极其平淡的乡村生活，不再仅仅是平淡的日常生活场景，而是在具有强烈生命意识的叩问之中，世界逐渐打开，情感逐渐发育，心智逐渐成熟，想象逐渐丰富，眼前的一切逐渐变得清晰明了起来，少年的心踏着已知的阶梯逐渐抵达彼岸与未来。完成这一过程，事实上也意味着民族文化之根，在年轻的生命个体中得以传承、深植和发展这样一种生动、具体而形象的过程。

《农历》写得既那么简约与单纯，又那么丰赡与饱满，显示出文斌独特的文学品格与追求。作品跨文体的复调式写作，也许是作者缘自这部小说文体需要的一种尝试，使作品本身包容了很丰富的思想与文学含量。小说叙述的松弛与节制，抒发的含蓄与奔放，意蕴的隐匿与显豁，风格的清新与质朴，以及对现实的逼真描绘，遐想的浪漫无羁，人生哲理层面的深入，乡村风俗与风情的细腻呈现，赋予作品某种令人心向往之的强烈美感。特别是作品描写少年以纯净好奇的心灵触摸周遭世界，竟是如此地灵醒细密、婉转曲致、妙趣横生，让读者平生许多会心的微笑与感动。这不止表明作者对于生活细节的精细入微的观察与体悟，也充分反映出作者的卓越想象力，更显示出作者心灵的自由和心地的纯净，使人相信作者似乎有一种佛性藏在胸中，并且是那样的宅心仁厚，有一种渗透到骨髓的优雅和温存从作品中散发出来。“吉祥如意”这样的祈语，并非只是他作品中可闻见的美丽符号，也是他作品氤氲而成的文学气象，还是流淌于他内心的一条情感之河。作品虽然对所表现的生活进行了某种过滤，但乡村韵味的丰盈和生活质地的坚实却是显然易见的。小说的成功创作表明，在纷纭扰攘的现代社会，童心不泯、血脉贯通、文化流传，依然会焕发出巨大的人生魅力。也许，《农历》描绘的只是一处乡村的风景，一种生活的场景，但它讲述的是生命的延续和文化的接力，是一种真正意义上的文化寻根小说，是作者在寻找自己的情感和心灵之根。

（载于《扬子江评论》2011 年第 3 期）

《农历》：一本特别的书

杨 扬

我之阅读小说，常常居于两种心态之间，一种是欣赏的，一种是职业的。欣赏的心态是无所用心地读，读着读着，感到欢喜，获得满足为止。职业的心态是用心刻意地读，明知道作品有这样那样的毛病，但为了了解小说写作的现状，还是从头至尾，一页一页地翻阅完毕。郭文斌先生的小说以前看得不多，但他的《吉祥如意》给我留下很好的印象，有西北醇厚高旷的风味，令人向往。此次见到他的长篇新作《农历》，自然而然地生发出一种亲切感。

《农历》很有意思，是按照中国农历旧俗的惯例，将一个一个节庆日子串联起来，其中的主要人物是西北一农户家的姐姐与弟弟，他们的名字是五月和六月。一般读者对于小说的阅读期待是故事，尤其是长篇小说，没有故事情节的推进，一口气要将数万字或数十万字的作品耐心读下来，的确有些难。记得自己年少时躲在县城图书馆的藏书室里，揭开封存的报纸，无意间取出托尔斯泰的《复活》和雨果的《悲惨世界》，那些感人的故事像催人欲望的金苹果，促使你急于知道下一个情节会是什么，因此每每遇到作家的议论抒情，总是一跃而过，无心回味，只有等到故事情节浮出字面，阅读才又恢复常态。

读郭文斌的《农历》，我起初也是怀着寻找故事的心态来拜读的，但翻阅了一章又一章，故事迟迟没有开展，阅读的忍耐度有些难以承受了。作品中没有我想要寻找的有意思的故事，而是一个节庆一个节庆中，西北子民们最日常的起居与生活。五月和六月姐弟俩不停地说话，或是有一些风景穿插，讲话的速度很慢，故事的场景切换也少，犹如电影中的长镜头，一直对着两个人物。这种小说的构造方法与当代小说追求快速经济的表现技法大相径庭，如果是换一个作家的作品，我有可能会终止自己的阅读，但因为是郭文斌的小说，凭着原先对小说作者的信任，我坚持阅读下去。

随后的阅读感受让我觉得作者的确没有辜负期望，《农历》真正属于那种别具一格的小说。说它别具一格，是因为作者在文学表达上有自己的理念。郭文斌生活在西北，他感受着变化了的现代生活对西北原有生活的冲击和改写，但对于他熟悉的乡土而言，他总觉得有一种亲密的乡间情谊难以被现代生活所改变。就像端午、中秋、大年这样的农历节庆，虽然现在在很多地方依然存在，但内容和形式却已起了很大的变化。所以，《农历》中作者像是在怅叹往事一般，追忆着农历节庆时空中那些没有随时光消失的恒常的传统风俗。

如五月、六月在中秋节遵照父亲的嘱咐，给村里乡亲送梨。两个孩子一方面是舍不得自家辛苦一年收下的果实白白送人，另一方面又觉得如此一家一家地送梨，实在是烦琐。但当姐弟俩将满满一袋鲜梨送完后发现，自己的收获却比先前还要丰富。不仅是各家各户回赠了各种糕点水果，更重要的是姐弟俩感觉到回赠的礼物中有一种意想不到的人情和乡亲的收获。同样，在大年写门联的描写中，有一个细节被充分扩展。父亲写错了一个字，但从意思上看似乎也可以过去，五月、六月想节约纸张，就劝父亲将就过去，但父亲不许。六月说那就送给傻子家。父亲就生气了，如果不是五月提醒马上要过年了，不知他该如何批评六月呢。这种身体力行的无言的教导，让沾染上现代生活气息的姐弟俩由最初的不拘小节，到慢慢体会到人情的重要性。

《农历》是以意味见长的长篇小说，它有点类似于萧红的《呼兰河传》，抒情的笔墨胜于故事的演绎，如果以情节来判定作品，那是牛头不对马嘴。而且，读这样的小说，不能单单靠阅读，还需要调动自己的情绪，让自己的情绪进入某种状态，适应了小说的氛围，然后才有可能打开小说的神奇世界。这样的阅读法则，对于作家作品而言，有一种很高的要求，作品的确要耐读，要对得住读者平心静气长久的期待。如果内涵单薄，故弄玄虚，没有实质性的哲理揭示的话，会大大伤害读者的胃口。或许从此以后，读者遇见这一作家的名字就会反胃，再也提不起阅读的兴趣。

另一方面，好小说对于读者而言，也是一种考验。并不是好小说一定会自然而然地激发起读者的阅读欲望，有时好小说是需要体会和交流的。当我们很多的读者被今天的图书市场所左右，满脑子的上榜图书的格调和故事时，是不是应该想一想换换阅读的口味，改变一下小说的视野和文学的风景？我们不熟悉的作家作品，我们疏远的人物和风土，未必就一定没有意义。从这一角度讲，当代文学阅读的范围和趣味依然是一个有待完善的世界。

《农历》是另一种小说，另一种文学。它对作者的要求，是提供西北生活的真材实料，原汁原味。它对读者的要求，是恢复到阅读文学作品的文字阅读状态，不要太多地顾及图像和各种现代传媒技术，老老实实凭文字的功力来体会文学的意味。由这样的视角来审视《农历》，人物简单的对话中，蕴藏着很多意味，这种意味不是故事性的，而是诗意的，犹如当年小说家废名在《桃园》等小说中所追求的“魏晋文章晚唐诗”的韵味。这种意在笔先的抒情叙述的小说尝试，对于今天过快过热的都市趣味的小说世界而言，或许是有意义的新尝试。

（载于《文学报》2011 年 1 月 17 日）

尽享世外的宁静、和谐与安详

——评郭文斌长篇小说《农历》

郝 雨

在上海这样的喧嚣繁闹、竞争激烈、生活节奏超快的国际化大都市，读郭文斌的长篇小说《农历》——这种完全唯美化的文学艺术作品显得有点不合时宜。我边读边想象着郭文斌的现实生活状态。难道这个郭文斌就不是生活在当下充满竞争的商业社会之中吗？莫非作家真的可以“跳出三界外，不在五行中”？真的可以独自摆脱尘俗而身处世外桃源？一直读到小说的附录部分，我才明白郭文斌还是生活在现实之中的。他有着非常正常的现实生活，工作、家庭、妻儿……只不过，他的意识深处还牢固地保留着那种最远古的田园牧歌的情境。这不仅使他在内心依然独享着一种世外的淳朴与浪漫，更重要的是，他在小说中所表现的其实更多的是他的一种乌托邦式的社会理想，是他对人生最完美状态的一种图景化构建与诉求。

小说从人物塑造、情节设置到环境描摹，都极其简洁单纯。男女主人公五月、六月是一对涉世未深、心地纯真的少男少女。

而小说的整体结构，则由两个小主人公在农历一年中的重要节日里，按照传统习俗进行纪念或者劳作时所发生的故事组成。这样的结构显然体现了作者对我国传统文化秩序的留恋和崇尚。而这样的一种完全依照自然时序生成的伦理秩序，又恰恰是他所理想的社会和谐安详的深层结构性基础。

就小说的主体内容而言，首先可以说是一部中国传统节日民俗大全，或者起码是我国西北一带节日民俗的全景展现。其中严格按照天然时序，从元宵节到“上九”，总共15个农历节日，小说以非常细腻明快的笔法，描写和讲述了这些节日中各种纪念活动及程序。这些活动又都是以五月、六月这对姐弟的参与过程为线索展开，充满人间情趣和俗世风情。

当然，小说对西北民情风俗的表现，又绝不仅仅是简单的、平面化的以及情景再现式的记叙和演示。其中更主要的还是对我们民族悠久漫长的传统文化之根之源的追溯与呈现。那些优美温馨的民俗活动就如同民族文化之树之花，而传统经典文化尤其是其中蕴含的充满智慧和理想精神的思想观念则是其根。我们的民族生活中之所以能够一直保留着程序严密万世坚守的民俗活动，根本就在于我们民族文化的大树一直都是根深叶茂，我们民族文化的精神一直都在滋养着我们世世代代华夏子孙的心灵。如《清明》一章中写五月、六月在集市买祭祀用纸，二人在选纸时极其用心和认真，因为他们内心有一种声音：“祖宗虽远，祭祀不可不诚。”而当姐弟俩把这些传统“家训”和“家规”如同诗一样的文字脱口而出的时候，不仅当即得到满场喝彩，而且很多人愿意把纸送给他们，还邀请他们下次再来传授他们的这些文化知识。这样的情节不仅生动地表现了我们的传统文化精神后继有人，而且有着极其广泛和深厚的社会群众基础。

此外，小说的艺术深度还在于，两个混沌初开诸事懵懂的小主人公，在他们参与的所有活动以及他们的所见所闻中，总是不断提出或者讨论一些抽象性的、思辨性的，甚至带有终极意义的各种问题。诸如：人是怎么来的？为什么有男人和女人？爱是什么？诚是什么？解放是什么？……很多时候，小主人公对这些问题的追问和讨论，甚至颇有苏格拉底、柏拉图之风，如：

草木为啥不能踩？六月问。

因为草木也是命。

啥叫命呢？

活着的都是命。

麦子活着吗？

当然活着啊。

那它咋不说话？

它说呢，只是你听不见。

这样的一些问题和回答，从一对乳臭未干的少年男女口中吐出，看上去也许显得十分简单和幼稚，可是，这些问题我们哪个人没有问过呢？如果认真加以琢磨和掂量，这些问题当中，也的确蕴含着非常值得追索和深入研究的问题。其实这正是小说采用返璞归真的思维和笔法，引领读者对世界和人生的一些元问题以及本真问题进行求索与思考。

（载于《出版广角》2011 年第 4 期）

平静安详中的快乐
——读郭文斌长篇小说《农历》

左晨帆

作家郭文斌在创作了系列文学作品《大年》《点灯时分》《吉祥如意》《中秋》《端午》之后，乔家上庄的大先生夫妇、小儿子六月和姐姐五月又唱起《目连救母》、打开《九九消寒图》、耍起上九的社火来到我们中间。长篇小说《农历》，是他秉持“安详”理念向着传统年节文化的一次彻底的朝圣，作家借助文字的形式，由两个天资聪颖、乐善好学的孩童带领，让读者同万物一起跨进中国“年”，感受这一年的喜庆和安详，体味中国传统文化的博大精深。

《农历》全书三十万字，以农历十五个传统节日设目。从正月十五元宵节到正月初九的上九，时间跨度长达一年。虽然每个节日都有每个节日的民俗传统、每个节日都有每个节日的文化内涵，但无论是观灯还是赏月，是敬神还是祭祖，一个“守”字是贯穿始终的。“守”彰显了一种对传统节日和其背后的文化源流的尊敬和求索的态度。

书中，元宵之夜，一家人进入了那个“守”。六月在静静地看着油灯上的灯花，很快就进入了一种通灵的心理状态，“他能够感觉到，那灯花不是别的，正是自己的心，心里有一个灯胎，正在一点点变大，从一个芝麻那样的黑孩儿，变成一个豆大的黑孩儿，在灯花里伸胳膊展腿儿”。这种由形到神的进入，都是因为“守”在起作用。由此“六月第一次体会到了‘看进去’的美和好，也第一次体会到了那种‘守住’的美和妙。”随着时间的推移，“守”又变换了各种形态出现在节日的仪式上。直到冬至的晚上，五月和六月在院里敬水，因为不忍心把水独自扔在院里，就端了爹的红泥小火炉到供桌边，坐在羊毛炉垫上陪着水。这一个“陪”又成为五月、六月自发的一种“守”。阵阵寒风把六月的脚冻得刺痛，他想到父亲曾经说过：“当你哪儿疼痛的时候，你就看着那个疼痛，一直盯着它看，看到熟时，就不痛了。”于是，他的心里就有一个“看”，他看着看着，冷果然就消失了。这让六月在尝到了“看住”的美和妙后，第一次体会到了“看住”的威力。

书中将这个“守”发挥到极致的是大年三十晚上的守夜。一家人坐在上房里，静静地守夜。守着守着，时间就开始像糖一样在一点一点融化，然后五月就觉得那化了的糖水一层一层漫上来；守着守着，时间就像雪一样在一片一片降落，六月就看见一个穿着大红衣裳的女子款款从雪上走过，留下一串香喷喷的脚印。到了最后，心因为糖快要化完了而紧张，因为女子走出了视线而惆怅。这个由简单的一个坐在炕上守夜的静止动作，因为“守”的彻底而进入了一种思维上的跃动，甚至引发了从思想到情感各个层面上的共鸣，这种心灵的体验只有“守”得住才能“想”得来。当然，作家作为一个文化的传播者不会仅告诉读者状态而不揭示其缘由。父亲对六月关于“人们为啥要守夜”的解释就阐明了“守”的要义和内涵：“你看这‘守’字，宝盖下面一个‘寸’，就是让你静静地待在家里，一寸一寸地感觉时间。”“一寸一寸地感觉时间”就是“守”得以实现的方法，也是现在这个处处都充斥着浮躁之风的社会最难做到的一种状态。作者从不会跳出故事的原始场景而突兀地对读者进行生硬的“教诲”。读他的作品，只需简单的思考，将那个小山村里的生活与自己的生活加以对比，相信每一个有心的读者都可以找到让自己的生命更加安详的方法。

书中的五月、六月作为孩子，不可能是“全能”的。其实，这两个处于启蒙阶段的孩童和我们一样，一开始对于传统文化知之甚少，所以作家用他们的视角作为读者接受的视角，意在帮助人们摆脱现实生活的窘境，用五月、六月的一个个问题、一个个错误来引导读者摆脱现实的束缚，从而获得归于传统文化的安详的生活，这是作家的高明之处。例如，在干节上六月背诵智慧咒，可是他始终没有得到“为什么葱皮和蒜皮代表里通外国”问题的答案，于是，六月就心生怨念，认为自己顶着大风去打干枝，就是一种诚心的表现，就应该获得奖励，可是父亲的话却指出了他思想上的弊病，“如果做一件事是为了达到一个目的，就是有求心，而求则不得，大善人以无求心做事”。用许多人的眼光来看，“求取”似乎是我们这个时代人们共同的心理特性，但是郭文斌却一针见血地指出了此“心”的错误，只要有所求取，便会不得。中国几千年来就有所谓“施恩不图报，与人不追悔”“受恩莫忘，施惠勿念”“善与人见，不是真善，恶恐人知，便是大恶”的古训和为人之道的境界。郭文斌是洞悉了现实生活中的一切看似正常的不正常之后才言及此意，这也正是《农历》的可贵之处：不一味地批评或是抱怨，而是用两颗最纯真的少年之心帮助读者荡涤心灵。

长篇小说《农历》在大刀阔斧地运用传统的力量革新读者心灵的时候，周围一些对传统文化的抨击声音似乎还悬于人们的耳际。曾经有一段时间，人们将传统节日不分青红皂白地归为落后的封建文化之列，节日似乎由于浓重的“封建迷信”色彩而淡出了人们的视线。但是，郭文斌却带着一个乡村人最质朴的所想所为颠覆了这一认识。二月二“龙抬头”，是每一个中国人都知道的节日，每逢这一天许多父母会带着孩子去理发店理发，但是，有谁会将这一个简简单单的剃头与感恩联系在一起呢？然而，当爹给六月剃头时，“六月问，人为什么不自己给自己剃头？爹说，这就是爹常给你讲的那个‘仁’字。人自己一不会生，二不会死，就连剃个头，都得靠别人，因此要对别人好，要对天地感恩，要对众生感恩”。如此简单的一件事，如此质朴的一个理儿，当把这两样东西放在一起，对孩子的启蒙和教化作用就不可估量了。《农历》中，传统的年节和那些熟悉的礼俗无时无刻不在放射着“爱”的光芒。可以说，《农历》应该被看作是中国版的《爱的教育》，虽然载体不同，但是对青少年乃至整个社会的“真善美”的认知作用是巨大的。

近些年来，许多人都有着对传统文化的一份热忱，但是，总认为自己代表着少数群体，认为社会的认知方向正在向着“无传统”甚至是“西化”靠拢。郭文斌描写的五月、六月在清明街市上选购祭祀纸张的情节就回答了这个问题。“姐弟俩东走走西走走，东瞅瞅西瞅瞅，总是拿不定主意买谁家的纸。六月有些着急，说，随便买上些算了。五月回头看了六月一眼，说，祖宗虽远，祭祀不可不诚。五月的‘不可不诚’还没有出口，六月抢先说，子孙虽愚，经书不可不读。把旁边一个卖纸的给惹笑了，说，这么好听的句子，谁教你的？六月说，没人教，自己会的。哈，好一个自己会的，再背两句听听！”姐弟二人这一背，整个街面就被他们点亮了。人们纷纷给他们送纸送香，这又激起了他们更大的热情，甚至商量着要建立一个“听背节”。看来，对传统文化的喜爱深深扎根在每一个中华儿女的内心深处，不是几年或者几十年的“去传统”就能颠覆的。

作家从一开始就放弃了小说固定的创作体例。《农历》在努力地扛起传统年节文化这面旗帜，所以小说的真正主体不是五月、六月，也不是那个深居山村的四口之家，而是一个个活生生地跃动在天地间的“节”。作为“小说节日史”的《农历》，又可以理解为以“节日”为主人公的本体叙事。作家陈建功说：《农历》以两个乡村孩童的眼光，通过他们的回味、追索、询问，展示着渐渐消弭的传统乡村文明，显示天人合一的人文理想，为我们留存了珍贵的乡俗材料，其本质，是对疯狂侵袭我们的现代文明的抗争，是对平静安详的心灵的坚守，是对一种理想的生活信念的守护。

在整部作品中，“寻找农历节日”的主题似乎贯穿在字里行间。例如六月喜欢和爹和五月跪在坟院里的这种感觉，跪在风里的感觉。当爹向坟地里奠酒，酒水落在土上，散发出一种清明的味道。当爹修补完坟院，让他们看看村子有什么变化。六月说，这个村子其实是两个村子。爹问，为啥是两个村子？六月说，一个是清明里面的，一个是清明外面的。这时的清明是一个与人们平等的个体，他在这一天来到人们中间，与人们一同享受着属于这一天的独特的美好。冬至时，六月一家围坐在一起吃扁食。“牙还没有搭到扁食上，一股神的味道已钻到嗓子眼儿了，接着，六月就觉得整个身子都被冬至充满了。”在腊月的山村，冬至成为六月眼中那一个个香甜的扁食。冬至是这一天的一草一木，他充斥在这一天的每一个角落，也满满地盈在人们的心中。在最喜庆的大年三十，节日甚至爬上了每个人的脸。“坐在炕头上抽烟的爹微笑着看了他们一眼，没有说话，只是看了他们一眼，一脸的年。”大年三十这一天，人们的一颦一笑都透出满满的“年”的样子。

这就是节日，人们无须寻找，只要你用心“守”住，那节日自会来到你的身边，爬上你的眉梢。

《农历》的文化意义似乎一度超过了其文学价值。但是，作为载体的文学体式必须足够精妙才能托起其厚重的文化内涵，因此郭文斌的文学功底是值得称道的，他的运笔潇洒自如，处处透出他安详的人生态度。他没有过度的铺陈张扬，而是于平静中透出机敏和精妙。例如，在端午的一大清早，五月和六月就被娘发的甜醅子香醒了，“娘说，你看今年这甜醅发的，就像是好日子一样。”“好日子”，一个抽象的概念被如此巧妙地用在了香喷喷的甜醅子上，充溢着浓浓的生活气息和乡土情怀。

另外，这部作品从两个孩童的视角出发，也时时闪现出童话般天真的情趣。“中秋夜深了，五月和六月关了大门，准备回屋睡觉。就在这时，六月看见了一个月亮小子。姐你看，月亮在喝水哩！五月顺着六月的手指看去，院台上的小花碗里果然有一个月亮仔儿。那是娘今天给燕子新换的水碗。

两个人兴奋得不知道如何是好。突然，六月扔下五月飞速向厨房里跑去。五月问，干啥去？六月说，到时你就知道了。转眼间抱了一摞碗过来。五月会意，到上房提了水壶出来。六月说，爹说供月要天麻麻亮从井里打的第一桶水。五月就又跑到厨房，把锅台上爹天麻麻亮打来的专门供月的半瓦盆清水端来。”于是两个孩童就蹲在桌前，静静地守候着被他们养在水里的月亮之鱼。谁会想到，这平时高高在上的月亮，现在却离他们如此之近。这样动人的情节就像是一缕缕阳光，温暖着每一个阅读的人。正如郭文斌在他的《寻找安详》中所说：“文字就是那一束阳光，把自己的光芒散发出来，使命就完成了。作家的职责就是把那一份光辉散发出来，通过文字，他的使命也就完成了。”

《农历》除了在文字和表现手法上有许多的动人之处外，在情节和叙事的安排上也尽量贴近读者，让大家在接受传统文化浸润时不会感到形式上的生硬。“三个一”，一个节日、一种风俗活动、一个神话故事，可以看作是作家的写作思路。比如在干节时，将难陀想妻子和姐弟俩上山打干梢，还有跳火等一系列活动组合在一起进行叙述，既有对节日背景知识的介绍，又有生动可感的具体活动的描写，真正地把一个节日写活了。

说到这部长篇小说的文字处理，就不能不提作家常用的双线叙事技法。端午节是将端午前的准备工作和端午当天活动进行穿插叙述，将节前做香包和端午当天姐弟俩上山采艾糅合在一起进行叙述，这样既不会因为单一叙事而让读者感到乏味，反而在适当的间断中增加了阅读的趣味和对后面情节发生好奇，使读者的介入感增强，可以很快地投入到故事中去，和五月、六月一起过节。当然，书中叙事最有特点的是中元节，五月、六月在父亲的带领下表演皮影戏《目连救母》，这里将剧本和演出前后及演出过程采用双线叙事，还在完全尊重原剧本的讲述中，时不时地加入五月、六月对剧本的一些感想，有时还会适当地“跳脱”演出而与日常生活相连接，这让本来教化意味很强的剧本带上了真实可感的现实因素，让读者更容易接受，这也是作家在信息传递手段上的高明和精心之处。

掩卷沉思，总体感觉《农历》的主题是：经过了一次次节日沐浴的人们必然成为一个心智健全、充满了“爱”的安详之人。我们复活的不单单是那些农历节日或者节气本身，而是存在其中的文化内涵。只要将那些“孝、敬、惜”复活在现实的每一天中，我们还担心节日的消失吗？

还有，最值得称道的是，《农历》在叙述中极力摒弃了那些让读者的心灵发生震荡的情节，因为无论是对于恶的批判还是对于善的赞扬，都会让读者产生激烈的心理波动，这会破坏作家想要构建的安静、祥和的文化氛围。《农历》与许多写乡村的文学作品不同，郭文斌不刻意去写乡村的贫困生活，甚至没有透出丝毫的“苦”，而是在那让人踏实的黄土地上写出了一个个浸满了幸福和甜蜜的故事。《农历》的出现正如郭文斌在阐释写作意图时所说：“它既是天下父母推荐给孩子读的书，也是天下孩子推荐给父母读的书，它既能给大地增益安详，又能给读者带来吉祥，进入眼帘它是花朵，进人心灵它是根。我不敢说《农历》就是这样一本书，但是我按照这个目标努力了。”如果认真读完《农历》，就会觉得作家的确达到了他所期待的效果：《农历》带着一股来自西北充满泥土清香的安详之风，飘向了繁忙的大都市，直抵每一个人的心灵。

（载于《飞天》2012 年第 9 期）

像五月六月那样成长
——评郭文斌《农历》

吴云鹤

岁月静好，宛若处子幽兰般轻舒柔婉，不紧不慢地拨弄着流苏般律动的心弦。凝神，吐纳，处处安详。展开郭文斌的一卷卷文字，再灼热焦急的心情也会慢慢舒缓，回归柔和，回归到心跳的速度。这种纯粹之美恰似作者在小说《农历》中描写的五月和六月源源不断的“天问”一样，干净，充满幻想，清晰而又质朴，像播撒天地的绵绵春雨，细致，轻巧地，一不小心就湿润了衣襟和发髻，整个沉浸在琉璃般晶莹的水幕里。润物细无声，似乎是郭文斌作品里一手绵里藏针的招数，让读者每每毫无防备，顷刻沦陷，从闹市街头瞬至安静祥和的小庭院。数枝头三五燕雀，手把花穗浅唱轻吟。他把时间与生命的速度一再延缓，拉长；仿佛世间的流光渐行渐缓，次第悠扬，以至于忽略了年华的消逝，合上书页依然久久沉浸在悠扬平和的余味中。他用文字款待了我们久已习惯焦灼与仓促的脚步和心情。“这‘美’似乎是清晰可辨、伸手可及的，但又似乎是遥远朦胧、无法把捉的，它就像是清爽、香甜的空气一样充斥在我们的内心，涤荡着我们日渐污浊的灵魂。”

除了对时光与生命的延缓能力，郭文斌还在作品中为我们呈现了一幅风俗画卷。汪曾祺说过“民俗，不论是自然形成的，还是包含一定的人为的成分（如自上而下的推行），都反映了一个民族对生活的挚爱，对‘活着’所感到的欢悦。它们把生活中的诗情用一定的外部的形式固定下来，并且相互交流，融为一体。”描绘风俗的图卷，不仅是作者出于童年生活体验的直观反映，就另一方面而言，更说明作者抓住了一个足以持续汲取养料开花结果的源源不断的素材仓库与精神源泉。在中国这样一个拥有几千年历史文化传统的国度，五里不同音，十里不同俗，既同处一个宏观系统，又各自拥有自己的文化渊源，这为文艺的丰富性提供了无尽的宝贵的资源；反之，各种特性又同归于一个传统，这为文学艺术传播的广泛性画好了清晰的地图。郭文斌的作品，便是一份恰到好处的注解。小说《农历》，让我们走进了这样一个悠远绵长、既熟悉又陌生的文学世界、历史的世界、传统的世界、祥和的世界。在骨子里，我们都隐隐地有着一份感同身受，有着一份似曾相识。

一

小说中让读者印象最深刻的是满篇满牍的歌一样的问答，

或谓之以“天问 ”。每句话都出自小孩子干净无邪的肺腑，充满着稚气，有时竟颇有些纯粹、圣洁、高深，以小见大，无辩无解。五月六月那一句接一句的终极追问，把满载中国民俗文化传统的字茧层层剥开，引出了无数浪漫主义的散文诗和咏叹调。

大凡中国的浪漫派，总是对一个“问”字情有独钟。因其出于对幻想的期待，因其出于对未知的渴望，也因其乐于享受处于“问”者的姿态。读屈原的《天问》：“曰：遂古之初，谁传道之？上下未形，何由考之？”读李煜的《虞美人》：“问君能有几多愁，恰似一江春水向东流。”元好问的《摸鱼儿·雁丘词》：“问世间，情是何物，直教生死相许？”普通的表述总是直白的，有一个“问”字相衬，便好似犹抱琵琶半遮面的韵味，读起来味道足了很多。而且发问者的立场是宽泛的，是写意的，是有很大空间的。郭文斌把作品的骨架用一个个问号组装起来，其可能也是或有或无地受中国古典传统文化的影响吧。

作者在作品中传达出的气息与传统文化默默契合。我们能够在小说里看到道德说教的巨大力量，隐隐暗合《朱子家训》《弟子规》《孝经》等典籍的民间功用；这气息是纯然中式的、古典的、民间的，可以说郭文斌在小说《农历》中神合了中国传统的民间文化，神合了古典小说的叙述方式与义旨，他的叙述方式、思维痕迹无一例外地继承了古典小说的品格。

他在进行一次对古典的回归。爹一边打扫牛圈一边说，“‘慎终追远’是曾子说的话，意思是一个人要想不做坏事，就要从心里不起做坏事的念头，用你奶奶的话说，就是众生畏果，菩萨畏因。”仍然是传统文化使然，这是民俗中持久的熏染，是沁入骨髓沁入血脉的影响，对真善美的追求与理解是经过历史沉淀的，而不是一时的随感，我们在小说细致的生活细节描述中可以清晰地读到其淳厚的底蕴。关于道家的气息，这也是中国传统文化独有的，诸多神话故事的精髓都是道家的精髓，是本土的浪漫气息，是幻想家一样的气息；空灵大气的文化，有时可以忽略过于沉溺细节与现实的束缚，这样的艺术作品才会更长久，不依附于具体的时间与环境而存在。尽管《农历》津津有味地不厌其烦地描绘着生活琐事与细枝末梢，但是其立场是轻灵潇洒的，没有沉重的逻辑包袱，这也正是中国式传统文化的一种根本体现。

谈及文化的传承，我们清晰地看到了作者在小说中对民间道德伦理的戏剧化演绎。《目连救母》是一场精彩绝伦的好戏，有高潮、有低谷、有说教、有审美，时而呼天喊地，时而五味杂陈。“不想半天爹却不出声，再看，爹的脸上挂着两行泪水。”“幕外齐呼：我等愿依教奉行！”表演的过程中伴随表演者的心理活动和观众的投入与理解。角色的随时变换增加了文字的可读性，呈现在我们面前的是一个立体的场景，有实有虚，有真有假。保留民俗的意义在于，更深层次行为的重新体验与更清晰地对文化的全新理解。在戏场中，所有人如同进行了一次透彻的洗礼，周身的毛孔中都灌满了对民俗文化的深刻体验，这不是一次寓教于戏的简单说教，而是醍醐灌顶般对价值的重新理解或者巩固。可以说，中国式的民俗文化就是这么越来越顽强地在历史中走来，像是野生动物般地茁壮坚强。

郭文斌的方式是自我的，他对文化的传承是神合的，他的方式是一种重新阐释的方式，是传统与现代生活的一种微妙的位移。他把古人句篇放入生活中的点点滴滴和谈吐举止中，其实这也恰是文化与信仰的最终归宿。 谈及作者对传统写作的继承，其细腻的情感是很有代表性的体现。郭文斌的小说具有很强的文化价值和情感意义。除了对中国传统文化的诗化继承与阐述，我们还清晰地听到了对人性至纯的呼唤和感召，在生命的原点，寻觅着发轫之初的人心之美好、人性之高洁。珍惜当下的生命温度，从不奢求，从不抱怨，感恩所有。他沉淀出一种很淳厚、很安稳、很沉静的力量，慢慢拉回我们飘浮的心灵。在这里，“采菊东篱下，悠然见南山”的态度便是生活的态度。

二

很明显，儿童视角是郭文斌作品的另一特点。在作者的笔下，主人公的脑袋里充满干净、纯粹的幻想，凝结着一朵又一朵鲜明而稚嫩的火花。对于眼睛所看到的、耳朵所听到的、脑袋所想到的、嘴巴所尝到的、肢体所触到的一切，主人公都充满疑问。这些疑问颠覆了对于所有事物约定俗成的看法和规矩，不管有没有答案，都为我们打开了一扇扇天窗，使我们看到了全新视角的变幻莫测的崭新世界。这些疑问很多都有着固定答案，也有很多没有答案，是终极追问式的疑问；这些元素组成了主人公的农历和童年，组成了缤纷的未解之谜一样的生活。几千年前，屈原也在做着这样一件事，他的诗作《天问》吟道："圜则九重，孰营度之？惟兹何功，孰初作之？斡维焉系，天极焉加？八柱何当，东南何亏？九天之际，安放安属？隅隈多有，谁知其数？天何所沓？十二焉分？日月安属？列星安陈？"这些疑问不见得需要多么科学而逻辑的解答，这只是一种哲学的姿态，一种生命的状态。有一天我们停止追问，或许一切便没有了生机，变得暗淡无光，索然无味。"树死了还能烧，萝卜死了还能吃，人死了呢？""防着时间，时间咋防呢？"让这些疑问出自儿童的口中，是作者有意无意的一个巧妙的设计，因为这些疑问包罗万象，既可以阐述作者的观念，又可以表达其对事物的看法，能够连接上下文，还能穿针引线、引导线索。

儿童视角可以更有效地表达丰富的情感。一般来说，从外在来看，成年人的情感和态度都是内敛的，多少都会有所保留，这是年龄和阅历决定的，其内心的活动不见得会悉数表达出来。儿童则不然，心里想的基本上都会展露出来，对于未知总是充满好奇。作者把握住这一点，可以对作品展开多角度多层次的描述与表达。对于生活中最熟视无睹的现象也会思考良久，将我们自动跳过的不成熟的理论或者我们忽略掉的看法都一一陈列，这让作品独具魅力、全面、丰富、多愁、善感。它让平日里灰蓝色的天空挂上了赤橙黄绿青蓝紫，让浑浊的土黄色平原时而千军万马时而风平浪静，这种独特的角度是很别致、很生动的。

作者通过儿童视角的描述，轻易便跳出了严肃、刻板、对历史传统文化的过于沉重厚重的情感，从更轻浅直白的角度进入，品读，理解，让文字与故事有一种新鲜的触感。仍然是《目连救母》的戏场，六月的思绪跑马场一般辽阔，一边表演一边入戏，登山跃海游戏人间，对儿童的心理活动表现得恰到好处；同时更加形象地展现了戏场的气氛和故事的生动感受：“就有一缕缕神圣和庄严直往五月六月的身体里钻。”“他的心里就有一个根疯了似的乱蹿，直蹿到天边去了。”“六月无奈，飞往世尊膝前，绕佛三匝……六月喜极涕泣，合掌恭敬世尊之后，再次飞身地狱。开始营救外太爷外太奶了。”

三

郭文斌的作品蕴含着三个显著的特性，一是文化的博杂性，二为传统的淳厚性，三是文字的细腻性。三者构成了一部既有味道又有质感，既有深度又有广度的力作。

首先是文化的博杂性。在小说中，我们看到博杂的文化与信仰在那片土地上的俯仰与呼吸，在耳濡目染中，逐渐成了生活中的一部分，甚至进入了传统的节气祭典当中，成为不可或缺的一部分。“龙生九子”等源自民间的传说与神话，是中国式思维的文化遗存，这些故事和传说的主旨构成了人们的价值观。《弟子规》《朱子家训》是中国传统文化日常行为规范主流的价值导向代表作，除却保守的方面，其内涵基本继承总结了中国的民间文化系统，已经深入我们的骨髓和血液。而民俗戏曲秦腔《三对面》则是生长在黄土大地上的发自心灵的呐喊与抒情。这些博杂的文化融会贯通，表现了来自西北大地的大气而细腻、文明而质朴、虔诚而浪漫的人群的清晰的面孔与温热的呼吸。

其次是传统的淳厚性。在生活与节日祭典中，父亲的话总是带着传统文化深刻的印记。五月和六月从小就会背诵《弟子规》《朱子家训》《孝经》等传统文化的典籍，可以算是父亲的一种教育方法。背诵的内容不是刻板的白纸黑字，而是生活中的点点滴滴。“恩欲报，怨欲忘；报怨短，报恩长。”“这世上所有的动物都在修行呢，狗在修忠诚，鸡在修守时，牛在修奉献。”“可是爹又说，命由我作，福自己求，种瓜得瓜，种豆得豆。”在生活中，父亲把他们背的典籍用实在的事情一一推演，让这些变成生活中的感悟。在他们眼里，善良与美德是理所当然的。从这一点来说，父亲是传统文化的民间践行者。小说斟词酌句，旁征博引，在文字的品性上做得极为讲究。作品儒雅敦厚，像一位书生、一位长者。

最后是文字的细腻性。作品中每句话的情感、每段情感的起伏、每个思绪的延伸都很敏感、生动。“仔细一觉，又觉得不是凉，而是一种突然脱了棉袄棉裤的轻快。再仔细一觉，其实是一种生分，夹袄在箱子里放了一冬，和身上的肉生分了。”“六月就看见他的心被五月的话划开了一条缝儿。”这清晰的小感觉描述得恰如其分，恍若亲身感受的真实和巧妙。“这些快要把人心撑破了的美。”“银河就哗地扑了过来，直把六月淹了。”“年是一朵花，已经在他和五月的手上开放了。”“压得梦的尾巴咯吧一声。”略带夸张而又自然的拟人化表述，形成了很强的画面感和空间感，把读者融入其中，连同思绪也拽了进去。细腻的表达让我们与五月、六月感同身受，文字的细致熨帖像丝绸的被面，摸上去舒适、贴切、顺畅。精雅的细腻丝毫不会让人感到赘余，作者的分寸把握得非常精到。

像五月、六月那样成长，其实是一种希望和象征。这些希望和象征包含着许许多多的内涵。安详、敏感、善良、乐观，这一切的美好便是作者单纯的追求，这种单纯的追求在这个复杂的世界上看起来是脆弱的，但是却饱含坚强。感恩大地，归依乡土，安妥灵魂，温暖心灵，作者用白纸黑字书写下这样的温暖话语，像是对自己的祝福，对他人的祝福，对大地的祝福，对生命的祝福。岁月静好，抬手，轻抚心扉，开始安详地生活。

（载于《黄河文学》2014 年第 6 期）

乡土文化的执着寻找与精神家园的诗意守望
——评郭文斌的长篇小说《农历》

郭茂全

郭文斌是一位深具创造力的当代作家，著有小说集《大年》《吉祥如意》《郭文斌小说选》，著有散文集《点灯时分》《孔子离我们有多远》《寻找安详》《郭文斌散文精选》，著有诗集《我被我的眼睛带坏》，曾获得冰心散文奖、鲁迅文学奖。2011 年，郭文斌出版了长篇小说《农历》，该作品是新世纪长篇小说的重要收获，获得了第八届茅盾文学奖评奖提名，在最后一轮投票中排名第七。《农历》共十五章，按农历十五个节日名称来标识章节，以乔家上庄里“大先生”一家人的节日活动为主要事件，展示了一个和谐安详、纯朴天然、温暖宁静的乡土文化世界。感恩大地、归依乡土、安妥灵魂、温暖心灵是郭文斌文学创作的价值追求，《农历》是作家对乡土文化的执着寻找与精神家园的诗意守望，是对“寻找”与“守望”的文学母题的创造性阐释，蕴蓄着作家对乡土文化、童年生活、生命本真及精神家园的美学思考。

一、执着的寻找

“寻找”是人“存在”的生命形式，体现着人对自己本质力量的自觉。多彩的客观世界为作家的审美发现提供了丰富的对象。郭文斌在《农历》中对“寻找”母题进行了深度的厚描，“寻找”不仅呈现在六月姐弟寻找“龙”“年”“喜神”“萝卜”“祖先”等情节中，不仅潜隐在沉香寻母、目连救母等民间故事中，还蕴含在作家寻找乡土文化之根、寻找乡土伦理之父、寻找童年生活之真的创作理想中。

（一）寻找乡土文化之根

《农历》对不同农历节日人们的活动进行了详尽的描绘，呈现出丰富多元而意蕴丰盈的乡土文化，如一座展示中国西部乡土文化的民俗博物馆。“元宵”制作荞面灯盏、送灯、吃荞麦面、供灯、守灯；“干节”打干梢、集干堆、读祭文、燎干、扬灰看种；“龙节”引龙线、围仓、剃头、敲梁劝鼠、扫锅底、炒豆、沾龙气；“清明”卖祭纸、印纸钱、挂纸幡、祭祖先、修坟院；“小满”拔萝卜、摘苦菜、接生、取名；“端午”煮甜醅、蒸花馍、插柳枝、做香包、绑花绳、采艾草；“七巧”洗耕牛、晒书、“对银河”；“中元”演目连戏、放焰口、扮钟馗、送猖；“中秋”卜梨、分梨、供月神、分供品；“重阳”点灯笼、祭众神、诵《孝经》；“寒节”卖彩纸、缝寒衣、烙麻麸馍、送寒衣；“冬至”献扁食、吃扁食、守清水；“腊八”洗澡、抢头粥；“大年”写对联、送对联、请祖先、分糖果、贴窗花、守夜，迎喜神；“上九”演社火、对诗文、说仪程、演皮影戏等。可以说，《农历》细腻而真切地描摹了乡土中国农村丰富多彩的节日文化，囊括了乡土生活中的衣食住行等诸多方面，作品散发出浓郁的乡土气息，成为一幅呈现西部乡土文化的艺术画卷。

《农历》不仅展现了丰富多彩的节日文化，还展现了各类民间故事、传说、戏曲、唱词、花儿、谚语等。小说中有老天捏土吹气造人、伏羲御驾亲耕、大禹治水、沉香救母、母鸽断肠、金豆开花的故事，还有牛郎织女、嫦娥吴刚、玉皇大帝、王母娘娘、关圣大帝的传说；有观音点化荞姑娘、目连救母等故事，还有节气歌、十字歌、引龙歌、花儿等乡土民谚民谣；也有《弟子规》《朱子家训》《孝经》《论语》等儒家经典和《太上感应篇》、阴阳五行等道家言论。郭文斌不仅详细地叙述民间仪式与民间文艺，还探究其存在的民间文化心理，不仅书写了乡土文化的历史积淀，还书写了乡土文化的现代演化，并将作家对乡土文化的独特理解有机地融化在小说叙述中，使作品对中国乡土文化的展示既有广度又有深度，呈现出了多元共生又错杂交织的乡土文化生态景观。

乡土一直是中国现代作家创作的富矿。郭文斌在《农历》中说："才明白，这个'年'，它是'土'里长出的一朵花儿，它姓'乡'名'土'。"鉴于此，郭文斌在创作中不断开掘乡土文化精神，寻找民族文化根基。《农历》以"灯节"守灯为始，以"上九"演出皮影戏《天官赐福》作结，在演出的高潮，"六月就看见，一个世界上最壮的根向大地深处扎去，扎着扎着，唰地一下发芽，发着发着，唰地一下开花……"这一结尾可谓意味深长，寄寓着作家的未来希冀：乡土文化之树一定会根深、枝壮、叶茂、花繁、果硕。在现代化、城市化进程不断加快的今天，农历节日文化逐渐成了进入城市的人们模糊的记忆，郭文斌以朴素、纯净、灵动的语言展现了丰富多彩的乡土文化，既是对乡土文化精神的挖掘与珍藏，又是对传统文化根脉的寻找与守护。

（二）寻找乡土伦理之父

"寻亲"是文学的母题之一。"寻亲"动机源于主体对自我身份来源的焦虑以及想要获得确认的需要，这种需要不仅是血脉基因上的，还是精神灵魂上的。《农历》的"寻亲"不是表层上对父母的寻找，而是对父辈文化的理解、认同与传承。通过小说中六月天真地询问"我是谁造的"这一表层问题，《农历》的"寻亲"深具意味，"寻亲"其实就是儿女们逐步认识“父亲”、体味“父亲”、找到“父亲”及找到“乡土伦理之父”的过程。五月、六月等作为寻找主体，是乡土文化之子，不同于一些现代乡土小说中离开土地、走出乡村、奔赴城市的“游子”，也不同于一些家庭小说中反叛家庭、逃离家庭的“逆子”，他们时时浸润于父母的言传身教中，处处沉潜在乡土伦理道德中，并逐步成长为乡土文化的继承者与守护者。

父亲“大先生”是一个具有乡土文化精魂特征的典型形象，寄托着作家的乡土文化理想。“大先生”是家庭中的长者，但并非封建、保守、愚昧的专制者，而是自然纯朴、和谐自洽的乡土文化的代言人。作为农民，他热爱农村，热爱乡土，日出而作，日落而息，是春耕夏耘秋收冬藏等乡村生产活动的行家里手，热爱每一种农作物的生命，熟稔一切农事以及节庆活动的复杂的仪轨，惋惜一些乡土文化传统的失落，是传承和重建乡土文化的典型代表。作为父亲，“大先生”以“三月”“四月”“五月”“六月”为子女取名，教导子女感恩自然、敬畏天地、孝敬父母、慈悲生灵、同情病弱、诚信待人、节制欲望、护持自我，教育子女学习各种民间文化仪程，教诲子女背诵《朱子家训》《弟子规》《孝经》及古曲诗歌、民间戏曲，因此，“受恩莫忘，施惠毋念”“性中自有大光明”“慎终追远”“中庸之道”“这任何东西，大家分享才有味道”“真正的天是人的心”等“爹的话”成为六月等行事与言语的指南。作为乡邻，他为乡亲送灯、送梨、送对联，在演灯影戏中自编戏文施教于村民。作为人们心目中的“大先生”，他能诵读许多儒释经籍，以奉古训、尊圣言、敬天地、亲其亲、爱万物为处世原则。作为智者，他参禅悟道，明心见性，虚心澄怀，达观沉静。可以说，以“大先生”为代表的“父亲”，不仅是乡土儿女个体生命血肉骨骼的给予者与培养者，也是精神灵魂的引导者与创生者。

中国文化的根基是农业文化。“大先生”的形象既体现着乡土文化的精气魂魄，又体现着作家的乡土伦理道德观。郭文斌通过丰富多彩的乡土节日的呈现与“大先生”形象的塑造，传达着他对中国传统农业文化执着寻找的信念。通过小说叙事，作家沟通了乡土文化之子与乡土文化之父间的血脉关系与精神联系，缝合了中国现代社会文化转型中代与代之间的思想鸿沟，筑造了一座连接中国现代文化与传统乡土文化的桥梁。

（三）寻找童年生活之真

寻找童年是文学表现的内容之一。《农历》中对童年的寻找不仅通过童年视角，还将儿童形象作为人物刻画的重点。《农历》贯穿始终的是五月、六月等儿童的日常活动与心理世界，情节以儿童与成人的发问与对话、儿童与儿童的对话以及儿童自我审问来展开，传达着作家对童年生活的眷恋与对纯真心灵的向往。

《农历》中，六月等孩童对许多自然和社会现象的发问与解答都源于纯真的儿童心理。孩子们天真烂漫、善良纯朴、好奇懵懂、幼稚坦诚。喜欢发问是儿童的天性，五月、六月就有各种“稀奇古怪的问题”，“啥叫痛苦”“为啥时间长了就结痂”“时间咋防呢”“老天爷为了啥要造这么多味道”“啥叫命呢”“为啥来到世上不容易”“人死了也会冷吗”等问题随时萌生。懵懂是儿童的思维特征，他们以为男女亲热就是“吃”，就是“又亲又热”，就是小男羔、小女羔与野魂的“三军会师”。孩童的生活充满着梦幻色彩，在献月神时感觉到嫦娥在洒桂花、吴刚在倾倒酒坛，在演目连戏时恍惚进入地狱救太爷太奶，梦中游天堂去救“年”，梦见青衣仙子让农民种麦子。儿童常以万物皆有生命的眼光看待周围的一切，处处表现出纯真的生命关怀：“火也会死，就像人咽气一样”“看着背篓里的干梢，六月觉得那不是一背干梢，而是树一冬天做的梦”“六月的灯胎里就出现了个人”。他们天真无邪、童言无忌，“嫦娥就是我媳妇了”“要是永远过年就好了”“把心掏出来洗”等。他们对周围发生的一切既敏锐又感伤，觉的“美真是一个靠不住的东西”“思想是不安全的”等，读者往往能够在他们貌似平常的童稚之语中品味到超越具象的生命哲思。《农历》在呈现乡土文化世界的同时，自觉地展现了一个美好纯真的童年世界。

综观郭文斌的创作，童年生活记忆是其创作的重要素材来源，其笔下的儿童形象时时浸润在耕读传家的家庭教育氛围中，有着善良的本性、聪慧的心灵和纯真的言语，字里行间跃动着“绝假纯真”的“童心”，充溢着童真天然的审美趣味，童年视角下纯真美好的童年情感、和谐融洽的人伦以及朴实无华的情感表达使其作品深具艺术魅力。

二、诗意的守望

如果说“寻找”侧重于动的努力，“守望”则更多静的持守。《农历》中的许多情节都与“守”有关，如元宵节守灯望月、寒食节守水望福、冬至守香头望苍穹、大年守夜望时、丧亲后守孝念恩等。“灯节”一章中，六月第一次体会到了“守住”的美妙。郭文斌在《附录：望》中说：“人的心就像是一块田，要四季守护，精心守护。”“守护”“守望”“守住”不仅是小说人物的行为，也是郭文斌的创作立场，作家在静思坐守中感悟着生命的意义，守望着生命的旅程、精神的家园与诗意的话语。

（一）守望生命旅程

《农历》传达着对生命的守望，不仅守望自己的生命，还守望他者的生命，表现出敬畏生命、热爱生命、呵护生命的思想。小说呈现的是一组生命形象系列，不仅有“大先生”的孙子小满的降生，还有卯子家老人的离世；不仅有五月、六月、改弟等鲜活生动的孩童形象，还有爹、娘、卯子娘等成年人形象；不仅有牛、鸡、梨、蒿等动物、植物的生命形象，甚至连火光、灯盏、月亮、露珠都具有生命。所有的生命都是平等的、神圣的，生命的自由在于生命的自然状态。“每个人一盏，每个牲口一盏，包括猫、狗、鸡，每个房间一盏，包括牛圈、羊圈、鸡圈、蜂房、磨房、水房、粮食房”“树也是命，也会动，不然咋会长大啊”“六月说，你看这麦芒，针一样，分明是生来保护它的孩子的”“这太阳蛋蛋是天的儿子，露水蛋蛋是地的女儿，他们二人全时，才叫吉祥如意”。生命的存在就是天地的“吉祥如意”。作家不仅以孩童对事物生命化的思维模式表达着周围的一切生命，还以成人的视角审视生命的意义，字里行间传达着乐生、惜生、护生、优生的现代生态生命观。

任何生命都呈现为一种时间过程，感悟到了时间，也就感悟到了生命。《农历》中，郭文斌通过感悟时间来感悟生命的过程。《农历》有意地设置了一个封闭的、循环往复的时间链条，这既是对时间绵延的感悟，也是对生命轮回的体察。守望时间也就是守望生命。小说中，当六月看到爹在房台上封戏箱时，觉得封在箱子内的戏人儿，“不单单是戏人儿，而是一段无法挽留的时间”“守着守着，五月就觉得时间像糖一样在一点一点融化。守着守着，六月就觉得时间像雪一样在一片一片降落”“一寸一寸地感觉时间，这正是他们刚才的感觉，不想被爹说出来了，而且是借‘守’这个字”。可以说，《农历》在时间之绳上，以节为结，以鲜活而传神的话语记录了生命在时间之河中的各种本真体验。

（二）守望精神家园

和谐安详的世界不仅需要人与自然的和谐、人与社会的和谐，还需要自我精神的和谐。《农历》有意营造着一种和谐安详的乡村文化氛围，感恩、希冀、祝福、祈祷充溢其间，建构了一个民风淳朴、关系融洽、和谐温馨的乡土家园。农民按农历劳动作息，敬畏自然，尊重传统，邻里乡亲相互帮济，“送灯盏”“分梨”“送对联”“接生”都体现着善良之心。小说中，“大先生”一家在拜完月神后院子里落满了神仙，堆满了神仙带来的吉祥如意、心想事成、风调雨顺、五谷丰登、幸福平安，这一幻想性的场景表现了作家对美好和谐的乡土家园的向往。社会的和谐同人与自然的和谐是相辅相成的，处在和谐人伦关系中的乡亲们对天地常怀敬畏之心，他们感恩大地，感恩万物，与自然之间保持着一种天然的和谐关系。

一定意义上，《农历》的创作是现代文化危机、精神危机中的产物。在人们在工业文明、信息文明的冲撞中显得精神茫然无着、心灵浮躁不安的时刻，《农历》无疑是人们诗意生存的精神绿洲。

《农历》重视人与人关系的融洽，重视人与自然关系的和谐，还重视人自身精神生态的和谐。小说中的“参”“觉”“醒”“悟”“识”等修身养性行为体现着对自我精神生态的自觉护佑。在“参”中，六月发现“这水，是净的解放啊，漂亮的解放啊，美的解放”；在“觉”中，夹袄脱掉之后的凉“不是凉，而是一种突然脱了棉袄棉裤的轻快”“是一种生分”；在“醒”中，“六月从未有过地感到醒着的美好”；在“悟”中，“原来这世界上最美的事情就是开悟”；在“识”中，“若人识得心，大地无寸心，要想使心成为活的，首先就要识得心”。如何解决人的精神生态是郭文斌关注的重心，《农历》以儒家文化中的“仁”“善”“孝”“慈”等熏染读者，以戏曲等来传达忘我、利他、快乐的道德观念，以潜移默化的方式实践着作家守望“心灵的安详”的创作观念，实践着作家“以文度人”的创作理想。《农历》在一定程度上就是一部风俗化的“心经”，一部乡土化的“国学”。

（三）守望诗意话语

郭文斌在《农历》中以美好善良的人物形象、自然安详的创作心态建构了一个富有诗情画意的艺术世界，这与作家诗性话语的运用密不可分。郭文斌的小说话语素朴、简洁、隽永且富有禅思，如野艾草上的露珠、月光下的油灯、荞麦花的淡香，描摹点染出一种自然静穆的艺术氛围。郭文斌的散文《点灯时分》《寒衣》《燎干》《红色中秋》等与小说《农历》中的“灯节”“寒节”“干节”“中秋”不仅在内容上有相通性，在话语表达上亦十分相似。大量抒情性的歌谣、戏文与禅思性的哲理之语使《农历》具有了丰厚的情韵与深邃的哲思，从而体现出独特的诗性情感。

郭文斌在小说中特别重视画境的营构，叙事造境有机结合，虚实相生，动静结合，远近相配，明暗相衬，许多叙述的场景都给人以绘画的美感。在“灯节”中，月光皎洁，院子里放着供桌，供桌上放满了点亮的灯盏，六月一家人静静地围着桌子，一家人进入了“守”的境界，弥漫着桂花香与酒香，组成一幅宁静的“守灯图”；在引龙围仓的场景中，爹带着五月、六月在当院跪了，把碗里的五谷杂粮倒成五个小仓，然后一边抓灰一边唱《一把灰》，这是一幅“围仓图”；清明时节一家人跪在坟院里，挂纸、供献、奠茶、磕头，这是一幅“祭祖图”；几个庄子的牛聚到沟底，远远望去牛背像荷叶一样舒展着，人们手里的盆子像一朵朵随风飘舞的荷花，俨然一幅“牧童洗牛图”；一家人在夜晚插香、点香、烧黄表、点寒衣，就是一幅“送寒衣图”。其他如孩子们在晨风朝露中采艾草的“采艾图”、中秋时的“院台赏月图”、大年的“守夜图”、二月二的“剃头图”、腊八节的“搓背图”等都是富有画意的场景，宛如一张张自然朴素又情趣盎然的乡村年画。

郭文斌运用各种修辞技法，重视语言的锤炼，以期达到话语蕴藉的审美效果。在艺术构思中，作家有时“以我观物”，有时“以物观物”，有时以实写虚，有时以虚写实，意象的跳跃留白与场景的转换衔接恰到好处，匠心独具地运用拟人、比喻、通感、粘连等修辞手法，不断增强话语的艺术表现力。“两个灯活了过来，两个灯正在咽气。”“六月的心里被一次次成功的喜悦充满，那是一种水红色的喜悦，一种清明一样的喜悦。”“没有风，一个个灯盏婴儿似的偎在娘一样的月光里。”“五月就把目光开成一束花，送给六月。”“定睛一看，原来是风在麦浪上来回走。”“清风吹过，麦浪像水一样扑闪，二人的心也像水一样扑闪。”“阳光在树缝里流淌，梨也在爹的手里流淌。一只只梨回家似的往爹手里赶。爹把手一伸，一只梨就扑过来，把手一伸，一只梨就扑过来。”“夜色大幕一样落下来，爹咳嗽了一声，上房里的灯就亮了。”“熟睡中的院子像一块墨，黑在静中。”“六月把火柴一划，灯笼里的灯就醒了，灯笼里的灯一醒，夜就醒了，夜一醒，路就醒了。”这些话语都显现出清新隽永、细致入微、气韵生动、深邃悠远的特色，无不体现出作家对语言的精心锤炼与诗性纯化。可以说，如诗的童年、如画的乡土、富有诗情画意的话语为《农历》营构出了一种别样的风致。《农历》中既有20世纪“寻根小说”诗意叙事、散文化结构、怀旧语调的影响因子，也可以发现作家对东方古典审美观念的自觉弘扬。

三、“寻找”与“守望”的价值

人类永远在寻找家园的路上。《农历》建构了一个人与自然和谐、人与人和谐以及自我内心和谐的乡土世界。郭文斌有意避开乡土生活中的苦难、悲伤、痛苦、异化等问题，着重表现乡土人生的自足、安详与幸福。“在寻根中，传统被诗化为一种符合人性的自然存在，一种可以协调人与人关系、消除各种紧张、非理性的、非压抑的、能够丰富人的精神和心灵结构的文化时空，以对抗或修复现代的破碎的社会和迷失的人的心灵。”在乡土文明在工业文明冲击下发生蜕变甚至走向崩溃的当下，郭文斌对乡土文化理想的坚守并不痛苦悲壮，而是清醒沉稳。《农历》是“前现代”民族生活的寓言，也是乡土文明的恋歌。即使是“大先生”为孩子换新棉袄而不得不将家里的老羊卖掉、在六月洗过澡的“黑水”里洗澡、葵生家窑墙的一指宽的缝隙等艰苦生活的细节也都稀释在了作家温馨美好的乡土情感之中。可以说，《农历》有意疏离报纸、广播、电视、电影等现代大众传播媒介，以远离现代文明、远离城市化、近乎封闭的乔家上庄作为人物的生境，以农村的节日活动为主要情节，以敬畏天地、孝慈亲幼、仁爱乡邻、崇尚读耕等乡土伦理观为核心思想，完成了作家寻找乡土与守望乡土的文学梦想。

从中国现代乡土小说的发展历程来看，鲁迅、茅盾等人的乡土小说关注旧中国农民经济在各种力量倾轧下走向衰败的过程，在记忆与现实、过去与当下的对比中突出乡土文化的“变”；废名、沈从文等作家多关注传统的经济生产模式，运用抒情性的话语突出乡土世界的“常”。“十七年”的乡土小说重点书写农民走上革命道路曲折而又必然的历史命运；新时期的乡土小说关注商品经济、都市文明对农村自然经济的冲击，关注城乡冲突、农民进城等社会问题。郭文斌的《农历》表现的是乡土文化传统的“常”，体现着作家对城市化、现代化、商品化的理性反思与价值重估。《农历》是对 20 世纪 80 年代寻根思潮的回应与创化，也是对乡土文明现代意义的发掘与观照，作家借此试图找到文学的生存之根与民族的生命之根。通过对乡土文化的“寻找”与“守望”，郭文斌找到了自己的创作土壤与审美追求，“乔家上庄”同沈从文的“湘西”、汪曾祺的“大淖”、贾平凹的“商州”、李杭育的“葛川江”、史铁生的“清平湾”一样，成为中国现代乡土艺术世界中独特的“这一个”。

郭文斌“以写作感恩”，同时也在以写作寻梦，《农历》就是他乡土文化寻梦的文学表征。作家撑着寻觅的长篙，在梦幻的小船里不断向乡土文化的桃花源漫溯。《农历》充溢着作家的寻梦情结与怀旧意识，也弥漫着浓浓的乡愁气息与挽歌情调。然而，对现实人生困境的有意回避也限制了作家对现实人生的深入开掘，如何做到直面人生与营造诗意之间有机结合、如何回归传统乡土文化又不悖乡土中国的现代化进程都应当是作家在未来创作中不断探索与思考的命题。

（载于《六盘山》2012 年第 2 期）

田园牧歌式的坐标

——评郭文斌长篇小说《农历》

牛学智　尤晓刚

郭文斌在其随笔集《寻找安详》中清楚地表达了自己的文学观："帮助读者擦掉这一层灰尘，一层雾，就是文化的使命，也是文学的使命。"最近，由上海文艺出版社出版的《农历》，就是这样一部小说。在这部小说中，作者通过"根是花朵的如意"式的意境安放了他的念想，践行了他的文学使命。

《农历》以田园牧歌式的上庄为地理坐标，以元宵、干节、龙节、清明直至"上九"等十五个农历节日为写作载体，以两个天真烂漫、善良聪慧的孩子及其具有完美人格的父母为主要人物，通过对传统节日里民俗活动的描写和具有象征意义节日仪式中的人物对话，表现了人在异化之前最原始的存在经验和存在样式，表达了一种最原初意味的素朴情怀式美感，构成了郭文斌乡土小说的叙事话语。在元宵节守灯时六月"第一次体会到了那种'看进去'的美和好，也第一次体会到了那种'守住'的美和妙"；干节里的干梢"就像他每天搂着睡觉的花花，乖得让人心疼”，就连“躲在地坎下避风的感觉真是美极了”；在清明上坟祭奠时，六月“喜欢和爹和五月跪在坟院里的这种感觉，跪在风里的感觉”，他甚至“没有想到，奠茶的过程是如此的过瘾”；过大年时“桌子上的蜂蜡轻轻地响着，像是谁在小声地咳嗽；炕头的炉火哗哗飙着，映红了爹的脸膛……那个美啊！”一家人坐在土炕上打牌的感觉更是“那个美啊，真能把人美死”，为什么会有如此美的感受呢？因为在田园牧歌、吉祥如意的意境当中，这种美感的获得是没有任何功利心的，它最纯真、最朴素、最原始、最接近自然状态，它接近了人生的本真状态，体悟到了终极价值的关怀。

小说中穿插了大量训蒙片段、民谣、古诗、对联、议程词和一些剧本，或寄托了人们的某种祈福，或承担着某种文化使命，比如在二月二过龙节围仓时唱的《一把灰》歌：“一把灰，两把灰，龙王龙母你醒来／一把灰，两把灰，龙王龙母享用来／一把灰，两把灰，龙子龙孙降雨来／一把灰，两把灰，五谷丰登跟着来。”再如，上九节唱的《天官赐福》戏文：“……赐福本是快乐事，积善之家必余庆／世间本是一福字，只是世人识不得／福地本是安做土，安心之田谁会耕／佛说万法心想生，我把道德做籽种／回首再把人间望，福在大地已生根。”

显然，在围仓时唱《一把灰》歌，是为了表达风调雨顺、五谷丰登的美好愿望，寄托着农民最原始、最美好的祈福，表征出一种天人相通的祝福美。上九节唱灯影戏时的剧本《天官赐福》，就像小说中的大先生说的，是“教人为善的剧本，把人带向正大光明的剧本”，表征出一种道德践行的安详美。在此，这些民谣、戏文不仅具有一种文化意义，更彰显出作者乡土小说的叙事艺术中超然的美学特征。

在小说中，各个节日里的民俗风情的描写占了重要篇幅，但这不是郭文斌的目的，他的目的是通过这些风俗习惯的描写，表达各个节日仪式中的象征意义，呈现小说的象征意境，这种象征成为小说独有的修辞性叙事。比如元宵节里点荞麦灯盏，意味着“一个人得有自己的光明”，每个人心里都要有明心灯；干节里燎疳时往火里扔头发象征着去除三千烦恼丝；在龙节剃龙头是提醒人在一生中不要做糊涂事，时刻保持“醒透”的头脑……总之，人们通过节日里的各种民俗活动，能够在农历文化中展现内在的德性，并将这种德性外化为德行去观照自由的灵魂。

小说场景看起来是一些十分普通和似曾相识的民间风俗习惯，这种“新桃换旧符”的故事，作者却以理解者和洞察者的姿态，赋予了丰富而浓厚的艺术内蕴。无论在元宵节的点灯仪式中，还是在各种祭祀活动中，都赋予的是一种天人合一，一种引领。心无杂念地端详那些摇曳的灯苗，或者在祭祀磕头时额头挨到地面上的那一刹那，让人得以走进生命的原初，感受大安详、大空灵。在小说所描述的特定情境中，展现出了丰富的意象性，为小说奠定了坚实的文学基础。作者在《农历》中写道：

（六月）灰尘为啥会结垢痂？

（娘）因为时间长了。

（六月）为啥时间长了就结垢痂？

（娘）因为时间就这么个脾性，因此要防着时间。

在这里，作者把防灰尘结垢痂象征为防止人心变恶，所以“做事不能留尾巴”，不能有私心，要“时时勤拂拭，莫使染尘埃”。就在这些一问一答中，作者巧妙地解决了现实与意义的关系，一种审美意象的艺术韵味回荡无穷。

这种象征性的乡土文学叙事话语，表征了小说的现实实践性维度和文学审美性。在《农历》文本中，虽然作者没有呈现出乡村中生命无法承受之重，但他并非诗化苦难、落后，而是以宏观历史性境遇为视角，对当下社会主流价值观念的缺失和道德的滑坡给予了深思，用价值理性对抗当下错位的价值观，表达了自己对自然、天然的崇拜之感，对真善美价值观的渴望。郭文斌深信，这种启蒙叙事，能够通过道德、信仰建构一个意义与价值的世界，让读者感受农历文化的超然美感，以期通过轻物欲、重精神的超然态度来感受当下。因此，农历节日也是对现代性的深刻反思，旨在提醒人们不要陷入工具理性和功利主义的控制之中。在郭文斌看来，人类打碎现代文明枷锁的“天然状态”才是最崇高、最理想的社会状态，所以他发出“回归自然”的强烈呼声。作者在《寻找安详》中说得好：“从一定意义上讲，要想保持和坚守就得向回走，因为只有向回走才能把‘根’留住。”在这里，作者站在时代的制高点上，让作品富含深厚的价值底蕴。1936年茅盾在《关于乡土文学》一文中说的一段话仍然很精辟：“关于‘乡土文学’，我以为单有了特殊的风土人情的描写，只不过像看一幅异域图画，虽能引起我们的惊异，然而给我们的，只是好奇心的餍足。因此在特殊的风土人情而外，应当还有普遍性的与我们共同的对于运命的挣扎。一个只具有游历家的眼光的作者，往往只能给我们以前者；必须是一个具有一定的世界观与人生观的作者方能把后者作为主要的一点而给与了我们。”《农历》中倡导的感恩、忠孝、公道、善念、吉祥如意、天人合一等素朴观念和人文情怀，正是支撑作者写作的世界观和人生观，也表现出作者厚重的精神担当和超越的精神向度。

（载于《中国文化报》2011年2月22日）

孤独还乡者的精神耕耘
——解读郭文斌的《农历》精神

周月惠

一、乡土大地的倾情讴歌

作者怀着化育的初衷，将农历节日中的传统物质文化和精神财富尽可能详尽地展现出来，愿作品能如春风化雨般滋润读者的心灵，以现代社会的孤独还乡者的身份，传达了非乌托邦式的乡土记忆。作品以西北农家一双姐弟五月、六月为主人公，讲述了他们从元宵节到“上九”一年的年节经历。五月、六月的成长伴随着虔诚的诗书礼仪教化，他们在乡土大地静谧的四季的轮回中感知天地万物的馈赠，在父母亲、邻里的引导下自新、自省，在节俗的氛围中自然形成了敬畏之心，仁爱之心。作品以孩童的视角，按时间序列对物质并不富足，甚至可以说是相对贫乏的乡村社会展开的故事叙述，其建构的世界却是大多数人心向往之的理想境地。作品所选取的传统岁时节日和德高望重的家庭，具有一定的理想化色彩，但所描绘的又是基于现实的理想图景，因而具有现实引导意义。作者认为"'农历'是一个大课堂，是一种不教之教"，之所以可以将农历看作人生之轨，在于这个世界有别于缥缈的未来式的乌托邦，它就存在于乡土中国大地养育的一代人的记忆中。

基于对传统的肯定与依恋，作品对传统乡土大地进行了倾情的礼赞。《农历》以中国传统的节气和节日为结点，对元宵到大年、"上九"的十五个寓意不同的节日进行书写，每个日子都在生活中扮演着重要的角色，有着各自不同的寓意，充满吉祥如意的祝福意味与温暖和美的生活气息。作者对节日过程进行了细致的描写，详尽的仪程展现客观上对传统民俗节日的仪式做了记录和保留。例如，作品描述了元宵节做荞麦灯的整个过程以及点灯的寓意，在全家人做灯和邻里之间赠送灯盏的过程中，节日有了其乐融融的气氛。除此之外，干节打干梢、跳火，龙节请龙王、敲梁劝鼠、洒扫屋子、炒豆子，端午做甜醅子、绑花绳、舂香料、采艾叶，七巧节"对银河"，中元节神像游村、演目连大戏，重阳节滚锅盔，寒节做寒衣等节俗都在作品中得到了生动的呈现。在小主人公的追问和家人及乡民参与中，节日的表面的欢腾和背后的寓意都得到了生动的展示，让人感受到中国传统节日的喜庆，同时又能体味浓郁的西北特色。作者书写节俗不是点到即可，而是在郑重的仪式感中完成对节日的细节性的重现，包括节俗的程序、要求，还有细节性的唱词等具体内容。节日之所以区别于平常的日子的要义就在于其严谨的仪式和丰富的寓意。作者通过对过程的详尽记录，展示理想人格的育化，传达吉祥如意的祝福。比如中秋节，父亲指导孩子将自家树上的梨子分给村里人，让孩子们学会放下私心。五月、六月清明前在集市上熟背了《朱子家训》，得到众人夸奖，满载大家的赠品而归，展现了崇德重教的乡间民风。冬至要描《九九消寒图》，每一笔都有相对应的填色歌，毫不含糊，那郑重的每一笔都是对美好生活的希冀。爹娘的不同版本的《九九歌》在五月、六月的耳畔相继响起，孩子细数这中间的不同，这一过程就是礼仪的传承。龙节洒扫时候伴着唱词，《目连救母》的整个戏文贯穿在中元节的叙事中，将情节简单的故事用细节的方式展现出来，在与观众的互动中，巧妙地实现了剧目在情节内外的感染力。

民间故事在叙事中也扮演着重要角色。元宵节用荞麦做灯的时候，母亲讲起荞姑娘的故事，荞姑娘在饱尝了黑暗之后明白外在的光明靠不住，要做世人的明心灯，用荞姑娘的奉献告诫孩子们内心光明的可贵。干节打梢时，五月给六月讲起难陀的故事，饶有趣味。龙节炒豆子的节俗背后是武则天称帝的历史故事与龙王降雨相结合的民间传说，其中农民用豆子代替雨来破除对人间的诅咒，表现的是民间的智慧。目连救母的故事教人向善，让人明白百善孝为先。民间故事在民间口口相传，以其妙趣横生、百转千回的情节为生活增添乐趣，又能引人无限的遐想，保持了民间神秘性，同时也在不知不觉中，从常情到哲思层面影响着民间情感的孕育。

在民间伦理道德的层面，作品一定程度上探索了育化理想人格的途径，而道德标杆至关重要。作者选取传统礼仪作为支撑，传统礼仪的规范在作品中无处不在，人们尊天命、重人伦，尊重自然规律，热爱天地万物，敬拜祖先神明。主人公的家庭以诗书礼仪传家，家长善于言传身教，孩子熟读传统格言家训并懂得时时自省。父亲被尊为大先生，掌握乡土生活的各种规则，在重要的庆典中做主持，在乡邻中有很高的威望。五月、六月在乡民的眼中是聪慧伶俐的神童，在父亲的要求下，他们熟读《弟子规》《太上感应篇》《朱子家训》，从像《弟子规》中这样“凡出言，信为先”基本要求开始，格言被用来检视自己的行为，继而一步步渗透到生活的各个层面，从朦胧的义理转化为为人处事的标尺。五月、六月觉察出自己有私心懂得自省，在接受别人馈赠的时候懂得分辨，坦诚与天真的儿童在这样的历程中逐渐成长起来，便是作者理想的儿童成长模式。

除了礼仪教化的影响外，民间伦理道德的培养还扎根于朴素的民间信仰。在中国传统文化中，世俗社会信仰神明，行事要遵从天道、天命。这里的天道、天命是世俗社会根据自然规律所总结出来的生存规律。一方面，人们相信善恶报应，神明会庇佑善良的灵魂，作恶在受外界律例约束的同时还要经受内心的是非观念的考验；另一方面，人们还遵循“斧斤以时入山林，材木不可胜用也”的自然法则。人们相信神灵的庇佑，自己的德行会换来好的结果，也相信自然有自己的生命轮回，万物有灵、众生平等，因此干节只能打干梢，而不能破坏仍有生命力的树枝。父亲教导五月、六月，世上所有的动物都在修行，狗修忠诚、鸡修守时、牛修奉献。七巧节他们除了给这一天的功臣大黄嫩草之外，还给了咩咩。元宵点灯除了给神明、祖先、自己屋里，还有动物，甚至连水房都顾及，朴实、众生平等的民间信仰让人自觉向善且博爱。

作品在以家庭为描写对象树立民间家族本位的同时，也注重表现民间重视邻里关系的情感特点。邻里在节日中融洽相处，投桃报李，懂得感恩与回馈，他们不约而同地为因失去亲人而不能做灯的卯子家送灯盏，在卯子家的面案上构建了一个“大同世界”，这种相互之间的体恤和不成文的节俗，让平凡的乡民之间有了默契，简单的物质赠予代表着人最本真的善意。五月一家其乐融融，他们的关怀不止于自己的小集体，还扩展到邻里、陌生人，延展开来成为超越了血缘与生死的博爱。

传统民间作为一个有机的人格孕育温床，它生产了敬畏与仁爱之心，使人敬畏天地神明而遵岁时、爱万物，民间信仰支撑下的乡民坚持着为素不相识的他人泼散、做寒衣的节俗，现实生活中收留无家可归的孩子、呵护有生命力的树枝。民间故事、传统节俗和传统文化典籍互补共生，为人们提供了向善和向上的人生图景。朴实的民间愿望是农历的生机，元宵节中为所有感恩的对象点灯，在从他们那里索取过后用光明用祝福来回报，包括寒节为先人做寒衣，表达对他们的祝福，这是善良的民间愿望。龙节里人们庄严祭拜请龙出来，保佑风调雨顺，大年里写春联也是一种期盼平安富贵的表现。单纯的愿望和博爱、善良共同缔造了传统民间贫乏物质生活中的安详与满足。

传统的节气和节日串联起的生活是完整的一个年的轮回，节日的程式、礼仪、禁忌、寓意已经深深地烙印于民间生活的日常，就像收到好的棉花就会想到要留下来一部分做下次元宵的灯捻。不同的农历日子已不仅仅是定位一年中的某一天，而是一系列民间精神的积极呈现，是民间生命力的源泉。传统民间的博爱、仁慈在整个民间生活中与日常的习惯已经水乳交融，是一个几乎完美的整体。每个在积极的人生企盼和农历生活准则的感召下成长起来的人，都会如沐春风般茁壮成长，这正是作品的深意所在。《农历》对理想价值的树立秉承了传统的脉络，大先生作为价值的传播者，是理想道德和文化的化身，他熟读经书体会精髓并能对子女言传身教，威严不失慈爱，他是传统文化的持守着，也是传承者，但正如庆典规模的缩减以及仪程的简化，作品在六月要弘扬传统的信誓旦旦中，是对传统失落的隐忧。

二、现代社会中的灵魂拷问

郭文斌在很多序言和创作谈中都表明其创作不愿意舍近求远，不赞成一味地有距离地批判，更加倾向于描写当下生活中的美好。《农历》很难看出具体的时间背景，但是总体上还是给人一种怀旧感。接近于大同社会的故乡在作者的笔下洋溢着一种他所努力营造的安详和谐的气氛，这种能够让人产生久违的温暖的书写，还原着一代从乡土社会中走出来的人的记忆，也正是这种怀旧感与距离感反衬了现代社会中乡土以及传统的失落。

我们面对的是这样一种现实——不可逆转的现代化趋势正在涌向社会的各个角落。在马克斯·韦伯看来，现代性是一个“祛魅”的过程，现代社会是一个世俗化的社会，所有的终极的、高贵的价值都在消失。泰勒认为“世俗社会向现代性的转型穿越了传统信仰和忠诚的废墟。与此同时，人们热衷于现实的、可计算的利益目标，而不再将宗教信仰和超越性精神的追求作为生活唯一性目标。换言之，信仰困境或精神危机就成为世俗时代的主要趋势。”与信仰危机同步的是，现代生活方式冲击下的乡村社会正呈现出破败的危机。在五月、六月坚持诵读《太上感应篇》《朱子家训》《弟子规》这样的传统道德训诫、至理格言时，我们看到的是笃定的城市化脚步让乡土的地盘不断收缩的社会现实。而对中国普通农民而言，过得像个城里人，大概是他们每个人的心声。《水随天去》中在城市生活的作家水云天将工资基本上都给了乡下老家，维持八口人的生活之外还要供四个侄儿上学，《甜根》里的人民教师准备通过考试离开小镇，乡村成了城市接济的对象，也成了乡下人努力奋斗要离开的地方。在国家从农业社会进入工业社会后，农民与城市人有不同的出身背景，却需要找寻同样的出路，这时的农村不再有往日的自足底气，它成了被资助者和落后的代名词。

小说附录《望》仿佛将整本农历变成了现实的"前传"，在当前的生活中，进城的人可悲地失去了农村的土地，只能蹲在平时倒垃圾的地方"请祖先"，城市人对鞭炮和祭祀的兴趣早已被电子产品等取代，即使留在农村的人也失去了往日勃勃的生活兴致，这样看《农历》像是一首赞颂乡村最后生命力的挽歌。即使作家一再强调写当下的美好，还是难逃"津津乐道家乡可歌可泣的人事时，其所灌注的不只是念兹在兹的写实心愿，更是一种偷天换日式的'异乡'情调"的怪圈。让人惋惜传统乡村逝去的趋势中，六月想要复兴遗失的传统的想法只是纯真孩童的天真愿望。

在《点灯时分》中作者指出"我们的失守，正是因为把自己交给了自我的风"。太多人的生活出于一种追逐时代步伐的无奈与无意识，盲目的生活指使我们离开生命的朴真和大善大美太遥远。灯是作品中的一个重要意象，作者在观念中一直渴望寻找到一盏“明心灯”，这盏灯应该就像元宵的灯盏，有不可轻慢的神圣的味道，它不仅为现实驱走黑暗，更重要的是让内心永存光明。当下人们面临的问题并不在于现象本身，而在价值认同层面存在的偏差，比如什么有意义，什么是成功，等等，永恒价值的衰落所造成的现代人的精神危机是现代文明病的症结所在。

物质根基和生活方式的改变伴生的是现代人在精神上的普遍流浪。经过西方价值理性、工具理性和后现代非理性思潮的冲击，旧有的信仰已经失去了可靠的根基。首先是在“祛魅”中世俗化，超现实的信仰的崩塌使人在现实社会中失去了可以依托的终极价值，信仰的缺失使敬畏之心失去依附。其次，在后现代主义的解构文本、消解意义、否定价值、取消联系的一系列主义中，人们接受了生活境遇的偶然和虚无主义。

三、传统价值的执着呼唤

作者试图为日益焦灼的现代灵魂寻找一条走出困境的路径，于是发出了对传统价值的呼唤。人们一方面享受着现代社会带来的信息和生活服务上的便捷，另一方面又在与拜金主义、享乐主义、实用主义作斗争。回归历史、回归经典、回归传统、回到原点，是作者的希望，经历了现实中的迷茫之后，他在民族传统中找到了可以疗救的药方。在焦灼中最便捷的治愈方式莫过于回到人原初的单纯关系中。

作者在《农历》的序言中写道“小说是要为现实负责，但更应为心灵服务”，认为“‘祝福’比‘批判’更有效”。关注和发现生活中的真善美，是一种积极的写作态度，不在于自欺欺人地制造“粉色烟雾”，而在用怎样的视角来发现生活。作者以虔诚的态度来礼赞生活的美好，实际上与批判性的作品异曲同工，丑恶固然要推倒，但推倒之后的重建才更有意义。我们穿过文本的世界，常常目睹作家们用敏锐的笔触揭露的丑恶，背后也有非凡的洞察力和心系苍生的人文关怀，但掩卷只是满目的废墟。在很多作家热衷于表现“价值观上的虚无主义”和“面对文学的玩世不恭，对人物的冷漠和无情”的时候，郭文斌则坚持认为“文学要回到心跳的速度，因为那是‘感动’的速度，感动只有在心灵同频共振的时候才能发生。”在对人最原初、最本真的美好情感的表现中，让人们找回心跳的频率，在最单纯的感动和温暖中，寻找回归安详生活的途径，不失为一种更为便捷的灵魂疗救方法。

对传统文化价值以及人类最本真的情感的发现与呼唤，是治愈现代人焦灼灵魂的一种途径，在心灵没有皈依的时候作者想到“不如归去”。谢有顺认为“文学的道德，是出于对生命、心灵所做出的大肯定，是一种对文化理想的回应”，这方面，郭文斌有过很多探索，在对传统文明进行了悉心观照的同时又试图回到人的本真——返回童年的世界寻找本心。作者认为教育要回到对生命的认识上，回到对人本性的呼唤上。同时还推崇古人注重专一，讲究悟性，举一反三的教育方式。《朱子家训》在教子孙最简单日常的现场享受生命，以此消解当下人们积累财富的私欲。还原物质贫乏的世界简单自在的美好生活场景来治愈当下的文明病。凡此种种都是对传统的很好解读。在呼唤传统的同时，作者还融入了对民间精神的肯定，他笔下传统的礼仪教化在民间的自由氛围中没有僵死，而是充满人性色彩和旺盛的生命力。

郭文斌在作品中推崇传统文化，但是文本中往往以杂糅的形态反复出现的经典，恰恰也是当代人普遍面临的文化多元却无从选择的混沌，也是当代很多人面临的共同困境，即怎样在毁坏的根基上重新为传统文明找到支点。大多数处于精神困境中的人试图还乡，他们或找不到回家的路，或缺乏精神上的“返乡”勇气。正视精神建筑的根基已经动摇的现实，静下来寻找安详，我们看到的是书写的现代化浪潮中，作者在传统文明中寻找家园的孤独步伐仍在向前迈进。

（载于《甘肃广播电视大学学报》2017 年第 6 期）

不“西部”与“不隔”：读《大年》

李敬泽

郭文斌的短篇小说集《大年》分上下两卷，上卷写乡村，下卷写都市。对下卷，我无话可说，我所感兴趣的是上卷——郭文斌对他那高天厚土的家乡的想象和书写。

郭文斌来自宁夏、来自西部，他面对的头一项强行归类的诱惑就是所谓“西部文学”。记得有一次我去宁夏，把人家打击了一通，我说为什么提起笔来就先要告诉自己，我在写“西部文学”呢？你笔下的那些人并不认为自己在西部，对他来说，他所在的地方就是世界的中心，就是他理解和感受世界的出发点，而当你给他们设了框子叫“西部”时，你实际上是把一些外在的理解和界定强加给他们——这当然便于你的写作，也便于批评家总结归纳，但同时，你就不能真正地触摸经验，不能自由地想象浩瀚的生活和心灵，你是在写你已知的、我们大家所认可的那个所谓“西部”。

在这个意义上说，郭文斌对乡土的书写并不“西部”，这是他的好处和成就。他能够在小说中保持对经验、对心灵的直接性，在他敏感、温厚的书写中，生活难以言喻的复杂况味，乡土的残酷、坚硬、温暖、柔软和美，同时被看到、同时被表达。

我们常说文学要真实，但究竟是什么意义上的“真实”？恐怕有上百种说法。禅家讲“隔”与“不隔”，为什么会“隔”，会看不见真理？就因为我们心中存有成见，所谓言语道断，你一张嘴就变成话语的自转，就与真理、真实没什么关系甚至越说越远，这是认识论和语言哲学的难题。某种程度上，文学的真实之所以总是一个问题，就因为文学不得不以语言去打破“隔”，去逼近真实的经验和心灵，这可能比参禅更困难。

郭文斌写乡土，在最好的情况下是近于“不隔”的境界。但事情的复杂性在于，当作家在一个方向上努力“不隔”时，你可能同时在另一个方向上把自己“隔”起来了。郭文斌的乡土书写采用的大多是童年视角，他被夸奖、被喜爱的所有长处和优点实际上也恰恰是在童年视角的限制下才得以成立和施展。但我特别关注的是被他限制在外的东西，是他的童年视角和相应的美学风格无从展开的那片广大区域——比如，在《大年》那样根基深厚、恒常不息、充满诗意可以安居的日常生活图景之外，今日的乡土又是如何？走出了童年记忆，那种诗意、那种根基是否依然成立？

我知道，我的这种疑问近于无理，不是在感受和分析作家做了什么，而是在责难他没做什么。但是，郭文斌年方三十多岁，作为一个小说家他仍在成长，没做什么和将做什么对他来说是个真实的难题。比如有人说他可能是“北方的汪曾祺”，说说倒也罢了，我想如果他以此为志向恐怕就会走到死路上去，因为汪曾祺作为一个作家的上下文在这个时代均已不成立。

所以，尽管这本《大年》是近年来少见的一部短篇小说集，精湛、纯粹，读之月白风清，但我还是希望它能成为郭文斌写作历程中的一块碑，结束这个阶段，开始新的阶段，这意味着他从他的自我限制中走出来，去勇敢地面对认识和写作的更大难度。看了郭文斌的序和跋，发现他喜欢谈禅，这作为一种修辞策略、一种认识方法都无可厚非，但小说家不能在谈禅的路上走得太远，因为你终究要面对这个红尘滚滚、“执”念甚深的世界，比高深的禅机更要紧的是，走进这红尘滚滚的世界，看清它，写出来，写出被我们忽略、遗忘，被我们轻率地言说和归类的那一切，恢复它们的血肉，写那破碎的大地。

选自《郭文斌论》（宁夏人民出版社 2008 年出版）

郭文斌小说集《大年》因何被大家喜欢

刘新锁

在6月30日《小说选刊》主办的郭文斌短篇小说精选《大年》研讨会上，著名评论家雷达先生给了如下评价：读完郭文斌的小说让人大吃一惊。没想到还有这么美的短篇小说。没想到还有这么美、这么纯粹、这么含蓄、这么隽永、这么润物无声的小说。他的小说你要做理论上的概括可能不容易，但是你可以被陶醉。郭文斌的小说感动得我掉泪。郭文斌给我们提供了罕见的审美体验。郭文斌的作品提供的美学价值，那种罕见的美，尤其是值得我们珍视的。著名评论家白烨称：《大年》是2004年乡土写作最重要的收获。看完《大年》，我深有同感。

郭文斌可以被看作是20世纪90年代中国文学中的一个异数。他的乡土小说呈现出了相当明显的地域色彩，在阅读过程中会感觉到浓郁的地域风情、乡土气息扑面而来。但是他并不借这种“地方特色”来炫耀自己和满足读者的猎奇心理，而是用清新峻逸、舒卷自如的语言饱蘸着深情书写着自己生活的那一方水土，书写着其中的温情与诗意、困乏与富足、从容与酷烈、自由与扭曲，给那片干涸、贫瘠的土地涂抹上一层诗性的美丽光泽。他看到了西海固地区“最不适宜人生存”的环境给人带来的困苦与折磨，但更多的是用自己的心灵去感应和捕捉生存于其中的生命身上具有的真、善和美，将其发而为文对那片贫瘠的土地上顽强繁衍生息的生命不断进行吟咏和歌唱。

我一直相信“文如其人”这种说法，读郭文斌的小说可以看出，这个人应该是一个朴素、善良而又敏感、多情的西部汉子。他的乡土小说中充盈着太多的人间俗世温暖，流淌着太多民间人伦情谊。作品中洋溢着的温情毫无功利目的和利害算计，只是生活在西部那片土地上的人一种天性中生来具有的恻隐之心和朴素善良与诚挚，是没有被生存的困境所泯灭的一点善念和对每一个生命出自天然的尊重与呵护。而这些离我们身边的世界已经有些遥远了，正因为这样才弥足珍贵，更加令人痛惜。在引发了很多争议的中篇小说《大年》中，郭文斌写到了一个民间的“知识分子”——父亲。父亲是一个一直生活在农村但有些文化的普通人，在他身上却保留着来自中国人文传统优秀精神的深厚积淀，而且这种积淀已经被内化成为他做人与处世的固化的精神构架。儿子提出把写坏的对联送给村里的一个傻子，父亲对此大为生气。他教训儿子说“只有小人才欺负瓜子（傻子）”“我说的小人，不是年龄没有长大的人，而是那种品德不好的人，有些人即使活到一百岁，也是小人，知道吗？”在这里，我们看到了中华文明中那种“仁者爱人”传统精神的影子。父亲数年来一直坚持义务先给全村人写好对联才动手写自己家的，在村里有人因为日子过得没有盼头丧失心劲时他用自己独特的方式，用动情而严厉的语言和行动促使他感愧从而在精神上振作起来。在父亲身上，我们看到的是中华民族传统美德和人文精神熏染出来的美好人性和动人的脉脉温情。在这种重情重义的传统浇灌下，在温情流淌的氛围中，村人才在过这个物质极为贫乏的“年”时，在精神上感受到了充盈、和谐和美好，这一切都是那么令人神往和感动。也正是父亲的当头棒喝和言传身教，使得这种精神传统能一代代薪火相传，在两个儿子幼小的心灵中埋下了种子，让他们从小就知道应该如何为人处世，如何坚守自己的道德操守和良心良知。用笔极为精炼传神的短篇小说《剪刀》中，生活上已经陷入绝境的夫妻相互的调笑和谑骂中漫溢出来的是相濡以沫的至爱与挚情。俗话说“贫贱夫妻百事哀”，但是小说中在深情和绝望之间经历着撕裂般痛苦的男人和女人并没有因为无望而陷入无边的哀戚沉溺下去。即使妻子最后对自己的毁灭和牺牲也闪耀出了美好人性和生命尊严的璀璨光芒。他们身上那种对生命的坚忍和顽强，因为物质贫乏而手足无措的无奈抉择和绝望的放弃足以让读者潸然泪下。再如短篇小说《呼吸》，在西海固令人几乎彻底绝望的巨大贫乏中，作者并没有大肆渲染生活的苦难，没有让主人公怨天尤人愤恨天道不公，而是浓墨重彩描述了懂事的女儿、朴实憨厚的父亲和似乎已经具有了人的灵性与情义的老黄牛之间相依为命以及在与天灾斗争中活下去的意志与恒心。在这种达到极致因而足以直接威胁人肉体生存的可怕贫乏中，人与人、人与动物构成了一幅在苦难的生命之路上相互支撑、跋涉前行的动人画面。而作为生命之源的水之贫乏与小说中人物的名字“郭富水”“川川”“水水”之间的巨大反差也能令人心酸，使人欲哭无泪。

除了温情的笼罩，在郭文斌的小说世界里，西部贫乏的生活环境中还四处盛开着繁密动人的诗意之花。对西部生活的场景、天真未凿的儿童视角、对生死的达观态度、少不更事的心灵中萌动的朦胧性意识的描写都使得他的小说焕发出了动人的诗性光泽。丁帆教授将中国西部文学的外部审美形态概括为风景画、风俗画和风情画，并认为这“三画”使西部文学具有了浓郁的地域色彩和风俗画面，同时也构成了西部文学赖以存在的底色；在郭文斌的小说中，西部生活场景描绘同样具有相当浓厚的地方风情和地域特色。《大年》中描绘了家家户户门上贴的对联和挂上的新糊的灯笼、供奉的香案和“献饭”、家长给每个家庭成员分的有限的几粒水果糖和几颗核桃；《开花的牙》和《三年》中写到了给老人办丧事和祭祀去世亲人时搭帐篷、上香、供奉、纸糊的童男童女和金银斗等内容，所有这些都能够让人体会到浓厚的人间生活气息产生的诗意和温暖。正因为这样，我们在郭文斌和一些西部作家的作品中才能够看到，“从新生命的出世到老人的葬礼，从邻里共处的嘘寒问暖到家人远离时的关切和思念，贯注于其中的仅仅只是人类那种最基本也最直接的爱，但就是这种简单明了到了极处的爱却包含了人性的最为复杂、深刻的内容。”在短篇小说《雨水》中，作者是这样写雨后的村庄的：“刚刚经历了透雨的村子润润的，鲜鲜的，晃晃荡荡的，同时又生生的，让扣扣觉得谁在不经意间将天地重新换了一次，使人在惊喜之余不由生出许多陌生感。往日生硬而又焦黄的韭菜地也变得酥酥的、青青的，如同一个方才出浴的农家姐姐，蓬蓬勃勃地散发着一股青草味，看着让人心里往外渗水。”灵动笔触描绘出的风景中的诗情画意几乎从纸上伸手就可以掬取，而环境的描写又和小说要表现的少女那年少情怀和青春秘密相得益彰、水乳交融。郭文斌的西部乡土小说多采取一种儿童视角来展开叙事，从天真未凿的儿童眼里看到的世界没有经过成人化的世俗色彩染指和种种程式化思维的规范，因而完全是纯真而明净的，澄澈清新而显露出一片赤诚之气。《开花的牙》中，牧牧因为在葬礼上可以吃到美味的点心就希望他有一百个爷爷用来每天死一个以便保障他天天有点心吃，并当面问他的大姨什么时候死因而惹得二姨生气。他做的这一切都源自懵懂无知，因为他根本不明白“死”对一个人意味着什么，对成人来说有多可怕。

正因为这样，他才会在爷爷的葬礼上高兴地唱着小曲。而这些和他对爷爷发自内心的真挚依赖和留恋毫无矛盾，正是发自内心深处的对爷爷的真情，让他在意识到爷爷再不会醒来时不由得放声大哭；在帮忙办理丧事的村人吃肉菜时恐慌地问父亲“忙生吃的总不是爷爷吧？”引得父亲落泪；并调动儿童那种天真的想象力想象着爷爷骑上纸糊的仙鹤飞到美好的“共产主义”……这些描写更为真实地写出了一个孩子心灵毫无矫饰的素朴之美。在《我们心中的雪》《门》《快乐的指头与幸福的纸》等直接写儿童心理世界的作品中，郭文斌写了处于性觉醒期的孩子源自本能的懵懂性意识和性幻想，写了少男少女成长过程中敏感而脆弱的心灵中一个个小小的秘密，画出了少男少女内心隐秘的深处风景特有的诗意朦胧美。正是这个原因，张晓峰博士才认为郭文斌对性的书写达到了一种理想状态，是中国作家中在性描写方面有着出色表现的为数不多的作家之一。

郭文斌似乎对将西海固文学定调为“苦难”文学有一种近乎固执的抵触，他认为这将是西海固文学的悲哀。他说“对于西海固，大多数人只是抓住了她‘尖锐’的一面，‘苦’和‘烈’的一面，却没有认识到西海固的‘寓言性’，没有看到它深藏不露的‘微笑’。当然也就不能表达它的博大、神秘、宁静和安详。培育了西海固连同西海固文学的，不是‘尖锐’，也不是‘苦’和‘烈’。而是一种动态的宁静和安详。”

因此，他在自己的西部乡土小说创作中一以贯之地用手中的笔去发掘西部人困乏、艰难和酷烈的生存状态中蕴涵的生命诗意与日常生活中的温情和美好。生活环境和气候条件的恶劣给郭文斌的主人公带来了无穷无尽的物质生活磨难与困苦，但是这些在生存路上艰难行走着的人却表现出了旺盛的生存欲望、顽强的生命意志和乐观的精神状态。他们活得安详、从容，不乏美好的情致与俗世生活的情趣。当然，郭文斌的乡土小说也没有回避物质困乏给人的生存带来的灾难性甚至是毁灭性的后果，他的《剪刀》《呼吸》都写到了天灾或人祸。所有这些对于只能满足最低生存需求挣扎在最低生命保障线上的西海固人无疑是巨大的挑战。《剪刀》中的妻子善良、朴实而又坚忍、刚烈，但是灾难选中了这个不幸的人，她患上了重症需要五千元来动手术。这个数目对生活在大都市里的人来说微不足道，但是对生活在西海固的这个家庭来说却非常困难。她和对此一筹莫展的丈夫在命运的挑战面前在精神上没有低头，依旧相互戏谑和相互扶持努力延续自己已经非常微弱的生命之火。但是物质上的困乏并不是完全靠精神上的乐观与从容就可以战胜的，本来就风雨飘摇的日子已经不起任何风雨的侵袭，为了不给丈夫和儿子日后的生活造成沉重的负担，这样一个美好而又坚强的生命勇敢地选择了主动向黑暗的死亡迎头而去。在作品中可以看出郭文斌的本意更在于对这种生存环境中的生命个体身上表现出的乐观、坚强和牺牲精神发出赞叹，但是其中物质的极度匮乏导致的生命毁灭同样令人触目惊心。《呼吸》更是一部直面生存苦难的小说。干旱魔影笼罩下的大地不仅完全毁灭了生机，直接导致的饮用水高度缺乏更威胁着西海固人的生存。丧失了作为生命之源的水，这种灾难折磨着人，威胁着他们的肉体生存。“郭富水看见，水水的嗓子烂得一片一片的，看得他的心像刀子剜。他的嗓子也烂了好长时间了，晚上常常将他痛醒，一吐一口血，不知一个孩子该如何承受。”不管大人、孩子还是和他们相依为命几乎有了人的感情的老黄牛，都在旱灾面前经受着生命意志和毅力的严峻考验。也正是这种近乎生命绝境的考验，人和动物身上体现出了生命精神的尊严。但是生命又是脆弱的，在天灾人祸面前显得那么不堪一击。除了天灾人祸对本来就在艰难求生的西海固人之生存权利的挑战和打击外，郭文斌的笔也触及了现实生活中被权势异化的人性之丑恶并初步展现了自己的批判锋芒。《撒谎的骨头》就是一篇直接批判现实生活中丑恶现象的作品。耕地老汉历尽艰辛忍着身体的巨大痛苦甚至是冒着生命危险换来了一袋可以换钱的骨头，他在这袋骨头上寄托了一个可怜的老人对相依为命的孙女全部的温情和厚爱。但是因为他一个小小的疏忽，自己的辛劳所得几乎被披着权势外衣的恶人尽数剥夺，他美好的理想一下子化为泡影，“耕地老汉心中的最后一盏灯灭了”。浓厚的人间真情在权势化身的丑恶面前竟如同狂风中的一盏孤灯那般容易被扑灭。也许是因为郭文斌太过善良，他并不是看不到西部恶劣的生存环境和现实之恶对自己心中守护的温情诗意的打击和对生命尊严的剥夺，但他总是在触及这些时转而将笔的着力点放在对美、善和温暖的歌咏之上。从郭文斌的小说可以看出，他同样是在西部人困乏的物质生活中执着地寻找和描绘着温暖和诗意，这使他的小说具有了如同民谣或者挽歌那样一种非常朴素的感染和打动人的力量。但是，对贫穷和充满了苦难的生活进行一种有意或无意的美化，不忍心或者不敢于直面与美好善良并存掺杂在一起的现实困境和被异化的人性中的丑恶，我个人以为这些因素影响了郭文斌小说具有的干预现实的力量，也在一定程度上影响了他的艺术成就。当然每个人都有自己的专长，但是在不放弃自己固有艺术特点的前提下，作为一个有潜力的年轻作者，也应该努力向着隐藏在现实表层之下的东西和人性的深处开掘，从而使得自己的作品内蕴更加丰富和厚重一些，这恐怕并非求全责备。郭文斌还在路上，他的创作还具有相当大的生长空间。相信前面他还有更长的路要走，我们对此拭目以待！

选自《郭文斌论》（宁夏人民出版社 2008 年出版）

郭文斌小说中的儿童视角

柳 元

宁夏青年作家郭文斌的短篇小说精选集《大年》自行世以来，一时间在国内主流文学界引发热烈的讨论。在这部把苦难写得具有美学意义的纯粹作品中，一种生命的悲凉，一种醉人的温情随着作家清新细腻的笔触徜徉其上，正如作家所言："在那个没有灰尘、没有噪音、没有污染的世界里……我们开始骑着幸福的驴拼命寻找幸福，目光飘在高处，随风而荡。"在这里，除了作家对善良天性和独特的价值选择外，还有对童年趣事的温馨回忆，并以儿童的另一种视角去观察和打量陌生的成人生活空间，展现不易为成人所体察的生命情境和生存世界的他种面貌。

一

中国现代小说中儿童视角的出现和之后长足发展，是以五四时期人的发现和儿童的发现作为理论依托的。于是，作家们便试图以纯洁的童心来净化“早已失了‘赤子之心’，好像‘毛毛虫’变了蝴蝶”的成人们已变得粗糙的心灵，对不可复返的童年的追忆构成了成人作家们寻找精神家园的基本内容之一，郭文斌乡土小说的主角多是乡村的男女孩童，童年视角是他最常用的方式。《大年》中的明明和亮亮对“年”的童稚认识。《开花的牙》中牧牧从羡慕爷爷的死到和同伴玩死人的游戏。《三年》中明明和阳阳给爷爷烧完纸后就盼着死，还想着让他媳妇生一万个娃，一天死一个，天天让人来烧纸。作家使自己重新回到童年，以儿童的感受形式、思维方式、叙述方式和语言句式，游离在成人世界的边缘，以避免覆盖在现实生活上的谎言和虚伪，呈现出生活本身毛茸茸的原生态情境，这显然与成人视角、成人感受建构的文学世界之间形成了某种疏离，一种儿童式的鲜明和不经意的深刻，从对复杂现实的稚气把握中透示出来。

以儿童视角建构的叙事文本，叙述者常由儿童来担任，以儿童的思维方式和行为方式进入叙事系统。在这里，叙述者常常是一个活泼天真、好奇顽皮的儿童，《门》中如意发现父亲的秘密后就想在杏花的奶上暖一下手。一个童稚的小儿形象显现了出来。与儿童形象伴随而来的是文本呈现出浓厚的儿童色彩。《快乐的指头与幸福的纸》中昕昕的手指伸到小药瓶里取不出来时被改改用斧头砸破后流血，听到改改说她娘每月流血的事就天真地认为那也是改改爹用斧头砸的。

儿童的逻辑就是这么简单得富有童趣和创造力。当然，由于儿童担任叙述者所带来的叙述上的变化是多方面的，文本呈现的是儿童眼里的成人世界，他们感受的直觉性所形成的文本自然趋于碎片化。

如果说儿童视角的选择塑造了活泼天真的儿童叙述者，建构了文本内容上的儿童色彩，那么，儿童心灵的稚嫩与视角的晶莹纯净，则使文本的叙事口吻体现出单纯稚嫩的活泼清新的气质。《开花的牙》中“牧牧就想到死了人的好处来。要是有几百个爷爷就好了，一天死一个，那就会天天吃上献瓜瓜。或者爷爷一天死一次也可以。”《玉米》中小红让红红和东东领新媳妇，把红领巾当作挂红，将唾沫抹在脸上当眼泪。做出打头、圆房、撒核桃、撒枣儿、宣誓、吹灯等一系列活动。无论是场景的设计还是人物关系的安排，都流露出小孩的童真与稚拙。于是，小说中就只留下了生活的本来面貌，没有任何的品评，郭文斌作为儿童叙述者保持平淡中立的态度。

二

一旦儿童视角成了建构文本的叙事策略，那么与视角相一致的感觉也必将是属于儿童的，文本中遍地都是儿童的感受、印象和直觉。因此在儿童主客体不分、自我中心的思维方式的观照之下，围绕在儿童身边的动物和植物都勃发一种本能的亲切，散发着人性的光辉，使人与物之间的一种心灵交感自然显露。在这样的思维模式下，人与物的界限朦胧了。《大年》里有“前面的红木秀炉里已经燃了木香，木香挑着米粒那么大的一星暗红，暗红上面浮着一缕青烟，袅袅娜娜的，宛若从天下挂下来的一条小溪”。《雨水》里扣扣意识到太阳已经和一只倦鸟似的归窝了。这种新奇的想象与比喻打破了人与物的天然界限。事实上，比喻本身也不仅仅只是作为一种修辞手法和写作的技巧，而是儿童视角和儿童感觉的文字呈现。或者说，这样的比喻是建立在儿童物我不分的感觉方式基础上的。在成人们高喊“回归自然”的激烈姿态中，在人类试图从自然中寻找平衡内心的精神家园的自觉努力中，儿童却凭借稚嫩的思维表达着与自然本能的亲近，并在与世界万物无意的精神与心灵交流中获得了生命的丰富，《学习》中在满屯和满年看来，太阳从酸梨子树上照过来，非常非常的美。这种美的快乐同样是儿童与自然亲近后的结果。成人在尘世的生活中逐渐磨钝和挫折了对自然的感觉，他们试图努力建构人与自然交融一生的精神体系，但这种有意识的自觉的追求本身已经使人凌驾在自然之上了，“回归自然”的呼喊和努力、融入自然的行为本身表达的就是人与自然的分离状态。而儿童对自然的亲近是一种本能驱使，主客体不分的思维模式，好奇的探究眼光，使他们对自然和社会有了一种迥异于成人的解读，都呈现了丰富的姿态和盎然的趣味，这种质朴无华的童心和感性的思维形式，使儿童更善于忠实地记录生活的原生态内容，而当他们“用清澈的目光看这个世界时，他必然要省略掉复杂、丑陋、仇恨、恶毒、心术、计谋、倾轧，而在目光里剩下的只是一个蓝晶的世界，这个世界十分清明，充满温馨。”于是，儿童视角里的人生就有了更多的诗意、美和快乐。

三

小说中儿童视角展现的成人和成人的世界，是有着孩子眼光洞彻下的单纯、深刻和诗的明快的，也有着儿童世界与成人世界的相互不理解和对立中构成的对成人世界的反衬。这些都将形成陌生化的审美效果。郭文斌采取儿童视角作为观察世界的方式，必然要以一种曾经拥有但已经陌生了的感受去重新审视熟悉的世界，并以儿童感受的方式呈现出来，在这种新视角的观照之下，已经熟悉的世界呈现了陌生的一面。而且作家虽然完成了从成人到儿童的角色置换，但作家本身并不能真正从小说中剥离，于是，作家与叙述者形成了一种间离，这种间离造成了另一个潜在的审视视角，从而在儿童视角提供的文本中蕴含了理性思考的线索。

儿童的思维是感性直觉的，知识积累的缺乏和阅历打磨的不足，使他们对世界的认识与成年人存在明显的距离和差别，当他们把自己的认识在成人世界单纯、诗化地表现出来时，当然与成人认识里的世界构成了极大的反差，读者也就从儿童视角的审视下获得了惯常的成人思维中不容易获取的新鲜体验和领悟。就像在《快乐的指头与幸福的纸》中昕昕和改改对地球的认识等，孩子稚嫩的思维对裸露在视野里的成人生活只能做一种表层的把握，而表象背后的深层因素却是无法体悟与掌握的，但就是这些单纯、诗化的表述却激起了习惯于追寻意义、理念和深层内涵的成人读者进一步解读小说的欲望，也构成了他们对生活的全新感受，这种新鲜感自然是陌生化效果的审美呈现。

但儿童视角文本展示的空间显然与成人读者的期待视野构成了一定的偏差，之间的距离构成了一种陌生化，儿童特有的单纯、诗化和对成人世界的理解超越了成人读者期待视野的理性的想象空间，使他们的视野再度受挫，但儿童的独特感受同时也给了成人读者一种对曾经经验的强烈召唤，并使他们在这种召唤中获得心灵的慰藉，从而建构起了儿童视角小说的丰富的含义空间和艺术魅力。

因此，儿童视角虽然是以儿童作为叙述者，有着欢快基调和单纯的讲述方式，表述的是儿童的感觉和直觉，但郭文斌关注的焦点依然是成人的沧桑苦难和破败的现实，建构的依然是有着严肃主题的社会小说，只是借用了儿童的思维方式和纯净心灵，为复杂的现实性提供了一个全新的审视和观察角度，为宁夏新文学的创作找到了一个全新的阐释视角和艺术手段。而且，郭文斌小说中对儿童视角策略的选择，也使熟悉的生活在儿童单纯诗化的展现方式中呈现了陌生的新鲜面孔，从而也将生活与主题引向了深层和深入。

选自《郭文斌论》（宁夏人民出版社 2008 年出版）

读《大年》有感

张攀峰

郭文斌的短篇小说集《大年》，在文学界不断掀起争鸣的高潮，这本小说集不经意间走向了辉煌，但是，小说集红得发紫有它的必然性和绝对性。

正当宁夏老一辈作家群对“西海固”的苦难历史和精神富有进行一层层宣扬的时候，更多的青年作家也把自己的目光投在这片贫瘠而苦难的土地上。慢慢地，“西海固”的苍凉和贫瘠，在文学界成了一种时髦并带着它的痛苦而到处宣扬以显示作家目光的与众不同以及非凡的人生经历。这种时髦的宣扬，使“西海固”的苦难精神慢慢地被浮华和虚伪遮盖了起来。2004年末，郭文斌《大年》的出版，剥去了这层浮华和伪装，展示出了一个真实的“西海固”。

有人说，酸甜苦辣咸都是相对而言的，而真正的滋味只有一种，那便是平淡。《大年》就是这样平淡的作品。第一次读《大年》，带给我的是一种难以平静的震撼。一位和我在一起的同是西海固的读者说：“《大年》真实地再现了咱们西海固人的生存精神。”可我要说，《大年》写到了我的心里边去了。一部文学作品能够穿透读者的内心世界，无疑是成功的，我突然感觉到，《大年》中的人物明明、亮亮，是生活中的我及我周围的人。

郭文斌是来自大众的作家，要从大众生活的角度来认识他。解读《大年》，就是要理解郭文斌所代表的西海固和这一阶层的大众。

老百姓说，他们对当今中国媒体所做的栏目最为信赖的是中央电视台的“焦点访谈”。在这个栏目里，有最为正义感和同情心的主持人，更为重要的是，“焦点”所关注的对象是最普通的人和这一阶层的人的生存状态。作为普通的民众，最希望的是有更多的人去关心、关注他们的精神生活和生存状态。《大年》让我看到了“焦点”的影子。

在《大年》中，作者将所有的笔墨触及到了最为普通的人的生活圈，我们看到的是真实：真实的想法，真实的生活，真实的感觉。在《大年》中，作者着眼平凡人物、生活琐事和细小情节：写对联、贴对联、蒸馒头、送年、放炮、穿新衣、祭酒、奠茶、献饭、泼散、喜神、糊灯笼、贴窗花、分年、坐夜、上坟、开新门、磕头、看戏、串亲戚……这些富有中国传统文化气息的民俗活动在郭文斌的手里，一切都是那么的有趣、新鲜。明明、亮亮的活泼可爱，父亲的宽厚仁慈，但长者的理念，在村中独特的地位，不容任何人冒犯。村民对辈分是相当重视的，只要你不是一个公家人，就必须“享受”辈分的约束。

而一旦成为公家人，就如辈分低的小郭老师，立刻身价就增了起来，也许，在村民的眼里，公家人是管自己和教育自己的，就如村中的长辈一样，是一个领导。当领导了，还能给长辈磕头吗？不能……就这样，郭文斌将我们带进这些琐事中，又让我们深刻地思考，给人以哲理化的启迪。

《大年》的结尾，父亲一边哎哎地应酬着大家，说你们今年的头简直像好年成的麦穗子一样，一边低头看了一眼明明，用目光和明明说了好几句话。明明的心里就落起了雪来。父亲说的是什么呢？明明没有去想，明明只是觉得，被父亲看着的那一刻很幸福。明明甚至觉得，那就是年了。慢慢琢磨，“年”就意味着幸福，意味着麦穗子，意味着心中想要的那种东西……就这样，郭文斌把自己的大众情感方式和韵味巧妙地结合了起来，提高了《大年》的境界和层次。

李兴阳博士说：郭文斌还在路上，我们有理由相信，他一定会有更多更好的作品不断地震惊我们期盼的目光。

选自《郭文斌论》（宁夏人民出版社 2008 年出版）

来自故乡的声音
——郭文斌作品浅淡

李 义 （西吉县文联《葫芦河》杂志编辑）：

郭文斌的作品产生的影响，逼着我们去思考一些与文学有关的问题。西吉是郭文斌的故乡，正如诸多评论文字中点到的，“故乡情结”在作者的作品中占有重要的分量。请大家以“家乡人”的身份，在“作品与故乡”的角度来谈谈，看看我们脚下的这片土地，究竟给予了作者什么，或者说作者在生于斯、长于斯的土地上发现了什么，又发掘了些什么，又是怎样将这些外化成文字的？这样思考，无疑对我们是大有裨益的。

李耀斌 （西吉县平峰中学语文老师）：

我谈的题目是《郭文斌的启示》。

启示一。郭文斌在《在北京看雪》中写道：“在北京／我看见雪用她的温柔／把树压折／把灯光压垮／把一个人的心压成故乡／无言的故乡／在雪中成长／／渐渐地／我觉得眼前飘飞的其实／不是雪／而是一群回家的游子／脚步匆忙得有些趺趺撞撞／如同相思／伫立雪中／我才明白／雪的姿态其实就是相思的姿态／雪的道路其实就是怀念的道路／／面对这群扑向大地的飞蛾／我的心是一床羽翼的被子／以她准备了整整一年的盛宴／洁白的盛宴／等待自己／走失多年的孩子／……”

郭文斌的文字是那么美，不论是他的诗歌、散文还是他的小说。他的文字在眼前过去了，但是却有一种“美”和“享受”长久地在心灵中回旋。这是郭文斌留给我比较牢固的感受，也是一种在读者中比较普遍存在的感受。引他的诗，不是要谈他的诗，谈他表面的诗化的叙述，而是要谈这种感受的来源，这种诗化叙述背后的他的目光，他的思考，他的文本更宽泛的意义，他的文本所承载的更有分量、有价值的东西。

2005年，郭文斌的小说集《大年》出版了。《大年》的出版，在中国文坛掀起波澜，经久不息，成为当年不可忽视的一个重要的文学事件和现象。当然，这一现象也绝非偶然，现象的背后，存在着其必然的基础。我认为，郭文斌的文字之所以能引起文坛的轰动，最根本的原因是郭文斌用他的文字再现了一种原生态的乡土风俗，把人性当中纯真纯美的一面呈现了出来，在当今良莠混杂的中国文坛很强烈、很鲜明、很灿烂地凸现出人性的纯净和美好。故而引起了广泛的心灵共振。郭文斌的文字向文学艺术的真大大地靠拢了一截，细腻又不失犀利的郭文斌向他“自己”大大地靠拢了一截。像他在北京看到的“雪”一样，郭文斌这只扑向大地的“飞蛾”正以“舞蹈的姿态”走近“自己”，进而“拥抱”“自己”。

启示二：郭文斌是在西海固贫瘠的土地上长起来的，西海固是可怕的，疼痛的，这是留给很多人的记忆，它深深地镌刻在每一位西海固作家的童年里，记忆里，钳制着他们的注视和思考，然而大多和郭文斌有相同生存背景的作家却被西海固表面的现象所蒙蔽，被“可怕”和“疼痛”挡住了视线和思考，停滞了更深向度的思维，回旋在生活抑或生存的“疼”和“痛”里，因而再现的也是“恐怖”，是“恶”和“丑”。郭文斌犀利的目光穿透了这些表面的、粗糙的、物质的部分，从西海固“可怕”和“疼痛”的生活矿石里掏出艺术的“金子”，滤出“美好”和“福”，舀出“快乐”，舀出对贫穷的“享受”，在他的笔下，贫穷和苦难里有那么多令人神往的东西，他的犀利，抓住了西海固的“寓言”。

“一丝风吹过来，灯花晃了起来，就在明明和亮亮着急时，灯花又稳了下来，像谁在暗处扶了一把，就有许多感动从明明和亮亮的心里升起，在灯光蛋黄色的光晕里，明明发现，整个院子也活了起来，有一种淡淡的娘的味道。”何其宁静、安详的意境，何其纯净、善和美的人性原始！诗化的叙述和灵性的抒情贯穿着郭文斌的文本始终，再现着郭文斌对“生活”的深度思考，再现着郭文斌对生活中高于物质的精神部分的捕捉，使他的文字及形象、意境都是那么鲜活、空灵、飘逸而又迷人，玲珑剔透。

“《大年》美得像一个梦”，它把每一个读者都引入了他们曾经遗失的那个“梦”里，把一个个灵魂引入那个难以言说的“享受”里，那个“福”里，那个“寓言”里。

启示三：《大年》的题材其实是很狭窄的，郭文斌的声音也是细微的，他的“故事”也是“涓涓细流”。然而，题材却不因狭窄而失其纯粹，细细的“那一声”，却也是人性当中至纯至美的“那一声”，“涓涓细流”的“故事”正“暴露”了中国乡土文化中“人”的纯真纯美的一部分精髓。其实这些都珍藏在每个作家甚至每个人的潜意识里，只有郭文斌把它挖出来了。所以，郭文斌的文字引起共鸣是必然的。

启示四：郭文斌给我们提供了艺术创造更宽的可能，以及文学和艺术更高的要求，文学和艺术不仅仅是作家对生活的创造性再现，“真”的文学更应该是一味人类灵魂的净化剂，是盏盏灵魂的灯，它照亮着人生更高境界的那条路，让人看到真的、善的、美的境界，并向之靠拢。这也许是郭文斌认为的那条“回家的路”，也许是作家和文学的责任和使命吧。

启示五：有人认为，郭文斌的成功取决于他的文字或思考向形而上靠拢；另有人认为，郭文斌的成功取决于对“性”的书写……而且旁征博引，凡此种种，都是不恰当的，抑或片面的，郭文斌给我更深的启示是：他的文本创造了一种文学的蓝本，但他的文字又远远超越了文学本身，郭文斌所挖掘的那些原始人性中的纯真、纯善、纯美，凝聚并永葆着持久的美学意义和精神，成为一部珍贵的人文美学资料，这才是郭文斌的价值，是贺绍俊所认为的郭文斌“珍稀”的地方。郭文斌的文字是不会“速朽”的。

李继林（西吉县将台镇卫生院医生）：

我谈的题目是“现代禅”。

原来读郭文斌的作品，大都是零碎的，总是被他那灵动的语言及优美的意境所感染，至于作品背后所深寓的意义之类，很少探究。我只是觉得郭文斌是一个非常有灵性的作家。但在读完《大年》之后，我才知道士别三日，当刮目相看，他已经上升到了另一个高度，不能仅仅以一个有灵性的作家概括。但我的这种感觉是非常模糊的，我只是觉得他的作品里已经非常丰富地包含了对生命的本质以及灵魂的思考，他以小说或者散文的形式进行着一个哲学命题的探索。究竟是一个什么样的命题呢？在反复阅读了《大年》之后，终于渐渐明晰了。

以世俗的见解来阅读这部作品，实在是一个误区。禅学的智慧在他的作品里随处可见，读他的文字，我能够感觉到一种自然智慧的流露，不像是作者在刻意地写作，更像是一位智者随意地讲述。所有的意义都寓于文字之后，从最初的娓娓劝导到后来的“棒吓”，在《大年》中随处可见。在后记中他说“生活就是禅”，这正是禅学思想的精髓所在，被他捕捉到了。“青青翠竹尽是法身，郁郁黄花无非般若。”生活中的每一个细小的情节都被他发掘并阐释，随即上升到生命本来面目的思考。

父亲（《水随天去》）是一个禅的体验者，吴子善（《寻找丢失的眼睛》）也是一个，荻（《钥匙》）也是一个。他们是彻底的，他们都去了。父亲离家出走，吴子善在美丽的情人身旁真的睡着了，荻走的时候竟然是一个秃子。荻是在经历了爱情以及生活的诸多痛苦体验之后，完成对生命本质的思考。但他仍然是茫然的，被动的。从某种意义上说还远未达到禅的体验，他只是找到了一把“钥匙”，佛说“诸法无我，诸受是苦”。从苦的烦恼中脱离，然后指向虚无乃至空，“钥匙”是一个恰当的概念。让荻变成和尚的不是方丈的剃刀。在这里似乎可以看到贾宝玉的影子。父亲已经是一个完全的行者。从他的变化之中我们可以全面地看到一个行者所必须具备的全部经历。父亲心里没有钱，他吃素，他连一只苍蝇也不忍杀死，他一连几个小时坐在阳台上“像老僧入定一般”。他“在阳台上喃喃地叫着，兴奋像花一样在他身上怒放”。父亲那些莫名其妙的提问，是佛教禅宗的精髓所在。但《水随天去》中的父亲仍然是一个现世行者，他“毕竟是父亲”，他走的时候站在儿子身后“眼里汪满泪水”。这在小说中是一个丰满的形象。吴子善的形象是模糊而彻底的，他已经在云游之中，完全脱离了世俗的困扰。他从丰富的物质和淫靡的精神生活中跳出来，未出三界，却不在五行。他可以把一个被人扔掉的馒头捡起来作明天的早餐；他可以“缓慢而有力地从她的身体里挣脱”“双唇间有千军万马在疾行，在急流争渡”“竟然很快进入睡眠”。他对世俗生活的完全放弃，他的洒脱，一派禅家风度。行走于街道的吴子善，与本来的吴子善已和谐地分离，行者的身影清晰显现。

作家在繁华的现代生活中塑造了典型的禅修者的形象，可见他对禅学的钟爱。他说“喜欢一个人：六祖慧能。他是中国禅宗的实际开创人。”或者郭文斌自己已经是一个禅修者，他在点滴的现实生活中，不停地拷问，思索生命的本质和灵魂的归宿问题。这也正是他的作品的另一魅力所在。他的作品总是给人留下许多的空白，就像中国的山水画。淡淡几笔，意蕴却悠远无穷。

如果说郭文斌的早期作品中禅学思想只是欲说还休，犹抱琵琶半遮面，到了《大年》，则完全揭开了掩饰的面纱。坦然地说，这也反映了他的禅学思想的成熟。他大胆地引用禅学经典，不是故弄玄虚，而是以古老而新鲜的语汇和思想提醒人们：逆流而上，或许有意想不到的风景，不论是哲学还是艺术。

在他的乡土作品里，借助于牧牧、明明等孩子的口，提出了许多看似幼稚而实际却令所有人都难以回答的问题。那里有许多“未生我时谁是我，我已生时我是谁”这样玄虚的问题。死的概念在懵懂未开的孩子的头脑中模糊而神秘。灵魂和肉体的关系问题凸现。人类文明是从孩子开始的，也是从对简单而繁复的现象的思考开始的。孩子的问题尽是永恒的哲学命题。在他的都市小说中，通过对经典的引用，他的作品从日常的故事中超脱出来，提升到一个新的层次和高度，不仅给读者语汇上的新鲜，更多地诱惑读者进入生命的内核。他给读者设置了一个个多彩的“陷阱”，他让你跳进去，但他不告诉你出口。思考便在不停地询问中产生。“灵龟摆尾，扫其形迹，形迹虽扫，又落扫迹。”“空手把锄头，步行骑水牛。”“过去心不可得，未来心不可得，现在心不可得。”你是谁？你在干什么？这样的问题是禅宗的实践和理论最经典的结合。

郭文斌以一个现代作家的独特眼光把古老的禅学应用到他的作品里，使他的作品显示出特别的魅力；同时禅学这门有关生命本质思考的学问（我觉得把禅学归于哲学或者宗教都不大合适）得到了以现代的方式的表达。这就是我读《大年》的一点感受。

周志军（西吉县三小教师）：

《大年》给我的印象是“实中求美，美中见情”。李兴阳先生给郭文斌的小说《大年》的评价很中肯。作为读者定然会被《大年》浓郁的山村“年”的氛围所感动，也定会被这有些苦涩的农家亲情所感染。漫步《大年》，梦寻儿时生活的影子，我的心自然有些潮湿——那一盏灯笼，一把糖果，一件新衣，何尝不是我曾经美好的“年”的抒写。作为一个在西吉生活了几十年的人，只体会到《大年》的浓郁滋味是不够的，所以，我应该对《大年》说点看法。细想，郭文斌先生所感悟的“年”的精髓自然比我丰富，我的微见该不会有什么弄斧之嫌吧。抛开这点顾虑，我所说的仅算是乡党之情的拙见，该不会有大妨碍的。

正如李兴阳先生所言，《大年》是反映西部春节民间文化风俗，解悟西部人精神结构的风景。童年、少年的我也曾因父亲、母亲的关爱和年的美好幸福过，但随着年龄的增长，“年”的美好因世故而淡漠了许多，渐渐地忘却了“年”给予我的一些东西，只觉得日子越过越难过。是《大年》唤起了我的意识，从已有些颓废的灵魂深处给了我新的刺激。看看现在的生活，想想过去父辈的生活，觉得各种坚硬的东西压在了人的心头。好在“大年”这剂良药该让诸多和我同样麻木的人感到其精妙的功效吧。

然而，小说《大年》中还存在着几个需要商榷的问题。文中写到，父亲将对联写完后，放下笔，像一头渴的牛一猛子扎进泉里喝水一样地抽烟，然后紧接着贴对联了。这个情节不合西吉当地风俗。过年若设香案敬供祖先就必须先上坟、请神、上供桌、祭拜、献饭，然后方可贴对联和门神。因为对联和门神是驱邪的标志，是喜庆吉祥的平安护符。当地风俗认为，若先贴上对联和门神，祖先的神位就会被拦在门外，自然“爷爷”的“好吃的”只能是摆设了。北方地区的风俗应该是大同小异的，《白毛女》中喜儿和爹过年的唱词能充分说明这个：“门神门神贴两边，大鬼小鬼进不来”。而且门神只能贴一对，不应该是“每个门都贴着门神”。

除夕守夜，父辈们有钱的给娃娃“压岁”，没钱的给散些糖果。但小说中“夜色落下时”却给灯笼贴窗花，这应是天未黑时“吃完长面”后的工作，然后让娃娃们挑上去玩，然后再回家坐在炕上接受父母的“压岁”和守夜的温馨，然后便是“抢头香”求平安吉祥。当然，“十里一个乡俗，五里一个规矩”，或许我的说法不算妥帖。

“初一早上的母亲是多么好啊！”这是一句极致的赞美之词，但不相宜的是文章接着写母亲扫院。前文中收拾一新的院落不会是杂乱的。况且母亲勤劳的天性不该“破例”传统的风俗：一般地，大年初一到初三的日子，房屋和院子的杂物不能扫除，这是北方人“年”的大忌。积再多的杂物也有“不扫年”的讲究。风俗是人们长期生活中形成的不成文的社会风尚。倘若表现这个人情世故需要这样的讲究，就应让风俗“实中求美，美中见情”。或许这不是作品所追求的目的，或者说我在鸡蛋里挑骨头，但不管怎样讲，我觉得要挑就挑得遭人恨才是对的。

李 怡 （西吉县文化馆干部）：

在我的理解中，郭文斌是一个多情的写真作家。我说两点：

一、外张内敛的诗性散文。初次读郭文斌的散文集《空信封》，感觉很特别、另类。读着读着，就像一缕春风拂过水面，一股清泉趟过小河，给人一种具象的情感寄托。作家对情感的放逐往往是在一种诗化的意境里进行，就像闭上眼睛平躺在广袤的沙漠里怀念一个人：头顶蓝天白云，和煦的阳光照着无限膨胀的情思，同时，一种空漠的孤独和无限的忧伤湮没了自己，那种思念达到了极致。

行文的空灵飘逸，使散文富有诗的意境，再加上他精美简短的诗性语言，使得散文在气势上有了很大张力，所表现的情感内容也丰富而浓烈。

或孤独、或忧伤、或宁静、或凄凉、或浪漫，每一种心灵的体验都给人一种美的语言享受和心灵感应。《爱情没有药》《有一种情感无法面对》等篇目中，“你或许可以打下一个江山，却未能攻克一个真正的爱情堡垒，你或许可以毁灭一个世界，却无法消灭一炬爱情烈火”等句子，富有隽永的哲思，当之青春寄语或感言，实属佳句。《永远的堡子》《老大》等文章中，更让人深切地体味到一种浓浓的亲情和朴素崇高的人礼道德。

二、具有浓烈乡土味的小说。一个作家的灵魂是与他成长的生活环境水乳交融的，离开他熟悉的生活环境，写作便成为无源之水，无本之木。在郭文斌的笔下，展现的是一幅鲜明的西部农村画卷，他以清新细腻的感情和略显忧伤的笔调挖掘记忆中的乡土、成长中的童年，以及故乡的风土人情、风俗习惯、生命中或失之交臂而略带惋惜的爱情。故事中土生土长的童年伙伴，作者都以白描的手法，朴实而确切的乡土语言，形象而饱满地展现在读者面前，使人读来，感觉篇篇里面都有自己的影子。如《雨水》中的扣扣、地生和双晴之间多错位的爱情，使读者的心灵产生了普遍地共鸣和感应。

对故乡深厚的情怀，不仅表现在他的散文《永远的堡子》《一片荞地》《老大》等作品中，在小说集《大年》里，作者细致而深刻地叙写在这片乡土中成长的挫折、乐趣，青春期朦胧的爱情秘密以及发生在乡土上的一切生老病死、血缘亲情等，而许多叙述是以一个孩子的成长为线索的，如《水随天去》里“父亲”和“母亲”常常因观念上的差异而“吵嘴”，但在孩子的眼里，他们的嬉笑怒骂皆成趣味。文章中的“父亲”是一位出身于农村的作家，对生活的细节粗枝大叶、漠不关心，可是对故乡传来的气息都视若珍宝。他把从老家带来的东西统统叫“六味地黄丸”，将一点咸菜，这里的土话叫“咸萝卜条”，在“母亲”的不屑一顾和阻挠下，竟能吃得津津有味，还强迫“我”也来吃。是啊，离开家乡，吃的就是一种乡情，吃的过程就是回忆的过程，回忆的就是一种亲情！作家自幼生长在乡村，厚重的乡土气息浸润着作家的心灵，怎么能不对那片黄土及黄土地上生长、生活着的人们怀有深厚的感情呢？

李 义：

大家都谈得很好。李耀斌是主攻诗歌的，他的几点启示看出他对郭文斌的作品诗意特色的分析之深，也看出他对郭文斌的文字的偏爱；李继林从“禅”意这一独特角度入手，谈得特别新颖。广义来说，宗教中的“禅”意，与诗歌中的意境，与哲学中的辩证，与美学中的真善等都是相融相映的，或和谐、或深邃、或智慧、或美好，都是人类精神中的精华所在。周志军也许是读《大年》读得最细的一个。谈得也很直率。目前，评论界这样的声音已越来越少了。李怡以一个女性的角度，也谈得很细腻。还有几位，恕不一一列举了。真的，感谢各位！

下面，我说一些个人的看法。我想，郭文斌的作品首先告诉我们的是，作为一个为文者，首先要使自己的文字与别人的文字区别开来。自己是独一无二的“这一个”，既不复制，也不克隆。要有鲜明的个性，持之以恒，量变之后产生质变，从而形成自己独特的风格。记得是叶延滨说过这样的话，草长得再茂盛是草，树长得再矮是树；只有别具形态的一棵棵树，才能长成一片森林。郭文斌的《空信封》《大年》，还有纪实长篇《第三种阳光》等，给人的第一印象是新鲜、新颖，一下子就抓住了读者，使之非一气读完不可。

其次，是叙述语言的“顺”与“陌生化”的统一。“整个院子也活了起来，有一种淡淡的娘的味道。”像这类句子读起来顺如风行水上，但是，“娘的味道”又陌生化地处理了一下。让人需要刹住过顺过快的阅读速度，回味一下，“娘的味道”究竟是怎样的味道？有一句熟语叫“只能意会，不可言传”，一句“娘的味道”让你意会出了那个味道，但是你无法准确地言传出来。相信作者也许也是这种状态，但是，贵就贵在他找到了这一句，写出了这一句。这就是瞬间感觉的敏锐捕捉，也许这是为文者应该具备的基本功之一。此类句子在作者的作品里比比皆是，见出了作者对生活、对生命的体悟之深。

再次，儿童视角。以童眼看世界，世界即多了一份率真，多了一份趣味，成人眼中的世界是麻木的。童言无忌，童眼无邪。都原生态地再现了人成长中的一些过程。如此文字，既是文学作品，又可做探究儿童身心发展的第一手材料。

最后，生活真实与艺术真实。在郭文斌的文字中，没有过分的坚硬，没有铺张的苦难。这固然与一个人的经历有关，也与一个人对文学的理解及世界观有关。郭文斌的许多文字通篇笼罩着淡淡的忧伤，流淌着清水一样的惬意。尤其在一些写亲情人伦的篇幅中，这些更为突出。像《永远的堡子》入选多种选本，被有关文字如此介绍过：“作品通过一个罕见的家庭故事，讲述了一个罕见的伦理关系，审视了当下社会一个普通人所能达到的亲情和道德高度。忧伤而潮湿的文字，读来感天动地、回肠荡气。”这些“罕见”并非虚构，熟悉郭文斌的人知道这全是写实。这里，让人称道的是，作者能将生活真实上升为让读者动情的艺术真实，这很大程度上归功于其对“白描”手法的成功运用。《大年》更是言简意丰的佳构，大量的对话，不但不显得累赘，反而使阅读产生一种节奏感、韵律感。总之，郭文斌的文字唤醒了我们曾经的生活感受，引发了每个阅读者情感上、心灵上的共鸣。阅读这样的文字，使人心荡涟漪，心生嗟叹，而后，又心泊宁静。无疑，这是一种投之四海而皆受欢迎的美文。

从废名到《大年》：文学的审美与批评

主持：李生滨

时间：2005 年 11 月 13 日、11 月 27 日

李生滨：我首先要提醒大家，文学的批评与阅读应该有一种热情！不论是学术的讨论还是个人的爱好。郭文斌短篇小说精选集《大年》的出版发行是当代短篇小说创作的一个收获，也是宁夏文坛最新的亮点，值得我们关注。

《大年》里的主要作品在杂志上发表的时候，就引起了一些批评和争鸣。2005 年 5 月《大年》由宁夏人民出版社出版后，6 月 30 日，在京的部分文艺工作者、批评家和宁夏部分文化单位在北京举办了作品研讨会。同时，郭文斌的创作作为当代文学新的力量，加之对西部文学的丰富层面，也引起了南京部分高校学者的批评关注。废名（1901—1967）是 20 世纪 20 年代乡土文学创作中有独立精神并独树一帜的作家，对后来的"京派"作家有很大的影响。有人在批评郭文斌的小说创作时说，郭文斌的美学风貌与废名、汪曾祺颇为接近。

所以，我们可以通过解读现代作家废名的乡土抒情的描写，进入《大年》的批评。

崔文静：读过许多南方作家的“都市文学”作品，很少接触本土作家的作品。读过《大年》这本集子，我获得了别样的感受。郭文斌的文风与废名确有相似之处。废名的创作在中国现代文学史上不仅是独树一帜的，而且有自己独特的诗化追求，所以许多人认为他的作品晦涩难懂，奇谲怪异。其实他的作品并不是用来“看”的，而是需要我们细细地去“品”，用心去感悟的。正如沈从文所说：“作者的作品，是充满了一切农村寂静的美。差不多每篇都可以看得到一个我们所熟悉的农民，在一个我们所生长的乡村，如我们同样生活过来的活到那地上。”在郭文斌的《大年》中，我同样体味到了一种乡土抒情的亲切和深挚；《剪刀》尤其让人感怀，生活极其贫困的家庭中却充盈着满满的、浓浓的爱；《呼吸》中人与动物的和谐共存、惺惺相惜，是对人性美的礼赞。诚然，郭文斌的创作与废名还是有距离的，但他的作品在当代文坛确实也呈现出了独特的美学风貌。

李生滨：作家的所有作品不可能都在同一个水准上，每个作家只有在大量的创作中才能产生其优秀的代表性作品。郭文斌的作品和废名的作品当然有距离。废名崇尚传统，追求诗意的田园生活。郭文斌接受的是“五四”之后的现代“白话”教育！他是从写作进入人文精神的思考和探索，虽然也是回归传统和注重一种接近禅的感悟，但更贴近他所熟悉的乡土和当下生活。

文学批评就应该站在自己的立场批评文本，体味魅力所在，也指出不足和粗陋所在。郭文斌是宁夏青年作家中除石舒清之外又一位有自己独特创作风格的作家，他小说的美学风格与废名颇为接近。两人的创作都具有浓郁的乡土情怀，废名写南方小镇和乡村生活；郭文斌写西部偏远农村，那里人们的生活相对比较艰难。两人都喜欢通过儿童视角展开叙述，特别是表现性的最初意识的萌动。当然，废名写得含蓄朦胧，郭文斌写得比较直接。另外，两人在各自所处时代的文学整体氛围里都有别样的表现。20 世纪 20 年代漂游都市的一些年轻作家的乡土小说是在农村衰败的景象里描写故乡风情和人事，废名却追求乡村生活的安静、淳朴，里面有生活的艰辛，但主要表现人们安于现状、隐忍而乐观的生活，崇尚自然和谐。郭文斌小说吟唱艰难生活中的乐观精神，在日常的叙述里很细微地批评人的生存努力中难以避免的沉沦、自私、卑鄙等。只有细致的感悟，方能捕捉到生活中的朴实和美好，虽然不无苦涩和艰辛，但叙述是诗意而美好的。两人作品中的人物往往在遭受伤害时却表现出人性难以磨灭的力量和品质。两人都直面人和人的普通生活，但不刻意去揭示人物的悲剧，在这种不揭示的质朴描写中让读者去品味人物的不幸与隐忍、乐观与淳朴，或者坚强。

王　芸：师友们一再推荐《大年》，在读作品之前，先仔细阅读了序跋与代前言。由于我阅读的趣味更多地倾向西方文学，特别喜欢西方作品中的悲剧情怀，思考生与死以及宿命的文学命题，有时自然就会有一种个人化的期待。这样的期待和比较，总觉得郭文斌的作品生活气息很浓，但缺少一种内在真正深厚的悲剧意蕴。尽量调整自己的阅读心态，进入文本。《大年》以贫困作为叙事的生活基础，我想是因为郭文斌生在西吉，故“写实性”地记录那片乡土的生活。与废名相比较，两人均追求“禅”，禅宗崇尚平淡的人生态度，使废名总能以恬淡的心境把握人生、观照世界，描绘出自然的灵性和生活的宁静。而郭文斌面对生存的艰难却用禅的境界观照人的内在精神以及他们生存的悲欢哀伤。此外，语言上，都追求随意和自然，各自也包含一些自己故乡的方言，但废名的作品具有一种诗化小说的灵韵，正如王维的诗——诗中有画，画中有诗，而郭文斌的小说却更多地具有西部乡土色彩。郭文斌的作品也具有散文化的抒情韵致，但善于捕捉并突出个人化的瞬间情感。另外，通过少年视角展开叙述也是两位作家的共同点，特别通过少年视角对性意识萌动的朦胧描写。这在郭文斌的作品中更为突出，如上篇中的《雨水》《门》等作品中写得就非常直接。在废名的作品里因为诗化的意境和内在感觉的跳跃性描写，表现得比较含蓄一些。郭文斌善于借用儿童的眼睛揭示成人世界，介入当下的生活，是一种肯定的入世的生活态度和批评的审美追求。废名采用童年的视角，着重点在写孩子们的成长过程，写他们的自然感觉和内心生活。《桥》中写小林和琴子他（她）们，由此而写出自然淳朴的田园风光，其间表现出一种“出世”的倾向。又因为诗意和注重内在的类似意识流的描写，废名整体的抒情风格就比较晦涩。有时候也感觉到，郭文斌作品内隐的“道”比“禅”多，特别集子后面的文章，譬如《水随天去》，像卡夫卡的《城堡》，能真正体会并进入《大年》也是不容易的。

杨　丽：说起悲剧性，我倒认为郭文斌的作品并不是缺少一种内在的悲剧意蕴，只是他不像西方作家那样直白地表达，而是通过作品中的人物的言行命运含蓄甚至带有一些乡土的羞涩来表达生活中人的悲哀与伤痛。如《忧伤的钥匙》是生命闪耀的含泪微笑，是唯美的情怀用眼光割伤心灵的伤痛。还有他的《小城故事》，是对现代人灵魂失落和内心生活失重的写实，彰显了现代生活里人的偶然与无聊，这是人类生命的悲哀。若不细读作品，很难体味他作品蕴含的对人生、人性悲哀的审视与观照。

李生滨：正如马宏福提到的，沈从文在《论冯文炳》里批评冯氏时指出："作者所显示的神奇，是静中的动，与平凡的人性的美。"崔文静也提到，"作者的作品，是充满了一切农村寂静的美……不但那农村少女动人清朗的笑声，那聪明的姿态，小小的一条河，一株孤零零地长在菜园的葵树，我们可以从作品中接近，就是那略带牛粪气味与略带稻草气味的乡村空气，也是仿佛把书拿来就可以嗅出的。""道"与"禅"是郭文斌创作内在努力的方向。存在与生存是人类追问自己的永远话题，人活着就要寻找自己活着的根据和念想，而每一个人生存的背后仍然是深厚的传统文化。乡土情结也是每一个诗人、作家创作中最为幽深的历史文化积淀。

王之文：对于李老师刚才的观点，我深表认同。当代中国作家的文学创作大多受到外国作家尤其是西方作家的影响。读他们谈文论艺的文字，往往会提到托尔斯泰、卡夫卡、伍尔芙、福克纳、马尔克斯等，我也不反对从西方文艺中汲取艺术素养和表现手法，还有现代人文思想，但我认为，一个高度成熟并最终要成大器的作家，不可能完全放弃本民族文化的深厚传统。当然，这种立足本民族文化传统的继承应该是一种批评的选择和学习。与当代大多数青年作家不同的是，郭文斌在向外国作家学习的同时，更注重从中国传统文化中汲取营养。他对儒、释、道等中国传统经典的谙熟使其作品闪现出别样的光彩。人文精神方面非常深厚的东西，有些作家竭力从西方作家那儿追问，而郭文斌在对中国传统的审视中却领悟得更多。这种坚守与回归也得到了语言和叙述的创新。正因深植于传统和乡土，郭文斌的作品比同时代其他一些作家的故事叙述和欲望写作要耐看一些。

杨　丽：喜欢郭文斌的作品，但我读《大年》，却明显感觉结尾略显突兀，如命名作品集的短篇《大年》，故事还没说完就结束了。另外有些作品，感觉其文字和构思缺乏艺术的含蓄和圆润，废名的作品越写越冲淡而自然，越写越有艺术性。如《桥》，回荡着《红楼梦》的影子，那种中国人生活的日常情景和深藏的悲剧意味，读来让人十分感动。而郭文斌的作品则不然，若与废名的含蓄相比，郭文斌作品的叙述特色或许可用“裸露”一词来形容。尤其是从《空信封》到《大年》里的爱情描写，作者以空灵飘逸的文字写了一个个心灵“断桥”的故事，揭示给我们的也是一个个爱情的伤口。

李生滨：你对郭文斌的作品用“裸露”一词批评，抓住了存在的某种问题。但真正客观、切实地评论一个作家和一部作品是比较困难的。我们一定要慎重并要有所依据。在现今的风气下，人们呼唤一种真正的批评氛围，但实际上很难达到。和南方作家相比，西部文学作家，包括西海固作家，洋溢着一种人文精神的淳朴、厚重之美，人性、人情之美，这也是当前文学界和批评家看好西部作家的一个重要原因。文学所蕴含的东西以潜移默化的方式进入我们。人可以通过文学提高自己，从而受人尊重以促进人生。文学也可疗伤，心灵在这里能得到慰藉和激励，寻觅艺术人生的理想状态，想象并追求人性的自由。中国人大都知道林黛玉和薛宝钗吧，黛玉是诗人，宝钗就比较世俗一些，男人一般会选择薛宝钗做妻子，而惦念的永远是林黛玉。你可以把黛玉理解成文学的、诗性的，没这种东西我们也照样生活下去，但人却会越来越平庸甚至堕落。人文精神是人类共同的信念和最后的精神家园。

张滟宁：我还是谈谈个人的阅读感悟吧。看郭文斌的作品不多，废名的作品我读得稍多。刚开始读废名的作品时，自己并不能很快地进入，而是耐着性子，慢慢读。因为他笔下的小说并不是故事情节的跌宕，而是美好性情的流露，可是，我们有时很难跟上作者那独有的情绪，所以长期以来也就有了废名的作品并不好读这样的印象。感觉废名的作品是从心里流出来的，而郭文斌的作品多了一些叙述的技巧。废名的作品充满乐趣，自然真切，譬如《竹林的故事》《阿妹》。他作品内在的品质不是柔和而是一种韧性的精神，充满理想的低调的崇高、空幻，有彼岸的感觉。作品的精神、气质是内在的、统一的，沉于生活，但没有死死地紧贴生活。本来是一些普通的生活场景，表现出的却是一种隽永、空灵的感觉或者说意境。

马宏福：真正有独特品格的文学作品除了文笔的独异，还体现了不同作家的独特性情，也是各自不同的生存方式的表达。文章是作者真性情的流露，废名是诗人，虽然做着小说，所以他的小说比较独特，语言上不仅有很大的跳跃性，而且极度简洁，又有着含蓄的古典趣味。而郭文斌的文字也是比较有特点的，也是略具诗性的语言，给人以干净、清亮的感觉。他们的文字都具有散文化的抒情意味。可以这样说，废名的文字是一轮在高空的月亮，天很蓝，那意味情绪像月中的月桂树的淡淡的姿影；郭文斌的文字则是一盏油灯，放在一所黑屋子里，在照亮人心的幽暗中给人伤痛而亲切的感觉。

柳娅妮：小说写的是西海固那个地域的亲情、人情、礼仪等如何以无声的方式进入孩子们的内心，构成他们成长的过程中独特的精神世界。应该说是作者在回味自己的童年体验，是借明明和亮亮之眼、之耳、之心来传达他成年后回顾童年生活而体会最深的人生况味。所以你能感觉到双重的叙述视角。对爱的温暖的体验是错综的，有童年视角上的体验，有成年视角（姑且这么叫吧）上的体验，父子、母子、父母之间、父母与别人间的爱。感激是能感觉到的。作者对一些物象的感觉极其独特和富有诗意，譬如灯笼，“把油灯放在里面，灯笼一下子变成了一个家。坐在里面的油灯像是家里的一个什么人，没有他在里面时，灯笼是死的，它一到里面，灯笼就活了……在灯笼蛋黄色的光晕里，明明发现，整个院子里也活了起来，有一种淡淡的娘的味道。”把灯笼给人的瞬间感觉展现得那么丰满美丽！

王之文：听大家的批评议论，我觉得我对郭文斌作品的认识，和大家的批评比较，有些不同的看法。事实上郭文斌的作品和废名的作品之间是有很大的区别的。他们二人虽然都从“禅”中汲取营养，但在“禅”上废名走得似乎更“孤”一点，郭文斌走得相对“开”一些。

李生滨：我最后还要强调几点，西方的弗洛伊德学说可能给了他关注少年性意识的视角，但郭文斌并没有停留在弗洛伊德学说简单的性冲动的意识层面。关于怎样理解生存的艰难，我要补充的是，不论是公众舆论还是文化批判，在普遍态度的背后都存在话语与文化的强权，若以文学批评的外来话语作参照，就始终在强化一种以外来人的眼光看待边缘和对象的误读，自然会产生优越的话语姿态和不真实的情感，包括貌似高尚的同情等。具体到某个地域环境的生活态度和生存真实，就应该避免这种误读和虚伪同情。所以阅读郭文斌这些本土作家的作品，应当以西海固这一地域的原态生活作为观照和审视的依据。最后，讲到“禅”，每个人都有本真的自我，诗是唯美的人性自由的追求，禅同样追求空灵的美的境界和人性本真，就像王之文说的明月清风。人常常无法控制自己，但唯美向善的上进性从来都不会失去。人无法走向完全的明月清风，亦不可能完全走向恶俗和虚伪，都是平凡的人。但平凡的人们永远渴求美好和崇高的人性自由，所以文学的审美和批评永远涵养着人作为人的人性关怀和艺术价值。

王静在她的书面批评中写得很好。废名和郭文斌本着对日常生活的捕捉，共同着力于乡土生活的细致描写和浪漫抒情的意境营造，同时还包藏了隐忧悲凉的对一切生命的深切同情。这样一种审美与叙事的回归传统，却又融合了最现代的人文精神、人文情怀。这就是为什么我们讨论这样两位作家作品的原因和意义。讨论到此应该画上一个句号了。这里，还是借李兴阳先生的话作为结语吧：“郭文斌还在路上，我们有理由相信，他一定会有更多更好的作品不断地惊大我们期盼的目光。”

选自《郭文斌论》（宁夏人民出版社 2008 年出版）

睡在我们怀里的茶
——《大年》编辑花絮

哈若蕙　贺秀红

一

当我们决定以宁版市场书形式出这本短篇小说集时，在社里引起了不小反响，原因有二：一是近年来宁夏人民出版社以这种方式给宁夏青年作家出书少有先例，二是编辑室有两种不同意见。

支持方的证据自不用说。就拿他的名篇《大年》来说，著名评论家贺绍俊称它是一个“珍稀动物”。王雁翎说它美得像一个梦。在郭文斌看来，贫穷就是贫穷，它不可爱，但也并不可怕，人们可以像享受富足一样享受贫穷。运浙说，在社会陷入对于“现代化”片面理解的迷雾之中的时候，《大年》使人感到一股清新的气息，启人深思，颇为难得。而《中国现代西部文学史》的撰写者之一文学博士李兴阳则称：郭文斌就是北方的汪曾祺。

反对方的证据来自媒体：比如鲁迅文学院的文学博士张

晓峰在有关评论中大有把郭文斌封为中国性书写第一人之意，不由让人担心。张晓峰博士说：在全国几乎没有一个作家十分理想地书写性，而让人对中国的性书写感到失望时，有一个作家却有出色的表现，那就是郭文斌。可能作家本人都没有意识到他的作品焕发出了这方面的光彩，而且几乎是他各种才华中最值得注意的。但是当大家读完他有关的作品后，恰恰相反，都急着把这些篇章拿回家让孩子看。它不是我们旧观念中的性文字，而是一种开辟鸿蒙的美，是被我们忽略了的成长秘密在郭文斌笔下“像阳光一样盛开”。放下心来后，我们反而有些遗憾，那就是郭文斌在这方面的用功太少了，作者同意收进本书的只有《门》《快乐的指头》和《雨水》。

最终还得拿作品说话。等读完全部书稿，大家一致认为，郭文斌的作品纯粹，好看，有一种暗处的力量。它不但可以进书市，而且完全可以进课堂，其文字的干净、温暖和智慧正为当前青少年所渴望。最后，大家的意见竟惊人的一致：《大年》不但应该出，而且要出好。

多次看过媒体对郭文斌的访谈，他谈得更多的是敬畏和感恩。就这次合作来说，他一再叮咛，对于写作，他是一个小学生，才刚刚开始，不让我们用溢美之词。但是我们还是想说，能够碰到郭文斌是你的好运气之一。他像传说中那个可人的仙子，两手提着滴水的快乐和温情，向我们一路撒来，花香四溢。徜徉在他的文字里，相信谁都会惊叹：生命是多么开心的一件事!

为此，我们要说：错过是罪。

二

这是一部短篇小说集，但它的意义肯定在小说之外。有人说它是西海固的瑜伽，有人说它是精神狂欢的盛宴，还有人说它是睡在我们怀里的茶。为此，关于《大年》的争鸣持续了整整一年，仍然未有停歇的迹象。

读完书稿，我们豁然，作者用一张巨大的开心的船票诱引了我们，桨声欸乃之中，水天苍茫之际，我们惊醒：原来生命是一件如此幽玄的事情。知道你在吃吗？知道你在喝吗？知道你在……《水随天去》中，水上行不厌其烦地问。这时，你会慨叹：并不是我们不愿回家，而是生生世世，我们压根就没有弄懂什么是故乡。

这个年，真是大啊，就像海。

重申一种值得珍视的文学感觉

——读郭文斌短篇小说集《瑜伽》之后

牛学智

《瑜伽》出版于2012年11月，这是2012年郭文斌继随笔集《寻找安详》修订版（2012年6月）和散文集《守岁》（2012年6月浙江文艺出版社出版）之后的一个新成果，也是上海文艺出版社在2010年10月重点推出他的长篇小说《农历》之后的又一动作。一年之内，两家南方出版社分别推出他的最新短篇小说精选集和最新散文精选集，可见作者的读者群在逐渐南扩。

拿起《瑜伽》，照样是先阅览目录，觉得眼熟的暂时放下，依着陌生并且格外吸引人的题目读下去，这是我这些年阅读熟悉作家作品时留下的一个不好的习惯。

这部短篇小说集共收短篇18篇，外加作者与姜广平的一个对话，有20万字左右。时间和习惯的原因，我依次读了《陪木子李到平凉》《今夜我只想你》《瑜伽》《我们心中的雪》《门》等，其他如《水随天去》《开花的牙》等早年读过，印象还在。

下面我要谈的一些想法，也可能与以上所读小说有紧密关系，也可能是由此而产生的联想。

我为什么一定要谨慎地划定一个基本范围呢？第一，自从郭文斌获鲁迅文学奖，包括《农历》入围茅盾文学奖以来，我的眼力和耳力所及，郭文斌的小说创作，在批评界大致形成了这样一个特点：安详文化。承载这个特点的一批作品可能是《吉祥如意》《农历》《大年》《寻找安详》《〈弟子规〉到底说什么》等等。这期间当然也有作者本人以“安详”“祝福”为主题的许多演讲活动的助推。但不管怎样吧，无论是《农历》中的两个儿童五月和六月，还是短篇小说题旨“吉祥如意”、随笔题旨“寻找安详”，抑或小说主人公的名字“如意”，安详文化便形成了。我不去讨论这个，我只是说，形成这样的一个解释模式或阅读印象，对于郭文斌的其他小说，对于他所面对的世界而言，都并不是准确的判断。第二，有了以上限定，对于郭文斌的有些小说，显然已经处在了屏蔽或遮蔽状态，包括他本人的疏离。而这些小说，经过我的阅读对比，觉得的确是非常优秀的文学感觉，甚至像《我们心中的雪》这样的篇什，即便放到大学、中学教材中去反复讲，深味都不会有丝毫减少。

那么，郭文斌本人及其作品的阐释者为什么会久久沉湎于以上文化氛围呢？恐怕是一个说来话长的话题了，我不在这里讨论。在这里我想重点讨论的是，郭文斌本人及其阐释者似乎已经疏离了的一种相当可贵的文学感觉，而这感觉在我看来并不仅是文学感觉，它就是人学感觉。

简而言之，这种新颖的感觉就是以《我们心中的雪》为代表的一批作品，这些作品单要拉起来恐怕也有一长串了，譬如《门》《陪木子美到平凉》《水随天去》之类。虽然《门》已经十分接近，《陪木子美到平凉》也已经具备所有素质，但都不如这篇小说给我的印象深。原因是，这篇小说无论形式上、审美取向上，还是社会学信息量、叙事把握力方面，体现的是一种成熟的价值观。

这篇小说给“文化共同体”所面临的精神疑难和心灵处境，进行了一次彻底的打捞，它使文化共同体有了一次绵长的、艰难的和苦涩的对他人精神世界的全方位观照。今天多数作家无论怎样也不肯离开的所谓“人性”，在这篇小说中恰好被严正批判。人性的真正提升被推到了每个人的面前。读它，使我想起了雷蒙德·卡佛的短篇小说《阿拉斯加有什么？》和玛·杜拉斯的长篇小说《塔尔奎尼亚的小马》。后两者的共同点，是都巧妙地化解了婚姻或爱情已经面临的危机，而郭文斌的作品则成熟地处理了两性关系在走向纵深之前的微妙而复杂的关系。它的微妙是说一旦处理不当就会立刻发生方向性的变化，复杂是说，即便处理得体，也很有可能属于话语得当叙事却从深处分裂，或者即使叙事圆满话语中可能会埋下崩裂的陷阱。

富有智慧的是，郭文斌以“反高潮”的方式保留下了两性之间弥足珍贵的“爱情”——索性说，是颠覆了“无爱便是恨”的伦理模式，创造并主题化了两性之间日常又绝非“日常”的感情经验，从而深入地撰写了人的现代性困境。现代人的情感处境，一下子形象地呈现在了读者的面前——人非如此不可，但又觉得非如此不可实在不可忍受。因为叙事自觉不自觉地进入了哲学常常眷顾的话题，从而在类似这一主题的小说中显得特标独高。生长于西方文化土壤，《阿拉斯加有什么？》中杰克、玛丽与卡尔、海伦两对夫妇之间话语之内充满激烈冲突的暗战，最终化解于他们所笃信的赎罪感，“威胁”于是由此浮上水面，结果呈现；《塔尔奎尼亚的小马》中雅克与莎拉关于未出场的莎拉的情人的暗处较量，读者的体验也基本终结于双方的“坦荡”和坦荡所产生的原罪感。郭文斌这篇小说中的“我”和杏花，他们的完整叙事只停留在童年时代，他的发现在于，同时也完成了成年叙事这个本来缺席的故事，也就是说，反过来，他反倒把缺席的成年叙事构筑得比童年叙事更可信、可靠。

究其原因，我以为这得益于郭文斌对我们优秀文化传统中成熟的道德伦理、话语秩序的深刻领会。小说结束于“我”在毫不知情情况下对杏花所送围巾的接受，伦理、道德与美和人性光芒达到了完美汇合，儿时两小无猜的“我”和杏花在雪地里用舌头舔雪花的细节，于是合理地重现，“抬起头，正迎上杏花甘甜、满足而又潮湿的目光。心就变成了一个舌头，一个童年伸向天空的舌头，任凭杏花目光的雪花，落下来，落下来”。情窦未出时相知，历经多少年沧桑，而今突然邂逅，优美的伦理叙事是怎么持续的，小说已经无须再强化。那样的一条围巾，和伸向天空舔雪花的舌头，完成了它们的文学史使命——绝对不亚于卡佛笔下嘴里叼着老鼠突然穿过客厅的猫，也不亚于杜拉斯笔下那个本打算与情人“自由地度假”的莎拉，却突然对丈夫雅克说“如果你愿意”，“我们可以去巴埃斯道姆旅行了”。虽然都是变平凡为神奇的叙事，但是郭文斌因为打通了“文化共同体”深处的道德难题，我们接受起来自然心服口服。

那么，为什么说郭文斌这一路小说可能被屏蔽或遮蔽了呢？一个基本事实是，“寻找安详”以来，阐释者和作者似乎都更愿意把关注点植入并非精神文化能解决的问题域，而忽略或者忽视了解决精神文化问题首先必须启动复杂社会学程序的难度。

结果显而易见，关于人本身的叙事和关于人性本身的叙事，只能让位于抽象的描述和宏大的许诺，《瑜伽》（该集中同名小说）之所以产生叙事的中断，原因大概在这里。我所强调的文学感觉指的就是类似于《我们心中的雪》，源于日常伦理却能从日常伦理中转化出高于日常伦理的审美能量、眼光和结构生活现实的能力。在我看来，这是文学更高一级的人性观照和哲学观照，因此，它是文学对人的现代性困境的深入体谅。

重申这种文学感觉，无他，不过是感觉多数作家，包括郭文斌在内，好像并不在乎消费时代人同时也是消费符号这一时代特点——如果再往前走半步，“我”与杏花之间的故事还会保持那样一种饱满而丰沛的审美张力吗？答案是否定的。追究下去，原因不见得就是作家或知识分子没有强悍的主体性，而是我们的人性话语没有产生出一种有力的制衡机制。这问题转换到日常生活，实际上就是“文化共同体”（也叫“价值共同体”）未能彻底建构起来的问题。而唤醒类似于《我们心中的雪》的文学感觉，等于说用感知性主体之间的共鸣，通过输出文学秩序的方式，重新界定消费社会个体的基本人性理念。只有这个才是内在于既有人性又超越于既有人性的，否则，一切的话语努力都将因缺乏具体语境的支持而说服力大打折扣。

世界是人心的镜像
——读郭文斌的《吉祥如意》

谢有顺

郭文斌是一个写短篇的行家。他的小说，有乡土般的淳朴质地，也有短文学特有的纯粹和干净。他写了忧伤，但不绝望；他写了苦难，但不自苦；他写了小地方人的情怀，但不狭窄；他写了美好的真情，但不做作。他的短篇，真的是一刀切下去，一切就清晰地显示出来了。

我喜欢读这样的小说，文字不冷，带着温暖的色调，同时会让你和作者一起去怀想天真的童年、烂漫的往事。这是一个有根的作家，他的作品，从大地中来，有故土的气息，同时又对生命饱含正直的理解。他以自己通达而智慧的心，打量世界，所发现的，往往是别人所难以发现的自得和优美。在苦难叙事成了主流的时代，对苦难有一种超然的理解，更能显出作家的宽广和坚韧——这正是郭文斌的写作个性。

《吉祥如意》（载《人民文学》2006 年 10 期）并非郭文斌最好的小说，却依然洋溢着一种清新、温暖的力量。它的第一句说，“五月是被香醒来的。”五月是姐姐，她的弟弟叫六月。小说写了这两个人，也写了两个词，一个是“香”，一个是“美”。香是“艾叶香，香满堂”，是那种能把“鼻子香炸”的那种香，“胸前没有了香包的五月一下子暗淡下来，就像是一个被人摘掉了花的花杆儿”。美呢，“那个美啊，简直能把人美死”，是“快要把人心撑破了的美”。《吉祥如意》写的这种香和美，是从生活中长出来的，它不是观念，而是藏在一株草、一滴露珠、一条花绳、一个眼神，甚至一声叹息里。人的心里存着念想，怀着希望，就能从世界里闻到香，看到美，因为世界就是人心的镜像。从心里发出的香，是真香；从心底长出来的美，是至美。所谓“吉祥如意”，就是对香和美的期许，是一种生活的冀望。

《吉祥如意》里的一家子，心里存着感恩和欣喜，不是因为他们生活富足，而是他们最大限度地享受了生活的馈赠。五月和六月是天真的，朦胧的，对世界充满善意，在他们眼中，成人世界也是诗意的、甜蜜的。这两个孩子，在民间端午节的采艾和供奉的仪式中，发现着生活的惊奇和美好，他们在一种单纯中，被香和美所溶解。就这样，郭文斌为我们写出了一种值得珍重的人世：“六月说，我看地生对我姐有意思呢。娘说，是吗，让地生做你姐夫你愿意吗？六月说，不愿意，他又不是干部。娘说，那你长大了好好读书，给咱们考个干部。六月说，那当然。等我考上干部后，就让我姐嫁给我。五月一下子就用被子蒙了头。娘哈哈哈地大笑。六月说，就是嘛，我爹常说，肥水不流外人田，我姐姐为啥要嫁给别人家？娘说，这世上的事啊，你还不懂。有些东西啊，恰恰自家人占不着，也不能占。给了别人家，就吉祥，就如意。所以你奶奶常说，舍得舍得，只有舍了才能得。越是舍不得的东西越要舍。这老天爷啊，就树了这么一个理儿。六月说，这老天爷是不是老糊涂了。娘说，他才不糊涂呢。"

中国当代文学惯于写黑暗的心，写欲望的景观，写速朽的物质快乐，唯独写不出这种值得珍重的人世。胡兰成说，"可珍重的人世是，在拥挤的公车里男人的下巴接触了一位少女的额发，也会觉得是他生之缘。可惜现在都觉得漠然了。"漠然，或许正是这个时代的精神病。多数的人，不仅在苦难面前麻木，在美好生活面前也变得淡漠了，因为他的心已向这个世界关闭。生活成了苦熬，成了无休止的自我折磨——文学也成了苦熬和自我折磨的写照。这个时候，读郭文斌的小说，心里好像透进了一束亮，原来心一旦打开，这个世界也是有美好事物，也是值得珍重的。

这个美，我把它称为人情之美。以优美的人情书写天道人心，这是中国文学自古以来的伟大传统，正因为如此，王国维才说《红楼梦》写的是"通常之人情"，鲁迅也把《红楼梦》称为"清代之人情小说的顶峰"。《红楼梦》最动人的，写的正是一种人情，一种优美的人情，即便是贾宝玉和林黛玉所追求的心心相印的知己生活，也藏在一种值得珍重、留恋的人情之中。《红楼梦》或许没有对存在意义的直接追索，但这种“通常之人情”，接通的何尝不是天地清明的大道？中国古代的小说，不重在观念和思想的传达，而重在解析人世中的情和理。在中国人看来，人情就在世俗之中，天道也隐于日常生活里面，一个作家，若把人情和世俗生活写透彻了，他也就把世界了悟了。这是中国独有的小说写法。张爱玲接受的是西式教育，但谈起西方文学，总是说它的好处“到底有限制”，读起来觉得隔，远不如读《红楼梦》《金瓶梅》亲切——我想，她是对中国式的人情之美情有独钟吧。

不懂中国的人情，就读不出中国小说的特质，这也是我近年深有所感的一点。郭文斌的《吉祥如意》，写了人情之美和人心中那些纤细、单纯的感受，承继的其实正是中国传统文学的写作底子，同时他的语言和叙事，又有一种现代感。他的短篇小说，是对中国民间生活的深切回应。

选自《郭文斌论》（宁夏人民出版社 2008 年出版）

人性本真的诗意描写和审美观照

——郭文斌短篇小说新作《吉祥如意》探析

徐安辉

叙写乡村生活，在中国文学的历史长河中源远流长，但无论是古代乡村题材的作品，二十世纪二十年代兴起的“乡土小说”，还是五六十年代以赵树理、周立波等为代表的“民族化、大众化”的乡村叙事，八十年代“知青作家”的农村生活表现，总免不了以知识分子的身份和思想感情观照乡村。更由于传统文化精神潜在的影响，或者由于对农村生活，对农民阶层的生存状态、精神状态缺乏彻骨的感同身受，乡村原原本本的、具有泥土般的质感的存在，“农民本然的个人的生存状态与感受”“乡村社会芸芸众生那各异而活生生的生命世界被貌似深邃的历史理性所遮蔽”。对于一个成熟的作家来说，对现实生活的还原与超越是建立在其切身体验及深切感受的基础之上的，作为“西海固”贫瘠土地上成长起来的青年作家郭文斌，虽然跨越了传统乡村到现代都市的地理空间，经历了社会发展的不同历史时期，拥有了“智识阶级”的身份，但其在心性和感情倾向上，对乡村的古朴、本真和宁静却始终怀着温馨的爱，对乡村社会自在而又真纯，绝少世俗熏染的生命状态及在艰苦生存环境中，乡民心态的乐观旷达和精神狂欢，有着高度的敏感和创作热情。他的乡村题材小说，以诗意的感动情怀，把汉语普通话和纯熟而贴切的乡土语言有机地结合，质朴、精练、新奇、达意、细腻而具内蕴，并选择纯真、天然的儿童视角，在对乡村日常生活琐事的还原描述中，呈示被遮蔽的乡村社会本真及许多有生命力、启示力的东西，为我们创造了超越小说故事情境，审视大西北人的生存状态和精神状态的独特审美空间。郭文斌乡村题材小说的这种写作风格在当下文坛无疑是独树一帜的。

2005 年 5 月，郭文斌将其公开发表的短篇小说精选为《大年》，由宁夏人民出版社出版，其中的乡村题材小说“以清新细腻、空灵飘逸而又略带感伤的笔调叙写记忆中的多情乡土，写成长中的童年趣事，写‘老家’那片土地上清纯、朦胧而又多错位的爱情”，如《大年》展开的是西部乡村过年写春联、上坟、吃长面、泼散、分年、糊灯笼、贴窗花等民间文化习俗画卷，许多看似几乎无事且富戏谑性的细节，无不揭示出明明和亮亮一家人的物质生活景况和精神世界。生活虽然艰难、贫苦，但他们有着坦然、宁静的内心，有着善良、崇高的价值选择，夫妻、母子、父子间体现出的亲情和正直、素朴的人情美，对作为人的本质的理解和尊重，呈现出乡村伦理世界的古朴、庄严和神圣，并滋润着乡村孩子单纯、质朴的心灵；《三年》以西海固地区古老的民俗“烧三年纸”为题材，主要人物是两个儿童，并通过他们（明明和阳阳）的所见、所思、所想，把对死者的祭奠活动和对生者的生存状态及精神状态的揭示，有机而巧妙地交融起来，在儿童的意识世界里展现出乡村生活的纯粹，揭开了西海固人面对严酷、惨烈的生存环境，遭遇艰难困苦命运时的精神真相。事实上，西海固人并非像福克纳《喧哗与骚动》中所说的是“在苦熬”，尽管困难仍然与生相伴，可是他们的内心同样有着面对生活的超然与平静，不自觉地寻求一种能超越不可为的现实，从而获得精神上的绝对自由与自在解脱的生命支柱。艰难生命过程中对未来的幻想和希望，无疑是他们自由自在及精神狂欢的内在根源，这是西海固人生命力中的核。儿童视角的选择及其心理的在场，不仅是叙述的策略，它更体现为人物的乐观、智慧和平等思想，且富有喜剧色彩。作者对阳阳看似“无知”的细节描写背后，凸现的是他生命的自然健康和纯真，既与文本中又与文本外的世俗社会的成人世界构成了鲜明对比，使其成为美好人性的象征。作者的理性在于既肯定了西海固人民面对艰辛苦难的精神狂欢，又看到了他们所承袭的落后文化观念和被世俗同化的庸俗和病态，于是借阳阳之口发出了“活着的人是生的，死了的人是熟的”的韵味深长的慨叹，而在小说文本的深层结构中，寄予了作者希望人们返璞归真，尽可能保留儿童纯真、自在的天性，远离世俗与尘嚣，达到“结庐在人境，而无车马喧”的境界，超脱生死，成为一个“熟的人”，胸襟开阔、坦然乐观地面对一切；《我们心中的雪》是一首有关爱的凄婉的歌谣，作者把“文革”时代的政治话语和“我”与杏花童年纯洁的两情相悦交融在一起，以调侃的方式揭示特殊时代政治意识对人们日常生活的深刻影响，对纯洁心灵的扭曲和异化，对优美、健康、与人性和谐相融的精神生活的压抑。“我”与杏花有情人未能终成眷属，真诚相爱而不能永远相守，既是时代的悲剧、社会的悲剧，也是人类爱情生活中普遍存在的悲剧，而当这种真爱在人为外力的挤压下，灵与肉不能交融而成为无奈，美好的记忆和情感就成了永远的“心中的雪”，圣洁而略带冰凉。在郭文斌这些精致而意味悠长的乡村题材文本中，作者不以观念代替现实，形象适应观念，也不用一般道德关于善、恶、美、丑的观念对乡村人事进行解构，只是忠实地依着对乡村生活细致的观察、体味和感怀，客观率真地叙事、写人，使原生态的乡村生活层面异样而新鲜地展现在读者眼前。近作《吉祥如意》则再一次显示了郭文斌乡村叙事小说的独特审美风格和艺术魅力。

《吉祥如意》最初发表于《人民文学》2006 年第 10 期，后被《小说选刊》2006 年第 11 期、《小说月报》2006 年第 12 期、《新华文摘》2007 年第 2 期全文转载，在获得 2006 年度“茅台杯”人民文学奖、《小说选刊》“贞丰杯”2003 至 2006 年度全国优秀短篇小说奖之后，近日又获得第四届鲁迅文学奖。与作者以往的乡村题材叙写相比较，这篇小说的主人公仍然是儿童，并以他们尚未遭受现代世俗生活的围困和挤压，生命的天然、纯真和美好为观照生活的视角，但在如何把短篇小说写得韵味深长，既有一定的故事情节的可感性，又让自己的形而上的哲学思索，对人生的感悟、理解从故事的机理中自然地“生长”出来，作者是颇用心地建造自己的“希腊小庙”。“真正的艺术是超越美学的，它提供的是一种精神势力，是对人之存在的最终解答。”从表象上看《吉祥如意》写的是乡村古老的传统民间风俗，在这个意义上我们有理由把它视为民俗小说，但事实上作者的目的不仅仅是再现端午节这一天发生在乡村的吃酒香四溢的甜醅子、家门上插柳枝、花馍馍供神、戴花绳香包、上山采艾蒿等富有地域色彩的习俗，在深层结构中，作者以精巧别致的艺术构思，在有限的篇幅内包容了丰厚的内涵，既富有生活的情趣，又具有幽深的意蕴。小说在叙事策略与技巧上很讲究，把过去和现在交织在一起，叙述含蓄且富有儿童趣味，没有编排曲折离奇的故事情节，只是凭借自己的敏锐和细腻，选择“过端午节”这一小而富有诗意美感和艺术张力的切口，对极其普通的乡村节日活动流程作细致的描述，通过人物在特定环境中的心理活动的揭示，深入开掘其中的底蕴。应该说小说的主体是五月和六月姐弟俩，重点则在六月心态的细腻呈示，并把民俗、民情、人性天然融会。六月是一个还未被世俗观念同化的纯真孩子，他有着天真、幻想、灵性、自由的诗性思维，作者正是利用了这一特点，真切地触摸到了人的灵魂世界，传达自己对生命存在的思索和感悟。在六月看来，节日时整个村子笼罩在蒙蒙的雾里，大门上插了柳枝的巷子活了起来，充满了生命的活力，柳枝散发出的清香，更是让人陶醉，此时此刻唤起的是“美”的体验及由环境美所引发的美的情感。吃花馍馍一段写得很细致，“先从中间的绿线上掰开，再从掰开的那半牙儿中间的红线上掰开，再从掰开的那半牙儿中间的黄线上掰开，给五月和六月每人一牙儿”，这是祈求吉祥如意的供品，凝结了乡村人心底的美好愿望——抵挡“歪门邪道”。六月希望天天吃供品的理想，折射出乡村人的朴素情感，他们质朴的心灵渴望一切美好长驻人间，与生命存在相随相伴。端午戴花绳和香包，在小说中的两个稚嫩孩子的意识中，他们接受了善良的母亲的说法，把绑花绳和避蛇咬直接联系了起来，尽管他们吃了供品，胳膊腕上有了如同“布下了百万雄兵”的花绳，可当谎称有蛇或真正遭遇蛇的时候，他们还是惧怕了，甚至六月吓得尿了裤裆。六月凭直感开始怀疑娘的说法，而五月更愿意相信真正的毒蛇在人的心里。姐弟俩对香包的争夺，对其飘溢而出的香气的贪婪吸咽，相互戏称蛇“就像个你”“你就是一条美女蛇”，以及由此而产生的“人的心在哪里”“人怎么就这么喜欢香呢”的疑问，在深层结构中，我更愿意把它看成是具有隐喻意义的抒写，它触动的是我们对人自身本质的思考。人是社会的动物，既有自然属性的一面，又有社会属性的一面，社会性是作为人的本质。问题在于人在社会化的过程中，如何坚守原朴和纯真，用真、善、美战胜假、恶、丑，以爱战胜恨，温馨战胜野蛮。“人的存在是有位格的存在，这个位格决定他是一个有理性、有道德的人，他的存在是有规范的存在。人的高尚、爱、正义感和美等，都是从那个位格而来的，这就是人与动物的区别：人有位格（人格）而动物没有。人一失去这个位格的保护，人性就必然向兽性发展。”人有热爱美、追求美的天性，也有在欲望役使下引发的蛇蝎般的狠毒，这种存在于人性中的两极之间的矛盾和冲突，必然使生命存在呈现不同的样态，形成复杂多样的文化人格，甚或是在“到山顶上去”的时候，要不失却未被世俗生存环境异化的纯真善良之心，以美塑造人格，激活人性光辉，“让一种要比香包上的那种香味还要香一百倍的香味”，驱逐心中的毒蛇，让至善圣洁的人性之美普照人类的内心世界。

在经历了真正的蛇和香包奇香的较量，毒蛇远去之后，六月完成了一次灵魂的洗涤，怀疑从单纯的心底退却，他坚信香气能够驱走毒蛇，美能够战胜邪恶，多行善事，永葆心灵世界的纯洁，毒蛇就永远无法近身。心底无私天地宽，此时的六月感觉到从未有过的“人家”的美好，人人都是那么可爱，就连平日里憎恶的人也变得顺眼了，他要把与姐姐争抢过的包裹着美好和期望的香包送给白云。浓雾散去后的山村和朝阳下的大山呈现的美景与把吉祥和如意送给他人的六月的美好心灵相交融，让人陶醉并感叹大自然对人的性情的陶冶，也使得六月自己“心里美得有些不知所措”。作者通过互文结构的艺术构思，赋予了晶莹的露珠以多重意蕴，它既是太阳的儿子，又是大地的女儿，集天地之精华，是至纯至真的美的最高境界，而称其为“蛋蛋”，表明了人对其的由衷热爱，再与母亲唤五月、六月为“蛋蛋”相联系，互为阐释蕴意，从而建立起人是万物之灵长，人的心灵世界也该是至纯至真的内在关联。露珠在阳光的照射下消逝或被大地娘娘收去，它的“死”意味着其生命的再度升华，“死”而复生后则纯之又纯，美之更美，但至美又是脆弱的，它经不起任何的玷污和摧残，“在这个世界上，美，实在是太短促太脆弱了”；纯洁的孩子是美的，但在其生命的旅程中，它又是极其短暂的一个阶段，人在社会化的过程中，心灵一旦被世俗和污浊侵蚀之后，就再也难重归真纯，这是生命自身的存在悲剧。作为经历了人生风风雨雨的作者，深切地体验到生命运动中可能出现的人性的堕落，他甚至有些心痛地怀念至纯至真的童男童女的美好，也呼唤着一切美好的事物，包括人的美好心灵，不被破坏毁灭，不被世俗浸染而异化，甚至走向人的反面。从这个意义上说，这是对人之存在的终极关怀。

当艾包涵了天之子的太阳蛋蛋和地之女的露水蛋蛋之后，这时候采到的艾才叫“吉祥如意”，“采艾就是采吉祥如意”，作者在这里显然赋予了艾象征的意蕴，是其为疗治人类精神疾病而开出的良药。荣格曾说，“世界发展的趋势显示，人类最大的敌人不在于饥荒、地震、病菌或癌症，而是在于人类本身，因为我们没有任何适当的办法来防止比自然灾荒更危险的人类心灵疾病的蔓延。”在作者的人生体验中，坚守纯洁的童心和对美好的挚爱与追求，是清除心灵的废墟，阻止精神沦落、人性异化的有效途径。这正如他在散文《点灯时分》中由于对生命的感伤而发的慨叹：面对世事的喧哗和骚动，要“披拨红尘”“于纷繁中守持宁静”，回归到“生命的朴真”和“那盏泊在宁静中的大善大美的生命之灯”，回归到“那个最真实的‘在’”，只有这样生命的存在才会和谐幸福、吉祥如意，人类的未来才会健康、吉祥如意。

“一个人的写作面貌，在许多时候，往往是被他的天性、世界观所决定的”，“朴素、简洁、深刻，永远是作家的高尚美德”。在走过了人生四十个春秋的生命征途后，郭文斌不仅有了中年人的沉稳和内敛，更有了历经复杂多变人事的淡泊、豁达、宽厚和宁静，“心如平湖，神如止水，整个生命沉浸在一种无言的福中、喜悦中、感动中”，守着生命最深处的自己，以善良的大性和独特的价值选择“以心传心”，并将其文学的触须深入到乡村生活世界的内部，“让天真带着他的笔旅行”“寻找并且挽留住原本属于我们却早已丢失的原初的生命的丰富和生动”，创造纯净、至美至真而又含蓄、隽永的审美境界，这对当代文坛而言，其意义无疑深刻而久远。

（载于《名作欣赏》2007 年第 17 期）

美的怀念
——评郭文斌的小说《吉祥如意》

李遇春

一群少男少女，迎着端午的朝阳，上山采艾，采一年的吉祥如意。这是多么诗意的场景。与其说郭文斌的《吉祥如意》是一篇小说，毋宁说它是一首意境优美的诗，是一曲天真淳朴的歌谣，是一幅童趣盎然的风俗画。显然，这篇小说继承了现代中国诗化小说的艺术传统。这种诗化小说无意于讲述扣人心弦的故事，无意于刻画心理复杂的人物，而是致力于发掘和呈现生活中的美，包括美的生活形态和美的人性。

作者在叙述中有意淡化了小说的社会历史背景，强化了小说的文化民俗氛围，从而使小说具有强烈的乌托邦色彩。恍惚中，让读者置身于无何有之乡。端午的清晨，姐姐五月和弟弟六月，被娘做的甜醅子的香味熏醒。他们在散发着柳枝清香的长长巷道里来回奔跑，贪婪地呼吸着乡野的气息。娘做的甜醅子是那么令人心醉，爹燃香奠酒的神色是那么庄严。娘在姐弟俩的手腕上绑上避邪的花绳，还在每人的口袋里插上柳枝，姐弟俩就快活地上山去采艾了。晨雾中的山缥缈空灵，一群快活如五月和六月的少男少女们在嬉戏中等待，等待着朝阳的出现。因为，只有朝阳照耀下晨露晶莹的艾，才是一年中吉祥如意的象征。端午采艾，就是对幸福美好生活的憧憬。它积淀了我们民族传统习俗中求真向善的审美文化心理。小说因此弥漫着浓郁的文化意蕴。

如同许多诗化小说一样，《吉祥如意》也采用了童年视角叙事。小说中的少男少女，童心无瑕，在他们的眼中，人生充满了诗意。尤其是五月和六月，心地纯洁，秉性善良，作者通过一系列语言简洁的白描，在一个个意味深长的画面中，勾画了姐弟俩的美好形象。比如六月在上山途中与五月争抢香包的一节，就写得谐趣横生，活脱脱地刻画出了弟弟的调皮和机灵，姐姐的娇嗔和温柔。还有插叙的五月缝香包时，六月搞恶作剧的一节，也充满了童心童趣，尤其把少女怀春的微妙心理刻画得细腻入微，美轮美奂。至于姐弟俩闲时的一段对话描写，关于娘究竟是谁的新媳妇的话题，一对小儿女的懵懂和天真，写得情趣盎然，跃然纸上。总之，小说写出了姐弟俩的童心美和人性美。最是那心地单纯的六月，因为娘说过真正的毒蛇在人的心里，所以他就一个劲地在自己的心里找毒蛇，最后，他发现问题不是有没有蛇，而是他根本就不知道自己的心在哪里。就这样，作者把朴实的白描赋予了形而上的意味。

这篇小说除了写美，还写了对美的幻灭的忧伤和恐惧。

旭日东升，晨雾渐渐消散，一群小儿女开始采艾了。姐姐说，此时采的艾既有太阳蛋蛋，又有露水蛋蛋，前者是天的儿子，后者是地的女儿，这就叫作天地阴阳，吉祥如意。可是，弟弟突然下不了手，因为他害怕一刃下去，就会有无数的蛋蛋死去。他既同情太阳蛋蛋，更可怜露水蛋蛋。在弟弟的眼中，太阳蛋蛋和露水蛋蛋，就如同他们姐弟一样，都是天和地的孩子。他们都应该永远幸福地活着，活在那永恒的完美的状态。但当他用手摇艾的时候，六月痛苦地发现，晶莹的露珠跌落满地，杳不可寻，一个个的美就这样在他的手中死去。死得如此简单，如此飘忽。这让他对自己对人生充满了怀疑。

更让弟弟痛苦的是，眼前的姐姐突然幻化成了一株艾，而且这株艾迟早要被人采去，那么，采艾的那个人会是谁呢？六月不解。他只知道自己爱姐姐，他不愿意姐姐嫁给陌生人，他要娶姐姐，姐姐要嫁人就嫁给自己好了！实际上，在小说的许多场景和细节中，我们都可以发现和感觉到弟弟对姐姐的那份朦胧的爱恋。从文化人类学的角度来看，这种神秘情感在原始初民的文化心理结构中就已经积淀下来了，它作为荣格所说的集体无意识或心理原型，千百年来，一直萦绕在人类的心中，徘徊在理性意识之外。在中国，伏羲和女娲兄妹联姻的创世神话，正是这种兄妹或姐弟“固恋”情结的艺术投射。在我看来，《吉祥如意》作为一篇诗化小说，如果说与现代中国那些著名诗化小说，如废名的《竹林的故事》、沈从文的《边城》、孙犁的《荷花淀》、汪曾祺的《受戒》等相比，还有什么特别之处的话，就在于它包含了别样的深层文化心理意蕴，因而具有独特的文化人类学价值。

当然，正如小说中的姐弟“固恋”在现实中不可能长久存在一样，作者在小说中营造或虚筑的那个美得让人心醉的艺术乌托邦，也只是一种供人凭吊的艺术理想。一旦触到世俗的物质壁垒，理想便走向破碎。只留下美的幻影和忧伤的怀念。

[载于《文学教育（上）》2007年第1期]

乡土抒写的另一种审美传统

——试论郭文斌《吉祥如意》为代表的乡土小说创作

李生滨

郭文斌是宁夏本土青年作家群中引起文坛最新注意的年轻作家，紧随陈继明、石舒清等乡土作家的小说创作，初步形成自己散文和小说创作的独特风格，是一个比较矜持的、能够从细微处发现文学意义和审美价值的作家。继 2005 年石舒清的《果院》之后，郭文斌的《吉祥如意》又获 2006 年度《人民文学》优秀短篇小说奖，宁夏青年作家乡土审美的文学创作再次得到批评肯定。2006 年 12 月 27 日，《小说选刊》“贞丰杯”2003–2006 年度全国优秀小说奖，在美丽的贵州省贞丰县三岔河风景区举行了隆重的颁奖仪式，郭文斌的《吉祥如意》再次折桂。此作还被《新华文摘》全文转摘，而后又进入 2006 年的小说排行榜，被收进各种年选本，得到各方面批评的重视。最近又获得了鲁迅文学奖。那么郭文斌带给宁夏文学或者说新世纪文学的意义和价值何在？这需要我们的研究和讨论。

郭文斌真正引起当代文坛的特别关注，是因为其代表性作品《大年》《开花的牙》《剪刀》《水随天去》《陪木子李到平凉》和《吉祥如意》的发表和争鸣，还有《腊月是一种花》《一片荞地》等散文的良好反响。他的小说和散文具有非常明显的地域色彩，与其他西海固乡土作家的作品一样，西海固生活的苦难气息扑面而来，但他并不以此来直接呈现苦难的生存情景及其对人性的压抑和扭曲，而是触摸生活深层的温热和真实，抒写人性的纯朴和可贵，从容和坚韧，在生活的困顿里发现温情和诗意，在物质的贫乏中发现精神的富足，用深挚的情感和诗意的语言营造小说和散文的审美境界。少了二十世纪三十年代“京派”作家乡土抒写的贵族气息，多了西海固本土作家的乐观坚韧。有人认为“这是作者对宁夏西海固人生存精神的一个探照。”中国现代乡土文学在鲁迅、废名、沈从文等人的开拓和影响中，成就了许多作家的优秀创作，从西部作家和郭文斌的创作可以看出，当代文学的乡土性表现更为复杂和普遍。

所以我们讨论新时期西海固乡土文学的兴起，在当下的批评话语中，不能忽略中国现代乡土文学的丰富传统。陈继明是潜在的儒家文化影响下的乡土文学抒写，尤其是儒家伦理文化和民间生活形态的呈现，体现了“为人生”的现实主义倾向，体会和揣摩个体生命在现实生活中的遭遇和情感体验，这些个体生命的心灵意识和处事行为仍然不同程度受到传统文化的制约，却又遭受当下生活和外来思潮的无情打击。

这在火会亮的小说创作中表现得更为激烈。石舒清直接受到鲁迅文学思想和小说语言的影响，特别注重个体生命的内心生活和乡土经验，在新的历史条件下，回归“五四”人道主义传统，追求“人的文学”，体贴人的内在情怀和个人尊严，呵护心灵自由和精神信仰。而郭文斌的小说和散文创作，在乡土文学现代性追求的路径上，在回归传统文化的审美认同中，有了更为独特的人文精神的发挥和抒情张扬。这种独特的审美张扬在西部文学的创作批评中却被一些人所质疑：苦难贫穷的西部乡村生活能用如此唯美、乐观的诗意审美来叙述和描绘吗?

譬如《剪刀》写一个病重的妻子和丈夫斗嘴并最后自杀的故事，却以一种戏谑、乐观的口吻写难以承受的苦难生活，尤其是夫妻间的情感和斗嘴，写得凄美感人。又如《大年》写西海固一个普通农家过年的情景，主要是三个人物：明明、亮亮和父亲，三个片段：写春联、分礼物、拜年，把艰难的生活写得美好而富有诗意，中国古老仁厚的伦理文化也在悄悄延续传递。当然，许多人说，《大年》写的是贫穷，真正的主人公不是明明、亮亮，“而是充斥在村庄每个角落的‘贫穷’”“他们的年过得很俭朴，实际上可以说很艰难”。有人批评这种贫困生活里带着微笑的小说描写，“把农村大面积的饥饿说成田园牧歌，把残缺的生活化作一幅风俗画，作家以画中人的身份充当画外解说员，我们不知道获得的是正解呢，还是对生活及其理念的歪曲。”有人直接批评郭文斌的作品缺少那种西部作家惯有的力量感，对生活的残酷性表达的不够。以此来批评阅读郭文斌的《吉祥如意》，无疑离某种生活的真实更远，可以说作者在散文化的抒情描写里，已经完全消解了生活的贫困和艰难，只有人性的纯真、自然的和谐，展示给读者的是一幅清新秀美的乡村风情画，但有一种引人“向善”的力量，对“生命”能做更深一层的理解。

天地无言，风清月白，诗人却总是要咏叹：“少年佳节倍多情，老去谁知感慨生。不效艾符趋习俗，但祈蒲酒话升平。”《吉祥如意》围绕端午节采艾，通过五月、六月这两个纯洁善良的孩子的眼光，去描写乡村的自然景物和古朴风俗。小说最终的主旨回到“抱着一抱艾，就抱着整整一年的吉祥”的美好祈愿上来，营造出温暖、清新和美的诗意氛围。显然，这种诗意来自对节日风俗和自然事物的细致描写，也来自作家对于生活的看法。通过五月、六月的眼睛和心灵，叩问天地之间的美，美是心里的感觉，美是生活的声色气味；美是采艾的神秘，美是节日的习俗；美是古老的文化，美是天性的善良，美是生命的纯真；吉祥如意，是美的祈愿和祝福，美是祥瑞的事物和内心的敬畏。作家将自己对生活的独到领悟消解于自然物象中，把自己个性化的审美追求融入乡村生活的朴实风俗中，这种不单纯的停留在故事层面和现实层面的美学追求，对于小说创作来说，是一种很高的境界。

因此，欣赏郭文斌散文和小说的批评者却说：“当我们看多了对于贫瘠苦难的西部的描写之后，读到郭文斌的散文不能不感到有些意外。在郭文斌的笔下，西部农村，具体地说，那个托起他生命的小村庄，连同小村庄所延伸出来的子题，是那么充满诗意，在那里，生命丰富而有生机地舒卷开放；在那里，我们看到的是一种源自初始的快乐和忧伤。”正如看破红尘的明慧之人，并不一定就意味着消极的出世和遁入空门，可以更为冷静地审视和关照人间苦难，达到更高的审美境界，抗争社会的黑暗和人性的冷酷，乐观地面对生活。正是这样的意义上，王安忆说汪曾祺的小说最好读，他已是世故到了天真的地步。不是说他不清楚现实的丑恶和生活的艰辛，而是用审美的眼光和乐观的态度关照生活，从而带给人们内心一种呵护良善的道义和力量。《异秉》《故人往事》《故里三陈》这样的小说无法用教条的理论来批评。所以谈到自己的小说，汪曾祺也说，不论是包含忧伤的感情，还是内心的欢乐，以及“由于对命运的无可奈何转化出一种常有苦味的嘲谑”，总体来说，“我是一个乐观主义者。”正是这样的文学信念和生活态度，才有了充满生命情趣和生活色彩的《受戒》。也正是这样的审美路径，我们可以批评说《吉祥如意》以生命的自然和淳朴作为关照乡土生活的审美视角，把民俗、民情、人性天然地融会在一起，创造了超越故事情境的审美境界，宁静而狂欢，清凉而温暖。郭文斌是一个敏感多情的本色作家，正因为挚爱自己生活的那片土地和土地上生活的人们，才能把捉他（她）们天性中与生俱来的朴素、诚挚和良善，在人与自然的依存关系里透露出乡村节日的文化渊薮。乡土、风俗、文化，在作者的笔下有了一种无声的活跃和静默。

读《吉祥如意》，就像在看一卷笔墨匀称、色彩自然的山水田园画，整个故事或者说画面的构思简洁明净，却又富有色彩和动态之美，尤其是作家细致传神的笔墨塑造的几个孩童形象，独具生活的情趣和纯朴性格。五月的灵秀、六月的聪明、地生的调皮、白云的天真，还有忙生的寡言，他们本身就构成一幅吉祥如意的图画。小说的人物与意象营造是作家艺术思想的结晶，对深化作品的意蕴，表达作者的创作思想，都有独特的作用和意义。“吉祥如意”的意蕴发掘，让人耳目一新。“采艾就是采吉祥如意”这个意象寓意的粘连构建，奠定了小说的审美基调，“夺香包”和“蛇不咬善人”的细节描写，“有些东西给了别人家才吉祥如意”的含蓄暗示，不断升华作品的内在意蕴，使小说平添许多乡村风俗的神秘，也传达了传统文化的许多深层蕴涵。所以有人批评说，这篇作品“它是对秘密兴致勃勃的叩问和对大地、人以及万物的由衷祝福。”但是这种弥足珍贵的精神和生活离我们已经越来越遥远，作者最后忧伤地轻轻慨叹，抱着艾、抱着“吉祥”回家的五月、六月，“他们的脚步把我的怀念踩疼，也把我心中的吉祥如意踩疼。”

对于郭文斌文学创作的美学追求以及《吉祥如意》审美寓意的争议，暴露了我们当前文学创作和批评存在的两个方面的消极影响。首先，“五四”以来一直强调的文学的“现实主义”传统，在偏离文学本体批评的过程中滋生了过于教条化的文学思想，尤其是1949年以来现实主义文学的典型化（也包括文学的反映论）要求，在20世纪80年代批评张炜《古船》时仍然暴露无遗，甚至到今天，我们一些读者和批评家把文学等同于现实生活的直接反映，缺少一些宽容的文学审美的艺术精神。其次，是当下小说创作的流变和自由写作，带给读者过多的世俗化阅读，读者单纯地追求小说的故事性，甚至夸张而荒诞的传奇故事的刺激性，失却了文学本真的审美心态，等而下之的是迎合市场的欲望化写作，在关怀人性、张扬人性自由的幌子下，变相夸张欲望追逐，宣泄暴露个人隐私，以达到功利的市场目的。这些潜在的因素影响了部分读者和批评家对于小说审美精神和人文伦理价值的批评认可。郭文斌散文化抒情描写的唯美追求，不仅受到文学真实性的质疑，甚至受到一般读者的贬损。所以我们的阅读可能会忽略作品最后的暗示，最美好的东西我们往往不会珍惜，作者内心的“吉祥如意被踩疼”。

但是，另一方面，郭文斌的《吉祥如意》又是当代文学的大背景和宽松环境下的具体创作，肯定得益于现代文学和新时期文化思潮的涵养。在市场化和世俗化的小说创作的文学流变中，“不论是语言的洗练、技巧的运用，还是作家的群体结构、审美的自由多元、创作的个性追求和文本的多样呈现，都是百年以来中国文学最丰富和活跃的时期。”所以，看起来朴素简洁的《吉祥如意》，在描写大地和生命幽玄的深邃里，却也包含了许多先锋性的小说叙事技巧和深厚的文化内涵。

从小说叙事的技巧来说，有三个方面需要批评说明。首先是现代主义文学最辉煌的意识流叙事方法的明显影响。其次是补充叙事或者说穿插的叙事手法，既是小说的一种叙事策略和结构设置，也是为了在场景变换中形成舒缓的节奏，有益于散文化的叙事风格和诗意氛围。最后，最为匠心独具的，在突出儿童视角的同时，巧妙利用对话的叙事学技巧。而且这三者有机结合，形成完整而简洁的小说叙事结构，增强了小说文本的艺术效果。美国“南方乡土文学”作家福克纳的《喧哗与骚动》，也是现代派意识流小说的经典之作，郭文斌简化福克纳意识流的密集叙述手法，转化成中国山水画的笔法，写五月、六月的直觉和心理，借用意识流的自然联想，巧妙穿插七个相应贯通的场景，形成类似复调的小说叙事，联想叙述香包的制作过程（包括许多习俗和禁忌），表面上却又没有打破原态的“节日早晨—要去采艾—路上—采艾—采艾回来”的时间结构，又让人自然想到20世纪“小说圣经”《尤利西斯》的结构。语言的表述有很大的局限性，真理的发现是辩难追问的结果，柏拉图和孔子探讨真理、交流思想的方法不是问答就是语录（对话记录），而在郭文斌这儿变成了小说最具有先锋意味的叙述方法。铺陈直叙的方法无疑会显得单调，而辩难启发的对话会形成语言表述的巨大空间。所以散文化的写景叙事因为五月、六月的对话，不仅形成活泼跳跃的叙述节奏，而且增加了语言的意味，丰富了文本的蕴涵。这种具有“复调小说”的对话特征，也说明郭文斌在最为乡土和朴素的小说叙事中，娴熟巧妙地借鉴和运用了大量的现代小说的叙事方法和技巧。

最后，特别需要指出的是这篇小说的文化内涵。第一，这篇小说标题的寓言性，包含了显豁的文化意味。中国各民族多喜欢“吉祥如意”的祈福祝愿，“吉祥如意”蕴涵的就是宽容善良和美好和谐。其二，端午节的文化蕴涵，也是小说文本最深厚的文化背景。历史变迁的西海固，其实不是荒僻之地，秦时明月汉时关，从上古到秦汉，到盛唐，这里留下了非常深厚的民俗风情和传统文化。所以郭文斌笔下的端午节习俗包含中国历史文化的原型密码和人类原始天性的东西，包括“对人的尊严及其在宇宙中特殊的地位加以强调”，作者“对于表现个人的情感、意见、经验与环境之具体特色感到无上的兴趣。”最为古老的文化命题可能包含了最为现代的人文精神。其三，郭文斌的《吉祥如意》能够获得部分核心刊物与严肃批评的认可，赢得部分读者的推崇，不能忽略作者顺应了目前最大的文化回归思潮，也符合新时期文学流变和当下文学创作的多元自由的发展形态。在急遽的市场化经济发展中，中国文化出现了新的回归传统的多重力量。《吉祥如意》能够超越审美的愉悦为读者提供审美享受，并使读者的心灵深处产生空灵优美的民族文化感应，既表明了作家较高的审美能力，也显示了作家深层把握文化价值的艺术批判力，这才是《吉祥如意》真正的寓言意义和审美价值。也可以说《吉祥如意》是现代生活追求传统文化的悖反和回归，是传统审美精神的文化象征和寓言叙事。“在本雅明看来，寓言是我们自己在这个时代所拥有的一种特权，在中心离散时代，在自我意识分裂后，只有寓言是产生多种组合的文体方式，拒斥单一模式，本身就有‘复调性’，因此小说吸收了寓言的营养是不言自明的事情。”

也许正因如此，有人批评说：“中国乡土小说既面临着种种思想和审美选择的挑战，同时也蕴含着重新整合‘乡土经验’，使乡土小说走向新的辉煌的契机。”当然，作为严谨的批评，我们不能一味抬高年轻作家的创作水平，不说与其他文学大师相提并论，就是与老作家汪曾祺比较，郭文斌还欠缺点诗书涵养的艺术性情和热爱生活的爽朗通脱，文字的表述“还有风，还有浮躁”，小说的语言、叙述还没有达到真正炉火纯青的简朴、自然和圆润。当然，从文字涵养的个性来说，郭文斌比饱经人事沧桑的汪曾祺安详和清净。小说叙事的现代性追求，也是郭文斌与被称为最后一个文人作家汪曾祺的最大不同，最为可贵的是郭文斌有了一种回归传统文化和小说审美的自觉。

选自《郭文斌论》（宁夏人民出版社 2008 年出版）

美、善、和谐及小说的诗

——评郭文斌的短篇小说《吉祥如意》

牛学智

“正面肯定性力量”“弱势者”“介入现实结构”等都是小说不错的理论。甚至放大了看，这批理论的轮番轰炸，不仅给小说争回了面子，而且小说仿佛的确有了微言大义的撼人之处。当然，面对现实，那种我们极力想扭转却又十分无能为力的现实。它的逍然自洽，或者它的漫不经心，再一次扼住了理论主体的咽喉，这批雄心勃勃的理论似乎仅仅是一次学术动作。这就促使人们不得不进行一次反省：“正面肯定性力量”的对立面在哪里？“弱势者”的诉求是否面临着错位？“介入现实结构”的重担是否仅仅要落到文学孱弱的肩上？无可否认，文学的力量的确需要虚构的张力来完成。但是，当美仅仅作为陪衬，当善变成一种轻佻，当和谐成为人们厌弃的东西。也就是当美不再是美本身，善不再成为人们信赖的品质，和谐不再成为人际关系的主体。与其说这是现实，毋宁说这是理论的殖民地。许多时候，文学的叙述者也许就是在如此贫瘠的土地上制造着一批批的现实。它们似曾相识，它们的神情惊人的一致，它们的故事如出一辙，它们的命运都是那么令人扼腕。一方面，这可能就是现实；另一方面，这可能并非现实。重要的是，说得多了，我们相信它就是现实。

不言而喻，小说要一直反映事情的真相，并不是一件容易的事情。或者说压根就不是“怎么写”的问题。那么，问题在哪里？省事的解释是：生活。事实上有人一直在这么做。结果显示，除了带来一些“记录”的真实，本质的真实基本差不多。这个时候，有理由说，文学可能面临着危险：言说的无效。早有人证明，文学不比一条晚报消息高明多少。但是，文学似乎仍然显示着繁荣的迹象，一个准文学读者，就是不吃饭，也无法翻动成百上千本期刊。不要说真伪的辨别，就是敷衍一读也实属不易。这里不是探讨文学、读者、现实的关系，我指的是这种毛躁的心情同样不利于对美、善、和谐的发现。

读郭文斌的短篇小说《吉祥如意》，实际上充满了这样的偶然性，纯粹是邂逅。如果没有余光慧先生的提醒，估计十有八九会擦肩而过。夸张一点，不读《吉祥如意》，或许对 2006 年短篇小说的判断存在很大的误差，至少，可能导致对一种重要的小说路向的疏忽。很显然，《吉祥如意》在同期《人民文学》和同期《小说选刊》中是个特别的存在。

五月和六月是童男童女，五月和六月是姐弟俩。在端午节采艾的风俗中，五月和六月一定要领受节日的仪式、分享节日快乐。于是，家家门上插柳枝的小巷、人人手腕上的花绳、诱人的花馍馍、迷人的香料，以及采艾时的神奇，都成了五月和六月最快乐的时刻。小巷顿时显得绵长而幽深，柳枝变得飘逸而柔美，平常的头绳也蕴含了无比强悍的驱邪力量，花馍馍不再是饿极而饥的普通食物，香料芬芳的香气撩拨着人们对幸福的单纯期待，艾草牵动着一个庞大的意义世界。这个时候，五月和六月不妨暂时取消姐弟关系，他们神游于这个撩人心肺、充满诗意、布满想象的单纯世界。他们是两个独立的个体，他们开始意识到了美，他们开始涉足善，他们开始加入和谐的队伍中。于是，五月和六月成了两个能自洽感受美和表达美，能自行践行善和主动体现善，以及营造和谐的“大家”中的一个独立主体。美的空间被自然阔大，善的内容在无形中充实，和谐的精神气质被自觉造就。五月和六月变成两个两小无猜的少年，他们是作为异性的对立面存在：六月的美不只是姐姐漂亮的花手腕，五月对香料的迷恋、对花头绳的挑剔，也许隐藏着更大的心理暴动，美变得神秘和不可说清；五月与六月携手矗立、毒蛇的无端游走，可能不是简单的对抗，意味着善念的无邪。

可以看出，《吉祥如意》既是绵长的时间叙事也是广阔的空间搜索。否则，五月和六月很可能只是大人世界的观察者、偷窥者，甚至是大人生活的牺牲者。也可以看出，郭文斌基本上不是带着积久的俗见来写小说，更不是带着文学能拯救一切的空茫雄心来看所谓民间、所谓传统、所谓民族。否则，端午采艾的民俗，花手腕驱邪的传说，就会变得无比自大，或者使这种力量变得无坚而不摧。

接下来的一个问题可能是，五月、六月毫不含糊是美、善和和谐的发现者，乃至阐释者和表达者，那么，人类突出童男童女世界的可能性到底有多大？也就是在当下语境，人们经过无数次的摸爬滚打终于认识到，美显然是行色可疑的东西，善也是理性、精确、实利的现代社会拒之门外的最不能显示自我的家什，和谐也不过一计遥远的心理安慰。郭文斌如此文学观的意义究竟何在？看起来，问题触及的是小说“怎么写”的问题，但实际上是郭文斌早已意识到并努力改观而且已有答案的世界观问题。

小说两套文本的并行不悖既是明证。小说的小字部分自成体系、自成叙事，它表明了民间内容的完整，因此只能叙述。大字即小说的正文——五月和六月的心灵世界属于诗，只有诗才能使他们的心灵之美现出原形，保持心灵的原形，或者表达心灵的原形，诗的形式显然是最佳方式。

我在前面说过，小说要一直反映事情的真相，并不是一件容易的事情。意思大概在此。这个角度，《吉祥如意》的种种迹象表明，郭文斌对文学、对现实、对世界以及对人性的理解，或许具有某种本质性的怀疑气质。

送你一份吉祥如意

——评郭文斌短篇小说《吉祥如意》

杨 森

郭文斌的短篇小说《吉祥如意》和读者一见面，即引起强烈反响。小说借两个孩童的眼光观照成人的心理世界，借助端午节农村上供、磕头、吃供品、采艾以及绑花绳、插柳枝、戴香包等意象将一幅流动的自然图景做了审美化处理。

小说从端午节的早晨洋溢的节日氛围写起，着重描述了五月和六月姐弟俩上山采艾的过程，最终将采艾的过程落实到“采吉祥如意”的美学话题上来。五月、六月是两个心灵异常纯净、清澄的孩子，他们怀着善意和对自然土地的神圣感去面对世界，说的话做的事常常引人发笑又引人深思，借此来观照成人的内心世界，使读者在享受阅读快感时亦在思考人间世相，就是这样一个简单的过程却起到了净化人心灵的作用。最终，小说的落脚点又回归到“抱着一抱艾，就抱着整整一年的吉祥”的美好祈愿上来，营造出温暖、柔软、和美的诗意氛围。

显然，这种诗意来自五月、六月对世界怀揣的善意，也来自作家对真、善、美的追求。作家将自己对生活的独到领悟消解于自然事象中，把自己个性化的审美追求融入生活本身，极其现实、客观的叙述及不露痕迹的真实使读者在不受文本干扰的情境下进入文本的意境以及对现实的体味和思索，这种情调围绕成的文字世界给读者传达的首先不是故事，而是一种精神享受。不停留在故事层面表达自己的美学追求最后又让读者难忘故事，对于小说创作来说，是一种很高的境界。

读《吉祥如意》，就像在看一卷笔墨匀称、色彩自然又不食人间烟火的农村生活的如实写生，作家用细腻精到的笔墨塑造的几个生动而鲜明的孩童形象独具意味又引人深思。五月的鬼机灵、六月的神气、地生的调皮、白云的腼腆，他们构成的画面本身就是一幅吉祥如意的图画。

作家在极力营造小说的审美意蕴时，讲求细节描写的朴质、具象，感觉表达的淋漓酣畅，语言运用的娴熟、隽永，由此铢积寸累地展开主人公对“吉祥如意”式生活的向往追求以及小说主人公自身孕育的性情和灵性。如六月问姐姐为什么要在太阳出来时采艾，姐姐说，太阳出来时采的艾既有太阳蛋蛋，也有露水蛋蛋，太阳蛋蛋是天的儿子，露水蛋蛋是地的女儿，他们两人全时，才叫吉祥如意。于是，六月想起爹说过采艾就是采吉祥如意，至于为什么把太阳和露水称为蛋蛋，六月并不清楚，在他的身上有股说不出的憨、乖、纯、美。

由此，小说的意象营造是作家艺术思想的结晶，它对表达作品的意蕴，塑造人物的性格，都有独特的作用和意义。《吉祥如意》中让人耳目一新的意象营造，使作品熠熠生辉，“采艾就是采吉祥如意”这个意象的构建奠定了小说的总调，“夺香包”和“蛇不咬善人”的意象入文展开叙事，“有些东西给了别人家才吉祥如意”用于升华主题，使小说平添些神秘的哲理内涵。

《吉祥如意》能够超越审美的愉悦为读者提供审美享受，并使读者的心灵深处产生阵阵悸动，既表明了作家较高的创作追求，也显示了作家的艺术功力，这本身就是《吉祥如意》的价值体现。

《吉祥如意》仍有许多值得咀嚼的地方，不可否认的是，《吉祥如意》也是作家送给人间的真善美，是送给善良人们的美好祝福。

（载于《黄河文学》2007 年第 11 期）

生命的自适与对他者的关爱

李社教

宁夏青年作家郭文斌的小说《水随天去》因其风格清新飘逸和“去欲望化”叙事，已引起人们的广泛注意和争论。

毫无疑问，《水随天去》的主要叙事对象是父亲水上行。

首先，水上行珍视生命，却逃离或拒绝生命之间的现实关联，这样的矛盾在内在的精神活动中可以存在，但将“逃离”或“拒绝”变为感性实践活动的现实选择则不值得称道。水上行对生命的珍视，在扑杀苍蝇这一细节中，有颇为别致的表现。水上行不愿意伤害苍蝇的生命，驱赶苍蝇时显出少有的耐心，还“晓之以理，动之以情”；失手打死了苍蝇，竟也愧悔不已，写诗悼念。水上行的如此作为，并不是矫情或作秀，确可以理解为是珍视生命的真情显露。其思想底色是东方的“万物同情”观。在水上行眼中，所有的生命首先都是生命，在最本源的意义上，是同一的，亦即万物齐一，生命等同。可惜这样的生命理念，并未将水上行导向对生命与生命之间相互关系的真切理解与认识，相反地，因为他“物于物”而不能“物物”，偏于一而不知其二，明于物而暗于人，由此生发出对人和社会的疏离。在家里，与“我”和“母亲”尤其是“母亲”，总是保持一种无法亲近的隔膜；在社会上，一段时间拒绝与外界联系，放弃自己的社会活动乃至职业，最后干脆离家出走亦即“弃世”，这是水上行逃离和拒绝生命之间的现实关联的最极致的表现。在庄子看来，“弃世则无累，无累则正平，正平则与彼更生，更生则几矣”，“弃世”可离弃虚名，不“以天下为事”，方可与社会和谐，通达生命本体之道。由此可见，出世是为入世，“弃世”并非真正抛弃社会，其实质是与社会和谐。因此，姑且不从人类生命的社会属性等角度，就是从老庄哲学来看水上行的“弃世”行为，也并非完全切合老庄哲学的本意，同时也不是实现个体生命自由与精神逍遥的最佳选择。

其次，水上行追求一己生命的自适，却不能给最亲近的人以起码的关爱，生命的自适由此变成一种生命的自私，这显然是不能予以肯定的。从某种意义上说，水上行的生命的自适，是建立在那些与他密切相关的人的痛苦之上的，而受害最深的莫过于“我”的“母亲”。譬如，水上行为了满足自己午睡的癖好，就可以把自己的妻子拒之门外，不予理睬；为了满足自己的故乡情结，逼妻儿与自己一道吃咸萝卜；为了自己试图通向生命自由与精神逍遥的“坐忘”和“心斋”，却把一应日常生活中的各种事物推给“我”的“母亲”，甚至宁愿挨饿也不自己动手做饭吃；为了自己的清净与寡欲，拔电话线，与妻子分床，全不在意妻子的人伦之需。由此言之，水上行追求个我生命的自适，已然变成了一种生命的自私。在这个意义上，“我”的“母亲”将水上行称为“冷血动物”是极为形象而准确的。

生命的自适与对他者的关爱，确实存在难以克服的矛盾，但把这一矛盾绝对化则是有问题的。应该看到，个体生命虽然一经诞生便是一定意义上的独立存在，但生命之间的相互关联同样是生命的一种本质属性。生命的真意，可以蕴涵于人间真情之中，对他者的关爱也就不必然地表现为对生命自适的否定。由此言之，对个体生命自适的追求，可以体现在对他者的关爱之中。找到二者的结合点，就成了解决问题的关键。水上行没有找到或者无意去寻找这一结合点，他对个我生命自由追求的偏执，使他选择了无视他者存在的自我扩张、自我放逐这一极端的方式，以个我生命的自适为绝对前提和唯一价值，从而只能限于自适而不能超越。这种把个我生命凌驾于他者生命之上的选择，最终导致的结果必然是对“万物同情”的背离，使对生命真意的追寻蜕变为一种虚伪的演绎。虽然这一演绎并非出于水上行的初衷。

再次，水上行的精神气质，从总体上看，过于柔弱内敛，缺乏生命应有的担当，缺少面对现实问题的勇气与智慧。成名前的水上行也有过在困苦中艰难奋斗的历史，也曾显示过面对现实问题的勇气与智慧；但成名后的水上行则开始向内转，逐渐丧失了应对现实问题的能力与智慧。由此言之，水上行仅是一个玄思者，而不是一个积极的行动者的形象。

在中国社会急剧转型的历史时期，在生存竞争如此激烈的时代，面对现实，需要拿出勇者或忍者的大智慧，需要的是工具理性。即使要有对工具理性进行修正和约制的思想精神，那么，仅就道家思想而论，“结庐在人境，而无车马喧，问君何能尔，心远地自偏”的功夫或许是可以称道的，这是既不“弃世”，又能保持内心的宁静与精神的高蹈的积极方式，而不是水上行式的消极选择。

在评价《水随天去》的时候，不能忽视“母亲”的存在，这也是《生命》一文略而不论的地方。“母亲”虽然不是这篇小说叙事的主要对象，但“母亲”存在的意义及其所秉持的世俗伦理情怀和务实精神，真切地散发着生命的温度。如果说“父亲”的精神取向更多地体现在对个我生命自由的追求上，“母亲”则更多地表现出关爱他人的人间真情。“母亲是一个有着非凡承受能力的人，事实上也是一个十分可怜的人。……整个家政都压在母亲一个人身上不说，她还要戴着父亲打制的一个个镣铐跳舞。” 作为故事的参与者，“我”对“母亲”的这种理解与评价是深入而准确的。概言之，不论从哪一个角度看，“母亲”都比水上行更多直面现实的生存勇气、务实精神和对他人的不事张扬的宽厚与仁爱。因此，要准确评价水上行的精神向度、价值选择及其现实意义，就应该注意到“母亲”是一个不可忽略的重要存在。“母亲”从某种角度来说，是一面映衬水上行生命苍白的镜子。

在高度物化的时代，在人们“忘我”地追名逐利而对生命的异化失去自觉的时候，吁求关注生命存在的真实意义，倡扬生命的自由和精神的逍遥，是有其现实意义的。但是，对这种吁求的夸张，有可能导致回归精神“桃花源”的遁世，导致对现实苦难承载和现实责任承担的回避。

因此，在《水随天去》的探索主题之外，还有更为深广的思想命题与话语空间，被作者放逐的水上行还可重返人间，继续他未竟的精神探索之旅。

（载于《作品与争鸣》2005 年第 11 期）

生命真意与人间真情

——郭文斌《水随天去》论析

李兴阳

《水随天去》是宁夏青年作家郭文斌写得极有深意的又一篇小说。同他的很多作品一样，这篇小说在流溢着戏谑趣味的同时，又充满内在的紧张。这种紧张，与小说情节的悬念无关，尽管小说一开始就设置了悬念，在开门并不见山的开头中用上了对比闪回的叙事技巧，在结尾处用上了“抖包袱”式的大翻转，但情节的奇巧并不是郭文斌的真正用心所在；这种紧张，也并非源自人物间的冲突，尽管“父亲”与“母亲”“我”及其周边的人都处在一种紧张关系中，有各种矛盾不断发生、累积，直至“父亲”从无以开解的纠结中“逸出”亦即出走，但这种“看得见”的冲突并不是问题的关键所在；小说的内在紧张，主要来自两个层面，首先是“父亲”内在精神探求的紧张及其试图有所超越而显露出来的外在行为的怪异与乖张，其次是作为作者代言人的叙事者“我”试图认同“父亲”而又始终处在一种无法越过的“隔”的境地中。“父亲”之“谜”与“我”的“猜谜”之间所形成的智慧对抗，其精神向度在于探析生命真意与人间真情这一不能终结也无法厘定的永恒话题。在消费时代，在欲望化叙事过于喧嚣的当下文坛，郭文斌重提似乎已被人们冷淡乃至遗忘的这一话题，在焦虑不安中固执地进行讲述，显然有他的深远用心。

在“我”的记忆与讲述中，成名前与成名后的“父亲”其内在精神状态与外在行为方式是不一样的。成名后的“父亲”开始淡泊名利，执意追问生命的真意，追求个体生命的自由，但又无法断然割舍与生命之他者的现实关联和情感羁绊，这使“父亲”的内在精神处于极度的紧张之中。因为“我”与“父亲”之间存在无法越过的“隔”，“父亲”内在的精神活动不能以直接呈现的方式自由展开，“父亲”对生命真意的追问及对个体生命自由实现途径的探求，只能借助于“我”所看到的外在行为，像“谜”一样曲折隐晦地传达出来。“父亲”最典型的外在行为方式，可以概括为两种，即“心斋”与“坐忘”。

“父亲”的“坐”，几乎可以视为是这篇小说的一个中心意象。就如“我”记忆中的那样，“印象中的父亲永远是一个坐姿”，“每天放学回来，老是看见父亲坐在阳台上，像是想心事，又像是什么都没有想，就那么坐着。一直那么坐着，直到暮色重重地落下来。” 父亲的“坐”，不是一般意义上的休息，更不是懒散，而是“坐”而至“忘”，对自己所面对的世界，视之不见，听之不闻。譬如，“母亲”对“父亲”的“坐”，极为不满，常表现为叫骂，但“父亲对母亲的话竟然没有丝毫反应，好像他压根就没有听见。”不论母亲怎么恼怒，“父亲依然没有丝毫反应，一副神游八极志在千里的样子。”再譬如，与一个乞丐畅谈并留饭、留宿之后，“父亲就变成了一个‘植物人’，从单位一回来就往竹椅里一坐，目光或者盯在虚处，或者盯在一只正在偷果子吃的老鼠上，那是范增仿八大山人的一幅画。”“父亲”的“坐忘”，在“母亲”的眼中是懒散，在“我”的眼中则已失去了作为鲜活生命所应有的特点，“我的心里常常会出现一些奇怪的念头，比如坐在那里的不是父亲，而是父亲的衣服；比如父亲的体温正在从36度迅速地下降，最终停在零度上。”对“父亲”“坐忘”的外在特征，“母亲”和“我”的感受与把握是准确的，但对其内在的精神活动则缺乏理解，这就是最亲近的生命之间最痛苦的“隔”。父亲的“坐忘”，是静止中的心性工夫，它是脱离现实活动的精神沉潜，在寂思中去知去欲，最终达到物我两忘，这正是道家祖师之一的庄子所设计的悟道法门。在庄子的哲学概念中，“坐忘”是致虚静的途径之一，一旦由“坐忘”进入“虚静”，便能通达生命自由之境。在这个意义上，“父亲”的“坐忘”也正是他试图逼近生命真意，实现生命自由的重要途径。

在“坐忘”之外，“父亲”致虚静以通达生命自由之境的另一途径就是“心斋”，“心斋”是庄子所设计的又一悟道法门。如果说“坐忘”是在静止中的心性工夫的话，那么，“心斋”就可以理解为是在行动中的心性工夫，它总是和感性实践活动密切相关，并在这些活动中达到逍遥自适之境。“父亲”的一系列被“我”讲述为怪异与乖张的行为，其实质就是其“心斋”的外显形式。譬如，“父亲”的午睡嗜好，就显得颇为特别，任谁来也不破午睡的规矩，那种不管不顾的做派，在平常人看来不近情理，在“父亲”自己看来却是一种心灵的逍遥与生命体验的自适。再譬如，“父亲”对异性间的情爱也颇为淡然，不仅与“母亲”过着极为节制的情爱生活，而且就是对那些青春如火的年轻姑娘的献媚也视而不见，生命的欲望似乎处在一种寂灭的状态。又譬如，“父亲”的行装也很异常，一时西装革履，风度翩翩；一时土衣土裤，形容放达；一时又背上收藏的旧书包，招摇过市，全然不在意他人惊诧的目光与攻击性的流言，这同样是一种心灵的逍遥与生命体验的自适。“父亲”“心斋”的最超常的表现，就是在行动中忘其所为，就如“我”所发现的那样，“父亲”干家务、参加社会活动，其“神情终究在事外，像是专注在内心的一个很深的地方。……和人跳舞，其实没有跳；在讲台上讲课，其实没讲上；吃饭，其实没有吃。像是有另一个他躲在暗处正在盯着吃饭的他，跳舞的他，讲课的他看。”与这种形神分离的状况不同，处于“心斋”佳境而又形神合一的“父亲”就如自然的赤子，面对一天的大雪，“在阳台上嘀嘀地叫着，兴奋像花一样在他身上怒放，口里不停地说，这才是音乐，这才是真正的音乐。”与自然融为一体，谛听天籁之声，“父亲”的生命就在这种无功利的审美境界中提升为自由的精灵。

概言之，成名后的“父亲”开始关注被名利等“外物”牵累和遮蔽的生命存在的终极意义，执意追问生命的真意，他在一段时间反复追问“你知道你在做……吗？”这一问题，已用言说的方式明白无误地表露出试图弄清生命真意的精神探求意向。“父亲”关于生命自由的理想，是在古哲人庄子设计的“心斋”与“坐忘”这样的悟道法门中通过主体意识在精神中的超越来完成的，他竭力摆脱人间世俗的束缚，力图为个体生命在宇宙中找到一个安身立命之地，在纷乱的人世中为人找到一个生命自由、精神逍遥的场所。在追名逐利的时代喧嚣中，“父亲”这一与悟道、通道相统一的生命理念与精神探求的向度，显然是高蹈的。

“父亲”内在精神的高蹈，并不能总是如其所愿。生命的自由与精神的逍遥，需要主体凭借“心斋”“坐忘”的悟道法门化解主观与客观、自我与非我的矛盾，抛却人间情缘，超越世俗社会，达到无功、无名乃至无己的“至乐”状态。而实际情形却是，在做出最后的“弃世”选择之前，“父亲”无法断然割舍与生命之他者的现实关联和人间真情的羁绊，这使“父亲”陷入无以开解的焦虑与癫狂之中，做出许多在“我”和“母亲”看来不可理喻的反常之举。

“父亲”首先无法割舍的是乡土恋情。对生养自己的故土，“父亲”有着根深蒂固的眷恋。这种眷恋甚至在吃、穿这样的日常生活细节上，也有近乎顽固的显露。譬如，“六味地黄丸”这一细节就在颇有戏谑性的趣味中表现出“父亲”对故土挥之不去的记忆与爱。老家带来的咸萝卜即所谓“六味地黄丸”，在“我”和“母亲”眼里是味道怪异难以下咽的近乎垃圾的东西，“父亲”却视若至宝，不仅自己吃得决绝而夸张，而且强人所难地逼着妻儿同吃。并非咸萝卜本身有什么特别之处，仅因为是故乡的，它就同“父亲”的生命建立起了一种深刻的历史关联，一种无法忘却的情感记忆，老家记挂“父亲”与“父亲”守望心灵中的故土，都以它作为凭借。刻骨铭心的眷恋使“父亲”孕生出巨大的责任感，这主要表现在常年将自己的全部工资用在对老家人的接济上，“父亲”不仅负责了老家一家八口的口粮，供四个侄子上学，而且给村里所有的人都接济过钱，这使安贫乐道的“父亲”却也不无矛盾地把钱看得很重要。显然，如此感天动地的人间真情，正是儒家所倡言的世俗伦理情怀，而非道家的高蹈与超迈。

“父亲”无法断然割舍的还有亲子之爱。“父亲”对“我”的爱也极为复杂，“父亲”生命观念的变化与内在精神探求的紧张，也都在对“我”的爱的方式上显露出来。“父亲”眷恋故土，似乎也想把这种感情移植到“我”身上来，逼“我”吃老家带来的咸萝卜，大有叫“我”不忘本的意思。在“我”

读书求学的事情上，“父亲”的态度也前后不一，先是把他所推崇的道家的那套顺其自然、不求功名的思想观念用在对“我”的教育上，“从不问我的考试成绩，对时下家长比较关心的考了班里第几名的问题似乎一点兴趣都没有。”不仅如此，而且对“我”能否考上大学也毫不在意。“父亲”后来似乎不再把他所持有的道家的生命观念用在对“我”所应走的人生道路的抉择上，转而支持“我”参加高考，像常人那样去博取功名。为此，“父亲”竟也亲理家务，也时不时用默默无声的注视给“我”温暖和力量。在精神探求的紧张与无以开解的焦虑中，“父亲”的亲子之情最后依旧让位于对生命自由与精神逍遥的追求，这就有了送“我”上大学之后离家出走的大结局。这一结局总令人记起《红楼梦》中贾宝玉金榜题名后离家出走的故事，只不过在这篇小说中，由贾宝玉一人完成的故事分摊在“我”与“父亲”两个人身上。简言之，在亲子之情上，“父亲”虽然也表现出了全部的复杂，但不论怎么复杂，在其做出“弃世”的最终选择之前，“父亲”对“我”的爱，是其难以割舍的世俗伦理情怀的最重要的构成部分。

由此言之，在“父亲”的生命哲学与人生观念中，以道家思想为底蕴的对生命真意的执意追问和以儒家思想为底蕴的对人间真情的珍重与眷恋，显然是其基本构架的两个方面。这两个方面有时是可以互补的，但在更多的时候充满了无法弥合的抵牾。生命本质的两面即“独立”与“间性”，被儒道两家分别予以注意和强调。从某种意义上说，个体生命是命定的独立体，追求或维护其存在的独立性和由此而来的自由是生命自然本性的要求，道家的生命哲学发现或曰顺应了这一要求。但不能忽略的是，生命要在与生命的联系中，要在相互映照中，要在相互陪伴中实现自己，找到自己，确认自己，这就是“生命间性”，儒家所倡言的世俗人间伦理情怀充分注意到了生命的这一特性。生命的绝对自由的获得，不论是在感性实践活动中还是在内在精神的超越中，都必得斩断与生命之间的关联，斩断与社会的种种联系，亦即消除“间性”，不受羁绊，但同时也因此无以映照和确证自己，也就不能不堕入孤独与沉寂之中。反之，充分关注“生命间性”，确也能建构起整饬的世俗伦理秩序，让人际间充满生命所需要的温情，但过分强调“间性”，也会漠视甚至扼杀个体生命的独立与自由，温情也会变成虚伪。儒道两家的先哲们未能弥合的生命本质两面的抵牾，“父亲”同样未能解开这一抵牾与纠结，这迫使人格特异的“父亲”做出决绝的选择。“灵龟扫尾，扫其行迹，行迹虽扫，又落扫迹。”这样的“劳动配乐”，不仅是对老庄生命哲学所隐含的内在矛盾与焦虑的形象诠释，而且也流露出了“父亲”要做出决绝选择的心态。当“父亲”把生命自由与精神逍遥当作最高追求的时候，“弃世”亦即离家出走，就成了必然的也是最后的选择。

最后的问题在于，如何理解和评价“父亲”的生命观念、人生态度与价值选择。作为作者的代言人，叙述者“我”的理解和评价，是应该受到注意的。小说中，“我”的身份是双重的，一是故事的参与者，一是故事的叙述者，两个“我”对“父亲”的理解和评价并不一致。作为故事的参与者亦即上大学前的“我”，更多地站在“母亲”的角度，在对“父亲”显露人间真情的常态表现予以肯定的同时，将“父亲”的“心斋”“坐忘”和“弃世”等行为视为怪异和乖张，对之加以否定。作为故事的叙述者亦即上大学后讲述“父亲”故事时的“我”，对“父亲”的高蹈与超迈，则有更多同情和理解。譬如，当故事的参与者“我”对“父亲”反复追问“你知道你在做……吗？”这一问题感到不耐烦甚至反感的时候，故事的叙述者“我”却对“父亲”的追问表示赞同，“发现父亲问得还是有点道理”，并在“父亲”的启示下，注意到人们只在意生命的外在行为而忽略这些行为之于生命的意义，认为“这实在是一个危险的事情。” 在高度物化的时代，当人们日益喧闹着追名逐利而对生命的异化浑然不觉的时候，当人们忘却如此作为之于生命的本来意义的时候，“我”有这样的认识并有意强调这一认识，显然是极有意义的，这可以理解为是在温婉的时代批判上的终极关怀。或许，这正是作者之所以要不合时宜地讲述“父亲”水上行出走故事的深远用心。

毫无疑问，两个“我”之间的矛盾，在某种意义上，也正是作者面临的矛盾。同作者其他的小说相较，《水随天去》显露出了作者试图超越自己进行新的精神探索及其相应的艺术探索的意向。问题是，当作者以“离家出走”的方式放逐了自己的“父亲”之后，何以才能弥合生命真意与人间真情之间的抵牾，其最佳途径在哪里？这是作者最终没有解决也不可能解决的问题，也是每一个生命的清醒者应当继续追问而不可能有唯一答案的问题。单是提醒在尘世中熙来攘往的人们不要忘却这一永恒话题，《水随天去》就有行世的意义。

（载于《作品与争鸣》2005 年第 11 期）

冲突与隐遁

——郭文斌小说《水随天去》解读

倪万军

郭文斌似乎是突然进入我的视野的，像一个人把一块巨大的石头猛然扔到我面前，对我说：这就是郭文斌！当然在这之前我是知道郭文斌的。在解读他的《水随天去》之前，我认为有必要先表达一下我个人对郭文斌小说的一贯看法。一直以来，郭文斌被宁夏评论家认为是“西海固”作家，但我不以为然，因为他具有和“西海固”作家卓然相异的创作风格和审美追求。大多数“西海固”作家往往通过作品表现出一种精神的洁净，无边的悲凉以及恶劣环境中的生存极限。郭文斌的作品远远地超越了对土地、苦难等惯常意象的依赖，但却在此基础之上建立起了自己独特的精神家园。

然而郭文斌的《水随天去》却是一篇值得注意的作品，它一反常态全然给了读者与以往相异的面目，在我看来，这是一个并不成功的尝试。《水随天去》的成功之处在于比较准确地反映了当下像“父亲”这样的知识分子艰难痛苦的精神挣扎的过程。但是令人遗憾的是郭文斌并没有找到一条通往成功的道路。在《水随天去》中，庸常的现实生活仿佛一座无情坟墓牢牢地困住了“父亲”，但“父亲”却采取了一种以消极对抗庸常的方式，这颇有一些“非暴力不合作”的味道，所以只能在冲突之后隐遁并以之宣告与现实抗争的失败。

毋庸置疑，知识分子承担着对抗庸碌现实生活的重要使命，承担着在现有道德价值体系面前的怀疑者和批判者的角色。但是中国的知识分子尤其作家却在很大程度上表现出精神萎缩的症状，这在很多小说作品中都得到了充分的表现，《水随天去》依然没有逃脱同样的命运。和贾平凹的《废都》一样，《水随天去》也同样表现了一个知识分子在顽劣庸碌的现世体系面前无力的挣扎和颓败。庄之蝶作为一名知识分子，作为“废都”的文化名人一方面有着比较高尚的梦想，希望能写出理想的作品；另一方面他的灵魂深处又是灰暗的，生活颓废而放荡，并企图以此来解救自己，但是庄之蝶最终还是失败了。虽然郭文斌在作品中不断地申明（甚至标榜）“父亲”的高尚和无辜，甚至把“父亲”写成了一个机智的富有禅机的可爱的人，但无论如何父亲还是逃离了，还是做了现实的逃兵。他们同样都是知识分子寻求精神解放和自由的失败，尽管郭文斌自己可能并不承认这一点。

中国的知识分子大都是在夹缝甚至是血与火中求生存的，所以我非常感激的是郭文斌在这里写出了相当一部分知识分子在现实生活中所面临的尴尬的生存局面。但是从“父亲”

作家在这里可能是要表达一个知识分子经历了半生的思考，最终获得了精神的升华——“顿悟”，达到了人生的至高境界。然而遗憾的是，这种神神道道的哲学式的自我拯救恰恰揭露了一个知识分子在和世俗生活的斗争中将要以失败下场却又下不了场的困窘神态。但无论如何的下不了场，还是要下场，这和庄之蝶一样，最终只能溜之大吉。“父亲”的下场较之庄之蝶的下场，在无奈之外，又多了一份滑稽。

较之“父亲”的自戕和自恋，更为可悲的是，他的“屈辱”还显得有些畸形。在现实生活中，知识分子的“屈辱”更多来源于庸常生活的压迫，以及角色得不到认同等的多重煎熬。在《水随天去》中，“母亲”无辜但自然而然地充当了庸常生活的扮演者。通情达理的“母亲”在生活中成了“父亲”无法逾越的障碍，“母亲”的世俗庸常可能在“父亲”心上投下了一片最大的阴影。表面上“父亲”不断地和“母亲”斗争，甚至有的时候似乎“父亲”已经取得了胜利，但“父亲”的沉默对抗、消极回避以及看似充满思辨实则油滑的斗争方式是他失败的更加明显的表现。造成这种畸形“屈辱”的原因是作品本身的局限，“母亲”虽然充当了庸常生活的扮演者，但这对“父亲”来说毕竟只是一些鸡零狗碎和柴米油盐的事情，这些事情之轻还构不成“父亲”逃离之重的条件。因此，造成“父亲”的屈辱应该还有一个更加广阔和深厚的社会原因，正如前面所述，这种屈辱可能来自数重煎熬。而郭文斌在这里把一个“大我”放在了“小家”之中，作品太在意家庭对一个人、一个知识分子的影响，因此才造成了“父亲”的畸形屈辱。

上面所提到的问题在我看来是解读郭文斌小说《水随天去》的重要的突破口。当然，这仅仅是我一个人的阅读方法。作为一个比较熟悉郭文斌的写作的人来说，我并不会因为郭文斌在这篇作品中所表现出来的片面性对他的写作提出质疑。相反，我认为《水随天去》的意义可能会被更多的人提出。首先，这对郭文斌来说是创作题材的一次重要突破，此前他的大多数作品都是取材于他生活过多年的宁夏“西海固”的土地，这也是很多评论者把他归为“西海固”作家的一个重要原因。再次，对于每一个人而言，哀叹与消极并不能解决问题。问题在于，如何才能把自己从世俗的海洋中拯救回来，如何以一种独立的姿态、自由的人格、战斗的勇气去面对人生，只有这样，作家才能自处，才不会像庄之蝶或“父亲”那样仓皇逃离。

选自《郭文斌论》（宁夏人民出版社 2008 年出版）

一场悲凉的人生之雾

——解读郭文斌小说《水随天去》

林一木

对于所有熟悉郭文斌创作的人来说，《水随天去》是一篇不得不引起注意的作品。文章传达出的信息昭示了作家内心更为隐秘的部分，这在郭文斌数量可观的小说创作历史中绝无仅有。在我看来，《水随天去》所引起的文体之争等都是无关宏旨的细枝末节，问题的重要之处在于，作家笔下的"父亲"，一个深受国学文化影响的儒家知识分子、一个禅者，在当代对于立德、立功、立言的艰难探索和道路抉择所引发的思考，才是值得关注的。

古书曰：君子有三立，即立德、立功、立言。儒家将人生在世之"三立"树为世间三不朽，并穷尽一生为之奋斗。而《水随天去》表达的正是这样一个传统而又新鲜的主题。传统在于它伴随着中华民族深厚的文脉流传千年，新鲜是因为在神圣文化式微特别是国学颓衰的现代社会中的罕见与可贵。德是君子始终一贯的、终生不变的风范和风格，如果没有独特的、不变的、永恒一贯的自我，就称不上是德。"父亲"

的德有他独特的风格，他不假矫饰，自然具有一种不可形容的情操和风范。父亲把钱四散而周济需要的人，供4个侄子读书，自己家境却很是一般，所谓立功，就是为人们谋幸福。立言比立德、立功更可贵，人的苦乐、贤与不肖、圣人与魔鬼的差距，完全取决于心灵的状态，能够直接改变、影响心灵状态的就是语言和文字。所谓“一言可以兴邦，一言可以丧邦”，而“父亲”却正好是个作家，文以流传，教化人心。实质上父亲在这条道上走的已经很远了，不得不让人顿生钦佩。这是其一。

而实际上，《水随天去》的核心比“儒”更贴近人生的本质，即禅者的“三不朽”，全文不仅禅机四现，禅意盎然，文章的结尾更是禅味浓厚，令人深思。

“父亲一边龇牙咧嘴地扫，一边念念有词：灵龟摆尾，扫其行迹，行迹虽扫，又落扫迹，一笤帚配一个短句。”

“父亲把蒜早剥完了，可他的一双手却仍然在剥。似乎手中还有一个蒜，一个更大的我们看不见的蒜。”

“只见父亲在阳台上啸啸地叫着，兴奋像花一样在他身上怒放，口里不停地说，这才是音乐，这才是真正的音乐。”

“从单位一回来就往竹椅里一坐，目光或者盯在虚处，或者盯在一只正在偷果子吃的老鼠上，那是范曾仿八大山人的一幅画。”

“夜深人静的时候，父亲的书房里会突然传出笑声，我原以为什么时候来了客人呢。不想进去一看，却是他独自在那里傻笑。”

正是这些以及类似的细节，让我想到了禅者。这就如释迦牟尼看见星月闪光而有所悟，香岩法师听竹响而有所悟，灵云和尚观桃花开放亦有所悟。心情纯净，不为尘嚣所染，从自然变化及日常琐事中找到了道的存在，体会到人之本性，我想“父亲”亦然，至少“父亲”正在渐入佳境。这是其二。

其三，即禅者的三不朽。无为、无私、无我、善而不居、心力坚强、包容无限，这就是禅者的德。最难忘记的是“父亲”失手打死了一只苍蝇的片段。“当那只苍蝇粘在玻璃上时，父亲手里的蝇拍就定在空中。父亲无法饶恕自己。父亲就那么站了很久。最后，父亲带着一声听不见的叹息上床午休。”后来还为之写了一首名为《悼词》的诗，这在常人看来是难以理解的。而禅者最大的立功就是拯救众生陷溺的心灵。父亲给了牛缠6000元，就可以让牛缠那个坐过监狱的儿子娶了媳妇并在家安稳过日子。面对母亲的诘问，父亲说，“六千块重要，还是一个人重要？”。禅者最可贵的立言应该是“无言之言”，孔子也说“四时行焉，百物生焉，天何言哉？”“父亲”不仅在家里几乎不说话，后来干脆销声匿迹。我想，“父亲”的举动不无这“无言之言”的意思在里面。这在郭文斌最近的随笔《以笔为‘渡’或者我们的‘说’》中有着明显的印证。

可是问题在于，儒家讲的是入世，宗教讲的是出世，而禅者之最高境界却是既存在又超越，既入世又出世。《水随天去》努力寻找的也正是此道，可是“父亲”最后并没有能够做到这一点，用“我”的话来说，最后“父亲”是“离家出走”了，可能是效法伯夷、叔齐那样“义不食周粟，隐于首阳山，采薇而食之”终于“饿死于首阳山”吧。

出世之道即在涉世中，不必绝人以逃世；了心之功即在尽心内，不必绝欲以灰心。我对“父亲”片面追求离群索居的形式上的做法一点也不赞成。相反，我想应该锻炼的是心的解脱，应该在贡献智慧的那一时刻去理解，根本不需要断绝一切欲望使心情如同死灰般寂然不动。相比之下，我倒十分欢喜柳下惠。他能“不羞污君，不辞小官。进不隐贤，必以其道。遗佚而不怨，厄穷而不悯。与乡人处，由由然不忍去也。”心在世外又善与人同，才是一个君子，或者是禅者的最高境界。

可是，话从来都是说着容易，做起来的难处和痛苦非常人可解，亦非可向常人道，这就是“父亲”悲苦的心灵之路，它是一条通往人生三不朽的漫漫旅途。通篇笼罩着的那一层悲凉的人生之雾，让我的阅读过程充满了深深的悲悯和疼痛，如某种无色液体，随着阅读的深入，不断淫浸我的感知和心。

选自《郭文斌论》（宁夏人民出版社 2008 年出版）

郭文斌小说的散文化倾向
——读短篇小说《水随天去》

王西平

郭文斌是写散文起家的，一直以来他的散文比小说更能引起文坛的关注，然而近两年来，他的小说创作却异常迅猛，其中不乏引起持续争鸣的作品。也许是既写散文又写小说的缘故吧，我们发现，郭文斌的小说越来越有散文化的倾向，甚至有些作品都说不清是小说还是散文，《水随天去》就是这么一个“怪胎”，对此，郭文斌自己也曾表示“说不清”。

“说不清”并非说不清，作者只是就文体而言。其实我第一次读完这部作品，内心的感觉很特别，就“小说”而言，完全够得上故事有韵味，人物有特点，情节能抓人，但作者在叙述上下了大功夫，语言简洁自然，风趣幽默，行文顺畅自然、细腻有佳，结构疏散大气且毫无分离之痛痒，完全按照生活的多维流动来构建，总之，给我的印象就是“似真似幻”。

先说真。散文家赵丽宏认为，散文是非虚构的文体，如果散文可以虚构，还不如去写小说。郭文斌的这篇《水随天去》之所以能打动人，主要是描写之真，情感之切。作者将大量的笔墨用在了一个貌似“神游八极志在千里”的“父亲”身上，但“灵龟摆尾”，还是免不了留下“扫迹”，用日常话说就是“脱不了俗”：“现在，我终于可以认定，事情恰恰是从那时开始的，尽管当时看来，那是一个不错的兆头”，作品一开始，就以一句简短的悬疑句式把读者引入了阅读状态，其实作者意在强调语言的自然直白，用一种平静质朴的“语气”给整个小说定下一个基调（语调）：“事情”虽与“兆头”有关，但文字却不华丽，不失自然朴素之美。紧接着，我们就看到一对夫妻一唱一和，中间再加一个少不更事的“我”，一家人磕磕绊绊，风风雨雨，演绎一幕幕荒诞闹剧。“父亲”在这个家庭中一直被公认为“怪物”，不论是强吃咸菜苦修行，还是夜不同眠单恋床，不论是杀死苍蝇独忏悔，还是为装纯情闲信步，总之，作者洋洋洒洒，侃侃如也，把一个高级知识分子既酸又腐既土又洋的形象表现得淋漓尽致。作品中有一个关于生活场景的描写尤为触人心动，“父亲”因为“母亲”在一个星期天过早地吵醒了“我”而将“母亲”劫持进客厅，两人一来一去，拉开了搅舌战，但这场“战争”最终还是以“母亲”的“不动声息”而告终，请看：

“……母亲的声音就小了下来，切齿痛骂渐渐变为自伤自叹。听见母亲在哭鼻子，我本来想起来劝一下母亲，可是我实在太瞌睡了。果然，父亲刚一出去，厨房里就有了响动，那响动平静、和气、安详。我知道，可怜的母亲又开始了一天的功课，洗漱、浇水、扫地。……然后打开煤气灶，给父亲打荷包蛋。”

说真的，读到这里我的眼睛湿润了，就为这样一个任劳任怨、戴着镣铐跳舞的“母亲”。其实像这样的细节在整个作品中随处可见，但不外乎一个“真”字，我想这就是散文的魅力，老一辈作家冰心曾说过：真就是美。在这部作品中，我们看到所谓的真与美都在郭文斌非凡的散文功力下体现了出来。

再说幻。我们很难相信一个生活中的父亲会集那么多的“高深”于一身，在《水随天去》中，作者不仅仅是为了把人物写活，更重要的是通过生活化的细节描述将人物上升到一个艺术的高度，这就要求文本立意必须高于生活。在郭文斌笔下，“父亲”是一个迷恋于个人精神生活的人，正是这个在旁人看来无异于“行尸走肉”“天马行空”的人，整天一副“老僧入定”的样子，时常用自我编织的一套“反逻辑”来诘问生活——“你为什么要……”或“知道你在吃饭吗，知道你在撒尿吗，知道你在看风景吗……”就是这样一位“父亲”，大致经历了：“坐姿”“忧郁”“送人”“傻笑”“植物人”“活过来了”“汪满泪水”“离家出走”等这些特定的人生要点。其实作品真正的“点”就在于——作者将“送人”和“傻笑”这一生活高潮并没有放在作品的结尾，而是放在“正常”之前，随后就笔锋一转，说道父亲“活过来了”。读到这里，我想大多数读者会长叹一声：啊，这个不食人间烟火的父亲，终于回到人间了，如若不信，从他“汪满泪水”的神情里也能确信这一点！如果作品仅仅这样收尾，从艺术处理手法上讲，可能显得过于平实了，然而，堪称点石成金之笔的是，作者的最后一段补记，读起来令人怅然且咋舌回味，也就是说正是这一段，使得这篇具有人物绘像色彩的“散文”作品突然又有了“小说”幻化的味道。

《水随天去》应该说是一篇很成功的作品，那么，把小说写成散文，是出于一种什么样的文学观念呢？我想这不是我们所要讨论的。其实散文这个概念在西方或者在中国古代其实就是小说。据说《老子》一书，如果让一个懂古音韵的学者读来，那是一部押韵的诗歌。同样，《庄子》一书中的篇章，有的是论文，有的是散文，有的则是寓言甚或小说。20 世纪 30 年代，李广田、卞之琳等人就曾宣称“不在乎把散文写成小说”。在当代，作家汪曾祺的小说就有散文化倾向；国外，我们知道的博尔赫斯就把小说写成散文，把散文写成诗，并且时常把小说与散文弄混。阿斯塔菲耶夫的《鱼王》既是散文，又像一些中短篇小说，而他自己认为是一部长篇小说。海明威的《老人与海》，是一部著名的中篇小说，又是一部长篇散文。以及杜拉斯的《情人》，福克纳的《喧哗与骚动》都有自由写作的特征。由此可见，文体互通的写法向来被许多名家所采用，究其原因，除了能收到意想不到的奇效外，最主要的一点就是：自由，我想这对郭文斌的小说散文化倾向而言，无非也是如此。

选自《郭文斌论》（宁夏人民出版社 2008 年出版）

历史的旧痕与心灵的幻象
——郭文斌《陪木子李到平凉》论析

李兴阳

在引起人们广泛关注的郭文斌短篇小说集《大年》中，《陪木子李到平凉》是格式颇为特别的篇章。在小说正文的上方，郭文斌出人意料地写下了这样几句话：

> 思考题：
>
> 1. 那玉红于我有意义吗，如果有，那意义何在？如果没有，上帝又为什么让我在那个胡同口看到她？
>
> 2. 那玉红于木子李有意义吗，如果有，那意义何在？如果没有，上帝又为什么让他从我口里听到她？

以诗行方式排列的这些文字，并不合小说通常的范式，它像是作者给自己拟定的创作精神指向，又像是给读者预备的读解路径。不论其用意何在，这些显得有点“突兀”和“霸道”的“思考题”，把注意的焦点都倾注在那玉红、“我”（北隐，下同，不再一一加注）及木子李等几个人物之间的某种内在的精神关联上。小说的外在叙事形式，恰恰因了特别格式的有意遮蔽而处在“不见”的黯然境地之中。

“寻访”，其实是本文昭然“可见”的外在叙事形式。作家“我”与同道石书棋陪同北京来的编辑木子李去一个叫平凉的地方，寻访一座古旧而“雄伟”的“官堡”和一位“高傲而冷美”的女人那玉红。顺着“寻访”的踪迹，平凉如海的黄土丘陵、眼睛一样的震湖、防匪的官堡便如卷轴的画那样在小说的叙事空间依序展开。“我”与那玉红的情缘故事，土匪与压寨夫人的故事，还有古堡的传奇故事，就在木子李的好奇追问与“我”的感伤讲述里，依次呈现在平凉山水卷轴的不同画幅中。历史，不论是民族的还是个人的，不论是宏大的还是私人化的，其留在北方苍凉大地上的旧痕与人们心灵深处的记忆，在这里相互映照，最终融为一体，就如“我”所产生的幻觉那样，“我觉得那堡子不是别的，正是那玉红，或者说，那玉红本身就是一座堡子。”至此，“寻访”的表象后面已然显露出精神探索的叙事用心。这就是说，在现实生活中，带客人“寻访”当地风物，向客人讲述自己的情感故事，不过是一件极为寻常的人际交往事件，其用意也不过是试图以此进入某种特定序列。但在小说叙述者的讲述中，探求“关系”之“真”的叙事意念，使“寻访”变成了探询自我与他者关系的“精神事件”。

在这样的“精神事件”中，“我”与那玉红的“关系”之“真”，显然居于优先反观自问的位置，即使在“思考题”的设置中，与它有关的题号也被设置为“1”。在小说叙述者温情而又感伤的讲述中，那玉红虽然居于近乎“偶像”的位置，她的身世、人生际遇及自杀之谜也倍受“寻访”者们特别是“我”的关注，但她并不是“思考”的主要对象，其内在精神也因处于被讲述、被“猜测”的位置而不能自由地袒露，这使那玉红在与“我”的相互关系中，处于不对等的位置。就如“思考题1”所规定的那样，叙述者要思考的是那玉红于“我”有什么意义，而不是“我”于那玉红有什么意义，其重心不是那玉红，而是“我”，是“我”的内在精神构成，亦即“我”的“自我”。而这个“自我”的形成，如黑格尔所言，是依赖他者的，是唯他者意识为前提的，“自我”离开了“外界的刺激”给予的“推动”，也就没有“自我”、没有“自我”的活动。“我”的“自我”所依赖的他者，最重要的就是那玉红；获得“推动”力的“外界的刺激”，最重要的也是那玉红。若以法国精神分析学家雅克·拉康的“镜像理论”来考量，那玉红就是“我”的“自我”赖以形成的心灵镜像。

“我”首先是以一个“欲望的主体”出现在小说的叙事空间。在拉康看来，“欲望”是与“需求”相区别的概念，因为“需求”是对一个特殊对象的需要，而“欲望”是与匮乏相联系的，即欲望是超越了需要层面而产生的。欲望只能在与他人的关系中才能产生，主体的欲望是对他人的欲望。小说中，“我”的欲望就是在与那玉红的关系中产生的，“我”的欲望就是对那玉红的欲望，而这种欲望首先与“性”及由此而生的“爱”有关。这一点，贯穿在“我”与那玉红相互关系的始终。

“我喜欢那玉红，却从来没有想过‘目标’，或者说是‘结果’，只是喜欢。”“我”虽然以这类柏拉图式的话语来矫饰自己潜隐的欲望，但在“喜欢”的背后，本然的欲望及其所要求的“目标”或“结果”始终没有离开过“想”，也没有放弃过任何一个显露的机会。“我”在初次见到那玉红时，就被这位“穿着一身邮电服的大姑娘”的性别特征所吸引，“一看，我的眼睛就再放不下。老实说，长了那么大，我还没有见过那么漂亮的姑娘。那是一种霸道的漂亮，或者说漂亮得有些霸道。胸脯高挺，身体水直，像是一个经过特别训练的军统特务。”在谈到这一段文字时，评论家牛玉秋女士说，郭文斌“写那玉红的那种美，他说像是一个经过训练的军统特务，我们一下子就会想到我们小时候在几乎无性别的年代里，看到电影中军统女特务给我们的视觉冲击力，感觉全都出来了。”这虽然谈的是小说修辞问题，但在“比喻与历史语境”的密切联系中，牛玉秋女士敏锐地发现了隐藏在小说修辞后面的历史内容与心理意识。就“我”的“小时候”而言，那个“几乎无性别的年代”正是盛行禁欲主义的时期，性禁忌使对女特务的"性丑化"成为传达某种政治意识形态观念的一种电影修辞手段，而高度类型化的"性丑化"恰恰突出了"胸脯高挺，身体水直"等女性性别特征，其"视觉冲击力"也正源自对性欲望和性幻想的刺激。由此可以推论，"小时候"观赏电影所体验到的"视觉冲击力"，使"我"的性欲望和性幻想与"军统女特务"这类"银幕镜像"纽结在一起，沉潜在内心的深处，成为认同异性他者的一种结构。意在灌输某种政治意识形态观念的电影修辞手段，就这样颇为意外地改变了"我"乃至同代人的"性感"方式。

当偶然遇见的那玉红与"军统女特务"这类"银幕镜象"具有相似点并相互映照时，亦即拉康意义上的能指与所指在"偶遇"的场合发生纽结时，被压抑的性欲望和潜藏的性幻想受到不可遏制的激发，对那玉红的跟踪、窥视、梦淫、接近、寻访、夸饰和唱《白牡丹令》等，就成为"我"舒张压抑、变相满足性欲望和实现性幻想的途径或方式。其中，"跟踪"及其并发的"窥视"最先发生并被从中学生的"我"一直到成为作家的"我"长期坚持，最后以"寻访"这种颇为矫饰而又合法的方式终结。"我"在跟踪和窥视中不断趋近欲望，却不能满足欲望，这种欲望受到外在的戒律，被压缩凝聚成为无意识，转换为梦境。如果说，跟踪和窥视更多地将欲望显露在外在行为上，而寻访又将之予以伪装使其变得隐蔽，那么，梦境则将潜意识深处的本能欲望暴露无遗。

在“我”跟踪并窥视那玉红的同时，“我常常做一个梦，梦见自己一夜间长大，手上举着一把毛主席亲自给我的三八大盖，从众人堆里找到那玉红，顶着她的后脑勺，把她押到一个没有人烟的地方，任我处置。要不就是有许多人找那玉红谈对象，她就是看不上，她只看上我。大家说他还够不着你的奶子。那玉红说，我就喜欢她够不着我的奶子的样子，我只要他够着我的腰就行了。”在这段具有戏谑意味的叙述里，梦境有两种，其一具有极强的性虐待与性暴力倾向，其一则是性变态心理的袒露。就前者而言，其在戏谑中透露出政治意识形态中的暴力话语对“我”的性暴力幻想的植入及后者对前者的移用。“那时”的“我”只不过是尚未成年的中学生，梦境中的拿着三八大盖寻找、拘押和处置自己的欲望对象这类性暴力行为，显然不可能来自实际经验，只可能来自于有关战争的“历史讲述”，其中又以战争电影的“银幕镜像”为压抑中的性暴力幻想所移用的主要资源。移用政治意识形态中的暴力话语，不仅是弥补经验与想象的匮乏，更主要的是将性暴力幻想置于代表菲勒斯的权力话语中，使其合法化。所谓菲勒斯，在从弗洛伊德到拉康的精神分析学中，其意义已远远超出了原有的生理学内涵，成为一个“超验的能指”，决定着一切秩序的意义。以菲勒斯为中心的象征秩序，既是一套表达终极所指和权威真理的意义系统，又是一套由确凿的词语构成的话语系统，即如伊格尔顿所说，“拉康所写的象征秩序实际上是现代阶级社会中家长式的性别和社会秩序，围绕着阳具的‘抽象表现符号’而构成，并受到父亲体现的法律所支配。”由此，梦境便有了多方面的意义，它不仅仅在于显露了“我”的本然欲望的强烈，也不在于揭示了“我”这一代人所认同的象征秩序中特有的政治意识形态话语，还在于昭示了“我”试图与权力话语达成共谋的心路，即要获得匮乏的满足，就需获得权力话语的允诺，而只有把自己纳入特定的权力话语中，才能以权力话语赋予他的力量去实现自我的欲求。

就“我”而言，梦境中的性暴力是不会在现实中实施的，梦境所暗示的实现自我欲求的另一途径即把自己纳入特定的权力话语中，则成为“我”不断趋近欲望的主要行为方式。亦如拉康所说，欲望具有干扰和震动的力量，“我”在与那玉红的关系中产生的欲望，便成了主体和个人形成的巨大动力。在此动力的推动下，“我”有了构建“理想自我”的系列行为。

在“我”构建“理想自我”的心路历程中，有两次“立志”至为重要。第一次“立志”时，“我”还是中学生，在偶遇、跟踪、窥视并试图接近“军统女特务”般的那玉红时，“她连看都没有看我一下，挺着长长的脖子，目中无人地从我面前走过。”“我一定要考上大学的志向”就是在这时立下的，“我给自己说，只许成功，不许失败。为的是自己将来能够配得上她，能够有资本和她对等。而那时的我觉得自己连想一下她的资格都没有，更别说喜欢了。”受此激励，“我”如愿考上了大学，成了“城里人”，当上了“作家”。第二次“立志”时，“我”已成了作家。再一次偶遇多年不见的那玉红并又多次追踪她后，为了在她面前抬高自己，“我”特意哄来宣传部部长，“将部长送走，上楼梯的时候，我特意留心了一下她，她的目光中确实有了几分重新打量的意思。我为此很得意。”临告别时，“我”不仅赢得了那玉红的一声“欢迎再来”，“我甚至从她的目光中，看到了几分依恋和类似于感情的东西。后来，我不止一千次地回想过那个片段，那个生命盛开的片段，不止一千次地陶醉。”于是，“坐在回家的班车上，我一遍又一遍地给自己说，一定要把事情做大，做大，献给‘欢迎再来’。”而“我”这次陪掌握发稿权的北京编辑木子李到平凉，寻访古堡和那玉红，其意也正是“要把事情做大”，以成就理想的自我形象。简言之，“我”构建“理想自我”的两次“立志”都与那玉红有关，甚至都直接与那玉红看“我”的“目光”有关。如拉康所言，人的无意识的自我只能在他者的目光中看到自己的欲望目标，“我”就在那玉红看或不看“我”的目光中，不断看到自己新的欲望目标，由此无止境地趋向于理想自我的幻影。即使这个幻影始终是人的本源性的缺失，始终是一个外在的他者，“我”也在它的诱导下，逐渐超离“我”在现实中扮演的乡村孩子、中学生、大学生、城里人、作家、名作家等角色，不停地寻找和塑造着心目中那个理想自我的形象。

其实，那玉红的目光，不仅仅是那玉红的。社会道德、法权、社会舆论、邻里同事等所构成的宏大而精细的系统，它就像目光一样时刻凝视着人的行为。在这种凝视中，人的本我力量只有循着它所允许的道路才能实现自己的部分欲望，也就是说人必须与这些权力话语妥协，才能得到他人的肯定。如福柯所说，“要获得进入特定序列的权力，就必须以屈从为代价：必须进入赋予权力的话语，受这种话语的控制。”“我”的两次“立志”及为此而付诸的种种努力，已使“我”成功地获得了“进入特定序列的权力”，获得了这一权力系统的承认，从而改变了自己的社会身份。为了获得这种“改变”，“我”确实如福柯所说，付出了“屈从”的代价，成了他人目光下异化的自我。譬如，“我”借权力话语给予的“高考”这条社会通道，由“农村人”变成了“城里人”，当了“作家”，但社会地位依然不够高，出差到那玉红工作的宾馆住宿，只能住西楼，“我为自己住到西楼感到极没面子。西楼（专供平民住的）是个标签，他强制地体现着你的身份和地位。”于是，“我”以西楼房间里没有电话为借口，“没事就到楼层服务台打电话。尽量找那些有地位的人聊天，尽量把事情说得十分重大”，借此在那玉红面前抬高自己的身份。对这类“过度屈从”，“我”有所察觉，也有所不满，批评自己“是多么虚伪”，但总体上看，“我”对于自我的“屈从”缺乏必要的反观自省，对自我的异化也就显得有些浑然不觉。

比较起来，在“屈从”之外，“我”对自我的虚幻性则有较为清醒的体认。如拉康所说，人是通过认同于某个形象而产生自我的，人的一生就是持续不断地认同于某个特性的过程，这个持续的认同过程使人的自我得以形成并不断变化。而自我的形成及其内容远不如人们想象的那么直接和可靠，其第一步就是建立在“镜像”这样一个虚妄的基础上的，在以后的发展中，自我也不会有更牢靠更真实的根据，这不能不导致虚幻，导致异化。在“我”的自我的形成过程中，内在的空无、缺失使“我”把自己的欲望寄托依附在作为幻想对象的那玉红身上，随着生命过程不断往前流转，那玉红始终处在“我”执迷的妄念中，主体捕捉不到，使得“我”的渴望无法实现，内心的空缺无法被填满。当“意料之外”的“死亡”取消了那玉红的现实存在时，她才作为空无得以确立，成为“我”心中缺失的象征。对此，“我”借木子李《岸边的日记》中的两段文字作了极为形象的阐释：“我们被一条河拦住，河水汤汤，车子不敢贸然开下去，我和北隐下河，脱鞋，试水深浅……”“站在此岸，用青草擦鞋时，我突然看到，河水以一种少见的从容向远方流去……”其实，这两段文字所隐喻的意义只有一句话：那玉红在河的那边，我在河的这边，而横亘的河流是难以逾越的。同样的意思，在预备送给那玉红的诗中有更为明确的表达："如果说／你是一片属于我的叶子／却为何／兀自凋零／如果说／你不是一片属于我的叶子／却为何，要落在我／晚点的目光里"，相互质疑相互否定的诗句，极为深致地揭示出那玉红与"我"之间的"在"而"不属于"的精神关系。

概言之，在"我"的自我的形成过程中，那玉红具有向内与向外两个指向与功用。向内，那玉红催动了"我"的欲望的产生，"我"的欲望就是对那玉红的欲望，"我"从欲望出发将妄念中的那玉红形象据为"自我"，最终导致虚幻。向外，"我"对那玉红具有象征意义的欲望便成了主体和个人形成与发展的一个动力，由此有了构建理想自我的种种行为，但最终导致"屈从"和"异化"。"我"对自我的虚幻性，有清醒的体认；对自我的屈从和异化，则缺乏必要的自觉。因此，"我"对自我精神成长的审视，还处在未完成的追问中。

在郭文斌以"我"为叙述者的短篇小说中，《陪木子李到平凉》是与作者最为切近的篇章。在"纪实"体式与情爱故事的表象背后，作者通过"我"所倾力讲述的是一个关于"精神成长"的故事，是一个尚未完成的关于心灵的故事，历史的旧痕与心灵的幻象在这里凝聚为可以不断"寻访"的梦境。评论家牛玉秋女士说，郭文斌的小说是一种"有多种可能性的小说，因为我们看小说，好多小说都是这样，他提供的是一种在因果链条上的一种或是两种可能性，而郭文斌的小说有多种可能性，这种多种可能性首先来自人性之谜，在这本集子中，不论上下，其实都是一致的。”《陪木子李到平凉》也是“有多种可能性”的，本文所选择的仅是其中的一个津渡。从这个津渡出发，有可能淌过精神之河，逼近郭文斌心灵的彼岸。

（载于《作品与争鸣》2006 年第 6 期）

历史的多样性与自我的深度

——郭文斌《陪木子李到平凉》论析

李社教

西部作家郭文斌的小说温情、敏感、细腻，虽然因此少了一些阳刚之气，但其温婉与沉静并不指向软弱，而是指向对生命、自我和人生哲理的理解，并在这种理解的背后显现出内在精神的深度。有评论者认为，郭文斌“小说里没有时代感没有历史感。但这种历史感缺失是因为作家本人的主动放弃，他更愿意表现一种原始的、本色的、本真的东西。”这概括了郭文斌小说的一般特点。而《陪木子李到平凉》则显然是一个例外，其内在精神的深度恰恰与其所讲述的历史的多样性密切相关。

在《陪木子李到平凉》中，被讲述的历史故事有三个，一是“我”（北隐）的一段“情史”，二是震湖形成的自然历史，三是官堡形成的人文历史。第一个故事是纽结，后两个故事是前者的展开和延伸，三者错综辉映，建构和深化着“北隐”的内在精神。

对那玉红的单向性的“情史”，是北隐个人化的历史，与其生命关联和精神关联最为深切。首先，它唤醒了北隐的性爱意识，激活了北隐的感性生命力，使北隐完成了由懵懂无知到情窦初开的心理跃进与转折。在此过程中，北隐的外在行为虽然有些出格（如逃学、跟踪、守候等），但其内在心智却由此走向成熟。在北隐的自我的构建中，这显然是不可缺少的一个重要环节。其次，它唤醒了北隐的社会意识，促使北隐生长出改变自己的动力，并促成了他的一系列正常或乖谬地改变自身处境、夸张自身社会身份的行为（如立志考大学、找有地位的人电话聊天、让县委宣传部部长来自己的房间等），由此，小说中与历史感密切关联的时代感也随之隐约显露。再次，它唤醒了北隐的历史意识，正是在那红玉的身上，北隐“体会到更多的随和和经历一切之后的安详和平和”，这是在北隐的感悟中，能将震湖（自然景观）和官堡（人文景观）与那红玉的意向重叠的根本原因。简言之，北隐对那玉红的“单向性”的“情史”，不仅是浪漫感伤的爱情故事，不仅是一个人对另一个人无“目标”的眷恋，它决定了北隐的人生历程，同时在叙事者对“情史”的俯视性叙述和“我”对那红玉的仰视中，构建着北隐的心灵之旅。

与上述“情史”相较，震湖形成的自然历史与北隐的内在精神的关联虽然较为隐晦，不那么直接和明显，但它在北隐构建自我中的意义是不能忽略的。对于北隐而言，震湖不是一般意义上的自然景观，震湖形成的历史也不是一般意义上的知识，亦即它们已不再是一种外在于北隐的存在，而是内化于北隐的精神结构之中，影响着北隐对生命的体认，对人与自然关系的体认，也影响着北隐的情感体验方式与道德判断方式。首先，“震湖是在举世罕见的民国九年海原大地震时形成的”，“那一刻，这里的山在走，湖就尾随着走的山炒豆子一样一个个跳了出来。再造用的是八点五度里氏的火力。那一刻，这片土地上，有二十三万人像庄稼一样被收割，其中有我的祖父，有我的众多亲人。”自然的灾变将震湖形成的历史与北隐家族的劫难史连接在一起，由此与北隐发生了更深的精神关联。所以当北隐“坐在湖岸上，看着周围茂密的芦苇，看着深不可测的湖水，我没有想到这些，没有想到我的祖父现在何处，没有想到那个扔石子的人是带着如何的表情做那个‘扔’，请原谅，我想到的是那玉红，想到的是她的那双眼睛”的时候，就有了“我是多么的大逆不道”的自责，这种“大逆不道”的自责表明，像眼睛一样的震湖其实就像眼睛一样时刻盯着北隐，它在北隐的内心世界中，增加了某种极为沉重的东西。或许，在仅属于个人的生命历史与情感世界中，自然的与种族的历史重负其实永远在场，这恐怕是北隐唯一的一次不对木子李“指鹿为马”“正大综艺”的深层原因。其次，“想想看，在暴烈的阳光下，在连绵不绝的噼噼啪啪冒着火星的灼人眼睛的黄土丘陵群带里，镶嵌着那么一些眼睛一样的湖泊，该是一种什么样的景致。”北隐想到的是那红玉、那红玉的眼睛，这在表层意义上是“情史”的延续，而在深层意蕴中却是把震湖形成的历史和那红玉的命运叠合起来。岁月隐去了包孕于震湖的恐惧、惨烈、死亡、神秘，叙事者隐去了那红玉人生的艰难、辛酸和自杀的原因，使小说的基调平淡、温软，使北隐眼中的震湖和那红玉如“眼睛”一样“安详和平和”，但始终无法隐去北隐在震湖形成的历史和那红玉的命运中领悟到的真谛——“无常”。

官堡及其有关的历史，与北隐内在精神的关联同样较为隐晦，但它在北隐构建自我中的意义也同样是不能被忽略的。官堡是历史留下的陈迹，它的本意是用来防匪的，但在战乱时期，它的身份和功能却多有变化，或者是弱小者用以藏身的避难所，或者是强梁大盗据以危害四方黎民的巢穴；在和平年代，它完全失却了旧有的身份与功能，成了与牛羊荒草相伴的废墟，供人凭吊的苍凉古迹。对北隐而言，官堡不是一般意义上的历史旧痕，发生在官堡中的历史暴力故事也不是一般意义上的奇闻轶事，它们在北隐自我的构建中，有着颇为复杂的心理意义。具体而言，其意义至少有如下几点。

首先，官堡不仅仅是北隐童年时期放牧和玩耍的场所，也是他想象历史的凭借。“小时放牛时，每次坐在堡墙上，看着浮萍一样漂在山的黄色波浪上面的官堡，想到倍受匪乱之苦的先人，我的后背就发凉，就觉得阴冷的匪气，像烟雾一样笼罩着这片大地，就觉得共产党真伟大。”这表明，与官堡相伴长大的北隐，在官堡放牧的时候，也就是他想象历史的时候，并由此形成了他特定的历史观念及相应的情感体验。童年北隐在历史想象中所获得的情感体验，最主要的就是对历史的恐惧与感恩，由此显示出北隐已然形成了对历史的某种价值判断与价值选择。

其次，在与官堡有关的奇闻轶事中，北隐感悟到了历史暴力与生命激情之间某种隐秘的内在关联。官堡的历史主要是血与火的暴力历史，但就是在历史的暴力中，也有爱绽放出生命的美丽。譬如，有自然之母对弱小者的大爱，那从震湖里翻腾而起降雨解救村人的大鱼，就是自然之爱的精灵；再譬如，不顾自身安危下山偷水以救村人的私塾先生，同样是一位人间的至爱者。即使是杀人越货的土匪，也时不时显露出爱的温情，譬如土匪郭栓子就在解放军到来的前一个月，“把自己漂亮的压寨夫人偷偷送回娘家”，以使她能够活下来。生命的激情，可以将生命导向对他者乃至自身的仇恨与毁灭，也可以将生命导向对另一个生命乃至世间一切的爱与创造，历史就在生命激情喷发的多种可能性中变换自己的颜色。

再次，在北隐自我意识的深处，又一次地把承载着斑驳的历史信息而又归于宁静的官堡和那红玉融合在一起。“下山后，回头再看山顶的堡子，又一种奇怪的感觉莫名其妙地从我心里冒了出来，我觉得那堡子不是别的，正是那玉红，或者说，那玉红本身就是一座堡子。这样想时，记忆中的那玉红的身上再没有任何东西，只有无数大大小小的堡子，包括目光。我不知道，这些堡子，和那玉红的身体的山水是什么关系，和她生命的山水又是什么关系，和那个看到这一切的‘看’又是什么关系。最后，我隐约听到了雨点一样的枪声，我同样搞不清楚，它和那玉红又是什么关系。现在想来，那身邮电绿，那声‘等一下’，那声‘欢迎再来’也是一种堡子的感觉，包括我的心，包括我。”在这段幻觉描写的文字里，官堡所沉淀的历史已经渗透到北隐个人的生命历史中，在某种意义上官堡已内化为他的心灵之堡；那红玉也不再是情欲的对象而被升华到形而上的哲理层面，和官堡一起唤起了北隐无意识深处的归属感。

概言之，不论是与天灾有关的震湖故事，还是与人祸有关的官堡故事，它们虽然先于北隐而发生也先于北隐而存在，但它们就像北隐对那玉红的“情史”一样，都已在北隐心里留下了抹不去的深深刻痕，成为北隐的自我的构成部分。笼罩北隐于其中的历史，最终内化为北隐个人生命中的历史，使北隐的自我精神获得了历史的深度。或许是这篇小说的叙事意图有些游移，或许是小说的禅思倾向过于浓厚分散了审视自我的目光，小说借助于“历史讲述”所进行的自我审视未能达到应有的深度。即使如此，《陪木子李到平凉》依然还是郭文斌小说中自我审视意味最强的篇章。

（载于《作品与争鸣》2006 年第 6 期）

隐喻的艺术

——《陪木子李到平凉》推荐辞

夏元明

郭文斌的近作《陪木子李到平凉》（下文简称《平凉》）不是一篇很好理解的小说。郭文斌有“北方汪曾祺”的美誉。汪曾祺小说大多写得明丽、清淡、富于诗意，郭文斌的不少作品也有同类的风格。但《平凉》不同，作者放弃了一贯的风俗画和诗意描写，放弃了儿童视角，运用起象征和隐喻的方法，意义变得模糊起来。

这是一个单恋的感伤的故事，背后的意义是什么？这就不得不解读一下几个关键意象或符号。小说的意象有这么一些。“我”，一个名叫北隐的作家；木子李，一个北京来的编辑；石书棋，“我”的同伴；那玉红，一个美丽而神秘的女人；震湖，1920年海原大地震留下的湖泊；官堡，防匪用的堡子；土匪，也许还要加上平凉。在这么一串意象中，“我”是意义的营造者和解读者，木子李是外来的他者，石书棋是个掰谎者，代表着小说中的“看”。“被看”的是那玉红、震湖、官堡和土匪。小说有意将那玉红和其他几个意象重合，在小说临近结束时，将它们完全看作一回事，这不能不引起阅读的注意。小说的结构也告诉我们，那玉红与震湖和官堡的关系太密切了。小说的主线是那玉红，可中间却插入一大段关于震湖和官堡的描写，并且通过“我”发了许多玄妙莫测的感慨。我们有理由从那玉红和震湖、官堡的共性上寻找意义的源头，否则就陷在那玉红、震湖、官堡的迷宫里不知所云。那玉红等都是隐喻，这就看我们如何去“看”了。

那玉红有什么特点？首先是美。“那是一种霸道的漂亮，或者说漂亮得有些霸道。”用“霸道”来形容女人的美大概要算一个创举，但这却是很多人生活当中的真切感受。第二个特点是神秘。不仅穿着神秘（为什么老穿一身邮电服？又不是邮电职工，为什么要穿邮电服？），出没也很神秘，包括最后的自杀。一个美而神秘的女人，竟然弄得“我”神魂颠倒，寝食难安，到底是为什么？

震湖是海原大地震留下的“杰作”，它的特点与那玉红似乎有几分相似。“它们很美，美得妖气，注视着这些水，你会觉得在生活之外有着深不可测的神秘和危险。”这是木子李的感受，同样也应该是“我”和石书棋的感受。妖气而神秘，不是另一个那玉红吗？

再就是官堡，这个被“我”谎称为“胡宗南军队的营寨”的堡子，据说用于防匪患。这些像浮萍一样漂在山的黄色波浪上面的建筑，似乎也有一种苍凉的美，也很神秘。土匪郭栓子究竟是逃走了，还是投湖自杀了？他为什么能在解放军到来的一个月前，将压寨夫人送回娘家？没有答案。

那玉红、震湖、官堡，三位一体，作者写道，木子李丈量着官堡，“恍惚间，我觉得他不是在丈量堡子，而是在丈量一个概念、或者一条河流”。那么那玉红和震湖也是一个概念、一条河流了。是一个什么概念？神秘和美？为什么是河流？河流不是常作为历史的隐喻吗？如果是，则我们可以窥视到作品的一种意义了。那就是探索人与历史，与美，与命运之间的关系。作品借堡子里的荞麦花发了一通议论：

> 我在想，这片荞麦和堡子又是一种什么关系？它为什么要盛开在堡子里？它是堡子的主人吗？如果是，堡子于它有什么意义？如果不是，它又为什么盛开在堡子里？

这与小说开头的“思考题”异曲同工。这样的问题小说中还有几处，比如将那玉红的身体与堡子进行比照时，同样发出了这样的疑问：“我不知道，这些堡子，和那玉红的身体的山水是什么关系，和她生命的山水又是什么关系，和那个看到这一切的‘看’（意义是‘看’出来的，也因‘看’所迷惑！）又是什么关系。”关系、意义，有相同的意思。万物似乎都有联系，又似乎是偶然的结合，谁破解得了？我发现作者通过这样一串隐喻性意象，走向了形而上思考。那玉红不仅是美与神秘的象征，不仅是命运的象征，对美与神秘的渴望岂非人之本性？则那玉红也可以看作内心深处的原欲。那玉红的意味有一种扩张性，随着读者感悟的不同，她的意义会随时增值。

小说里一首花儿唱得好。

上去着高山望平川呀
平川里有一对牡丹
白牡丹白着照人哩
红牡丹红着是要破哩
看上去容易折去时难
折不到手也是个枉然

牡丹是美的化身吧？可看上去容易折去时难，可望而不可即，传达着一种伤感和幻灭的情绪。小说的结尾，木子李那段意味深长的文字：我们被一条河流阻隔，我们下河试水之深浅，但当我们站在此岸，用青草擦鞋时，“我突然看到，河水以一种少见的从容向远方流去……”我们耽误在临时的“车站”(小说中第二层级的意象之一)，“那玉红”却从容前行，感伤里带点无奈！作者的感想该有多复杂啊！

每个人心中的那玉红

李 铁

郭文斌是写短篇小说的高手，他的小说一贯以情动人，《陪木子李到平凉》也不例外，尽管采用的形式带有神秘、形而上的色彩，但感动读者的仍然是一个情字。并且成功地通过这个情字，轻而易举地牵出了我们每个人心中的那玉红。我认为，能够引起读者共鸣的小说无疑是好的小说。

郭文斌同时又是一个善于营造氛围和设置悬念的作家，《陪木子李到平凉》的叙述方式充满了悬念感，读来引人入胜。小说以两道思考题开始，道出作者的困惑，也提醒我们不得不思考一些问题，那玉红于小说中的“我”有意义吗？于木子李有意义吗？于作者和读者有意义吗？也许读过全篇也回答不出其意义是什么，但这正是人生的魅力所在，也是小说的魅力所在，意义就在它的无法言说中。

粗读小说好像写的是一个单相思的故事。那玉红是小说中的“我”从学生时代就暗恋的一个女人，尽管“我喜欢那玉红，却从来没有想过‘目标’，或者‘结果’，只是喜欢”。“我”毕业后就见不到那玉红了，再次见到她已是七年之后的事情，后来陪木子李又去见她的时候，她已经死了。这其中发生过什么故事，以及她是怎么死的，作者均没有交代，我们只能通过一些碎片，发挥自己的想象来猜测她究竟遭遇了什么，及她生活中的一些细节。毫无疑问，这些故事对木子李对我们都并不重要，甚至对小说中的“我”也并不重要，重要的是她死了，而她身边的河水仍旧从容。小说显然并不这么简单，细读起来我们就会得到更多解释的途径，在我看来，这才是这篇小说的高妙之处，它使小说拥有了文本的深度和解读的多样性。我们不得不承认，我们再聪明，也是很难规划和界定一个人在不可测的人生之路上，究竟会发生些什么事。好在饱经沧桑的堡子还在，我们总能和木子李一样，从它身边走过的时候，或听到有关它的传说的时候，能够记下一些东西，考证一些东西，想起一些东西。

谁的心灵深处没有埋藏过一些东西呢？这东西也许就是一个美丽的影子，也许是一堆灰烬。好小说却能够让它死灰复燃，能够让渐淡的影子再次清晰起来，哪怕只是片刻。

作为一个小说作者，我非常佩服睿智、敏感的同行，郭文斌无疑就是这样一位作家，他目光敏锐，心怀美好与善良，不想有结果却满怀希望。表现手法随着情感起伏自然而然转换，具体而散淡的记忆被安排在巧妙精炼的小说结构里，产生了诸如“神秘感”“陌生感”甚至“悬疑感”的效果。细致的场景描写，穿插其中的地貌介绍以及有关堡子的传说，赋予了小说某种独特的吸引力和象征意味。是真正的智性写作。

最后还是要回到小说开篇的那两道思考题上，那玉红于“我”有意义吗？那玉红于木子李有意义吗？我们无法准确回答，但我们至少和木子李一样，随作者到过平凉。

选自《郭文斌论》（宁夏人民出版社 2008 年出版）

十进五的游戏

——关于第八届茅盾文学奖的随想

贺绍俊

第八届茅盾文学奖的评奖方式较往届作了很大的改变，60多个评委集中了20余天，将百来部候选作品一轮轮投票筛选下去，最后评出五部获奖作品。评委实名投票，每一轮的投票情况都在报纸和网络上公布，于是我们在评奖的20余天里，看到候选篇目是怎样逐渐递减的，仿佛就像看一群人是怎样玩一桩游戏的。我们不妨将其视为一场游戏。其实，评奖就应该以游戏的方式来进行，游戏必须遵守游戏规则，在游戏规则下人人都是平等的。但不同的游戏规则会对不同的对象有利。我对这一届茅盾文学奖的评奖过程很感兴趣，就在于它制定了一个新的游戏规则，它帮助了一些作品浮出水面，也削弱了一些作品的竞争能力。最后一轮投票，是从被选出来的十部作品中评出最终获奖的作品，获奖作品不能超过五部。我想以“十进五的游戏”为题，来说说这届茅盾文学奖。

候选的十部作品，按得票多少的排序是：张炜的《你在高原》、刘醒龙的《天行者》、莫言的《蛙》、毕飞宇的《推拿》、关仁山的《麦河》、刘震云的《一句顶一万句》、郭文斌的《农历》、刘庆邦的《遍地月光》、邓一光的《我是我的神》、蒋子龙的《农民帝国》。最终的评奖结果可以说是波澜不惊，但也稍微泛起了一点浪花。基本上，排在前面的四部作品都获奖了，而且排序也没有发生改变。按规定可以有五部作品获奖，但排在第五位的《麦河》最后失去了获奖的资格，而被紧随其后的《一句顶一万句》取代。

其实，如果按早期的茅盾文学奖评奖环境看，评奖的有关部门和有关领导会很看重《麦河》这部作品能否获奖。因为茅盾文学奖作为一种带有浓厚官方色彩的奖项，非常强调它与政治意识形态保持高度的一致，每一次的评奖，都希望获奖作品中至少能够有一两部在主题和题材上非常具有"主旋律"的特征。

而在候选的十部作品中，《麦河》是最具有"主旋律"特征的，它正面写当下农村改革在深化进程中出现的土地流转现象，从基调上看也是积极昂扬的。最后一轮投票，一些评委放弃了《麦河》而把票投给了《一句顶一万句》，这至少说明了茅盾文学奖逐渐淡化了自己的政治色彩，也逐渐卸下了它不应该背负的政治包袱。

现实主义应该是茅盾文学奖坚持的一个原则，也是中国当代小说创作的主流。但必须看到，现实主义并不是一个一成不变的东西，无论是从创作方法上说，还是从一种观察世界的方式上说，现实主义在不断发展着、丰富着。茅盾文学奖应该体现出现实主义创作的客观形态，宽容地接纳现实主义在创作实践中的开放性和包容性。

从整体上说，茅盾文学奖的审美姿态比较滞后，赶不上创作实践的发展。从这一届的参评作品来看，其中有一些进入到前 20 位的作品在现实主义表现方式上有了明显的突破，反映了当下现实主义创作的新趋势。比如，在现实主义表现方式上完全突破了经典现实主义纯粹客观叙述的既定框架，作家依靠着现实经验，遵循着现实逻辑，却极尽主观想象，具有极强的主体意识。作者在对世界的认知上、在对经验的处理上似乎更加自信，这既是 20 世纪 90 年代个人化趋势的延展，又是对个人化的超越，个人化写作经过现实主义叙述的磨炼，逐渐摆脱了个人化写作远离现实、淡化思想的倾向，在面对现实发言时体现出更鲜明的个性。

红柯的《生命树》就是一部个性风格非常鲜明的作品。红柯以天山为背景写了一系列长篇小说，《西去的骑手》中的马，《大河》中的熊，《乌尔禾》中的羊，以及《生命树》中的树，都是天山神秘地域播洒在红柯头脑里的文学精灵，而这几部小说中，《生命树》可以说最为圆熟。红柯在这部小说中跨越时空和文化的障碍，带着对远古和神话的敬畏之心，去礼赞生命和大地。

宁肯的《天·藏》则是一部强调作者主体意识的哲理化作品。宁肯从哲学的高度思考自己在西藏的生活，《天·藏》几乎就是他思想实践的真实记录。小说写高校的哲学老师王摩诘在20世纪80年代末主动来到西藏，在一所小学教书。与当时社会陷入一种方向性的迷茫相反，王摩诘选择了西藏这块净地，让维特根斯坦的现代哲学与藏传佛教对话，并努力重建自己的精神家园。作者将一种形而上的思考融入洁白的雪山、明亮的阳光、飘动的经幡之中，使思想变得富有形象感和神圣感。

宁肯的这部小说可以说是对当下物质主义崇拜的严肃诘问。这两部作品也是充满诗意化的作品,《生命树》是情感的诗,《天·藏》是思想的诗。诗意化其实就是作者强化主体意识的一种文学手段，也是新世纪现实主义开放形态中很突出的一个特征。如果茅盾文学奖能够最终让这类在现实主义表现手法上有了重大突破和创新的作品站到颁奖台上，其意义是不言而喻的。

进入了前十的郭文斌的《农历》可以说是一部诗意化的作品。但《农历》的意义还不在于诗意化，而在于作者的写作姿态。我以为作者郭文斌是以一种反现代性的姿态来写这部小说的，他通过描述民俗节日中的仪式化行动来缅怀传统文化的深邃宏大。因此，这是一部从主题到叙述都是远离时尚的小说。小说提醒人们，在现代化的时代，文化生态应该是多样的，不要以拒斥的态度对待前现代文化，因为它们的温馨在今天仍能感化人性。

《农历》的叙述是一种散文化的叙述。小说并没有一个非常明显的情节线索，基本上是围绕一个农家的日常生活来写。通过对一种日常生活的描述，来展现传统文化精神是如何渗透到人的内心的。

郭文斌所写的日常生活又不是一般的日常生活，而是仪式化日子中的日常生活，所以写的是十几个节日。节日是什么？节日就是一种仪式化的文化呈现方式，在仪式化的日子中，将日常生活中呈常态表现的情感、文化、伦理、意志等东西凸显了出来，让人们懂得如何去珍惜之、敬畏之。

《农历》又是一部节奏缓慢的作品。作者在节奏上挑战当下的阅读时尚。当下是一个追逐速度的时代，阅读也变成了快速浏览，但真正的文学审美必须在缓慢的阅读中才能实现。可惜，我们今天完全不在乎这一审美的起码条件了。

郭文斌在小说中对“过”这个字有一个非常精彩的解释，他说，“过”是什么？“过”就是一寸一寸的过去了。我认为郭文斌的叙述就体现了他对“过”这个字的理解，他是把一寸一寸的光阴都走过一遍，是那么悠然、从容，真正做到没有虚度时光。他是时间最忠实的伴侣，他的叙述是关于时间的叙述。现代性是什么？现代性是一个加速器。而郭文斌的叙述是让我们从加速器中间退出来，退到真正的时间流程中，一寸一寸地去度过这个光阴。

所以，他的节奏缓慢不完全是一个形式问题，而是与小说的反现代性主题相吻合的叙述。如此说来，《农历》的反现代性主题、散文化叙述、节奏缓慢，都是对茅盾文学奖构成一定挑战性的因素。

茅盾文学奖在审美选择上趋向于保守和稳重，这也许是一个代表国家文学形象的大奖所不得不采取的姿态。但过于保守和稳重，使它大大落后于创作现实，从而也错过了不少具有创新性和开创性的优秀作品。韩少功的《马桥词典》、莫言的《檀香刑》都属于这类作品。

韩少功的《马桥词典》出版于 1996 年，那个阶段的当代小说在欲望化写作和市场化社会转型的双重推动下，沉湎于形而下的写实狂欢中。韩少功却关注语言，探寻语言背后的形而上意义。

《马桥词典》融合了作家在历史、地理、语言学、人类文化学、民俗学等方面的知识与涵养，处处展示出作者对哲学、社会学、历史学的沉思，更体现了深刻的哲理性。如同一些学者所指出的："它真正的独创性，是运用民间方言颠覆了人们的日常语言，从而揭示出一个在日常生活中不被人们意识到的民间世界。"

《马桥词典》的出版，就像在形而下的黑暗中透出了一线阳光。莫言的《檀香刑》出版于 2001 年，我当时就被它的独创性所震惊。我当时就感觉到，这部小说标志着中国当代长篇小说已进入具有自主意识的中国化的现代小说的新阶段。今天再来看我的这一感觉，仍觉得并不过分。莫言的成名和风格定型，也像新时期涌现的新一代作家一样，基本上是建立在向西方现代小说学习的基础之上的，尽管耳目一新，但仍看到西方的痕迹。

在《檀香刑》的写作中，莫言自觉地摆脱西方的影响，从民间戏曲中找到了灵感，从而形成了真正属于自己的特别的语言叙述方式。当年，《檀香刑》也进入到茅盾文学奖的最终角逐，但终因没有达到三分之二的评委认可而落选。虽然《蛙》也是一部不错的作品，但我以为，对于莫言而言，如果他的《檀香刑》获得了茅盾文学奖，其意义和影响力肯定要大得多。

第八届茅盾文学奖评奖已经结束，可以断定的是，茅盾文学奖在今后仍要面对如何更加开放的问题。在茅盾文学奖评奖筛选到十部作品的时候，我对这十部作品做了一个点评。当然，我是侧重于将我以为其作品有价值的方面强调出来的，也不知道哪几部作品能走到最后。我愿意将我当时的点评列在下面。

《你在高原》：张炜花费 20 年时间完成的浩浩 10 大本的《你在高原》，可以看成是在本土性和现代性两极中寻求平衡的精神之旅。小说主人公宁伽其实就是张炜精神主体的承载者。张炜的精神之旅是沉重的，也是艰难曲折的，这构成了小说现在这样一种错综复杂、无规律可循的结构。但他的精神之旅又是自由的，他任自己的思绪朝前闯荡。平原、高原、农场、葡萄园、美酒、地质工作者，这些都是张炜精神之旅沿途最重要的路标，这些路标引导我们走向一个理想的家园。高原的希望牵引着张炜走完了这次精神之旅。从整体上说，张炜对现实是持批判态度的，但他不是一个恋旧的悲观主义者，更不是一个被新时代抛弃的遗老遗少。因此，才有他这样一种处理现实与理想的方式。

现实显然不是他理想中的现实，于是他把他的理想安妥在西部高原。但他并不舍弃现实中的平原，他始终在平原中游走、战斗，也许是屡战屡败，但他同时又是屡败屡战，而且从来都是斗志昂扬，因为有一个西部高原的理想在支撑着他的精神。

《天行者》：10多年前刘醒龙的中篇小说《凤凰琴》让一直默默奉献在山乡村落的民办教师站在了全国民众的面前，《天行者》则是《凤凰琴》的延伸和发展，作者以文学之碑铭刻下了民办教师的历史功绩，界岭小学的几位民办教师就像几个小小的泉眼，以清澈的泉水滋养着人们的心灵，让闭塞的山村悄悄地发生了变化。这些民办教师常年背负着不公的身份，却要默默地克服许多难以想象的困难，在最缺少知识的地方“传道授业”，如果没有一点“自强不息”的精神，是难以做到这一步的，因此，他们是名副其实的“天行者”。

作者将民办教师视为“20世纪后半叶中国大地上默默苦行的民间英雄”，在客观叙述中深怀着敬仰和理解，并揭示出民办教师身上承载着延续五四思想启蒙的历史使命。他们的所作所为就是在将五四思想启蒙完成得更加全面、彻底。

《推拿》：《推拿》的最伟大之处就在于，作者毕飞宇将盲人作为正常人来写。他改变了千年来几乎固定不变的成见。这个成见就是认为盲人是非正常人。这个成见也基本上左右着文学中盲人形象的塑造，使盲人形象往往成为一个符号或象征，盲人作为正常人的资格长期被剥夺了。

小说体现出毕飞宇叙述上的成熟和老练。他力图处在一种“无我”的思想状态中去体贴入微地揣摩叙述对象的精神和心理，为我们真正打开了盲人的精神世界。所谓“无我”并非没有了作者的主见，它只是超越了一己的小我，而让“小我”与“大我”重合在一起，这种“大我”可以看作是对“道”的把握。

在《推拿》中，毕飞宇的“道”既是盲人之“道”，也是民主、平等的人道主义之“道”。毕飞宇以他体贴入微的理解在提醒我们，盲人有着与我们一样的情感和欲望，有着与我们一样的思想和人性。我们应该尊重他们的生活方式和情感表达方式。

《蛙》：这是一部结构新颖、构思缜密的小说。莫言从当代农村生育史这一特殊角度入手，对深受传统伦理道德观念影响的乡村生命意识进行了全方位的表现。在讲述乡村实行计划生育政策中各种奇异的故事时，莫言收敛起他的汪洋恣肆，以一种谨严和深沉的姿态，去叩问故事背后因文化、传统、伦理、政治、权力、金钱等种种因素而构成的玄机，批判了在中国充满悖论的现代化进程中顽固的国民性痼疾，以及由此而来的人性悲剧宿命化的延续性。莫言在讲述姑姑忏悔的故事时贯穿着一种强烈的自我救赎的意识，因此，这部小说也可以说是莫言在严峻的社会现实面前对知识分子立场的追问。

《麦河》：现代化进程中农村土地的凋敝深深困扰着当代作家，但关仁山从河北农村进行土地流转的试验中感到了土地复苏的希望。他以土地流转作为《麦河》的基调，将乡土叙事的主题由挽歌转化为颂歌。但他的这首颂歌是浸着忧伤的颂歌，因为土地流转并没有完全消除他对土地问题的忧虑。

关仁山站在今天时代的高度，对土地的认识更加深化。他将土地人性化和精神化，他关注土地，最终是为了关注与土地密不可分的农民。他意识到，土地流转可以解决农民经济上的困境，却并不能直接带来农民与土地的和谐关系，这种和谐关系要靠农民自身来创造。

关仁山从幸福的角度解答了农民与土地的和谐关系。农民离不开土地，不仅仅是因为他们要从土地里获得粮食，还因为他们的精神和幸福感都是从土地里获得的。

土地流转也许突破了农业生产的瓶颈，迈向了现代农业，可以带来经济的大发展，但它也为农民是否还有真正属于自己的幸福埋下了伏笔。

《一句顶一万句》：在《一句顶一万句》中，刘震云俨然在以小说的方式来完成一个元哲学的猜想：关于说话的猜想。刘震云将小说叙述当成了说话的技术，他在小说中的追求可以看成是对于说话的艺术领悟。一方面，他很讲究小说的叙述方式，叙述方式其实就是作者本人的说话方式。另一方面，他从民间大众的日常生活中获取有关说话的灵感，从而找到了属于他自己的小说叙述方式。于是，他的写实性的小说完全超越了现实生活的约束，达到一种天马行空的程度，却又不会堕入玄幻、虚妄的地步。

刘震云以不动声色的方式讲述着很琐碎的人与人之间的关系，却个个细节都在传达着这层意思：说话具有不可预知的力量，说话的结果又往往不是说话者的本意，人们每天都不得不说话，却又无法通过说话真正与人沟通。人们在说话中看似热闹，其实每个人都是孤独的。在那些活动着的小说人物和故事情节背后，有一个怀着浓郁孤独感的作者，他借助笔下的人物倾诉着自己的孤独感，并怀着孤独感固执地追问着说话的问题、语言的问题，他把这些问题引向形而上的方向，引向元哲学的方向。

《遍地月光》：该小说以对地主子弟黄金种几十年寻找对象的苦涩经历的描写，唤起了人们对尊严和平等的重视。作者以一种轻松的姿态来讲一个悲惨的故事，体现出作者宽广的胸怀和向上的境界，他愿以一个悲剧来唤醒人们内心的善良和温暖。月光是作者美好愿望和理想的化身，因此，他让主人公黄金种在看到窗外遍地月光时，增添了与苦难抗争的勇气。作者熟悉农村，也对农村充满感情，《遍地月光》再一次显示了作者的优长。

《农历》：小说无论是主题还是叙述，都是远离时尚的。作者把我们带到一个纯净的世界，与两位天真的乡村孩子五月和六月一起去体会传统文化的醇厚。作者以非常淡雅的笔调写了一个乡村家庭的日常生活，通过民间节庆日子将这种日常生活仪式化进行了叙述，从而充分展现了传统文化精神是如何渗透到人的内心的。作者以一种反现代性姿态来缅怀传统文化的深邃宏大。它提醒我们，我们所处的时代应该是不同的文化形态相互牵制、相互影响，形成一种合力，从而构成良好的文化生态。如果我们缺乏这样一种反现代性精神，我们的现代性问题就解决不了。这就是《农历》的意义所在。

《我是我的神》：邓一光在《我是我的神》中通过一个革命英雄的家庭史，描绘出与共和国息息相关的两代人的命运和心路历程，记录下他们与祖国同步的半个多世纪的风风雨雨，揭示出这样一个真理：英雄主义精神在不同的时代会有不同的显现。乌力一家人的经历穿越了自解放全中国以来的大半个世纪的峥嵘岁月，几乎这段岁月里影响中国历史进程的大的战争事件和国家安全战略决策里，都会出现乌力家人的身影，都会留下他们的英雄举动和牺牲。

小说结束于乌力图古拉的死，但他的死没有丝毫的悲惨意味，相反让我们感到了死的雄伟，因为乌力图古拉的英雄精神并没有死去。重要的是，乌力图古拉在临死的时候，认可了他的儿子们“寻找新的生活”的努力。小说再一次奏响了主题乐章：创造自己的黄金时代。而这个黄金时代的内涵在儿子们的努力下已经变得更加丰富。这意味着从革命战争年代到和平建设年代，我们的信念是一以贯之的，而先辈们梦想的黄金时代，在儿子们的努力下其内涵变得更加丰富和精彩。

《农民帝国》：这是一部以主人公命运沉浮为主线的小说，讲述了郭存先如何从一个赤贫的农民，奇迹般成为中国农民首富，最后又沦落为阶下囚的戏剧人生。作者通过这一传奇化的农民形象，对中国传统的农民文化和农民性格进行了批判性的反思。即使郭存先打造出了号称“中国第一村”的农民帝国，但仍旧摆脱不了成为悲剧性人物的命运。郭存先身上固然凸显了中国农民特有的智慧、韧劲和吃苦耐劳的品格，但这一切都依附在物质之上，难以获得精神的自由。蒋子龙力图站在现代性的高度去讲述一个发生在现实生活中的真实故事，郭存先这一艺术典型中，我们能体会到作者对农民问题的急切关怀。

[载于《天津师范大学学报（社会科学版）》2012 年第 1 期]

文学不应该成为进化论的奴仆

贺绍俊

现在似乎是都市文学的天下，它们占领了市场，正获得批评家们的大声鼓吹。批评家们忿忿然地说，为什么文学奖里看不到都市文学的踪影？在这样的氛围下，我觉得再一味地谈乡村都有点儿犯怵。可是谢友鄞的《驼啸关东》（载《芙蓉》2005 年第 3 期）却是彻头彻尾的乡里的事，何况谢友鄞就像是一位关东大汉，他以大碗喝酒大块吃肉的方式朗声地讲述着沙屯里的事情，他的豪爽气感染了我。从一定意义上说，谢友鄞就是为辽西关东而活着的，他的生命都搁置在此地，我猜想，他若不写关东他的生命就会喘息。一个“啸”字大概最能体现他心中的辽西关东性格了。而他的短促的、以动词为轴心的叙述，就像是一声接一声呼啸的节奏——“伍士堂拎起人参样大葱，齐腰一撅，咔吧，葱汁溅我一鼻子。我用手抹，眼泪哗哗淌。伍士堂将葱梗往酱碗里一拧，塞进嘴，吧唧吧唧咬，鼓圆腮帮问我：‘乡文化站的老王，你认识不？’”——你把这样的句子读下来，一个关东大汉就活生生地站在了你眼前。

不过我还是有些迷惑了。在小说的开头谢友鄞为什么要塞给我们一个现代化的笔记本电脑呢？莫非他也感受到了都市文学咄咄逼人的气势，于是也要在他的乡村图景里抹一笔都市的颜色？但我读到最后，笔记本电脑再一次出来收尾，我释然了，明白了作者的深意："我敲一下存盘键，红灯亮了，沙屯的人，沙屯的故事，收入微机里。"这是否在告诉人们，城市虽然神奇、强大，但乡村的故事和乡村的人物还装在城市的匣子里。谢友鄞的敲打存盘键的细节也许就有了一层寓意：我们何不惬意地在都市风景中容纳进乡村的精神？而我更赞叹谢友鄞最后设计的一个"几乎没有人留心"的报道。这个镶着花边的报道把前面关于沙屯的叙述一下子变得似真似幻。但我宁愿将它理解为，都市里的一切精神想象都是以乡村作为资源的。

文学中的有些东西是穿越时空，具有永恒性的。比如说我们在推重都市文学时，绝对不意味着乡村精神就是一个被淘汰的东西。不久前在第三届鲁迅文学奖颁奖典礼上还专门召开了一个都市文学的会议，我也参加了会议。在会上我听到大家的发言后就想到一个问题，我们讨论都市文学的时候当然对应的是乡村文学，但人们在谈论都市文学时似乎认同了一种思维逻辑，就觉得我们这个时代在进步，文学也应该伴随着时代同步前进。文学的进步与时代的进步仿佛可以用同一个尺子来衡量。比如说我们现在是都市化了、现代化了，那么文学也应该都市化、现代化。我认为这种思维逻辑是大成问题的，这是一种进化论的思维逻辑，尽管进化论为我们解开了许多自然的奥秘，但进化论并不是一个普适的原则，尤其对于精神领域来说更是这样。因此文学不应该成为进化论的奴仆，它不是用进化论能够解释清楚的。这就是说，谢友鄞的《驼啸关东》即使去掉了那台作者“倾家荡产买的”笔记本电脑，仍是当代的一篇好小说。

谈到乡村文学，我要力推最近由宁夏人民出版社出版的郭文斌的小说集《大年》。有人说都市文学之所以还没有超过乡村文学，还没有出现令我们叫好的作品，就是因为作家对都市的经验消化得不够。其实也不能说完全就是对都市经验消化得不够，有些作品，比如表现都市情感生活的作品，有些固然是矫情、滥情，但仍有不少作品真实地传达了都市情感生活的经验，不仅相当丰富，而且体会得也相当深刻。可是我们仍对这样的作品感到不满足。为什么？因为我们读小说不是为了学习生活经验的，我们还有其他的诉求。这种诉求隐隐在我们心头，这是一种精神的诉求。郭文斌的小说中就充盈着这样的精神诉求。这首先是说，作为作者，郭文斌本人就有强烈的精神诉求，他把精神诉求看得比经验更重要。比如《剪刀》，这是一篇十分精致的小说，但你能说《剪刀》是写苦难吗？它是在渲染苦难吗？或者它是在将苦难审美化吗？我觉得这样的解释都不准确。有一些小说是用这样的路子去写的，而且也写得不错，这样写显然更多的是依赖于作者对苦难生活经验的体验。《剪刀》虽然主体的内容都关乎苦难，生活的苦难，生命的苦难，但作者并没有陷入苦难，并没有抓住苦难大做文章，因此我们若用前面的解释就不可能真正进入小说给我们提供的那样一种境界。郭文斌是通过苦难而走向生命本身，他由此而超越了苦难，他在苦难中领悟到了生命的意义和生命的伟大。小说中的女人在最后用一把剪刀亲手结束了自己的生命，这个细节是有震撼力的，它揭示了苦难对人的压迫，但郭文斌用意不在渲染苦难，因此他把这个重要的细节虚着写，只是给人感觉一种很强大的震撼力，这时候死就不仅仅是悲壮两个字可以概括的了。

“死”在郭文斌的小说里面经常会作为一个很重要的主题。像《开花的牙》，就是以非常形象的民俗生活表达了作家对生和死的理解。这个小说虽然非常生活化，好像是写乡村民俗的一些很细节化的东西，但是在阅读中我感觉到里面包含了一种超越世俗化的精神性的东西、哲理性的东西。小说重点写了爷爷的死以及死后亲人们的举动，但在小说的叙述中，“死”完全超脱了世俗层面的意义。通过郭文斌的叙述，我们感觉到，死和生是互相转换的，它并不是说死就是一种非常悲伤的东西，死不过是生命中的一个链条而已。在这样的表达中，我们并没有感到作者是在掩盖苦难，就在于作者跳出了世俗层面，他不是在再现现实，而是带我们进入一种哲理的境界。

郭文斌的意义就在于他在创作中能够超越世俗层面的东西。读郭文斌的小说，给我一个最强烈的印象，郭文斌是与欲望无关的。当然这并不是说他不去写欲望。小说既然是写人的，就绕不开写人的欲望。理论家经常谈到“怎么写”比“写什么”更重要。而“怎么写”又在很大程度上取决于作者内心怎么想。所以在谈到写欲望时还要考察作家内心有没有欲望。虽然有些小说不写欲望，虽然作家好像是在表示一种很高尚、很崇高的东西，但是你读这些小说时你却会感觉到那个作家骨子里的欲望在发酵、发臭，从字里行间你可以闻到这种味道。有一个小故事很好地说明了这个问题，这个小故事正好在郭文斌的序言中也被提到。这是苏东坡与佛印和尚的一段小故事。他们都在打坐，打坐完后，苏东坡问佛印说你现在看我是什么状态，佛印说我看你就像一尊佛，佛印问东坡你看我呢，苏东坡说我看你就像一堆大粪。苏东坡很得意，觉得自己赢了，他回去跟妹妹苏小妹一说，妹妹说你输了，佛印看你是一尊佛，那是因为他心中有佛，他看一切都是佛，那么你看他是一堆大粪，说明你是什么人，不用说了。这说明一个很简单又很深刻的道理：我们心中有什么就会在我们的言行中表现出什么来。古人说的“文如其人”其实也表达了这样一个道理。我感觉郭文斌肯定对这一点也是领悟得非常深刻的，他在小说《睡在我们怀里的茶》中还复制了与此相似的细节。徐小帆的妹妹要去找大海，徐小帆对妹妹说只要你心中有大海，你在到处都可以看到大海。我想，郭文斌大概始终把这当成自己追求的一种境界吧。

选自《郭文斌论》（宁夏人民出版社 2008 年出版）

日常生活的诗意言说

李春娟

当下的“日常生活审美化”，像一张巨大的网把日常生活的每个角落都包容进去，我们看到现代人拥有了华美的房屋和悦目的装饰就以为自己找到了诗意的生活，殊不知诗意却离他们愈来愈远。“日常生活审美化”并没有为人们找到真正诗意和美的生活，感性生命个体沉入消费享乐的汪洋大海后，日渐处于一种物质奢华享受的忙碌状态，缺乏一种与自然本真亲切拥抱的精神，而日常生活潜在的乐趣和自然本真状态的本真美渐渐被遗忘和遮蔽，浮华的物质享受背后隐藏的可能是一座精神荒原。而我们向往的不仅仅是物质层面的审美化，日常生活精神需求的审美化才是生命的意义所在，我们渴慕的应该是充满诗意、光亮和美的生活，从而实现自我超越。

一、返归自然本真的日常生活

布达佩斯学派主要代表人物 A · 赫勒在她的《日常生活》

中是这样定义日常生活的，她认为：“如果个体要再生产出社会，他们就必须再生产出作为个体的自身。我们可以把‘日常生活’界定为那些同时使社会再生产成为可能的个体再生产要素的集合。”可见日常生活与感性个体生命的生存息息相关，具有奠基性的特点。赫勒用“自在的类本质对象化”概括日常生活的本质特征，“自在”的特征就揭示其给定性和先在性，从某种意义上说这种自在性就是一种重复性。从积极角度看，日常生活具有原发性、始基性的特点，从消极角度看，日常生活则具有重复性、自在性的特征。

在物质文明高度发达的现代社会，人们试图通过机械忙碌的生活来确证自我存在的意义，这种重复性、机械性的生活从根本上遮蔽了日常生活潜在的乐趣和自然本真的状态下生活的充盈和生命的丰满，而这种充盈和丰满就是自然本真的美，就是日常生活的诗意、光亮和希望。

现代法国思想大师、“日常生活批判理论之父”列斐伏尔强调日常生活具有永恒的轮回性与瞬间的超越性。在列斐伏尔看来，日常生活固然有其顽固的习惯性、重复性、保守性这些普通平常的特征，但是在最平常的生活形式里，在大量的生活时刻，还潜藏着许多独特例外的瞬间，这瞬间积聚着诗意和希望。这蕴藏着诗意和希望的瞬间是理想的日常生活，是自然本真的日常生活。在列斐伏尔看来，这样理想的日常生活的典型就是节日庆典，相比令人沮丧的现代都市，他把浪漫的眼光投向法国乡村的节日庆典，他倾心于前现代社会、法国乡村的节日与日常生活融为一体，那种人与自然欢乐融融、天人合一的境界。他醉心于感性生命个体的狂欢，这种狂欢是身体、精神，自然而然、无拘无束的全心投入和解放。这是人类日常生活向自然本真状态的回归。

在中国古典哲学道家思想里面，老子将自然本真的生活状态比喻为“婴儿”或“赤子”状态，“常德不离，复归于婴儿”，“合德之厚，比于赤子”。这种素朴的状态就是庄子所谓“返真”的状态：顺万物之本性，畅万物之真，自然自在。庄子称赞这是最美的素朴状态：“素朴而天下莫能与之争美。”可见，在中国古典哲学思想里，返真的思想也闪耀着光辉。

道家倡导的随性自然、自在自得与列斐伏尔倾心的无拘无束的狂欢，其实都是强调回归本真自然的状态下真性情的流露，赞美的是一种顺其自然的生活存在状态。

那到底什么是“自然本真的日常生活”？我认为“自然本真的日常生活”是指以自然、本真为底色，“自然本真的日常生活”既指与大自然和谐共存的生机勃勃的日常生活，也指世俗生活中不刻意追求，顺乎自然天性，不受任何外在规范羁绊的素朴生活。

二、源于诗意的艺术构建

自然本真的日常生活充满诗意和光亮，而这样自然本真的美在艺术世界里得以保存和澄明。我选择以汪曾祺、郭文斌等作家的日常生活叙事文本来追寻自然本真日常生活里的诗意和美。之所以选择他们的文学文本，是因为他们选择故乡作为文学创作的底调，这就决定了文本本身的丰富和纯净，他们比较典型的从审美的、精神的向度出发，返还了自然本真的民间生活状态，建构了一个丰沛、充盈，充满着乐音和色彩的自然本真的日常生活世界，而诗意和自然本真美就洒落在这样素朴的日常生活里。

（一）“绘画式”叙述

以郭文斌的《吉祥如意》为例，少男少女迎着端午的朝阳上山采艾草，晨雾中的山缥缈空灵，五月和六月在嬉戏追赶，乘风歌唱，等待着采摘一年的吉祥如意。

与其说它是小说，还不如说它就是一幅画，一首诗，画出了日常生活中的诗意和美，写出了人生的快乐。看似简单平淡的叙述，实则是满怀诗情的在作画，在写诗，在赞叹自然本真日常生活的诗意和美好。

（二）儿童视角的运用

汪曾祺、迟子建、郭文斌的小说里都运用了儿童视角，用儿童天真无邪的眼睛看到的是一个唯美、诗意、纯净、丰富的世界。郭文斌的《大年》以儿童视角切入，“明明能够感觉得到，满院的春和福像刚开的锅一样热气沸腾，像白面馒头一样在蔼蔼雾气里时隐时现。”浓得化不开的年的氛围在孩子的感受中得到完美诠释，洒落在日常生活中的美在孩童眼里展现得淋漓尽致。

（三）视角的转换

视角就是通过谁的眼睛看，我认为无论作者选择谁的眼睛看，从叙述者切换到人物，或是从人物切换到叙述者，归根结底并不意味着叙述者或者作者悄然隐退，或许我们可以这样认为，视角的变异、视角的切换，莫不如是人物、叙述者、作者三者的视角圆融地结合，其中交融渗透着人物、叙述者、作者的对待生活的姿态和心意。

汪曾祺的短篇小说《戴车匠》叙写了车匠如诗如画的生活：把茶壶带过去，放在大小车床之间的一个茶几上，小茶几连在车床上，坐到与床连在一起的高凳上，戴车匠也就与车床连在一起，是一体了。人走到他的工作之中去，是可感动的。

先试试，踏两下踏板，看牛皮带活不活；迎亮看一看旋刀，装上去，敲两下；拿起一块材料，估量一下，眼睛细一细，这就起手。旋刀割削着木料，发出轻快柔驯的细细声音，狭狭长长、轻轻薄薄的木花吐出来。

这是对戴车匠日常生活状态的一段简朴的叙述，但是在这平铺直叙的展示中，我们可以感受到字里行间荡漾着浓挚的感情和源源不断的诗意。那么这浓郁的诗意源自何处呢？首先来自汪曾祺自然流畅的叙述，这素朴的叙述本身就充满诗意。但是汪曾祺先生能把这平淡素朴的生活叙写地如此多姿多彩，得益于他对生活的深切体验以及他对生活始终保有的一种欣喜和赏爱。

同时，这令人感动的诗意也得益于汪曾祺先生能够借助叙述技巧来实现诗意的呈现。这段文字先以外在的叙述人为叙述主体，叙述人对戴车匠的准备工作做了简要介绍，在叙述人的带领下，我们走进了戴车匠的生活，但是，“人走到工作中，是可感动的”，写戴车匠踏踏板、试皮带、看旋刀的时候，叙述人的视角就转向了人物视角，或者说这里的叙述人与人物已经融合为一了。如果不是饱含着对生活的热情，不是自己用勤劳和汗水苦心经营起来的店铺，车匠铺只能是一个普通平凡的小铺，而这个小铺却是戴车匠平淡生活的重要组成部分，因此在旁人眼里滞重重复的工作却带给戴车匠无穷的乐趣，不起眼的木花在戴车匠眼里就如含苞待放的花儿一样惹人爱怜。

三、美学启示

（一）以自然本真的思想陶冶诗意的人生态度

在这个日益喧嚣浮躁的社会里，人们日渐缺乏一种与自然本真亲切拥抱的精神，返归自然本真的日常生活，有助于现代社会的人们带着恬然自适的诗意态度观赏周遭的日常生活。正如朱光潜先生所说："有一双慧眼看世界，整个世界的动态便成为他的诗，他的图画，他的戏剧，让他的性情在其中'怡养'。"拥有这样一双慧眼的人必定具有诗意的情怀，心里有源头活水，带着诗意宁静的心去观赏周遭的世界，从而从滞重平庸的生活进入到诗意盎然的境界。

（二）以静观的心灵体味人生意蕴

自然本真的日常生活涵养静观的心灵，静观就是无关利害，静观之心就是一颗清明之心。现代社会的人们受到各种虚假的欲望的干扰，使人变得复杂和浮躁，很少能够以静观的心去打量世界，让自己置身于与宇宙万物息息相通的境界中。

丁来先认为："审美静观的心多一份精神的自由感，多一份生活的自然感"，带着这样的心去体味潜藏在平凡普通的日常生活中的生命意蕴。体味生命意蕴，意味着体味"亲子情、男女爱、夫妇恩、师生谊、朋友义、故园思、家园恋、山水花鸟的欣托……”保持一颗静观的心会使我们在庸碌的日子里驻足流连，满怀深情地品味日常生活中的点点滴滴。

（载于《文学教育》2010年第10期）

论汪曾祺与郭文斌乡土散文的同质性

张　敏

新时期以来，乡土散文几乎形成了一股与“五四”时期乡土散文遥相呼应的发展态势，既继承了“五四”时期乡土散文“化传统”的文脉，又超越了其在民俗风情中寄寓个体对故乡的思恋之情，具有新的意蕴和艺术魅力。它主要靠回忆重组来描写故土乡亲、山水村寨、民风乡俗、掌故传说等，既写了过去乡土生活的余味，又写了变化着的乡土，带有作家的情感意蕴和审美趣味，富有浓厚的乡土气息和地域色彩。其中，汪曾祺是代表作家之一，通过对故土家园深沉眷恋的表达，奏响了一曲柔和温暖的怀乡之曲。与他相隔近半个世纪的宁夏作家郭文斌，因着气质心性的相近，与汪曾祺的乡土散文有着令人惊异的同质性，都体现出一种怀乡抒情的模式。就如有的评论者指出：“郭文斌的美学风貌与废名及京派作家汪曾祺颇为接近。”不同时代不同地域的两位作家，创作出具有相同美学精神的作品，值得我们去探究其中的美妙，进而揭示乡土散文发展的某些维面。

一、故乡：原乡神话式的存在

故乡是汪曾祺和郭文斌共同选择的抒情对象，它似乎成了作家情感的祭坛，甜蜜而忧愁，温暖而哀伤，感恩而敬畏，充满着神圣的祭拜意味。而从文学史角度看，故乡，一直都是文学书写的主题，无论是歌赞它、批判它，爱它、恨它，它一直都以原乡神话的形式存在，背后有着丰富的原型意义，包含着深远而巨大的象征性。它是故土、家园、童年、母亲、爱、苦难、温暖、幸福等隐喻意义的代名词。王德威在《原乡神话的追逐者》一文中指出，相对于现在所居的家乡，"'故乡'因此不仅只是一地理上的位置，它更代表了作家(及未必与作家'谊属同乡'的读者)所向往的生活意义源头，以及作品叙事力量的启动媒介。"作家通过"时序错置"，在过去与现在的回忆交错中构筑一个带有寓言色彩的原乡神话，通过"空间位移"，使叙述行为完成了一连串"乡"之神话的转移、置换及再生，同时也显露了原乡神话本身的虚拟性与权宜性。因此，我们说"原乡神话"不仅表达在时间上的今昔对比以及空间上的人去物非，更有着从当下时空家园出发找寻业已失去的故乡的憧憬，"'故乡'的人事风华，不论悲欢美丑，毕竟透露着作者寻找乌托邦式的寄托，也难逃政治、文化乃至经济的意识形态兴味。"

故乡在时空距离的拉伸下变成了原乡，作家通过文字弃跑在一遍遍的回忆与想象中，寻找留存在心灵中的家园。汪曾祺的故乡是他的出生地江苏高邮，他童年和青少年阶段都在这里生活。19 岁时，汪曾祺考入西南联大中文系，从此开始了远离故乡的生活，直到 1981 年才又重回高邮。此后又于 1986 年、1991 年再次回去讲学探亲。汪曾祺曾说："人到晚年，往往喜欢回忆童年和青年时期的生活。"因此，高邮的山山水水、花鸟虫鱼、人事掌故、菜蔬饮食、节日文化一次次出现在他的笔下，娓娓而谈，如行云流水，雅洁恬淡，富有情致。在《自报家门》《我的祖父祖母》《我的父亲》《我的母亲》《我的家乡》《故乡的食物》《故乡的元宵》等文章里，高邮不再只是汪曾祺个人的故乡，也成了吸引读者心驰神往的文学"故乡"。读者深深沉浸在他工笔细描之下故乡的水、桥、街、人、食等日常生活情景中，就像沈从文说的，那是"圣境"。他津津乐道故乡的民俗风情，他说，"风俗是一个民族集体创作的生活的抒情诗。"不同于鲁迅等人从启蒙主义立场出发，重在挖掘乡土风俗的落后与愚昧，汪曾祺是一个故乡风俗的歌唱者，在他有意识的选择之下，消解了故乡的沉疴痼疾，故乡被赋予了伦理与美学的价值。

郭文斌，宁夏西吉人，著有散文集《空信封》《点灯时分》《守岁》等，其"农历"系列小说，也被认为是散文化的乡土小说。郭文斌创作的基石是他生长的西海固大地，这里滋养了郭文斌，也给他提供了厚实的创作源泉。在《回家的路：我的文字》一文里，他说："越来越贪恋于那段最初的时光，那段比蜜还甜的最初的时光。属于我的文字常常在那里降落。……在那个没有灰尘，没有噪音，没有污染的世界里，我们像鱼一样无比快乐地穿梭，像花朵一样在阳光中绽放。……当有一天，我的文字不由自主地返回故乡，我才发现生命的黄金就在而且一直就在最初的地方。"这是一块蕴含沧桑与不屈精神的土地，虽苦难，但人们依然生生不息地追求着希望。郭文斌是这块土地深情的守护者，在《点灯时分》里，他回忆小时候元宵节母亲做的荞面灯盏，赏完月后，灯盏便被分别端到各个屋里，每人每屋每物，都要有的，包括牛羊鸡狗、磨子、水井、耕犁等。这富有灵性与诗意的描写，瞬时唤起了每个人存留心底关于故乡的那缕情怀。从《红色中秋》《寒衣》《燎干》《永远的堡子》《一片荞地》《老大》等篇什看，郭文斌不仅倾心于家乡节日礼俗的美，人情的暖，而且从中结晶出了这块土地上一直被遮蔽的文化意味。"对于西海固，大多数人只抓住了它'尖锐'的一面，'苦'和'烈'的一面，却没有认识到西海固的'寓言'性，没有看到她深藏不露的'微笑'。当然也就不能表达她的博大、神秘、宁静和安详。培育了西海固连同西海固文学的，不是'尖锐'，也不是'苦'和'烈'，而是一种动态的宁静和安详。"

在两位作家的笔下，"故乡"已经不是一个单纯的实体存在，它在时间和空间上都指涉一个遥远的距离，变成了"原乡”。人虽离开了故乡，但却可以通过想象原乡的方式，寻找停留在理想中的家园。所以，汪曾祺与郭文斌的叙述就是对故乡记忆的想象与修复，如罗兰·巴特所说："历史陈述就其本质而言，可说是一种意识形态的产物，甚或毋宁说是想象力的产物。”无论是汪曾祺魂牵梦绕的高邮，还是郭文斌热情歌赞的西海固，都不免让人怀疑在回忆故乡中挖掘出来的美丽故事的真实性，故乡真的是“世外桃源”一般的存在吗？汪曾祺在《故乡的食物》中说："我小时候对于茨菰实在没有好感。这东西有一种苦味。民国二十年，我们家乡闹大水，各种作物减产，只有茨菰却丰收。那一年我吃了很多茨菰，而且是不去茨菰的嘴子的，真难吃。……因为久违，我对茨菰有了感情。……我很想喝一碗咸菜茨菰汤。”在《故乡水》中，他说："民国二十年的大水灾我是亲历的。死了几万人。离我家不远的泰山庙就捞起了一万具尸体。旱起来又旱得要命。……我的童年的记忆里，抹不掉水灾、旱灾的怕人景象。”但是在《我的家乡》等与水有关的文章里，我们没有看到一点天灾人祸的景象，反而沉醉于作者所写的生活之安乐，水之美。郭文斌虽然不同意将西海固文学定调为“苦难”文学，但是在文字里也有意无意透露了西海固的贫穷和封闭，“每天，当我饿得哇哇大叫时，娘就哄我说，豆花花开了，豆花花开了，菩萨娘娘来了。”“学校距乡上约三十里路，鸡肠狗肚似的山路得靠两只脚一步一步地往过量。”不管郭文斌如何塑造充满“神性”的乡村意象，他终究还是站在了时间的彼岸，成为一个描绘“原乡”的人。

汪曾祺与郭文斌在乡土散文中都试图建构一个乌托邦式的故乡，但是故乡还是处在不断被各种力量破坏与修建的命运里，他们不得不面对传统与现代、贫穷与富有、城市与乡村、满足与欲望这些二元对立因素，无法避免地产生情感与认识的焦虑，从这个意义上说，原乡神话更多的是一种心理概念，是人们精神还乡的一个情感寄托。

二、养心：文学应有的情怀

创作立场影响着文学精神的走向，汪曾祺与郭文斌的散文肌质均流淌着一股纯净、安详的气息，有一种本然的抚慰人心的力量，也使得二者的乡土散文呈现相同的审美韵味。汪曾祺说：“文学应该使人获得生活的信心。”“我认为作家的责任是给读者以喜悦，让读者感觉到活着是美的，有诗意的，生活是可欣赏的。”“我写的人物，有一些是可笑的，但是连这些可笑处也是值得同情的，我对他们的嘲笑不能过于尖刻。”他将自己的创作称为“人间送小暖”。郭文斌说：“在文学中传播安详”“文学的本质是祝福”“作家应该带着一种布施的心态去写作，这个布施不是给读者一块金或银，而是给他一个火种，给他一杯水，让他那一颗明珠恢复到本来面目，让他本有的心灵明珠焕发出光彩，这也就是感动发生的所在。”近几年，郭文斌致力于推广传统文化与安详文化，陆续出版了《孔子离我们有多远》《寻找安详》《醒来》等文化随笔，从这种意义上讲，他更像一位“为天地立心，为生民立命”的“布道者”。与时代主流相比较，汪曾祺和郭文斌这种“文学养心”的创作立场及作品风格是一种非主流化，甚至是边缘化的创作。

在20世纪80年代初，当创作领域集中将批判的笔锋指向“文革”带来的创伤，对社会历史生活进行重新审视、深入思考的时候，汪曾祺以异质性的写作姿态出现在文坛，他将笔触停留在民族文化的层面，写乡愁并使之凝结在故乡的小桥、流水、人家这些物象上，并从背景性存在上升为主体性内容，成为一幅幅气韵生动，赏心悦目的图画。他写“水”，“我的家乡是一个水乡，我是在水边长大的，耳目所接，无非是水。水影响了我的性格，也影响了我作品的风格。”写“人”，靳德斋、张仲陶、薛大娘，他们平平静静，天然恬淡，做闹市闲民，随遇而安。写“食物”，咸鸭蛋、炒米、焦屑，隔着时间仍旧散发着让人怀念的香味。写“节日”，元宵节的灯笼照亮的不仅是夜晚，还有人心。写“草木”，秋葵、凤仙花、秋海棠、木瓜、佛手都泛着淡淡秋光，联结着旧人旧事。在汪曾祺这类乡土散文里，没有宏大的历史叙事，仅选取日常生活的细节作为题材，用充满温情的笔墨记下家乡景物，用浓浓的亲情怀念故土乡人，朴素情感引人入胜。如汪曾祺所说："在商品经济社会中保存一些传统品德，对于建设精神文明，是有好处的。我希望我的小说能起一点微薄的作用。"而他的散文，亦如此。同时，汪曾祺的性格是柔和的，一生虽大起大落，但是他一直保持积极乐观的生活态度，即使处在人生的低谷，他还发出"生活很好玩"的感慨，这样的性格气度也涵养了他如水的文字。因此，当汪曾祺以"另类"的审美风格出现在文坛上时，对渴望诗意生活，呼唤人性真、善、美的现代人来说，无疑是一剂"滋润"心灵的良药，这也是汪曾祺所希望的，"喧嚣扰攘的生活使大家的心情变得很浮躁，很疲劳，活得很累。他们需要休息，'民亦劳止，迄可小休'，需要安慰，需要一点清凉，一点宁静，或者像我以前说过的那样需要'滋润'。"

郭文斌自觉放弃批判现实主义的文学传统，而是倡导在文学中传播安详，并且建构了一个成体系的安详学说。与汪曾祺相比，他对"文学养心"的呼唤更为急迫，更加努力。《永远的堡子》是一篇关于"大义"的文字。母亲遵从祖母临终时"好生待你兄嫂"的嘱托，一生待伯母如古式的儿媳待婆婆，这在"堡子里"已经成为一个传奇式的家庭话题，一个稀罕的伦理现象，被大家传颂。这里，大家传颂的不只是母亲的形象，更是其背后现代人丢失掉的"仁义礼智信"这一套伦理道德，就像郭文斌所说："至今没有写成一篇关于母亲的文章。这并不是因为我的疏懒，而是因为一个堡子，一个我从中长大可是至今仍然难以进入的堡子。”这恐怕也是当下很多人同样难以进入的。在《父亲和牛》里，年头节下，父亲不去土地庙烧香，也不去财神祠祈财，而总要到庄外山冈上的一棵柳树下虔诚地点炷香，磕个头。乡亲们都晓得，那棵树是一头牛的魂。父亲与牛的感情在这里已经变成一种生命的大爱，是互相感恩与报恩的生命态度，无疑让我们带着思考反观当下人与自然万物的关系。《宁静的小学》里两个刚毕业的年轻老师，守着深山上空荡荡的一座学校，让人有一种忧伤和感动。郭文斌不是为了写苦难而写苦难，他绕过西海固的沉重、闭塞、荒凉，表达的是人的温情、富足与博大的生命意识，具有巨大的感召力量，给当下的生活带来反思意义，为人们寻找精神归家的路提供了借鉴。

任何作品，最终打动读者的无非是真、善、美，无非是发自内心深处的人文关怀。文学的使命是应该去揭露社会与人性的黑暗，但同时它也需要一种真诚的关怀来帮助人们应对危机重重的生活，建立内心和谐安详的生态平衡。批判与歌赞二者皆为文学之用，而汪曾祺与郭文斌更愿意秉持后者。

三、传统：走向现代的力量

新时期以来的文学创作上，“传统”与“现代”两个概念总是纠缠出现，并作为二元对立的思维存在。尤其到20世纪80年代的时候，西方现代派文学的到来和拉丁美洲文学“爆炸”式的崛起为中国当代文学的发展开启了“世界”维度，引导并激发当代文学的自我反省，民族、文化、历史、中国语境等话语浮出地表，推动了“寻根文学”思潮的出现，“传统”与“现代”被放在了“民族性”与“世界化”的语境之下，释放中国文学面对“世界化”而产生的焦虑。如韩少功在《文学的“根”》里提出：“文学有根，文学之根应该深植于民族传统文化的土壤里，根不深，则叶难茂”，认为这“是一种对民族的重新认识、一种审美意识中潜在历史因素的苏醒，一种追求和把握人世无限感和永恒感的对象化表现”。韩少功强调文学之“根”在民族传统文化，指出全球化时代，文学要彰显民族特性，需要进行民族化主题的创作。

汪曾祺是较早把现代创作和传统文化结合起来的作家，并被视为寻根文学发展中“开风气之先”的人物。1982年他发表了一篇《回到现实主义，回到民族传统》的文章，提到要注重对传统文化的重视，这也是汪曾祺文学主张的核心。在具体创作中，他主要是从这几个方面入手实践这一主张的。首先是书写传统文化，汪曾祺本人深受传统文化思想的影响，作品中既有儒家对现实人生关怀的人格，坚守自重的生活态度，又有道家潇洒从容、平静旷达的思想和佛家救苦救难、慈悲博爱的心灵，这些构成了其作品和谐唯美的审美色调。

其次是语言，汪曾祺说“语言是一种文化现象”，语言的后面都有文化的积淀，我们所用的语言，都是继承了古人的语言，或发展变化了古人的语言。他主张作家写作要学习传统语言在节奏、音律、意境、长短等方面的美学追求；同时，也要吸收方言的有用成分进行创作，如作家的家乡话，其他地方方言，可以增加作品乡土气息和地域色彩。再者是风俗，所谓风俗，主要指仪式和节日。“风俗中保留一个民族的常绿的童心，并对这种童心加以圣化。风俗使一个民族永不衰老。风俗是民族感情的重要的组成部分。”写一点风俗，就增加了作品的生活气息、乡土气息。此外，他还提倡作家需向民间文学学习，“从群众那里吸取甘美的诗的乳汁，取得美感经验，接受民族的审美教育”，“一个作家要想使自己的作品具有鲜明的民族风格、民族特点，离开学习民间文学是绝对不行的”。当然汪曾祺虽主张回到民族传统，但是并不排斥现代主义，他也主动借用现代派的一些创作手法，比如意识流等，他希望创作是纳外来于传统，不今不古，不中不西，体现了兼容并包的思想。不过，我们也必须看到，汪曾祺谈“传统”与“现代”是在20世纪80年代文化反思的历史语境之下，他的回归“传统文化”与其说是一种目的，不如说是一种策略，即通过复活民族文化的生命力，使之重新回归文学的阵营，通过文学的民族化，实现文学的现代化，最终实现中国当代文学的世界化。

写传统也是郭文斌的策略，但是在目的上与汪曾祺又有着异质性。汪曾祺谈“传统”，还是从文学的立场去谈，而郭文斌则更广阔，他从文化、社会、国家战略的层面上去谈。他继承“五四”以来文学的启蒙精神，从当下社会的各种症候出发，用文学的形式去表达启蒙救世的理想，因而，他的作品具有很浓的教化意味。郭文斌将传统落脚在渐渐消失的节日风俗及其背后所蕴藏的儒道文化，他笔下的大年、端午、中秋等节日更多的是文化的注脚，不管他如何细致地描写节日的仪式过程，最终想表现的是中国传统文化的瑰丽与自信、自得与圆满。他用一个个节日提醒人们节日礼俗是埋藏中华民族原始生命力的肥沃土壤，当下需要唤醒这些原始生命力，就如他所说：“只有传统才有保鲜功能，现代的风雨在变换，不变的是天空和大地。”“这是中华大地的元气，也是中华民族的福气。”这种功利性很强的写作，让郭文斌的乡土散文缺少了汪曾祺的那种款款袅娜的情调和语言的诗意韵律。如果说汪曾祺的乡土散文还在“诗以言志”的范畴内，将文学审美的独立性置于重要位置，那么郭文斌则越来越注重“文以载道”，将文学担负的社会功能发挥到极致。他的逻辑轨迹是用文学挖掘中华民族的根部文化，净化世人蒙尘的心灵，进而建设和谐幸福的社会，最终实现伟大的“中国梦”。郭文斌怀着圣徒般的情怀在这条“传统”到“世界”的道路上行走着，但也正如有人提出的问题：“长此以往，作为作家的郭文斌还会存在吗？”郭文斌说：“我何尝没有意识到这一点，但我无法拒绝，一看到大家渴望的目光，我就无法拒绝。一切随缘吧！”

无疑，汪曾祺与郭文斌的作品都是讲好中国故事的经典文本，他们用具有中国叙事精神的语言，传达着中国精神和文化需求。从今天的眼光来看，他们的作品契合了时代旋律，满足了大众精神需求，抚慰了当下浮躁不安的灵魂，因而受到广大读者的喜爱。艾略特说：“经典作品只是在事后从历史的视角才被看作是经典作品的。”即使时间再往后推移，相信汪曾祺与郭文斌的作品仍是可以反复品读，反复欣赏，反复揣摩的。

（载于《宁夏师范学院学报》2017 年第 2 期）

新时期宁夏乡土小说研究
——以郭文斌、马金莲为中心

赵刘昆　张淑媛　邓馨雁

一、新时期宁夏乡土小说的演变

石舒清是宁夏第一位获得鲁迅文学奖的作家，他是一位扎根宁夏大地辛勤耕耘的作家，他的小说具有浓重的乡土气息和宗教色彩，撷取农民日常生活中最为细微平淡之事，截取一个时间片段，围绕人与自然万物的关系作哲理的思索，并以此为基点，品味平淡生活中的细腻情感。相比同时代其他宁夏作家，石舒清的笔法更为老到、平稳，他的叙述基调不紧不慢，显得十分从容。

郭文斌是第二位获得鲁迅文学奖的宁夏作家，他的大部分作品都植根于宁夏，更为确切地说，是扎根在西海固这片荒凉的土地，正是这片贫瘠苦寒的土地开出的奇葩。郭文斌生活在贫瘠之上，却不卖弄贫瘠，他与苦难生活相伴，却不贩卖苦难。艰涩的儿时生活和苦寒恶劣的环境塑造了他坚韧的性格，也造就了他笔下的人物，赋予了这些人物坚强、包容的品格，使其成为生活中的光亮、人生美好的指引和理想的标杆。他以优美恬淡的笔调书写乡土的诗境和乡民的超然，他笔下的宁夏人民拥有一种受过道德伦理浸润的人情美和人性美，体现出一种古朴淳厚的人伦关系。

毕业后任教于乡村小学的马金莲，艰苦的生活是她每天必须面对的现实，与残酷现实相对的是文学的美好理想。她用文学之笔书写自己的亲身经历，她笔下的乡土并非郭文斌塑造的诗意，但也绝非是非现实生活的残酷。她取材于每天生活的细微琐碎之事，描写苦难生活中的乐趣，展现物质贫乏下的精神富足。马金莲的笔调沉稳而不失灵动，叙述从容，不惊不躁，这也是马金莲小说的生命底色和本体特征，使得她的小说在对苦难的描写中不落窠臼，别具一格。

二、新时期宁夏乡土小说的特点

以石舒清、郭文斌、马金莲三位鲁迅文学奖获得者为代表的宁夏乡土小说作家，在时间的淘洗下逐渐沉淀，艺术地呈现出生命底色下的多元绽放，形成了宁夏作家独具的乡土风格和艺术气派。与其他地区同类作品着重“快节奏”生活的描写，表现现代生活（乡村、都市），反映现代化转型过程中人们的焦躁和紧张相比，宁夏乡土小说最突出的特点就是

“慢”，从叙述节奏到外部环境的描写刻画、人物内心活动的捕捉，都是一种信步闲庭的悠闲。宁夏乡土小说是一种慢节奏的叙述艺术，这和封闭的西海固农村生活很相似。西海固的生活节奏是慢的，农村每天的生活也基本是重复的，很少有波澜，这不仅塑造了西海固近乎停滞的外部环境，也沉淀了西海固作家的心灵，使得他们的内心非常平静，也更加关注乡村日常生活中容易被人们忽视的细枝末节和时常发生的感动。

石舒清常撷取农村日常生活中的片段，以宗教式的虔诚对待万事万物。《清水里的刀子》就马子善老人与牛的心灵对话展开叙述，在回族死亡仪式的背景中展开了人与世界关系的探讨，其中的生态伦理观念也格外显眼，既能于平淡之中生出感动，还能引发读者的哲理思考。

郭文斌钟情于一种“放大镜”式的描写，他的叙述节奏慢得近乎停滞，他并不在意情节的设置和人物的刻画，而是致力于风俗的描写和风情的挖掘与开拓。《吉祥如意》中，郭文斌用大量笔墨描写端午节的采艾习俗，将镜头聚焦于五月、六月以及父亲、母亲的对话，叙述时间明显大于情节时间，使得叙述的节奏自然慢了下来。

马金莲的乡土小说是“拉家常”式的，她像一个倾诉者，向读者讲述她身边的家长里短和日常生活中的感动。当然，马金莲讲述的并不是阿毛的故事，引人同情，她关注的是日常生活中的温情和感动，以从容的姿态向读者娓娓道来。在《1986 年的自行车》《1987 年的浆水和酸菜》《碎媳妇》等作品中，马金莲关注的仍然是身边的琐碎家常，她可以围绕一件事情或一个物象聊很久，东扯西拉，但始终不离话题中心，慢的节奏也在慢的生活中自然形成。

儿童视角是中国作家较常用的叙事视角，宁夏作家在这方面的表现尤为突出。宁夏作家在对宁夏风土人情的深情书写中，常采用儿童视角作为叙事视角，呈现出自然、纯朴、洁净的美学效果。在郭文斌的小说中，儿童不仅是主人公，更是作者的叙事凭借。儿童视角的特点在于，作为限知视角的儿童处于一种懵懂无知和不受责备的状态，儿童视角是无成人之累的视角，其表现的世界更加纯真、干净，其看待世界的方式也更加单纯和真实。无论是《吉祥如意》中的五月、六月，还是《农历》中的五月、六月，都拥有一套属于儿童的话语体系和思维方式，正是凭借此套体系，儿童在节日习俗和人伦物理中所犯的话语禁忌和行为禁忌往往可以逃避成人的责备。儿童以自己的眼光和方式打量成人的世界，并对此形成一种预估，以支持自己的行动。正是这种预估支持的行动，造成了成人世界的悖谬，从而在儿童与成人间形成一种软摩擦，这正是小说趣味的来源。正是儿童的无知犯忌逗乐了成人，成人也对此表示原谅，并借此教育儿童，促成了双向思考。“姐，你吃我吧。六月突然说。五月惊得两个眼睛鼓成铜锣，说，你咋能吃？”在这里，“用孩童的视角看取世界时，一切都变得十分美好。”

马金莲常用儿童的回忆书写生活的苦难和琐碎：“儿童视角在很大程度上消弭了西海固生活中的贫穷、沉重，使文本世界中弥漫着童性的美与纯。”爷爷的去世、弟弟的死亡也被处理得很有仪式感：“我们娃娃就不一样了，我们和大人完全相反。孩子们都兴冲冲的，此刻，我敢说，除了伊哈的那三个娃娃，所有的孩子都是高兴的。”对于孩子而言，生死、贫穷与苦难尚处于一种混沌状态，他们有的是一种朦胧的失落和回忆中透露的自责。马金莲把那些具体的自然条件造成的苦难处理在人性苦难之下，将那些人性苦难安放在美好安宁的心灵之下。

宁夏作家的乡土书写表现出现代与传统冲突的矛盾，这也是宁夏作家在封闭的乡村环境中遭遇的现代性转化的困境，同时呈现为作家在现代工业文明冲击下自我身份确认的困惑与焦虑。郭文斌、马金莲笔下的人物都不能进城，一旦进入城市，他们便感到一种不适应的焦虑，感到无所适从，对自我的身份认同也发生了困难。宁夏作家普遍囿于一种乡土经验的书写，在乡土经验的确认和表达中，普遍存在着现代性转换过程中的艰难选择。现代文明对乡土的冲击已不可避免，进军城市还是坚守乡土，这是一个艰难的抉择；如何让乡土书写融入现代文明的视野，这是一个目前难以解决的问题。

不论是郭文斌的《大年》《农历》还是马金莲的《1987年的浆水与酸菜》《长河》，都没有彻底解决这个矛盾，他们笔下的人物是碎片化叙事的产物，可以在乡村世界安然无恙，但城市却让他们焦躁不安。概言之，宁夏乡土小说普遍呈现出一种诗意叙事、散文化书写的倾向。小说立足宁夏的乡土世界，追求一种慢节奏的艺术书写，虽然表现出现代性转换过程中的焦虑与困惑，但仍能坚守本心，坚忍地守望着人类的精神家园。

三、以郭文斌、马金莲为中心的比较

郭文斌、马金莲都从西海固出发，开始了自己的文学旅程。贫穷和苦难是他们的亲身经历和生命体验，也是他们诉说的话语中心，他们的小说却表现出不同的书写策略和审美特质，同样是书写美好，两人的表达方式和精神诉求却大异其趣。这是由多种因素造成的，既有作家自我精神价值追求的差异，也与作家生活经历和对人生、世界、宇宙的独特理解有关。

就叙事策略而言，郭文斌和马金莲都热衷于儿童视角的探索。不同的是，郭文斌更喜欢运用两个儿童的不同视角进行转换，二者之间能形成一种叙事关系上的对话和复调形式，营造出一种多声部的对话世界和童真式的诗意境界，突出其文学的祝福功能。《吉祥如意》中的五月、六月和《农历》中的五月、六月，都是在农俗的背景嵌入中展开多声部对话，并在二者间形成叙事角度的转换。因二者都是儿童，故转换并不突兀，反而显得流畅和自然，无矫揉造作之感。而马金莲选择的儿童视角多是单一的，小说中的对话机制形成于儿童和成人之间，并在二者之间形成温柔的交锋，这也使小说的情节更加曲折，能够形成时间节点，以便于在时间节点上进行转折性叙述。《父亲的雪》中，当“我”多年后从母亲口中得知，当年一直送“我”到村口的那个人是“新大”时，叙事发生突转，“我”的内心深受震动。虽然这一时间节点延后了许多年，但仍不妨碍作为儿童的“我”的内心成长，对亲情的体认反而更为深刻。在对待苦难的态度及对苦难的书写方式上，两人也有区别。贫瘠、干旱的西海固并不缺乏苦难，但郭文斌、马金莲直面苦难与残酷，采取了不同的言说方式。概括地说，郭文斌是在消解苦难，萌生美好；马金莲则是温存苦难，在苦难的夹缝中开出美妙的花朵。郭文斌热衷于童性世界的营造，利用儿童的纯真与限知视角，用简短明快、灵动有趣的笔墨，书写童话般的理念世界。他用诗意消解了生存的苦难、人世的矛盾和痛苦，虽不时透露出苦难的本色和生存的艰难，然而却是隐忍和节制的。郭文斌的苦难表达与儿童时期的经历有关，深受“文革”的影响。在经历了“文革”的洗礼后，郭文斌笔下的人物对苦难有一种与生俱来的抗拒能力，表现为对“文革”经历的温柔反讽和揶揄，如《我们心中的雪》中“我”对“文革”的嘲弄；也表现为对美好世界的向往，如《开花的牙》中“我”对爷爷去世后的幻想。郭文斌笔下的苦难之地是真正的塞上江南，是理想和心灵的地坛。与郭文斌不同，马金莲作为一个乡下妇女，每天面对的都是一些鸡毛蒜皮的小事，在她的生命体验中，不仅是苦难，还有近乎停滞和琐碎的乡村生活。马金莲的独特之处在于她在承认苦难，还善于发掘苦难生活中的乐趣和感动，在苦难的土壤中开出了甜美的花朵。在《1987年的浆水和酸菜》中，最为普通的浆水和酸菜也能激起人们内心的波澜。同样，在《1990年的亲戚》《1992年的春乏》《窑年纪事》等小说中，马金莲在对苦难、贫穷、琐碎的生活描写中注入了诚挚朴素的情感，塑造出许多具有大地情怀和朴素品质的底层人民，发掘出平淡生活中的意趣。值得注意的是，郭文斌、马金莲营造乡土世界时采用的语言策略并不相同。郭文斌与废名、沈从文、孙犁、汪曾祺一派相合，以诗意书写营造简明、空灵的意境。从小说达成的语言效果来讲，这与郭文斌选择的语言策略有关。郭文斌“通过超常搭配与炼字来营造阅读的陌生化、佛教词汇的引入以及短小精悍的短句和精炼传神的动词”实现了空灵的语言风格；“巧妙地运用拈连、通感、比喻、引用、留白这五种辞格而表现出语言的含蓄美”；大量方言词汇、地方性詈骂语以及民谣和谚语“使得小说的语言显现出鲜明的地域风格，这些土生土长的语言通俗而富有地方特色，为读者呈现了一场丰盛的民俗文化盛宴”，也使郭文斌的乡土小说更具地域色彩和乡土气息。与郭文斌不同，马金莲的语言十分沉稳朴实，深深扎根于现实和乡土，并从中汲取营养和力量。马金莲使用的语言以长句为主，间以短句，给人一种心理上的厚重感和安全感，部分短句的使用又保证了语言的生机，不致陷入停滞和死亡的泥淖之中。马金莲小说的语言具有当家妇女的温度，是一种“软”的耳侬细语，既能深入人心，又可以关怀人生。“人残疾也就罢了，家里穷得比狗舔了还干净，穷得屁腥气呢！”大量运用方言口语、谚语，读之便能感受到生活的真切与实在，可以近距离、慢节奏地亲近生活，体悟生命。总而言之，郭文斌和马金莲的差异并非简单外显的差异，而是体现在叙事策略、语言艺术风格、苦难的书写方式、题材选择、人物及情节设置等方方面面，既有投射于外部的方法和策略选择的差异，又有文本内部语言、人物、主题方面的差异。

四、结　语

新时期宁夏乡土小说已经走过了 40 多个年头，经历了几代人的薪火相传，成为宁夏大地长得最好的“庄稼”，出现了以石舒清、郭文斌、马金莲三位鲁迅文学奖获得者为代表的乡土小说作家，也形成了自己的独特风格，共同构成了宁夏文学的中坚力量，成为中国当代文坛上一道亮丽的风景线。

（载于《文化学刊》2019 年第 9 期）

寻找回家的路
——为郭文斌散文说几句话

李晓虹

当我们看多了对贫瘠苦难的西部的描写之后，读到郭文斌的散文不能不感到有些意外。

在郭文斌笔下，西部农村，具体地说，那个托起他生命的小村庄，连同小村庄延伸出来的子题，是那么充满诗意，在那里，生命丰富而生机地舒卷开放；在那里，我们看到的是一种源自初始的快乐和忧伤。

尽管城市热闹着、喧嚣着，吹着很猛很硬的风，层出不穷的欲望，无休止的追赶欲望的紧张和匆忙。宝马香车，高级公寓，花花世界：世界越来越炫目。写作，成了一种抵达欲望的路径，成了对富人世界怀抱艳羡之情的讲述，在这种叙述中，富人的生活被充分关注，被复杂化、个人化、合理化。世界也因此多了一层热闹的油彩。但是，站在城市的风中，郭文斌最终没有热情地投身到喧闹的怀抱，而是执拗而孤单地站着，站在热闹之外，打量着城市的热闹，“城里的路是一条心的峡谷，一条钢丝绳……城里不冷，却寒。不热，却闷。”

（《一个人在山头》）他孤独而固执地回望，用他的书写执着地寻找回家的路。

在很多人眼里，西部乡村单调、贫乏、了无生机。贫穷已成为一种图式，生活在贫困地区的人们成为一种没有色彩，没有个性，没有细节，甚至没有眉毛眼睛的笼统的概念。

而在郭文斌看来，老家是一个永远动人的丰富而鲜活的存在。老家是原初和曾经，是花朵初开时的阳光，是鱼儿快乐地穿梭的河流，是没有灰尘、没有噪音、没有污染的宁静地方，更是生命在宁静中自在的狂热的绽放。在那里，生命没有高贵和卑微，每一个存在着的人都有着自己鲜活的姿态。

也许正是因为拥有过往和当下，拥有过乡村和城市两种生活，郭文斌才可能冷静地观望另一种情境下的世事人情和自己，尤其是从热闹走向安静时，心海才会真正荡漾起来，才会从容地体会忧愁、体会悲凉、同时也体会快乐……

老家年节的仪式在庄严宁静中诗意地展开，每一个生命的尊严都受到尊重。

元宵节没有城里的热闹，但却是"一片夺人的宁静，活生生的宁静，神一样的宁静，似乎一伸手就能从脸上抓下一把来。那宁静，是被娘的荞面灯盏烘托出来的。"几十尾灯盏，先让月神品赏，然后被分别端到各屋，每人每屋都分到一盏，有生命的、无生命的，所有的物什连同呼出的气上都带有一种灵性。没有人会问为什么要给这些没有生命的东西点灯，

如果不这样似乎就不应该。“而生命不正是一种‘应该’吗。”（《点灯时分》）

老家的亲情永远浓重。甚至对于故去的人，也从未忘记给予一份关心。每当清明，父亲带“我们”去坟院看望祖上，看到一坟院白色的纸条在风里舞动，就觉得有种亲情也在风里飘呀飘的。而且最后也不忘为那些无人光顾的荒坟烧些纸钱。无论活着还是死去，无论相识还是陌生，“情”都会永远跟随着你。可是，“伫立在城市的夜色中，我不知该怎样收拾自己的心事”。（《清明是一笔债》）

老家不像城里灯红酒绿，但绝不缺少美。腊月里，没有盆景，没有鲜花，父亲带着孩子们剪窗花，当鲜花复活于窗格子里时，院子里涌满了人，人们被一种美惊吓。（《腊月，怀念一种花》）

老家的中秋节没有月饼，有一两个西瓜已经相当阔绰了，“要用量角器量了，分成等分”，摆在如水的月色中，先献月亮，在月光中等待，于是，心情被红色的西瓜染醉，于是，就有了《红色的中秋》。

真正的年在故乡，“年是一双守望在故乡风口的娘的泪眼；年是一尾祖母一进腊月就守候在老家河岸的老船”。（《忧伤的驿站》）

就连娘的叫魂声，招幡的旗帜，都有了实在的诗的生动。

与其说郭文斌对乡村的描述是一种回溯，不如说是一种发现。当我们在乱乱腾腾中丢失了静心体会快乐的能力时，郭文斌却在对城市喧闹、浮躁的逃离和反叛中，让心安住下来，开启人本有的对美的觉察力，舒展曾经有过的美丽。实际上，这是对宁静的精神境界宗教般的向往，是生命还乡的欣慰和生命谢恩的热望。在生命存在的每一个地方，都有自己的故事，自己的歌。有着演进在时间河流中的消长聚散、悲欢离合，只要不被人为地忽略，不被简约化、概念化，便都有诗意的内容。普通人的幸与不幸，爱与痛，希望与艰辛，只要认真倾听，每一个都拨动心弦。而且，在未经现代文明切割的地方，原初的质朴的美可能保留得更完整，更动人。

当静下来，倾听自在的山川万物时，这些沉默着的生命也和思绪一起飞扬起来。“让思绪空茫而富有，富有而自由，自由而旷怡”。（《丢失》）

于是，在荷花沟，心情被一尘不染的绿浸透，精神也进入一种绿意充盈的定态，被一种无欲无求的彻底的安详所包容，所感动。（《荷花沟》）在笔架山，深入贺兰山的石头。石头貌似傲慢，似乎表达着一种极大的自由，而又那么富有秩序。石头似乎并不在乎自己的位置，一派道家风骨，那么坦然、宁静。于是，决定做一杆搭在笔架山上的笔，这个笔杆子“是一种汗水的高度，一种孤独的高度，一颗摩天的头颅”。（《我是一杆什么笔》）

当这样的寂静成为一种流贯的心情，回到城里的郭文斌仍然在嘈杂中看到宁静。当下班之后，人去楼空时，“面对这些恍若隔世的静物，仿佛躲进了一个走空了人的教堂，黄昏时分的蛋黄色的教堂……一种幽冥的东西接过了时间的钥匙和公章，水一样暖洋洋地散漫开来，制造出一副无比宁静的睡相”。（《蛋黄色的办公室》）

如果说，贾平凹的西部乡村是在对自然的写意中贯注一种情韵，刘亮程的乡村是一种哲学，那么，郭文斌是否在追寻一种安详诗学，一种乡村的安详诗学？在生命的出发地，寻找并且挽留住原本属于我们却又早已丢失的原初的生命的丰富和生动。

选自《中国当代散文发展史略》

召回人类经验的“元话语”写作

牛学智

有些散文读后，给人某种人生观念的触动，这是以哲思话语为重的写作；有些散文读后，你至多只会想到“真情实感”，不言而喻，此类写作是对一般散文题材的重复；当然，还有一些，你也就不必认真读下去，因为散文中的认知并不高于读者的一般水平。读后强化读者的某种情感体验，并把这种情感体验引向深入，形成某种新的审美机制，构成散文“元话语”的，就更需进一步分析。《守岁》这部集子中的多数篇章，就可当散文“元话语”来看待，它们产生了一种新的散文经验。

当把“静”理解为一种心境时，我们在散文中寻找的不是散文写作，而是散文的世俗功能；只有把“静”当作一种情感，或当作一种对情感的体验，“静”才是散文话语本身，这种话语姑且称之为散文“元话语”。

比如《守岁》中的《点灯时分》就具有这样的性质。进入他者生命世界，许多时候其实是进入一种特定的伦理氛围，但伦理世界不全是情感世界，情感世界需要更饱满更强悍的体验来观照，这是更高一层的话语书写，或者说，更高的缅怀、纪念，是对生命本身的铭记，而不是借伦理以代替情感。这篇散文的感人之处正在这里，它跨过了好几层一般性散文话语形态，最后到达了更高一层的实质，读者的体验与作家的体验达到了理想的共鸣。“我们的失守，正是因为将自己交给了自我的风”，既成了名言，又构成了郭文斌这类散文话语的一种鲜明风格，是一种很难用现成理论归纳的散文话语质地，张力到了最大化程度。

还比如《静是一种回家的方式》，作家能从爆竹的爆破声中，从放爆竹的人追求的热闹中，品出“寂静”。这散文不是一般意义上对所谓人生哲思的眷顾，因为写人生哲思者，其话语构造表面看是沉静、是沉思，其实是处于某种高分贝的喧闹中的表现，原因很简单，哲思究其实质是辩证法的产物，那么，“是”与“不是”，“消极意义”中转换出“积极意义”，或者相反，是哲思类散文话语经常操练的游戏规则。郭文斌看到的“寂静”，是一种时间的书写，即他是在意义“交换”、意义能否“持续”的时间维度上对生命的理解。这是他这方面的探索更接近《易经》《礼记》的元话语，而区别于现代西方哲学此岸—彼岸时间观的根本所在。这一角度，他多数以“时间”为命题的散文，也就可以得到文学意义上的解释。

我们现在所说的“元话语”，自然不是原始的《易经》《礼记》话语体系，是置身于当前人们的精神生活，通过对《易经》《礼记》等经典话语的转换，恰当地象征性“兑换”人们的焦虑、郁结，精神上的空虚感、无聊感被化解、被融化的话语趋向——对于郭文斌这方面的散文，其“元话语”特征，很大程度表现为对中国本土经验和传统文化价值观的文学性处理，“人”被置于应有土壤，“往哪里去”的问题便不再是那么繁纷，那么“后现代”。也就意味着其散文是内在于“后现代”的“繁纷”，再来看待繁纷的态度，话语就有了许多径直奔向本质的意味。

体验情感，意味着给生命的每一细节以意义，因此，情感体验式的阅读，是保留并适当放大人生的遗憾，完善人生的过失才变得可能，这是散文文学性程度的更深入实践，也是对久已丢失的文学经验的召回。

再比如《时间简史》，写儿子要上学，临上车前对邻居姐姐的告别场景。需要告别的人不在场，儿子百般支吾就是不肯上车，作为大人，我和妻子开始误以为是儿子还想贪玩的原因，事情到最后，其实是大人对儿子情感体验的误解，可是，这个误解并不是以后可以弥补的，错过了就意味着人生的遗憾。当然，在写这个情景前，我与儿子已经有过几个回合的“智斗”，但儿子均已全部答应我的条件而宣告失败——这条件曾是儿子平时都不好好恪守的硬指标。遗憾其实在这里已经产生。郭文斌在体验中饱尝了人生的遗憾；余华在细微观察中，呈示了大人世界的自大。

为什么说这类散文反而是对人类经验的召回？当我们在散文写作中实施思想抢位战时，在散文写作中注册重大现实问题的发言权时，或者无数次地玩味私密欲望时，我们实际上是以文学的名义消费我们的生命、亵渎我们生命中的每一个意义。这时候，我们反而不明白我们追索的意义究竟是什么，也不去体察我们得以维系的那个生命本身是什么。因为，在追逐中，在注册中，在玩味中，我们的意义完全被对象化了，我们的生命完全被信息化了。《清明不是节日》《永远的堡子》《在尘境中寻找真境》等，一定程度可能胜过《时间简史》对“遗憾”的深度观照，这里只举后者，也足见郭文斌在这一人生命题探索的深入程度。《守岁》中这一路向的散文篇章也占有很大比重，不妨说，形象化解释“遗憾”、找寻“遗憾”症结是郭文斌散文的另一特征。与“元话语”写作相得益彰，构成了一种新的散文经验。

（载于《中国艺术报》2012年6月11日）

静守岁月美好 安驻内心光明
——读郭文斌最新散文集《守岁》有感

项 宁

第22届全国图书交易博览会在宁夏回族自治区的圆满结束为西部地区与其他地区的文化发展和交流提供了契机。宁夏文坛的活跃也令中国文学界刮目相看。“西海固文学之子”郭文斌是一位从事小说、散文、诗歌创作的多栖作家，早在2004年，他的散文就获得过冰心散文奖。近年来，他的短篇小说先后获得“人民文学奖”“小说选刊奖”“鲁迅文学奖”“北京文学奖”，特别是长篇小说《农历》曾获得第八届“茅盾文学奖”提名，在最后一轮投票中排名第七，成为本届评奖中国西部地区唯一进入十强的长篇小说。本届书博会期间，郭文斌的最新散文集《守岁》得到广泛的关注。

郭文斌一直以来致力于中国民间传统节日的写作，他的作品中充满对传统文化的解读和弘扬，对流传千年的中国式节日给予深情的人文关照和充满民族意象的思考。他通过自己的文字孜孜不倦地呼唤感恩、敬畏、慈悲之心，重申了天、地、人三者的关系，期望岁月静好、大地安详、生命和谐。这样的创作主旨在他的散文中体现得更加直接，也更受读者青睐，这从《寻找安详》《〈弟子规〉到底说什么》成为影响一时的畅销书即可看出。《中国现代西部文学史》称，“郭文斌的散文让我们透过一个个美丽的心灵断桥和爱情伤口走进或失之交臂或尘封已久或习焉不察的生命秘密和感情隐私之中，于一种神意的欢欣和诗意的忧伤中把味生命的花开花落”。这是文学界对郭文斌早期散文的界定。

《守岁》作为郭文斌最新的一部散文集，延续了他一贯的创作思想：以传统文化为根，呼吁作者、读者重视汲取中国优秀传统文化中的营养，希望每一个人从立身做起，建立安详、和谐的个人小家庭、社会大家庭。作品的文风更加干净、温暖而纯粹，体现了作家在文学创作中一直以来怀有的一颗赤子之心，是今天难得见到的一片文学净土。其中收入的获国家级奖项的《永远的堡子》等篇，入选《百年中国经典散文》的《点灯时分》等篇，感人至深，令读者动容。《一片荞地》写了作者陪伴母亲走过的最后一段人生路程，伴随着泪水、孝心、痛苦、不舍、怀念，那人生最沉重的情感，最逼近生命冷暖的丝丝意绪都被勾勒得见肉见血。最新创作的《守岁》《清明不是节日》《静是一种回家的方式》《给是天地精神》等篇则从岁月、大年、时间等意象解读生命，作者的本意在于启发读者对时间的重新认识和认真感知，无须刻意，只要停留在那一分一秒里，就会感到快乐，就会知道什么是幸福。

今天的我们之所以会不幸福、不快乐，就是因为我们心中有太多的“欲”和“求”；我们步履匆匆，忙忙碌碌；我们任由时间飞逝，任由事务缠身。作者希望读者借助“守”“静”“给”找到无须借助外界的幸福和快乐。《守岁》承载着作者对岁月的守望，对生命净土的渴望，表达了“守是感恩，守是幸福”的理念；它是郭文斌“安详文化”母亲怀中的又一个单纯而美好的孩子；它试图用“文学之手” 牵起每一位读者的“心灵之手”，让读者重回花开烂漫、吉祥如意的人生路途。

郭文斌的散文创作直接逼近读者的心灵，他不掩饰、不矫饰，唯有一个“真”字是他一直以来的创作追求，这对当下文坛出现的一些浮夸、造作的不良习气是一种很好的提醒和纠正。也正是因为他的文字贴近大众，无须用高深的理论去解读，因而得到很多读者的喜爱。朴实的语言，智慧的思想，清醇的意境，《守岁》必将像一颗文明的种子播种在每一位读者心里，唤醒心灵的光明。

（载于《中国出版》2012 年第 15 期）

情爱精灵与生命烛照

——读郭文斌散文集《空信封》

钟正平

我相信，我可能是这本散文集正式问世前的少数几个先睹为快的阅读者之一。我曾花了两天两夜的时间为这本书的清样作了一些文字上的校对工作，并零星记下了最初的一些阅读感受。我相信最初的审美感受是最能逼近作者心灵的，我还相信这本书能带领许多读者和我一样进行一次感觉不错的情感旅行，共同分享这一笔人生的精神财富。

这本书给我最深刻的阅读感受，就是思想意蕴的现代性和写法上的先锋性，飘逸着浓浓的抒情氛围、思辨色彩和浪漫气息。我感到美好的散文作品就应该是这样的：像人的感情一样节制有度，像人的心境一样自由无束。

《空信封》从作者已发表的二百多篇作品中精选 52 篇编写而成，大都是千字左右的抒情短篇。作家用一颗成年人的心去触摸生活的本质，咀嚼自我内心的生命体验，苦苦探寻“生命难题和情感困惑”，为心与心架起一座沟通的桥梁，许多篇什的思考具有一定的人性的深度。

人是有思想感情的动物，人除了拥有一个现实的物理的世界，还拥有一个思想感情的世界。在思想感情的世界里，人的生命才真正熠熠闪光。文学艺术的本质就是要证明和展示人的这个精神世界的存在、博大、精深和无限美好，郭文斌的散文直逼心灵，探幽索微，把这个世界里一闪而过的念头、思绪、稍纵即逝的感觉、体验都捕捉住了，并且非常丰满地展现在我们面前。他的散文，写实的不多，叙事的不多，有些篇什，更像散文诗。那是从心田流出的情感之水，那是从生命的琴弦上弹奏的音符。每一个句子，每一个音符，都浸润着青春的遐想和情爱的律动，飞扬着作家的艺术才情，使这本书从头到尾保持了一种难得的可读性和启迪意义。即便你的心锁久已尘封锈饰，你已于世无争，于己无求，说不定他的哪一页短章、哪一句心语、哪一种感觉、哪一个字眼，甚或一篇文章的题目，会突然开启你的心锁、拨动你的心弦，让你的灵魂为之震颤起来，从而高扬生命的风帆。

人生之大恸，莫过于生离死别，在这方面，郭文斌有自己刻骨铭心的体验和把悟。《爱情没有药》《有一种感情无法面对》《落在日子肩头的相思鸟》等篇什，对“分手”“送别”“相思”以及生命与情爱的感受和见解，都可谓惊世骇俗。“这个世界什么也留不住，只有相思还在。”他一方面“制造”着现代人的爱情宣言，一方面又感到“生命太寒冷了”，需“借酒御寒。”他的思考充满痛苦和悲悯色彩，具有浓浓的人生无奈感，叫人不由得不被他说动。

郭文斌的散文中渗透着一种宁静淡泊的人生观和文化人格，对儒、释、道三家的清静无争、“色空”观、“顿悟”等思想和思维方式都有消化和渗透。《凉天峡》写树，流露出“厌了滚滚红尘、倦了喧喧闹世”的情态；《荷花沟》写绿，崇尚一种“宁静淡远”的存在，但自然界的“荷花毕竟过于淡泊”，作家向往的仍是人间烟火的“荷花”。如此，遁世无为与入世求进的思想相互混杂、搏斗，折射出当代知识分子的矛盾心态。郭文斌散文中的“我”，被定位为“城市边缘人”，是与乡村社会有着千丝万缕联系的大学生、文化人，其人格特征表现为多愁善感，对人生有着深刻的思索且生命一直感受着痛苦和无奈，是情与爱的精灵。因此，对人、生命、情爱的艺术烛照，就构成了郭文斌散文的思想坐标。

这本散文集还有一个内容，就是对清明节、送寒衣、中秋祭月、燎干等民间习俗和以往农村生活体验的回顾与描写。阅读这类散文，透过那些往昔岁月黄土地上苦难的生存图景，我们分明感到“已被故乡所放逐”的作家那浓浓的化也化解不开的乡愁乡情、乡土情结。

我还觉得，郭文斌很在意散文题目的“制造”，一些题目如同气质绝佳的女性的面颊，叫人一看就喜爱，就产生阅读的欲望。譬如《静夜听月》《雪吻》等。有时候，他的散文像印象派的画，捕捉瞬间感觉的能力和调配色彩的能力都是惊人的，《蛋黄色的办公室》纯粹就是一幅印象派的“黄昏图”。作家对一些物象的捕捉与感觉极其独特和富有诗意，用语也新奇大胆，常有惊人之喻。他的旅游览胜的文字，很少直接描写山水之秀美多姿，笔下所述，多是经作家审美感受熔裁之后的自然物象，一切都郭文斌化了，打上了作者思考的烙印。

写法上显得随意、跳荡、不连贯，不刻意经营结构，仿佛文章就在那里等着，在月夜、在床上、在车站、在校园、在教室、在驿站，在随手可及的地方，他只是信手拾拣而来，稍做连缀而已。作者喜欢用句号和逗号为他的思想定格，爱用“制造”一类动态感较强的词，突破了传统散文的章法结构，有艺术探险和文本实验的味道。思绪的片段，如柳絮飞花，并不刻意，但绝不缺少诗意和睿智。

散文是坦露自我人生和心灵的最自由意义上的写作，它是一种不受拘碍的文体，最能展示作家心灵的深度。读散文，常能读出一个人的个性和人格思想。郭文斌是一位充满感情色彩的作家，这仅从他在书的“代后记”《回头一望》中就可浓浓地感觉出来。在《月光下的一片豆地》以及篇幅较长的《一片荞地》中，郭文斌尽情地讴歌了一种具有普遍意义的伟大的母爱，读之催人泪下；而《忧伤的钥匙》则更像一篇缠绵悱恻的爱情小说，是全书“压轴”的篇什，作者期望以此制造一些关于“散文”的话题，事实上他已经制造了一些话题。在西海固贫瘠干枯的土地上，在富于黄土高原特色的西海固作家群中，出现郭文斌这样多情如水的作家，孕育出《空信封》这样秀色可餐的文章，不是很平常的事情。

（载于《宁夏日报》1998 年 12 月 20 日）

走近郭文斌

杨建虎

初识郭文斌是在 1994 年的春天。那时我还在固原师专上学。他在《六盘山》编辑部编诗歌。他一开始就对新生代作者很重视。我有幸成为他重点推出的作者之一。感觉里郭文斌是宁夏文坛上很独特的一位作家。用一个句子可以概括我对他的印象:“一步步从记忆的废墟上踩过,带着忧伤和神秘,以及内心的善良和脆弱。”每每读他的作品,总被那种令人迷恋甚至令人迷失的气息所围绕。我仿佛看到,美丽的词语在明澈的天空下静静飞翔,将我们带进曾经的亲情和爱情,倾听雪落大地的声音。

更加深入地认识郭文斌是在他的散文集《空信封》出版之后,当时我已调到一家报社工作。有那么一段时间,来稿中有相当一部分是有关郭文斌和他的《空信封》的。我才意识到他的《空信封》是被广大读者特别是大中专院校的学生怎样地爱戴着。我们不得不承认郭文斌已经悄然创造了一种“《空信封》现象”。事实很快就印证了我们的观点。《空信封》不到一年的时间就被抢购一空,形成了十分强烈的市场饥渴,只好再版。这让我们不得不重新打量这本散文集。再次走进《空信封》，我才发现有许多篇章是我未曾读过的。有人说，《空信封》“让我们透过一个个美丽的心灵断桥和爱情伤口走进或失之交臂或尘封已久或习焉不察的生命秘密和感情隐私之中，于一种神意的欢欣和诗意的忧伤中把味生命的花开花落。”我觉得它是再恰当不过的。

也许郭文斌注定是位制造轰动效应的作家。《空信封》之热未降，他的长篇非虚构小说《第三种阳光》（《六盘山》1999 年第 6 期）又悄然问世，尽管从小说的角度看它并不是一篇完美之作，但是它引起的反响却是空前的，并且可以断言是持久的（因为他占领了一个罕见的题材领域），而且已经被影视界所看重。

年初，单位将编辑部的工作交给郭文斌负责，他就立即着手新的文学资源的培育，除了编发“固原地区第四代实力作者专辑”外，还不惜花上两月多的时间到各县中学和大中专学校宣传刊物，组织稿件，亲自从 100 多万字的来稿中选发了一期校园文学专号，有力地拓宽了刊物的影响面。他对文学编辑事业的热爱让我们感动。然而，这无疑会影响他的创作。但事实却出乎我们的意料。正是这一年，他似乎不再满足于在宁夏的几家刊物上发表作品，而在工作之余致力于拓展他的文学领地。在《飞天》《文学世界》《绿洲》《星星诗刊》《绿风》等刊频频发表小说、诗歌、散文、散文诗。

并有电视散文《宁静的小学》等在中央电视台播映。

写到这里，我的脑海里突然冒出了《空信封》中的一个句子："她回过头说，那种最深的快乐你不知道。"

选自《郭文斌论》（宁夏人民出版社 2008 年出版）

读郭文斌的散文是一种感动

马凤鸣

我午睡或晚睡之前，总要翻一翻置于床头的几本书。这已经是多年养成的一种习惯。一般情况下，那些“一只羊三条腿”的读物很难引起我的兴趣。我的眼光多停留在具有乡土气息的文字上，基于这样的原因，我更加关心那些具有乡土味的作家。郭文斌就是这样走入我的视线的。

从朋友处偶然得到了一本他早年的散文集《空信封》。晚睡之前随手拿起来翻了翻，虽然我准备了必要的推脱的理由，但书一打开便合不拢了，合不拢便放不下了，放不下便睡不着了。从此，这本书便在心里住下了。

那是怎样的一种心境啊！只有像郭文斌和我这些经历过贫困生活磨炼的人，品尝过苦难生活滋味的人，才具有的一种心境。

那是怎样的一种忧伤啊！怀旧的、思念的、略带自责的忧伤。如涓涓溪流，流过长期缺钙的心灵，滋润心田。

那是怎样的一种回忆啊！被豆角填补的肚子咕咕作响的音乐的回忆，一辈子也不能忘记的旋律的回忆。

那是怎样的一种乡亲啊！古朴善良，顺天命，与世无争。只盼着平安，吉祥。每天认真地过日子。日出而作，日落而息。均匀的呼吸，安静的生活。有时也构想明天的美好和未来的幸福。清早起来，干净的空气，挂在坡上的牛羊，在雾中若隐若现的山峁。牛羊的叫声，乡亲们的吆喝声，此起彼伏。山村的古典音乐开始奏响。一种诗意的幸福便驻扎在心里享受美。

那是记忆深处的一片荞麦地，弯弯的小路，象形文字一样的父亲和他的牛，母亲的布底鞋，中秋，腊月，正月，月亮。

记忆如丝如缕。我浸在苦涩里回忆，自责也在回忆的溪流里漫漫上升成一种高度。那些平平常常的人，那些平平常常的事汹涌澎湃地出现在眼前。我好长时间没有这样想过他们了。

感动潮水一样地涌来。多少年没有的感觉，流泪的感觉。一个在灯下读一本好书的感觉，被灯光暖暖地照着的感觉，被记忆扇了嘴巴的感觉！

打开的闸门无法关闭。感谢这本书，它给我积蓄的感情一个宣泄的渠道。

《空信封》上写的人和事我大都经历或目睹过，有的事甚至一辈子也忘不了。这些琐事都是在常人看来不值得一提，不值得一写的小事。是一些山隅里的阳春白雪，一些羊和牛的事，一些农民的事，一些沟沟坎坎的事。这样的一些事，有些人不写，嫌它琐碎和不成气。

可郭文斌在写它，我也在写它。不同的是他用散文素描而我用诗歌写意。在这一点上我和他有相同的地方。

这真是太好了，郭文斌的散文给我的感动。

虽然我不敢评价，但我有话要说。

对于美，每个人有不同的看法。像散文这类文体的美，我认为读后至少应该让人的心灵有所触动，这是底线。如果能让人的眼睛有所潮湿，及而想到极远、极深层的东西，那则是一种少见。郭文斌的散文则属于少见的潮湿的一类。

我们不要套用那些陈旧的教条式的框架来对一本书做解剖式的分析，重要的是去感知和体验。随着时代的发展，人们对美的认识也在发生变化。但郭文斌散文的美是经得起时间的考验的。

比如作品中的景致美。他对一片绿中的一个活动着红色上衣的描写，“哪个收藏家能收藏到这样的一幅画，哪个收藏家能收藏得起这样一幅画”。那个着红衣的劳动着的大婶劳动的美，蓝天绿地中恬静的美，一片绿色的屏障被红色点缀的美，静中有动的美。还有山道上担水的姑娘，青春的、舞动的、弹性的、力量的美。这时，我想到美是不用化妆和刻意雕塑的，原始的更美。这一点郭文斌做到了，他散文中的那种绿色的质朴美让人透不过气来。我想，凡是读过他的作品的人都有这样的体验和精神的愉悦感。

还有忧伤的美。这并不是说只有哭鼻子等比较浅显的东西才有美的体验。这里指的是更深层的不在表皮的东西。忧伤是一种淡泊的美，它是宁静而致远的回忆中流露出的一湾清泉，是一个小孩跌倒后被摔痛的眼泪。总之，忧伤是一种感觉，只有经历过困苦生活的人才能感觉和体验到。郭文斌的散文最大的特点是忧伤的美。虽然我们的家乡贫穷，虽然我们的乡亲穿不好，不像城里人那样光鲜，虽然他们不会讲普通话，屡屡遭到别人的白眼。面对这样的一群人，有些作家出卖贫困以获得掌声；有些作家出卖荒凉以获得成就。写作和功利是很难绝缘的，可《空信封》里没有贫困荒凉的直白描写，我也感觉不到作家在字里行间对故乡比较差的景致一丝一毫的抱怨。我只感觉到忧伤，只感觉到美。像心被它的笔拨了一下，淹过心房的只有泪水。我想这已经足够了。一个作家能用他的笔把被电视等传媒绑架得有些麻木的眼睛刺得有些眼泪已经不容易了，要达到汹涌澎湃则更难得。

我想凡是读过这本书的人应该和我有一样的感受。

另一种美是语言的美。只有那些经过锤炼的语言的精华，才能有美的感觉。

《空信封》的语言便是经过锤炼的语言的精华。比如，写母亲的布底鞋，用“刺儿刺儿”写声音。用“将满心的希冀纳成慈祥而又温暖的歌，纳成一条清凉而又温柔的溪流”写母亲的希望，用“一贯的绿。那种压迫得人喘不过气来的绿，那种处女一样一尘不染的绿，就是偶尔有那么一两种红桦点缀其中，也是那么蕴蓄，让人丝毫想不到衬托之类的概念”写荷花沟的绿色。写我的心情用“我在房里坐着，却被雨打得很湿很湿”。

这仅仅是举例。

我想，这已经能说明问题了。不论是写爱情，写亲情，写人，写事，写景。郭文斌的文字如春绿，如秋雨，如冬雪。绵绵的、软软的，不像夏天的烈日，不像冬天的干冷。好像是夏天的一点凉，好像是秋天的一点伤感，好像是冬天的一点温暖。

一些从心灵飞出的声音。

不能再写了，这已经有些唐突了。

希望他越走越远。

我始终注视着他。

选自《郭文斌论》（宁夏人民出版社 2008 年出版）

震颤或者痛
——郭文斌散文集《空信封》阅读随想

石 也

评论一个人一生的功过是非，可能要等到这个人活完一辈子才行，所谓盖棺定论。讲述一件事情的成败得失，大概需要对这件事的始末作详尽的了解，才能得出确切中肯的结论。同样，对一件文艺作品的评介论说，或许要等到对该作品有了细致入微的品评和思考之后，起码要做到通读全篇。

然而，这次于我却是个意外。

四月里从朋友处借阅了郭文斌先生的散文集《空信封》，信手翻看了第一辑，立刻被其文字打动了，忍不住要对这些作品说上两句，当然，文艺评论于我是陌生的文体，我怕我稚嫩的笔触很可能破坏作家精心营造的艺术氛围，终于压抑了动笔的冲动，意兴盎然地读完全书才开始下笔。但是，与书中构筑的文心惠质相比，我的阅读与论说无疑轻浅，然而，却是由衷。

相信每个人都曾有过甜美的情爱经历，尽管这经历未必成就了绝俗的美满婚姻，也未必会让亲历者觉得身在其中是一种享受。爱情有时也可能以另外一种形式出现。诸如疼痛或伤逝。通常情况下，爱以美为前提。相信书中所描述的婕和娉或菊都有一副如花的美貌，纵或不然，也应该是慧心兰质的吧。然而这些女子给人的爱却常常是一种撕裂的美，婕的殉情、娉的病逝、菊的错爱无疑给爱者带来了致命的创伤，可是，谁又能否认创伤也是美之一种呢？“空信封”也许是婕给“我”的最适合的爱的表白，娉的悄然离世或许不失为一种温婉的情义。创伤也许是爱情最普遍的一种表达，大多数初恋都是失败的，绝大多数人都可能经历错失初恋情人的痛，“事实上从古到今所有的美女子都属于强盗贼寇或流氓”。窃以为，痛才是爱情最完满的表达。作家很好地把握了这一点，用波澜不惊的笔触描绘了一幅幅美妙却又痛彻心扉的爱情场景。

就让我带着这种“美的震颤”走进《生命之河》吧。无奈抑或是生命个体所必须而且应该承载的负重，无怪乎泛舟河上的“艄公”要自语“摆渡了一辈子别人，却永远没有摆渡得了自己”。那是生而为人与生俱来的无奈和痛，我所景仰的震颤或者痛在这里复现。人人都要生活一辈子，无论这一辈子有多长，生活一辈子的人们可能终究搞不懂生活到底是怎样一种物象，怎样的生活才是真正意义上的生活。说实话，我在这一辑感到了作家内心的孤苦无奈，作家其实也是迷惘的，由《人生三题》可见一斑：恋爱季节的羽毛球拍和婚姻生活的羽毛球拍代表的是两种心情、两种体验；企盼邮差到来的时间，心乱如麻，盼望着久不归来的异地佳音。《重温一串脚印》实际上是对逝去的某段岁月的深情缅怀。不意而获的东西往往是深刻的，但人们往往忽略了这种深刻而去憧憬或追求另外一种遥不可及的东西，梦想却终归是不可捉摸的。得到的永远是素淡的却永远也是珍贵的，一旦失去便再难觅迹，刻意地追求也许仅是一种心情，这是人生独有的况味。作家以平和的语气娓娓道来，让人不禁掩卷沉思。在人生的道路上，我们以各种姿势向终点俯冲，想要到达各自理想的精神家园。最后回眸一望，跑姿无论笨拙或优美，过程一样美丽。我想作家意在提醒世人，以一种安之若素的心态走好各自的人生之路，那是个人命定的美丽，无论我们经历过怎样的震颤或痛。

恰如该书序言中所说，郭文斌是一个异质存在的作家，他为自己觅得了一种全新的富有生命力的散文样式。我贸然揣测，作家一定在农村生活过多年，如若不然，对生活尤其是对农村生活的感悟就不会如此这般深刻。正月十五的灯盏透着怎样的灵性之光明，就连牲畜都那般虔诚，奉若神明。弟弟的灯盏被风吹熄了，弟弟最终被痢疾夺去了性命。生命的终结无论于逝者还是亲人都是莫大的痛，这痛无时无刻不在敲打着生者的边鼓，让人为之震颤。庄稼是人类和人类社会得以依存的最直接有力的依靠，作家正是带着质朴的洁净心灵对庄稼进行了一次没有雕饰的渲染，生动不失风雅，贴切而又炽热。一次次家事、农事、心事跌宕成一幅幅奇丽的山水写意，撼人心魄。作家笔下的文章实质上与土地丝丝相扣、紧密相连，我想这正是郭文斌及其散文的高明之处。

现在，我已没有理由不跟随着作家在《故园云天》里完成一次心灵之旅，对他让我为之震撼的心痛往事进行一次人性化的梳理。作家擅于从细微处入手，用本土却不失洁净和典雅的文字描述了身边一个个厚重高大的人物形象，让读者不禁要对这些普通却也伟大的人物肃然起敬。母亲以一个家庭妇女的超常韧性养育着兄妹们却不求回报，没有子嗣的伯父伯母在母亲的操持下实际上享受到了为人父母的所有孝道，最后得以善终的结果让人不由对这位坚强厚道的母亲心生敬意。伟大的母性！然而，母亲还是走到了人生的尽头，作家仿佛经历了一个世纪之久的痛苦的碾磨。在这里，痛依然是作品的主旋律，而痛又依然带给人以无限震颤，这是人生所必须承受的重。

阅读的过程其实也是一次心灵的拷问过程，在我们日益奔忙的劳顿中是否忽略了某种可贵的东西，以致我们囚禁在钢筋混凝土结构的心日益坚硬、冷漠？毫无疑问，我们通常所追逐或迷恋的虚妄与生活的实质已相去甚远，更为可悲的是我们却常常对此浑然不觉。泥土和村庄似乎并未远离我们，而是更深地植入我们的肌理。同时，泥土和村庄孕育着大善大美，给予我们丰富的滋养却不求回报，也是我们受难心灵最后得以庇护的港湾。

书末最后一篇《忧伤的钥匙》给我的感触尤为深刻。我不知道作家是有意安排这样一则别人的爱情来为忧伤画上一个句号还是别有深意，或者是无心插柳？无论如何，笔者一直认为人生所有的美好全都源自爱情，哪怕是一次并不成功的爱情。荻和莉原本是一对心灵相通的精神伴侣，却因为生活的愚弄各自走上了情感的不归路，带着各自的忧伤和痛。无可否认，荻和莉始终深爱着对方，爱却不一定代表着拥有。只有爱得执迷不悟、爱得隐隐作痛才是爱情的真谛。

郭文斌的散文之所以美很大程度上是因为他让人们发现生命和生活原来可以这样富有诗性，然而诗性的背后却是隐隐的痛。可以说，郭文斌的散文始终用近乎白描的朴素语言将读者拉入一个丰厚深远的意境中，让人不禁对逝去岁月的点滴往事产生千种“美的震颤”，而这震颤不仅美，还带着深深的痛感。纵览全书，痛或震颤始终是作家行文的背景色彩，蕴涵着作家对生活最真切的感悟。我毋宁认为，全书是作家用爱情、友情和亲情为读者编排的一次盛大协奏，基于此，生活中任何一次琐事都蕴含着诗性的美，这该需要怎样一双透亮、明锐的眼睛啊？

郭文斌的散文之所以走红的原因之一我想还因为他极具穿透力的语言。文学作品尤其是散文存于世的一个重要理由就是语言。郭文斌的散文语言具有一种难得的美感和磁性。

在此，我不想用任何界定的词语。我只想说，他的这种语言风格势必在文坛掀起一波微澜，为散文注入一支强心剂。

郭文斌的散文像美妙的天籁，质朴又凄美。看似波澜不惊的论述却常常给人以最深刻的震颤和痛。

在浩如烟海的散文世界里，最终能从历史中积淀下来的散文样式也许就是这样的与大众的心灵最最贴近的散文。大众喜爱总有大众喜爱的理由。作家的禀赋决定着作家作品的深度，郭文斌的飘逸、空灵、机巧、智慧成就了他，而震颤和痛则是他对生活最深切的感悟，他的散文则是这种感悟最有人格魅力的一个表达。

选自《郭文斌论》（宁夏人民出版社 2008 年出版）

郭文斌和他的散文集《空信封》

吴志明

今年 5 月，郭文斌给我说他准备出一本散文集。我说，如果你只是准备送人，可以冒这个险，否则，我劝你还是不出的好。没想到不久书真出版了，并且一下子就印了 2000 多册。而且是大 32 开本，印刷材料、工艺和创意都是区内同类书籍中档次最高的。光封面耗资就够别人印一本普通版的书。我在心里说，郭文斌给自己的日子压了一块石头，以后就别想轻松。现在的社会，还有谁去光顾你那东西。

让我真正意识到《空信封》的不平常是在今年 9 月的一天，那天，我和一位朋友与郭文斌在西吉的大街上散步，突然听见有人在喊郭文斌。看时，四周却没有我们认识的人，我们以为是听错了。又往前走了几步，才看见前面有一个推着自行车的女孩子回头看我们。我问郭文斌这个女孩子是谁，郭文斌说他不认识。近前，那个女孩子说："你就是郭文斌？"郭文斌问她有什么事。不想女孩子从包里拿出一本书，正是《空信封》，看上去已经很破旧了。她说，能不能劳驾签个名。郭文斌说，当然可以。签字时，我们看见郭文斌的手在微微颤抖。女孩非常感激地说，谢谢。怀着一种特别的心情，我们看着女孩骑着车子远去。当时我想，也许我对《空信封》的估计不够？

这位朋友说，这是一件值得庆贺的事情。我说，郭文斌应该请客。郭文斌就真的请了我们一顿，而且例外地喝了不少酒，平时他可是滴酒不沾的。朋友说，他要以此写一篇散文，题目叫《作家，你求什么》。第二天，他果然就写出来了。那天晚上，我将在抽屉里放了很久的《空信封》拿回家去，比较进入地阅读。我发现我对郭文斌事实上是不了解的，他的许多作品其实我并没有读过。不想一口气就看完了。掩卷之后，我对一位评论家给该书写的评论中的一句话“他让我们透过一个个美丽的心灵断桥和爱情伤口走进或失之交臂或尘封已久或习焉不察的生命秘密和感情隐私之中，于一种神意的欢欣和诗意的忧伤中把味生命的花开花落”有一种特别的共鸣。郭文斌提供给我们的，不但是愉悦，更是亲切。怪不得那个女孩那样着迷。

读后，我发现作者是十分尊重读者的，选编极为严格。《空信封》所收的作品只是他发表的散文作品的四分之一。大多数篇章都被他在选编过程中一次次砍掉了，从而保证了集子的品位和质量。

一天，我下班回家，妻子还没做饭。因为我晚上还有事，就有点不高兴。正要问她怎么回事，却发现妻子的眼睛肿肿的，问她是怎么回事。她说："郭文斌这家伙不是人。"原来他刚刚看完他的《一片荞地》。那几天，大家在一起就说《空信封》，许多不认识郭文斌的人都向我询问他的情况。我才知道因为《一片荞地》将眼睛哭肿的不单是妻子一人，我想，郭文斌的《一片荞地》在西吉县城恐怕是家喻户晓了。

一天，彭阳的一位朋友给我打电话说，《空信封》已经在他们那里"泛滥成灾"了。

9月下旬，我到固原出差，准备住在劳动服务公司招待所。因为要写东西，我让服务员给我登记一个单间，服务员说单间住完了。我就打电话让郭文斌给我联系一下别的宾馆。服务员一听我给郭文斌打电话，问："你认识郭文斌？"我说认识。她说，房子我给你想办法，你能不能给我办件事。我问什么事。她说，让郭文斌给她签一本《空信封》。我说这小意思。借着郭文斌的一本《空信封》，我不但住上了单间，而且还享受到了以前从未享受到的热情和微笑。

住了几天，我发现《空信封》在固原比在西吉更火，尤其在校园。许多学生成了《空信封》的赏痴。师范三年级五班的一位学生说，三年中，从来没有哪一本书像《空信封》这样被学生争相传阅。许多学生省下伙食费买《空信封》，有的班几乎人手一册，不少学生因在上课时偷偷地看《空信封》而被老师叫起来。有人称之为"《空信封》现象"。老师们也十分喜欢这本书，他们认为《空信封》不但在审美上有它的独特价值，更重要的是在艺术形式上是对课堂教学的一种有效补充，对校正“课本体”文风，调整学生观察生活的视角，引导学生进行文学创作有着十分积极的意义。副校长朱世忠在一次讲座中说，《空信封》不但有极大的阅读价值，而且有很高的收藏价值。口语老师邹慧平在给《空信封》写的评论中说，《空信封》的可贵之处在于它对人们心灵的提醒，因而有一种让人执卷而恋的力量。在固原地区第三次文艺评奖中，散文执行评委、固原地区作协主席张光全首先推荐《空信封》为一等奖。他的推荐理由是《空信封》以它骇俗的品质和对读者心灵的强烈冲击力，不但有十分感人的力量，而且在创作方法上有着独特的贡献，因之在青年读者特别是校园师生中受到意外的欢迎。中文系副主任钟正平在给该书写的评论《情爱精灵与生命烛照》中说：“在西海固贫瘠干枯的土地上，在富于黄土高原特色的西海固作家群中，出现郭文斌这样多情如水的作家，孕育出《空信封》这样秀色可餐的文章，不是很平常的事情。”还有不少教师将《空信封》当范文给学生讲。

我不由想起火会亮给该书写的评论题目：《〈空信封〉不空》。

选自《郭文斌论》（宁夏人民出版社2008年出版）

《空信封》再版序

苏启运

对于《空信封》，恐怕没有比广大读者热烈而又持久的掌声再好的评价了，但是我还是很愿意为它再说些话。应该说，《空信封》得到读者如此的厚遇不是偶然的，之前，已有国内多家报刊发表文章评介郭文斌的散文，《爱情没有药》等被国家级报刊选载，《故园云天》等被收入全国性丛书。《空信封》的成功，还有一个不容忽视的因素，那就是郭文斌"一"的阅世方式和"全集"型写作状态。在我的印象中，他似乎什么都写。1997 年《朔方》给他安排了小说特辑，1998 年全国发行量最大的文学半月刊《佛山文艺》给他开了小说专栏，1999 年他又荣获全国发行量最大的散文诗刊《散文诗》封面诗人，为宁夏首位获此殊荣者。郭文斌有多部电视散文被演播；他撰稿并协拍的电视片《西部娃》宁夏部分，在中央电视台播出，获奖，并参加了国际交流；他的自选集小说、诗歌卷又将出版问世。

那么，被大家称为"《空信封》现象"的现象又是怎样形成的呢？评论工作者单永珍、刘立平在他的评论《郭文斌散文何以走红》中这样说："让我费解的是，郭文斌的散文为什么既能得到中老年读者的赞赏，又能在青年读者特别是大中专院校的学生中走红。不少人悄悄地将郭文斌的散文抄在笔记本上，有的甚至能够整篇背下来，毕业后当范文去给自己的学生讲，还有相当一部分大学生拿郭文斌的散文作毕业论文选题。"同时，他们还引用一位大学生的话说："郭文斌的散文特别是他的爱情散文仿佛一个焚火之蝶的舞蹈，那种刻骨铭心的撕裂之美，为当代文学不多见。"对此，我不想提出异议，让我比较感动的评价是："他让我们透过一个个美丽的心灵断桥和爱情伤口走进或失之交臂或尘封已久或习焉不察的生命秘密和感情隐私之中，于一种神意的欢欣和诗意的忧伤中把味生命的花开花落。"我相信，这是《空信封》热心读者的共同感受。

有不少作者让我从创作的角度给《空信封》做个界定，对此，我认为评论工作者钟正平的《情爱精灵与生命烛照》一文已做了比较到位的把握。他说："在西海固贫瘠干枯的土地上，在富于黄土高原特色的西海固作家群中，出现郭文斌这样多情如水的作家，孕育出《空信封》这样秀色可餐的文章，不是很平常的事情。"他说：这本书从头到尾保持了一种难得的可读性和启迪意义。郭文斌能够把这个世界一闪而过的念头、思绪、稍纵即逝的感觉、体验都捕捉住，并且非常丰满地展现在我们面前。即便你的心锁已尘封锈蚀，你已与世无争，说不定他的哪一篇短章、哪一句心语、哪一种感觉、哪一个字眼，甚或一篇文章的题目，会突然开启你的心锁，拨动你的心弦，让你的灵魂为之震颤起来，从而高扬起生命的风帆。他对分手、送别、相思以及生命和情爱的见解，都可谓惊世骇俗，叫人不由得不被他感动。他的一些散文像印象派的画，捕捉瞬间感觉的能力和调配色彩的能力都是惊人的。《蛋黄色的办公室》纯粹就是一幅印象派的‘黄昏图’。他对一些物象的感觉极其独特和富有诗意，用语新奇大胆，常有惊人之喻。写法上显得随意、跳荡、不连贯，不刻意经营结构，仿佛文章就在那里等着，在月夜、在床上、在车站、在校园、在教室、在随手可及的地方，他只是信手拈来，稍做连缀而已。突破了传统散文的章法结构，有艺术探险和文本实验的味道。

从中，我们可以看到，《空信封》给予我们的不单是陶醉，更是启示。正如编辑闻玉霞在给该书写的评论《乘美以游心》中所说："读了郭文斌的散文，你会重新留意起生命中、生活中极易被忽略的一些细致感人的风景。"青年作家火会亮在给该书写的评论《〈空信封〉不空》中写道："关于郭文斌的散文，已有多人撰写评论发于自治区内外各报刊，有一点大家是基本认同的，那就是，他的散文以其飘逸空灵与机巧智慧在许多青年读者特别是大中专院校的学生中悄然走红，而其散文不拘一格则在同行写作者中影响更为直接一些。打开书页，你不觉眼前为之一爽，你会情不自禁地挑出其中一篇或某一章节认认真真地读下去，并很快会被他用绚烂之笔营造出来的一片氛围所打动。之后，你会重新打量这个世界，原来生活如此美好。”

在这里，我想谈谈和郭文斌的几次争执。去年6月，得知他要出书，我劝他暂时等一等。客观地说，如果他申请，他的散文入选中华文学基金会主办的“21世纪文学之星丛书”是很有希望的。而该丛书的评选对象只是那些没有出过书的青年作者。如果你出了一本书，就会永远失去这个资格。不想他却说，那又能怎么样。噎得我说不出话来，却对他油然生出一份敬意。接着，我就看到《空信封》的样书，我建议他用那篇万字散文《一片荞地》打头。我觉得，那是他的散文中最出色的一篇，出色得让人更愿意相信它是神迹，而不是出自郭文斌之手。或者《忧伤的钥匙》也可以，这篇散文当时是作为小说发的，这个非常的爱情故事一发出来就被一些学校的师生争相传阅，成了他们课余的中心话题，就连那些平时对文学刊物“敬而远之”的同学也被卷了进去。记得当时他曾犹豫了一下，但最终还是用《空信封》作了头篇。我想，这里面肯定有他特殊的感情和指认，为了这种指认，他宁可不顾接受美学原理，不惜将最能吸引读者的篇章放在最容易错过读者的位置。好在我的这种担心已经成了多余。《一片荞地》《点灯时分》《永远的堡子》等篇什尽管编排在后，但是读者还是发现了它，并且在有些地区恐怕是“家喻户晓，妇孺皆知”了。

另一次是关于书稿容量的。拿到样书后，我发现有一大半发表过的散文都没有选编进去，我让他再增补一些，这样显得更有分量些。他说，还是精些好。通读全书之后，不禁赞同他的做法。

据了解，至今仍有许多热心的读者到《六盘山》编辑部找作者签名购书。有不少陌生的读者将郭文斌堵在大街上让其给所购的《空信封》签名。一些学校的个别班级几乎人手一册。同时我还了解到，郭文斌参加一些学校的文学活动，每每被要求在所购的《空信封》和笔记本上签名的学生围困，有时竟长达两个小时。校方见作者签得大汗淋漓，几次强行驱赶学生，都未能成功。老师们对这本书更是情有独钟，愿意将它推荐给自己的学生。他们认为《空信封》不但在审美上有它的独特价值，更重要的是在艺术形式上是对课堂教学的一种有效补充，对校正“课本体”文风，调整学生观察生活的视角，引导学生进行文学创作，体现“大语文”教育观有着十分积极的意义，不少青年教师已经将它引进课堂。在固原地区第三次文艺评奖中，散文执行评委、长期从事写作教学的张光全首先推荐《空信封》为一等奖。他的推荐理由是《空信封》不但有十分感人的力量，而且在创作方法上有着独特的贡献，因之在青年读者特别是校园师生中受到意外的欢迎。

最后，我要说的是，对于《空信封》，这一切仅仅是一个序幕。

是为序。

选自《郭文斌论》（宁夏人民出版社 2008 年出版）

安详而又焦灼的发现与寻找

——评郭文斌《我被我的眼睛带坏》

田 燕

诗歌是对生活多元丰富性的有所发现和对理想生存状态的不懈找寻，是一种实现人类灵魂的安详存在和诗意栖居的最大可能。在尘世喧嚣的倦怠中和对精神家园的憧憬里，郭文斌的文字总是一再给我们带来某种冷静而清凉的惊喜。在新诗集《我被我的眼睛带坏》中，郭文斌坚持了他惯有的“文字养心”理论，将诗歌统筹于郭文斌式的纯净空灵的语境之下，在独特的生活基础上观察、感悟和思索，发掘内心世界潜藏的无穷可能性，以此形成呼唤尊严和高雅的隐性抗争，竭力恢复人在物欲诱惑中始终持有自我节制的能力。这是在沉默压抑、物欲横流的时代为数不多的激越呼唤。

可以说，郭文斌营造的文字世界是润物无声的“渗透”式，而非排江倒海的“淹没”式，诗人“发现”与“寻找”的过程安详宁静而又带有几分无以言说的现代性焦灼，这是面临世俗物欲的诱惑和人间困顿的茫然时无法逾越的必然。

“眼睛”带坏了谁

“黑夜给了我黑色的眼睛，我却用它寻找光明。”顾城写于1979年的这首小诗无疑是和“眼睛”有关的经典文学作品之一。在“我被我的眼睛带坏”中，“眼睛”作为主体，成了“发现”的象征，在诗人看来，看到、感受到、联想到的才是真实，即使这些可能是瞬间，却极具穿透力地反映内心一种真实的感觉、思绪。物欲对人心灵的侵蚀，理想与现实的差距之间存在的巨大张力，恰成为诗歌的空间。诗人把各种内心状态转变为可感的形象，把思想转变为眼睛的特权，同时在发现事物的时候发现并感悟到自己内心的空间。

诗人并非表情迟钝的看客，而是敏感的先觉者，首先发现他人习焉不察的现象和生活中人们司空见惯却又不愿正视的或美丽或黯淡的风景。即使无法提供生命的典范，但也在持续思考人应该怎样生存以及应该如何看待周围的世界。这也就形成一种特殊的诗人的视角，所以说真正被眼睛“带坏”的应该是这个首先发现世界的人。诗人的发现之旅可以从自己的童年、自己的时空开始，并且是以诗人看待外界和审视内心的视角。“眼睛”也是诗集的灵魂所在。“谁的眼睛被对面的窗户灼伤”（《月亮》），“给我惹下是非的／除过嘴／更多的是眼睛”（《久埋心中的鸟声被阳光唤醒》），“风口里只有一双／被流言篡改的／眼睛”（《位置》），“据说我就是在这时死的……

没有挽歌／只有悄悄睁着的眼睛”（《怀念猫》），将“眼睛”还原到生活化场景中，眼睛就和心灵深处的独特意绪建立了关联。在《我被我的眼睛带坏》组诗中，给庄稼除草的“好心人”想起“一个穿裙子的女人”，令箭的一夜盛开像是“放出的一窝兔子”，秘密是“除过屏障／还有房子／除过房子／还有黑”，事实上，草依然是草，令箭依然是令箭，秘密还是秘密，其间的区别只在于看待他们的诗人，而得到了不同结果，甚至情绪。“说话的人／为说话的人抬着棺材／走路的人／为走路的人提着鞋子／追赶花朵的人／被花朵追赶”（《广告》），“窥视者被窥视／图谋者被图谋……心疼，是因为时间的碎银已经花光”（《无人赦免》），我们隐约看到一颗忧郁、敏感并且对外界有着某种焦灼、恐惧的心灵。这种“发现”单纯而不乏复杂经验的涉猎，热情又保持超然冷静，以多种物象透视人心深处的种种永无止境、循环往复的困惑和束缚。

眼睛虽然“带坏”了人类心灵的宁静，但也提供了一种看待世界、思考生命的不同方式，启发人们领悟生活，并且探寻在一切无法忍受的庸常困顿中有意义地生活的可能性。

永远在一起，又永远分开

生活永远在远方，人类的情感是一种生生不息却永远无法触摸的痛。诗人用眼睛发现着整个世界，也装载着整个世界的情感，他们追赶着美丽的风景，用一个单独的生命面对宇宙发出诗情洋溢的感叹。

诗人远离故土，却长时间对故土保持准确的记忆，故土记忆永远留在诗人心中，但不可避免地庄严退场为永远无法抵达和复原的彼岸，这也成为诗人欲罢不能的一贯书写。故乡的荞是“粮食中的情种”，它“四月下种／五月绽蕾／七月开花／八月招蜂／九月引蝶／十月赴会”，连死“也是情意绵绵”（《荞》），这一系列洋溢生命本色之美的境界，成就了诗人内心一直希冀并眷顾不舍的赞美；米黄色黄昏里的小院，没有人，只有“两棵无名之树”，“背靠夕阳／睡着或醒着”，“比神话轻／比童话重”，古道“已经不是古道”，“亮闪闪的黄土小院／宛若一段米黄绸子”，“纤尘不染”（《小院》），诗人潜意识里把故乡小院拉到足以令我们观察的距离，实际上描述的是诗人久别于当下却又萦绕于内心的故土记忆，捕捉到了正在诗人视野里消逝的事物存在着的永恒意义的东西，体现诗人最后的醒悟和对永恒家园的确认，这是对出生田园的皈依，也是对精神家园的追慕。

同样，人类永远无法摆脱情感的种种纷扰，对于情感，尤其爱情、婚姻，诗人的书写节制、含蓄，淡淡的忧愁，永远的失落和从未止息的激荡不宁，在诗歌中久久挥之不去。“想你的人就在咫尺／你想的人在梦里”（《钥匙》），“爱情已经像杏子一样黄透”，“最终经不住成熟的重量／随风落地”，小伙子仍在“做着一个竹竿的梦”（《爱情报告》），或许人世的热闹或者相聚即使存在也是短暂，独自在家和不尽的寂寞是人间常态，平和的语气、忧伤而柔和的笔触又与中国诗歌哀而不伤的传统相通。“婚姻是一双鞋／儿子是一条鞋带／只要一上脚／鞋子里尽管有石子／也休想／倒出来”（《风流泪》），诗人用生活中常见的“鞋”的意象对婚姻中“不合脚”的摩擦形成隐喻，语调平静，不动声色地再现处于传统重负和现实失落夹击中的无奈心境和情绪。

此外，诗人具有自觉的哲学意识，善对日常生活现象进行哲学的穿透开掘。例如，“寻找脚印的人／迷失在脚印中”（《算术》），“舀走幸福的那个人／用的是最浅的勺子”（《地理》），“青草被兔子追赶／兔子被猎人追赶／猎人被故乡追赶／故乡被青草追赶”（《哲学》），这类诗歌与现代派诗人卞之琳、废名等创作的“智慧诗”一脉相承，它们超越了逻辑，讨论主客体之间关系的相对性以及感性与智性的交融，全凭瞬间顿悟来表现智慧的闪光和哲理的趣味，这是宋诗追求“理趣”的回应和发展，在一定程度上又与西方现代主义诗歌某些艺术表达方式暗合。

诗人今夜无家可归

诗人的眼睛除了发现着外部世界，也会关注内心的某种紧张不安和焦灼，透过清浅冲淡的文字，传达现实人生的感遇和情怀及自我的迷失和找寻。也许由于他一直坚持文字应该给人以安详和温暖，所以他把生命中最真实的困顿、压抑尽可能隐藏在最后，而这一部分或许最令人无法释怀，因为它最大可能地体现生命个体纠缠不清的真实。

德国哲学家尼采说："人都是无家可归的，人生的意义就是在路上流浪。"可以说诗人把自己作为抒情主体置身于诗歌中，抒发在失去与周围世界曾经有过的和谐后迷失自我又不懈寻找的心路历程。雪用"洁白的盛宴／等待自己／走失多年的孩子"（《在北京看雪》），在被花灯装饰的夜晚，诗人询问："广播上说有几个小孩弄丢了／请问／其中可否有郭文斌"，在黑夜"一驾马车／找不见它回家的路"（《天意》），"在这个春天／我再次将自己弄丢"，"明天就是年了／可是我该怎么回家呢"（《广告》），"记不得从何而来／因何所往／眼看着天色一片片黑下来／却总是找不见回家的路"，"事实上／并不是你找不见回家的路／是你压根／就不想回家"（《羊皮筏子》），诗人在追求理想的路途中丢失了自己，被一种内在的困惑、茫然纠缠，精神的无所依傍使诗人不知怎么回家，也无家可归，或者说诗人真的"不想回家”了，甚至不知自己在哪里：“父亲落在雪中／母亲落在粮食中／我在哪里”（《我在哪里》）。

在《某个元宵的后半夜我从梦中惊醒》中，我们看到一位诗人在深夜披衣而起，朋友从地球“消失”，和妻子持续“冷战”，情人“移主”，“娘肯定记着我但是老家没有电话”，想唱歌却“记不起歌词”，拿起书才记起“眼睛患病”，“打开收音机但凡频道都拒绝表达”，让人感到生活的灰暗和压抑，也把这种真实告诉人们，告诉他们世界上习焉不察的悲哀。诗人长夜不眠的忧心几乎也发自我们的心灵深处，那是无尽的追求和希望，无尽的悲凉和寻觅。《中文系的小郭》这首诗歌里，语言不再有指向意义的所指，其表意功能滑脱。“起床就穿上一身形容词／然后洗掉一身疲惫”，“静静的顿河就从桌框里流出来”，“脱去一身方块字”，“躺在庄子上／逍遥而去”，这些诗句打破惯常的组合，意念的游走使不相干的语象连接，开拓了非常态的语言审美空间。《非梦经历》以一种超现实主义诗歌式的梦态冥想和沉思描写了梦一样的记忆，抒发生存中梦一样的景象，这是对现实生存的特殊把握，仿佛超现实的光亮撕裂生存景象，呈现背后的晦暗，刻画出人们找不到救赎与解脱的焦虑体验。

当然这些复杂隐曲的心态，大体从诗句背后的意绪中悟出，并非直接的倾诉，虽然这些诗句在表面呈现的闲适之中隐藏着一种欲说还休的落寞与凄迷。这些真实的存在感受因涉及对个体生命价值的评价而具有生命自省的意义。

诗歌是最后的方式

诗歌的真实生命力在于以最坦白的方式来言说内心，诗歌有时触摸的是心灵最为伤痛的地方。从小说集《大年》、散文集《点灯时分》再到诗集《我被我的眼睛带坏》，郭文斌最终选择了用诗歌来敞开心扉表达真实。心灵是生命个体最深入的部位，眼睛是心灵找寻的外化，而诗歌最能充分而直接显示诗人的内在品格和追求，所以，诗是最后的方式，是人类至尊至爱的、能够在现实处境给人以慰藉，也是发掘现代都市人生存和个体生命内心最后的，并且是最熨帖的方式。

在诗歌这种形式中，诗人把真实的个人力量毫无保留地自然流露。诗人多次使用与“渴”“寒冷”有关的诗句来表述一种抽象意义上的感受。“你冷／是因为／你盖着被子”（《语文》），“喜欢石头／是因为石头／不怕寒冷”，“车站很渴”是因为“站台上／总有一朵冬天的花／在等待雨”（《风流泪》），“我好像有点渴／可是很快我就忘了”（《非梦经历》），这是一种被困住、被束缚的力量，也是一种潜意识的渴望，渴望温暖，渴望自由，渴望突围，渴望拯救，而情感却消耗在渴望之中，求而不得。“手被手占着／脚被脚占着／眼睛被眼睛占着／你用什么把你的手／你的脚／你的眼睛／拯救”（《拯救》），这里透露的是一种人生追求的困境，高扬而不能高扬的焦虑，其所问的也是诗人自己，我们很容易认为需要拯救的是那些“找钥匙的异乡人”、找不见路的“马车”、没有了“庄稼”的“游子”，“被花朵追赶”的人，“被眼睛占着”的眼睛，实际上也包括诗人自己，然后再是他们。

诗歌中大量提及各种“疾病”：“肾阳虚”“眼睛患病”“脚疼”。爱情也是一种“病”，其实都是心灵疾患。诗人内心走向封闭，对局部病态的失望暂时取代对人类整体病态的失望，在众人面前，诗人可能是救赎者，即使这种救赎脆弱而艰难。而在此时，诗人自己也在等待超验的情感降临，等待被治疗、被救赎。充当这一身份的可能是“郎中”，是“医生”，是“一个叫水的名字”或飞走了的“小水鸟”，但事实上，“谁也拯救不了我／因为它们／都是液体／而我／早已漏底”（《风流泪》）。诗人决绝地清醒着，是排斥了表面的喧嚣之后更为沉稳的焦灼，在道德和信念面前，在金钱和权力的双重挤压之下，人的欲望无以宣泄，人的心灵倍受束缚，人在新的环境中受到新的扭曲而产生了种种不可疗救的病态。

诗集除了“比思念更轻”“齐肩软枕”“爱情报告”和

“非梦经历”四辑外，还有一篇颇具道家、禅宗理趣的自序《怀念一位高士》和一篇倡言儒家向善、求仁、克己的代跋《孔子到底离我们有多远》，而在道家与儒家之间游弋的是郭文斌式的诗情。代跋中诗人提出一系列问题，并告诉人如何解救，而且是以一种超脱的方式、高贵的境界和安详的神态去操作，这显然是对序言中和诗歌中疾病与治疗的一种回应，当然这种治疗是治标又治本的，亦即自我节制、回归一种形而上意义的诗情生存，人的心灵才不会被“带坏”。

诗有语境，在玄秘与安详之间，郭文斌以自己的风格给诗寻找了一个郭文斌语境。从书名到内容再到版式设计，这本诗集无疑是成功的。色彩是在表达某种本质的东西，在继《大年》昂扬喜庆的红色和《点灯时分》纯净雅致的白色之后，《我被我的眼睛带坏》选择神秘冷静的黑色作为封面主体色，宛如印象派画家把玫瑰色的天空画入作品，诗集封面也嵌入几点妩媚妖娆的玫瑰红作为生命底色的点缀，两种互补色之间的混合和反衬，就像黑暗吞噬着巨大的空间而微弱的一丝亮色颤抖在无边的黑暗之中，是否也透射着情感空间某种沉重的压抑感？这与内心的真实或诗集题目本身形成一种对应和契合。

规避流行的轰响与喧哗，坚持朝向灵魂高贵的存在尺度，郭文斌一直在用安详明朗的写作更清晰地认识自己，认识世界，认识黑暗与光明之间的辽阔地带，这是心灵富有责任和信念并拥有新的可能性的最佳诠释。面对世俗的潮流，有责任感的诗人们依然在追寻安详的路上站在了高处，坚守着精神的高地而拒绝撤退。

选自《郭文斌论》（宁夏人民出版社 2008 年出版）

冷色调世界理趣与距离
——郭文斌《我被我的眼睛带坏》的解读

孙纪文

阅读那些有韵味的诗歌常常产生坦然的感觉。如今，这种感觉在阅读郭文斌新出版的诗集《我被我的眼睛带坏》时又一次萌发了。

相比小说集《大年》、散文集《点灯十分》而言，《我被我的眼睛带坏》或许缺少了一点带有宿命式的禅定，但是诗集中那些跳跃的文字却心平气和地告诉我们，由于冷色调世界的存在和理趣的存在，使诗歌抒写又一次产生了别样的诗意。

一

诗人笔下的世界是灵性的世界，是自我意念下的世界，也是生存飘动的世界。它是梦境呓语，它是昨日玫瑰；它是夏天暑雨，它是冬月祁寒；它是乡愁别绪，它是爱情思念。但是，我更欣赏诗中把冷色调的世界呈现出来。无论是《在北京看雪》中的舞蹈姿势，还是《被花灯装饰的夜晚》中的油灯；无论是《谁能为我守住千年月光》中的月光，还是《某个元宵的后半夜我从梦中惊醒》的非梦经历，都是冷色调世界的冰山一角。在这样的冷色调世界中，物是人非，好景不长；春江秋月转眼即逝，爱情宣言如明日黄花。冷静之中使我们又一次感悟到眼前这看似认识又熟悉的世界，它不仅仅是温情的，更是冷漠的；它不仅仅是给予者，也是索取者；它不仅仅属于时间，更属于空间。

当然，诗人并没有把冷色调世界的颜色过分涂抹，而是添加了一些中性的颜料。于是，冷色调世界里发生了一点变化。

这变化体现在：诗人笔下的冷色调世界可以变化为超越苦痛的世界。《家书》可谓是点化这一要旨之作，其中的一段写道："大荒之年／打工的妹妹／成了老家唯一的庄稼／而我心里的露珠／早已结成火苗／今天／一个游子／什么都不做／只用雨声／书写家书。"诗人以现实的雨声慰藉故乡那贫瘠的土地，使冷色调世界成为不是特别无助的世界。

诗人笔下的冷色调世界可以变化为不必过于伤心的世界。冷色调常常与伤心相连，但诗人笔下的文字告诉我们，不必久久地陷入伤心之事中而不拔。《中文系的小郭》最有代表性："晚自习小郭上阅览室看杂志／也看看人／看杂志时很开心／看人时很伤心／很伤心是因为找不见那个红纱巾。”剧中人最终的选择是：“躺在庄子上／逍遥而去。”他超然了。

二

《我被我的眼睛带坏》不排斥理趣的来临。所谓理趣即利用哲理进行诗意盎然的抒写并颇有韵味。组诗《一棵名叫郭文斌的树》中挤满了理趣文字。如《烟花》：“以一千只眼睛／告诉人们／回头一望／是多么美丽。”

我读出两个层面的理趣：一是生活理趣，二是哲学理趣。我更喜欢那些蕴涵着生活气息的理趣。如《无援》中写道：“我的手里是一首诗／父亲的手里是一杆庄稼／天不下雨／诗和庄稼／谁安慰谁。”我的回答是：生存第一。写作诗歌、从事所谓的艺术活动，自然是高雅的事，但也属于生存之后的事。

诗人追求理趣是有点危险的，因为古人已经说过：“诗有别材，非关书也；诗有别趣，非关理也。”意思是诗歌应该追求“羚羊挂角，无迹可求”的境界。但我以为，空灵是一种境界，而诗意的隽永、有趣也是一种境界。只是不要将理趣写过头了，而成为一种理障。所以表达理趣，用笔必须有度。

三

写作，包括写诗，必须有“度”。这个“度”便是恰到好处。我不敢说这部诗集完全做到了“有度”，但是我敢说诗人找到了一个武器来替代“有度”，那就是“距离”。

我说的“距离”不仅仅是美学意义上的“距离”。这个“距离”还属于诗人长期积淀成的一种写作观照方式。在《我被我的眼睛带坏》中，这种“距离”不仅使“冷色调的世界”呈现出多面性，也使“理趣”插上了艺术的翅膀。或许可以这样说：在这部诗集中，是“距离”将“冷色调世界”和“理趣”交织起来，从而让诸多的灵性文字出炉。

选自《郭文斌论》（宁夏人民出版社 2008 年出版）

论点摘录

郭文斌的个体经验与民族记忆，有别于宁夏其他的青年作家。他的个体体验和民族记忆融为一体时，没有痛感，没有苦味，有的只是童心般的快乐、满足和幸福。在他的个体体验和民族记忆里，一切都纯净得如同一张白纸，香醇得如同一杯奶茶，静谧得如同一片月华。无论他的《大年》《吉祥如意》和《水随天去》等中短篇小说还是《农历》等长篇小说，这种甜蜜的幸福感和满足感始终洋溢其中。我想，面对这个世界，他的眼里一定只有爱和善，不然，不会永远充满了童真，不会都是幸福和满足。他的鲁迅文学奖获奖小说《吉祥如意》，在民间端午这样一个民族记忆里，通过五月和六月两个孩子采艾的过程和供奉仪式中所引发的好奇、所发现的美和所得到的快乐，温润，醇厚，绵长，隽永，真是尽善尽美，吉祥如意，幸福安宁。

——摘自彭学明《从三棵树到一片林——宁夏青年文学小说简述》（《小说评论》2011 年第 6 期）

值得关注的是郭文斌对人生命运的思考，作者提出了“安详”乃至于“安详哲学”，以便医治现代人的焦虑症，帮助现代人找回丢失的幸福。在作者看来，现代人身处各种危机中而难以自拔，其可怕程度有甚于患上艾滋病和癌症，他说：“烈火沸水一般的焦虑将会成为远比艾滋病和癌症更让人们束手无策的集体疾患。”而要根治此病，安详与安详哲学至为重要，因为它“既是一条回家的路，又是家本身”。“要说安详哲学其实很简单，安详哲学不是别的，安详哲学就是回到我们‘自身’，回到当下，回到细节；坦然地活着，健康地活着，唯美地活着，低成本甚至零成本地活着；喜悦着，快乐着，幸福着，满足着。”当然，作者并没有将安详和安详主义做片面化的理解，而是与服务时代、给予的精神、现代文明、科学、人道等连起来思考，希冀它获得合理健全的发展理路！确实是如此，安详是一种人生智慧，是一种生命体验，是一种精神品质，还是一种天地自然之道，它是当下时代与文化中最为缺乏的。作家的思考具有时代感，更不乏形而上的哲学意义。很显然，新世纪的中国散文较为集中地探讨人们关心的现实问题，表现出较高的文化素养和精神品质，也成就了不少经典作品。

——摘自王兆胜《归位·蓄势·创新——论新世纪的中国散文创作》（《文艺争鸣》2010 年第 23 期）

最早，我曾在苏童、刘庆邦、王安忆、迟子建、金仁顺、阿成等人的短篇小说写作中，就强烈地感受到他们对短篇小说艺术的挚爱和悉心投入。应该说，他们将当代的短篇小说写作推到了一个可喜的高度。现在，我读到了罗伟章、郭文斌、杨少衡和娜彧的这四个短篇小说，令我欣喜的是，我同样在他们的短篇小说里，意识到这几位作家对短篇小说的钟爱和韧性。我再一次从他们小说文本的不同侧面，体会到他们作品所达到的心灵的真实性，对时代及其同时代人存在状况的独特理解和表达。在一定程度上，他们似乎是不约而同地试图透过生存的表层现实，去发掘这个时代人、人性以及人的存在的种种可能性。他们都没有将自己的写作，局限在各自认知和体验到的局部的现实，又能够努力去超越我们的经验和习惯。确切地说，我在其中感受到了一种抚摸或洞悉生活的目光，一种朴素的智慧，一种对生活可能性的发现。更主要的是，我意识到他们都在几近“平庸”的存在境况中，以自己的纯文学叙述，独立的文学品格，显示着文学叙事的力量，抵抗着我们这个时代的世俗平庸和精神乏力，同时也捍卫着文学应有的尊严。

郭文斌的短篇小说《七巧》，在一定程度上，与罗伟章的《青草》有着极其相近的先验性命意和个性化的叙述编码，他们都有着非常清晰的叙事目标和“仪式性结构”。不同的是，郭文斌更喜欢将故事有意悬置于一种神话和俗事的模糊轮廓中，让具体可感的生活场景，与人物对神话或现实的想象形成“互文”，从而呈现一种独特的体验和感觉。叙述、对话、民谣、情歌、戏剧性、神话、童话、通灵等，郭文斌在这个短篇小说里“大张旗鼓”地布满各种小说和非小说的因素，充分地演绎民间资源可能给这种叙事所注入的丰沛的滋养。可以说，在一个属于“公社”的时期里，借用家喻户晓的牛郎织女的民间传说，连通人与自然、人与人、人与许多事物的“诗意”，建构一个既有生离死别、生命的悲与喜、情感的伤与痛，又不乏生活的戏剧性、命运感的诗性的“乡土民间”，是一种精巧的构思。“七巧”是神秘，是自然，是人生，也是宿命。小说貌似“非逻辑”化的叙述，试图呈现民间的质朴和朴素，这是郭文斌颇有强烈形式感的大胆而细腻的创意。无疑，郭文斌在这里又给我们的短篇小说增加了一种新的叙述的可能性。

——摘自梁海，张学昕《抵抗平庸的短篇小说写作》（《文艺评论》，2010 年第 4 期）

从夏入秋，文学积蓄着春天的山花烂漫和夏季的雷霆风暴，又散发出独有的初秋气息。郭文斌的《风调雨顺》（《山花》2010 年第 7 期）在 2010 年的初秋文学里独树一帜，显现着作者对历史、文化、民俗，乃至个体生命、情感、时间的宏大而细微的精神审视，在祥和、温润、素朴、节制的心灵结构之中饱蕴着深深的忧虑和澎湃的激情。西北作家郭文斌近几年的文学探索一直呈现出一种艺术高度和人文精神追求。他的文学创作一如未受污染的西北大地那样，格调安详、宁静，情感饱满、和谐，发散着浓郁、甘醇、安抚世道人心的魅力。《风调雨顺》不仅赓续着成名作《吉祥如意》的艺术风格，而且还尝试着新的情感探索。他还是在写天真纯一的孩童记忆，还是在写烂漫温馨的童趣情感，还是在写悠久古老又满富生机的民间民俗，写得是那样的从容淡定，写的是如此的质朴感人。依旧是可爱懂事的五月、六月姐弟二人，依旧是善良本分的爹和娘。他们在“二月二”的农节里，为了家人的平安、农事的丰收而祈福而忙碌。《弟子规》的琅琅背诵，盲龟穿目的奇异传说，《御驾亲耕》的古老阐释，“二月二，龙抬头”的民间歌谣，这一切无不赋予作品文本强烈、地道的中国传统文化底色。《风调雨顺》更是写出了时间的悄然流逝，爹和娘的日益衰老，以及面对公正的历史不得不低头的现实情怀。在《风调雨顺》里，郭文斌始终怀着一颗悲悯敬畏之心，那是对生命的感恩和尊重，那是对历史逝去的无奈和忧伤。郭文斌又一次用诗性浪漫的文字表达，用自然浓烈的情感记忆，来解救苦苦挣扎于“现代病”的“患者”们，用饱含体温、饱蘸深情的文字打扫心灵垃圾，舔舐情感创伤，构建一处几乎无法寻觅的精神栖息地。郭文斌确实是一名疗救心灵痼疾、缓和精神焦虑的“医生”。

——摘自张丽军《浆汁饱满的初秋文学》（《当代小说》2010年第11期）

2015年，中华书局出版了《郭文斌精选集》，包括《农历》《瑜伽》《永远的乡愁》《寻找安详》《回归喜悦》《〈弟子规〉到底说什么》《潮湿年代》共7卷和一套《郭文斌讲座集萃》的DVD。可以说，这套书的书名非常形象而生动地概括了郭文斌创作的主要意涵。郭文斌通过对偏远而落后的乡土大地神秘而新奇一面的描摹，试图引领人们探寻一条归乡寻根之路，回到生存本初的娴静和安详，回归人心的空灵和澄澈，回归人对世界本原的诗意把握。所以，郭文斌的作品执意描写一个远离政治和时代、充满情境和情趣的乡土世界，这个世界的大人和儿童都生活在一个相对封闭、自足、较少嘈杂和污染的田园世界，这里有一套传统的良性礼俗规约，从而把中国传统文化中的安详和诗意推到了生活的前台。郭文斌的《农历》可谓一部真正意义上的文化寻根小说。这部小说以元宵、干节、龙节、清明等十五个具有地域特色的农历节日为题，围绕一家四口，即爹、娘和一对小姐弟五月、六月的日常世俗生活而展开，描绘了生命的生生不息与文化的绵延流传，语言清净疏淡，同时充满着丰盈的乡村气息和实在的生活质感。宁夏作家似乎都特别会通过民俗事象如婚丧嫁娶、年关节庆来展现西北人独特的文化心理和精神状态。当然，在郭文斌浪漫的笔触下，这些乡村生活都似乎经过了某种过滤或净化，没有纷扰，没有忧患，混沌的理念与澄明的心境合二为一，形成特有的吉祥如意的文学气象。

——摘自黄轶《多元绽放：新世纪西部小说的嬗变与深化》（《当代作家评论》2016 年第 4 期）

钟正平在《生存苦难与精神狂欢》一文中曾谈到，迄今为止，很多西海固的人文知识分子都在寻求西海固人的生存之谜，在没有更惊人的发现之前，我宁愿相信苦难中的精神狂欢是一个答案，一个形而上的解释，还有什么比精神狂欢更能慰藉灵魂的呢？史佳丽在《含泪的微笑》一文中曾说，“《大年》以贫穷为主题，但贫穷并非主角，强大的‘贫穷’被挤压在一隅，被形而上的精神富足消弭在虚空之间，在这个小村，富人、穷人和更穷的人坦然面对，无哀苦、无羞赧。悲悯的学者会说他们对贫穷已经麻木，但谁能否定他们其实在享受生活的‘彻悟’？在这个小村，泪的确存在，但微笑更真实”。

以上两者谈到的都是西海固作家作品中潜在的苦难生活，以及苦难下的精神诗意和狂欢品质，这是西海固人生命力量中很隐秘的一部分，也是支撑生命结构平衡的很重要的一部分，被诸多评论家集中、深入地谈到了。

——摘自王佐红《地域文学评论的视域与守望——西海固文学评论析论》[《宁夏大学学报（人文社会科学版）》2013 年 35(02) 期]

郭文斌的诗意，是一种“童年的诗意”“初心的诗意”“安详的诗意”，他的乡土小说是“诗”与“思”融合的、洋溢着故乡气味的小说，它不仅“尽善尽美”地唤醒了我们的“疼痛”，更带给了我们一种归乡的温暖与宁静。郭文斌对“禅意童趣”的秘密洞察与精心塑造使其小说具有了“另一种乡土”的魅力，他以“唯美主义”“安详诗学”与“农历精神”深入到传统文化的根脉之中，从深层直指人类的诗意生存，并为我们守护着一个无限美丽的存在的家园。这在郭文斌的短篇小说《大年》《吉祥如意》以及长篇小说《农历》等作品中体现得尤为充分。

……评论家李建军在对当代文学的病症进行诊断时指出：“当代文学之所以缺乏力量感和影响力，其中一个重要的原因，就是因为它缺乏诗意，缺乏对于善的朴实而坚定的态度。要知道，在任何时候，作为破坏性的力量，冷漠和冷酷都是瓦解人类内心生活的；在任何时候，作为诗意的对立物，庸俗和粗俗都是降低文学的价值和尊严的。”正是在这个意义上，他充分肯定了郭文斌笔下的诗意叙事及其意义。事实上，对于善抱有“朴实而坚定的态度”，对于真与美进行诗意地守护，大大提升了宁夏文学的价值和尊严。

——摘自张富宝《宁夏文学六十年：历史、现状与问题》（《朔方》2019 年第 10 期）

朱世忠评价郭文斌说：柔软是他获得鲁迅文学奖最突出的力量。因为他的文字以润物无声的状态，用柔软的力量浸润人们的烦躁和零乱。我以为他的创作从自为到自觉，就是自觉构建和谐与诗意，行走在节日、民俗中，以传统文化，以生活中的禅意宣扬他和谐、安详、诗意的审美价值。在当代作家中，还没有发现哪一个作家对中国传统节日有独特而完整的表达。郭文斌借此守护着传统，在传统的民族文化、民俗风情的表达中，成了“北方的汪曾祺”。

——摘自武淑莲《宁夏作家创作倾向研究——以石舒清、郭文斌、火会亮、古原的小说个案为例》[《宁夏师范学院学报》2010 年第 31

卷第 2 期)]

西海固作家笔下的孩子纯真和纯洁，照亮了整个时代的精神，净化了污浊的人心。尽管有一些懵懂的性意识，但并未抹杀他们的天真无邪的性情。

（一）充满着好奇心

孩子们是充满好奇心的，在他们的头脑中有太多的为什么，然而他们又是聪明的，就像先知一样，能透视得更多。《点灯时分》中的六月喜欢问问题，“为啥要在麦秆上缠了棉花才能当灯捻？娘说因为棉花吸油。六月说为啥棉花就吸油，麦秆自己不能吸吗？娘说你为啥就这么多问题呢？六月又问，为啥只有吸了油才能着呢？娘就咳地一声笑了，说，老天爷就造了这么一个理，你去问他”。《开花的牙》中，牧牧是个懵懂未开的碎小子，对嘴里莫名其妙的长牙、父母遮遮掩掩的性爱、爷爷抽烟以及杀鸡送葬习俗的每一个环节都充满了好奇与迷惑。“爷爷，你说你的烟锅里为啥要冒烟？”“因为烟锅里装着烟叶子。”“那这个烟盒怎么不冒烟？”“它是烟盒怎么会冒烟？”“可它里面也装着烟叶子啊？”爷爷被牧牧一系列的奇思妙想惹笑了。这就是孩子，懵懂的年龄内心深处只有欢乐。

（二）懵懂的性意识

简简单单的、懵懵懂懂的性意识以及性意识的萌动同样存在于西海固作家笔下的孩童身上。《雨水》中女孩儿扣扣去地里割韭菜，憋了一泡尿到无人的苜蓿地里去小解时，由落了一地的杏花想起小时候的玩伴：女孩儿想起男孩儿驮着小时候的自己在大地上爬来爬去，“她一手抓着他的项圈，一手背过去在他的屁股上拍着，随着她嘚嘚嘚地喝喊，双晴的小身子一起一伏，她心里的快乐也一起一伏”。情窦初开的扣扣，她心目中的男孩儿已经结婚，而自己又将嫁给一个她不认识的男人。她郁郁寡欢，然而青春的萌动、妹妹与恋人的打情骂俏，让扣扣意识到“糜子跟不上了，荞麦还来得及呢”，小说的结尾，女孩儿扣扣开开心心地撒了一泡尿，作者却把它比喻成一场透雨，就如同女孩儿妹妹说的，“真把人美死了”。小说的语言细腻生动，却没有让我们觉得有什么不雅，反而更能体会孩子的童真以及对爱的懵懂向往。

人之初，性本善。美好的孩童时光是我们永远怀念的，而他们用孩子的视角写出了孩童的天真无邪和好奇求知。在他们笔下，孩子是无忧无虑的，外界与他们无关，世界的喧嚣与他们无关，他们用好奇的眼光看这个世界，心中萌生的性意识，我们读起来反而是唯美的，毫无污浊之气。

——摘自徐玉英、马志敬《浅析西海固作家笔下的人物形象——以石舒清、郭文斌、了一容等作家的创作为例》（《芒种》2017 年第 10 期）

郭文斌已出版散文集多部，如《点灯时分》《永远的堡子》《空信封》，读他的散文正如读他的小说，其文字清新淡然，有一种豪华落尽之后的简洁、空灵和从容。郭文斌似乎揣着满腹的心事，却以某种“超然物外”的姿态叙述发生在自己身边的许多故事，虽然这些故事总是弥散着莫名的愁情与悲慨。对于郭文斌来说，故乡、童年、亲情是言说不尽且常说常新的话题，而其散文中所呈现的最动人的苦与乐、哀与喜、悲与悦，都无不是来自于其对故乡、童年和亲情的缱绻追忆。从乡下移居城里的郭文斌，远没有产生“到家”的喜悦，而是相反，由此产生的是无尽的乡愁，他只有不断地追寻，从故乡、童年和亲情之中重温“家”的感觉，这不断追寻的过程即不断“去蔽”的过程。他是以精神还乡的方式来化解乡愁，只有这样，才能使浮躁而流浪的内心趋于宁静与安谧，其散文集《点灯时分》就是这样的精神还乡之作。《忧伤的驿站》叙说了“过年”，曾几何时，“一想起节日，心就被忧伤渍透，而年尤甚”，为什么呢？因为在作者看来，“真正的年在故乡，故乡的年是用人间最真心的情意编织的一面酒旗、招魂幡”，到故乡过年也就走进了天堂，但“梦尚未醒，路已在门外吆喝了”。紧随短暂的还乡而来的是持久的思乡。《点灯时分》从城里“热闹得让人几生迷失之感”的元宵节说起，追忆了童年时候在故乡度过的一个宁静的元宵节，这次的精神还乡，使作者痛切地认识到，多年的城市生活使自己远离了精神本源，远离了生命中的极乐，如其所叙，“我站在这个城市的阳台上，穿过喧哗和骚动，面对老家，面对老家的清油灯，终于明白，我们的失守，正是因为将自己交给了自我的风，正是因为离开生命的朴真太远了，离开那盏泊在宁静中的大善大美的生命之灯太远了，离开那个最真实的‘在’太远了。”

——摘自王贵禄《论西部散文的“追寻—精神还乡式”创作模式》（《天水师范学院学报》第 39 卷第 4 期）

郭文斌以《吉祥如意》而获得第四届鲁迅文学奖。这篇小说的独特之处在于通过对端午节日习俗的描写，把“香”和“美”这两种最朴素的生命期待表现得诗意盎然，传递出一种温暖的人间情怀。

小说通过“两个心灵纯净的孩子，怀着对自然土地的神秘感去面对世界，进而观照成人的心灵世界”。五月、六月以及他们的父母虽然生活不是十分富足，但是他们的心中却满是欢喜，这是因为他们对这个世界充满了爱和善意，美好的念想和希望融化了世上一切不如意，最终人们被“香”和“美”包围着，所以“五月和六月从未有过的感觉到‘大家’的美好。每一个人看上去都是那么可爱。即使是那些平时他们憎恶得瞅都不愿意瞅一眼的人。六月给五月说了自己的这一发现，六月悄悄说，我怎么现在就看着地生不憎恶呢。五月悄悄地说，我也是。”从山下开始，五月和六月突出了浓雾的包围，避开了毒蛇的伤害，最终到达山顶。在这里可以将两个孩子采艾的过程看作是一次心灵净化的艰难旅程，而在这一个旅程中起重要作用的是“闻香”，那种能把六月的鼻子“香炸”的香，而一旦这“香”失去以后“五月一下子暗淡下来，就像是一个被人摘掉了花的花杆儿”。这是一种最甜蜜的象征，“香”最终战败了浓雾和毒蛇，战败了一切，体现出人间美好愿景的价值和意义。

可能更多的时候我们在文学作品中看惯了晦暗的人生，而且这也基本上是由中国文学现实主义传统所决定的，真正的人世有多冷漠，文学作品便会加倍地表现出那种冷漠，久而久之我们便愈发看不见希望。但是在郭文斌这篇作品中我们却看到了这么美好、干净、明亮、纯粹、诗意弥漫的现实人生。这不能不让我们为之感动。

郭文斌对美好、温暖人间情怀的诗意描写主要来自其对西海固地方民俗文化的自觉继承。尤其是当人们面对贫瘠、干旱、焦灼土地的时候那种不屈的抗争、宁静的守护和温暖的等待愈加彰显出西海固人坚韧的生命意识和达观向上的精神风貌。这也正是西海固地方民俗文化优美之所在。

——摘自《西海固文化及其审美特征——地域文化与文学的关联研究》[《宁夏师范学院学报（人文社会科学版）》第 33 卷第 5 期]

21 世纪以来，乡土文学对田园牧歌式乡村的书写较之以往的乡土文学创作有着更加复杂的背景。新世纪的乡土文学“反映的是一个已经消逝或正在消逝的时代”，这一定程度上使得对田园牧歌式乡村的书写更加重要。“事实上，对于城市的敌意是一种恐慌的症状，农业文明向工业文明转型所引起的巨大不适乃是这种恐慌的来源。为了抵御恐慌，作家竭力召回乡村的影像作为感情的慰藉。”郭文斌是新世纪乡土小说家中书写田园牧歌式乡土世界的代表作家。他通过对记忆中的乡村的书写，唤起人们对美好乡村的记忆，借此慰藉创作主体的情感。郭文斌大多采用儿童视角，描写乡村风俗，反思都市文明对乡土社会的影响，体现作家对精神家园的艰难守候。如《中秋》叙述了乡村社会邻里之间逢年过节互赠食物的传统，展现了乡土社会的温馨、和睦。在《开花的牙》中，作家通过儿童视角，细致描述了杀鸡带路、金银斗、孝子磕头、白仙鹤等丧葬习俗。在作家看来，死亡并非生命的终结，而是生命在另一个世界的开始。《五谷丰登》描写了正月挂灯笼、初一发压岁钱的传统风俗，展现了纯朴的民风，表现了主人公对都市社会中人情淡薄的感慨，以及对都市到处都是灯火通明而失去生活趣味的哀叹。作品通过对比描写，展现乡村与城市的差异，既表达了对乡村亲情的召唤，也传达出对淡漠的都市文化的反思。城市物质条件的充裕使得儿子对压岁钱满不在乎，接受长辈压岁钱时头也不抬，然而几个在农村生活的侄子则手舞足蹈地接过长辈的压岁钱，欢天喜地相互追逐打闹。“我”来到院子看见一个个在风中摇曳的灯笼，与城市中的灯火通明截然不同，这种感觉是城市无法比拟的。作家通过细节，品味着乡村的静谧、美好。在郭文斌的小说中，作家饱含对乡土社会的深情，满蕴着眷恋，着力表现乡村世界的祥和、宁静。郭文斌在创作过程中，有意回避描写乡村恶俗，展现乡土世界的浓浓亲情。这不仅是作家对都市文化的深刻反思，更是对精神家园的坚守。

——摘自姬亚楠《新世纪乡土书写中风俗仪式的传承与嬗变》(《河南科技学院学报》2019 年第 39 卷第 7 期)

儒家文化是中国传统社会的官方哲学、主导性思想，不过，其于民间社会特别是乡土社会的影响方式，主要是将自身的价值内涵浸润于种种民俗文化之中，从而通过赋予日常生活以丰赡意义的方式，“飞入寻常百姓家”，并深刻作用于个体意识，最终奠定民间社会、乡土社会的价值基础。

通过对民俗文化的精细叙述，表达儒家文化之于乡土社会价值重建的意义，是新世纪乡土小说的重要创作维度，特别是郭文斌的“节日”系列，在这一脉书写中就具有较强的代表性。

中国某些传统节日富含多样化文化意义，但是，无论如何，就像主导着官方思想一样，在民俗文化中，儒家思想价值也居于主导性地位。尽管众多评论者往往瞩目于郭文斌的禅、道思想，其实，构成其作品文化价值基础的依然是儒家文化，这与来自乡土社会的郭文斌原初性文化记忆有关。在散文《大年是一出中国文化的全本戏》中，郭文斌强调大年是“孝”的演义、“敬”的演义、“和合”的演义、“天人合一”的演义，云云，演义内容，无不来自儒家价值。

不过，在此命题上，郭文斌最令人印象深刻的创作是一系列基于童年经验体察节日文化意蕴的中、短篇小说，诸如《节日》《中秋》《清明》《重阳》《寒衣》《吉祥如意》《点灯时分》，等等，述及儒家文化不同层面在日常生活中对于个体意识的塑造意义。例如，短篇小说《寒衣》对于北方地区农历十月初一为祖先送“冥衣”之俗的叙述。

在飘雪的清晨，已经出嫁的大姐按习俗回到娘家，与爹、娘以及童蒙未开的妹妹五月、弟弟六月一起守度“冥节”。娘和大姐用彩纸剪衣样、铺棉花、缝制冥衣、烙麻麸馍馍作祭祀供品。一切准备完毕，天色已经黑透，随后，一家人同去村头燃焚寒衣、寄送祖先。小说不厌其烦、细致入微地描述一家人从早晨到晚上的每一个生活细节，从而营造出仪式般隆重的文化氛围，正符合儒家于祭祀祖先之际“慎终追远”的文化要求。郭文斌的节日系列小说都具有此种叙事特点，便如《中秋》《清明》《重阳》以及《吉祥如意》所述端午节、《点灯时分》所述元宵节，等等，既通过仔细的巡礼式的习俗描摹唤醒读者对节日的文化回忆，同时，也正是在此种特殊的仪式性氛围中，特定的文化价值方才能够深刻作用于个体意识，特别是对正处于社会化初始阶段的儿童而言。

进而，父母对孩童就节日习俗种种典仪意义的提问所作出的回答，更显示了节日体验所具有的文化教化功能。在《寒衣》中，娘和大姐正沉浸在寒衣制作的工序中时，童蒙未开的六月突然发问：“谁能保证这些寒衣能到爷爷奶奶的手里？”爹回答：“当你用心做时，你爷爷你奶奶已经穿在身上了”，寒衣节本身即在于传达对祖先的“孝”心，其意在通过仪式化的参与，将“孝”的观念深刻地写入个体的内心，所以，“当你想着给一个人缝寒衣时，那个人已经从想生了，当你不想时，他又从不想灭了”。个体正是在体验节日内涵的心理过程中，成为认同特定价值的文化主体，由此，小说深刻揭示了节日民俗文化形式所具有的价值教化意义。

——摘自邵明《乡关何处——儒家文化与新世纪乡土小说》（《理论建设》2015 年第 1 期）

所谓温情叙事，用批评家牛学智的说法，就是“由本质上的社会视角转向个人化的民间视角，由尖锐的思想对话转向温软的回忆性体验”，“从现实的批判转化成情感的发掘，再把这种情感形式以审美的方式表现出来”，而且认为“温情叙事是底层叙事的高级形式”。如果我们抛开牛学智所指出的这类作品所隐含的思想退场的危险不提，单从作家的叙事向度上去考察，就可以发现，这种从民间立场出发的温情叙事，确是近年底层文学中一个非常突出的叙事模式。郭文斌、刘庆邦、范小青、迟子建等人的许多作品就体现了这一特点。

郭文斌给人印象最深的是那些以儿童为叙事对象或从儿童视角展开叙事的小说，如《大年》《吉祥如意》《点灯时分》《玉米》等。《大年》犹如一篇洋溢着乐观态度和欢悦心情的叙事诗篇，通过对备年饭、写对联、泼散、祭灶等民俗事象的叙写，通过明明和亮亮两个孩子的感受，写出了乡土中国百姓日常生活中蕴含的欢乐和幸福，那虽然贫穷艰辛却又充满关爱的人间真情。《点灯时分》写一个普通人家四口人过灯节，做灯、点灯、看灯、守灯，娘怎么说，爹怎么说，姐弟俩如何逗笑，缓缓道来，引读者进入到一个真实的生活情境中。“天下没有不散的筵席，没有不灭的灯”，但人们还是在每年的灯节点这种明心灯，只要心中的灯不灭，就不怕失去方向。郭文斌写农村，不渲染苦难，而是写人们面对苦难时的态度，在充满温暖和诗意的描写中，呈现民间社会日常的一幕。

生活不能没有诗意，即便是处在社会最底层的人，他们也需要超越苦难之上的温情，如果一味被苦难压得抬不起头来，人将无法生活下去。而“文学之所以成为人类的一种伟大而不朽的精神现象，是因为在它的湛然深处，保存了对人类灵魂生活的理想境界的想象，或者具体地说，表现了一种纯洁而美好的心意状态和伦理境界”。在底层文学的温情叙事中，我们所感受到的也许正是对这样一种境界的追求，它使读者在看到农村的苦难和畸变的同时，也看到农村的温情与诗意，人性的丰富与复杂。

——摘自李志孝《新世纪底层文学的三种叙事向度》（《文艺理论与批评》2011年第2期）

宁夏作家郭文斌善以清新细腻、空灵飘逸而又略带感伤的笔调写乡土小说，当他以同样的笔调写都市故事时，喧嚣的城市及其被欲望所驱使的都市人就仿佛被圣水沐浴而突然醒过来一样，以清新别致的姿态，穿行在郭文斌特有的幽默机巧而又温情脉脉的叙事空间，生命的自由、爱与美也就成了这些都市故事的叙事主题。

在真情日渐消隐于欲望都市的时代，郭文斌的都市小说却固执地讲述着生命的自由、爱与美的故事，“他让我们透过一个个美丽的心灵断桥和爱情伤口走进或失之交臂或尘封已久或习焉不察的生命秘密和感情隐私之中，于一种神意的欢欣和诗意的忧伤中把味生命的花开花落。”《忧伤的钥匙》就是这样一部令人感动的作品。小说中，老师荻与女孩莉的师生恋，非关金钱、权力和鄙俗的欲望，而是两个生命之间的灵犀相通。但在真情对真情的“误解”里，两个相互爱慕的生命却走向了分离，这是一种浪漫凄美的忧伤，而打开忧伤的钥匙就藏在难以逾越“误解”的真爱里，爱情的悖谬就这样将某种生命的秘密显露出来。显然，郭文斌无意像“新都市小说”那样在爱情与都市及都市无限膨胀的各种欲望之间建立某种关联。他如此讲述现代都市爱情故事，表明他依旧相信一个生命对另一个生命的真爱是唯一且永恒的，商品经济时代也不例外，真的爱情可以穿行在唯利是图的现代都市中。正因为有这样的精神向度和价值选择，他所给出的爱而不嫁、嫁而不爱这种爱情与婚姻错位的原因才是最为古典而又神秘的真情“误解”。真情“误解”在《小城故事》里依然是人物命运与故事情节的关键点，但已与偶然的“意外”这种更具现实性的因缘结合起来。这种结合，使《小城故事》越出《忧伤的钥匙》的纯情讲述，有了更现实的都市生活和更复杂一些的精神意蕴。《小城故事》由九个系列短篇组成，郭文斌以幽默、机智的语言，轻松的心情，讲述了都市转型时期充满“喜剧色彩”的“情感故事”。有友情故事，有爱情故事，有友情与爱情纠结的故事。所有这些故事中的人物都有些“反常”：或极正经（《深红色》《春首》），或一点正经也没有（《触雪的感觉》《大枣》《证据》《理由》），或友善而暧昧（《我们的生活充满阳光》《忧伤的风衣》《邻居》）。所有这些“反常”都与他们的“痞”“蛮”甚至“野”等性格有关，而更深的原动力是生命的自由“嬉戏”惹出的一系列具有“社会性”的偶然事件，使商业欺骗、卖淫嫖娼、官场腐败、抢劫凶杀等现代都市的“负面”有所显露，并已触及转型期都市人心中无由发泄而极具破坏力的“骚动情绪”。但郭文斌的注意力不在这里，他无意展露“负面”，对“骚动情绪”也不多置词，其艺术审视的目光锁定在都市年轻生命在自由“嬉戏”中呈现出来的感情之“真”、人性之“善”及其“美”的表现上。而这些正是欲望化都市所最匮乏的，郭文斌的都市小说因此有了不可替代的叙事意义。

郭文斌对欲望化都市中年轻生命的自由、爱与美的浪漫书写，改变了人们对20世纪90年代都市小说“欲望化叙事”的一般印象。

——摘自李兴阳《现代性转换中的西部都市书写——90年代西部都市小说史论》（2004年第6期）

在郭文斌的《点灯时分》《吉祥如意》《大年》等作品中，他用孩童的视角来追溯童年时代的那些美好记忆。一些平平常常的民间民俗活动和日常民间生活如过年过节、祭祀上香、爬树摘果、点灯插柳等都被孩子的眼睛放大，如《大年》所讲述的无非是一个普通西北农家迎接新年的故事，没有曲折离奇的情节，只有一些琐事和风俗的展现：写对联、贴对联、祭灶爷、打糨子、刮门框、贴窗花、上香、分年……可是在孩童的眼中，这些小事成了一个个有趣的游戏，他们从中体会到了无比幸福快乐的感觉。平淡无奇的生活场景却能迸发出如天堂般温暖幸福的光亮：“炭在炉子里啪啪地响着，木香在供桌上袅袅地飘着，火炕在屁股下暖暖地烙着，牌在四人手里你一张我一张地揭着。”这个普通的西北农家并不富裕，这一点从“父亲”给孩子分年便看得出来。父亲打开锁着糖果的抽屉，仔细计算着糖果的分配，显出了生活中困窘的一面。“明明”和“亮亮”把母亲那份糖果拿到厨房里，“母亲”却说她就不要了，让“明明”和“亮亮”把她的那份分了。“明明”却给母亲剥了一个水果糖，硬往嘴里喂。“母亲躲着，我又不是没吃过。亮亮抹了一下口水说，娘你就吃一个吧。母亲看了亮亮一眼，就张开嘴接受了明明手里的那枚水果糖。亮亮的心里一喜，口水终于流了下来。母亲看见，弯下腰去给亮亮擦。一边擦着，一边把嘴里的水果糖咬成两半，一半给明明，一半给亮亮。明明和亮亮不接受。”水果糖本是廉价之物，可是在“明明”家却被当作宝贝一样在亲人间被推来让去，充分说明了家境的贫寒和生活的辛酸。可是这样困窘的生活场景却将“明明”“亮亮”的懂事体贴和母亲对孩子无私的爱凸显了出来，就像暗沉天幕上出现的一条灿烂彩虹，将世界瞬间照亮。一切的苦难、辛酸都被浓浓的亲情所消解，只剩下温馨和感动弥漫心间。这种充满浓浓暖意的作品风格都与他们童年幸福温暖、健康积极的家庭环境有着密切联系。郭文斌的父母性格善良，感情融洽，家庭氛围温馨，所以尽管生活在自然条件恶劣、曾被联合国粮食计划署确定为最不适宜人类生存的地区之一的西海固，郭文斌还是觉得他的童年是幸福的，这样的幸福主要来自他温馨和睦的家庭。可以说，正是郭文斌温暖的家庭环境造就了他善良平和、乐观向上的性格。他的父亲是当地少有的文化人，全村每年的乡村书写，红白喜事的“文化部分”的一些工作，包括一些乡村文案，都由他父亲负责。此外，他父亲还是个戏迷，对秦腔格外痴迷。郭文斌曾说："我从小受的感染比较多，在戏剧特别是在人生的戏剧性方面，还有民间的那种狂欢方面从小就受到熏染。"这使得郭文斌在长大离开故乡之后，也始终对自己简单却温馨快乐的童年生活难以忘怀，在创作的时候总是不自觉地回溯起自己的童年。

———摘自宋雯《童年经验与"六十年代出生作家"小说的创作风格》[《成都大学学报(社会科学版)》2017 年第 1 期]

文 讯

民间世界的精神秩序

焦子仪

宁夏作家郭文斌是当代文坛活跃的重要作家。其长篇小说《农历》曾获第八届茅盾文学奖提名，短篇小说《吉祥如意》先后获人民文学奖、小说选刊奖、鲁迅文学奖等。近日，复旦大学中国当代文学创作与研究中心举办了郭文斌创作研讨会，栾梅健教授主持本次会议。

在西北作家群中，郭文斌作品的主题内涵有其独特性。有别于当代其他作家对苦难的关注，他更注重呈现心灵的安详，其作品往往呈现出民间情感的丰富性，融合了儿童视角的叙事和哲学意味的救赎。评论家陈思和从当代文学史的角度出发，就郭文斌的创作在西北文学中的特性展开论述。他认为西北是一片具有深厚文化滋养的土地，成长出了一批兼具哲学家、学者等多重身份的代表性作家。郭文斌作为其中之一，文学主题有自身的独特性。他的作品宗教意味并不浓厚，并且有冲破小说、冲破人物、走向现世的思想内涵。区别于“五四”的主流批判传统，他以温暖的、建设性的笔触，在一个处于思想临界状态的社会中，进行了精神秩序重构的可贵探索。他的作品中包含着对民族文化、乡土认知的深入思考，关注民间的精神建构。王光东认为，郭文斌的作品将历史记忆与当代生活联系在一起，呈现的是有普世价值的生命的涵养。在《农历》中，他集中呈现的是一种民间审美样态——民俗文化的艺术化。民俗文化作为中国人成长的精神滋养，是一种质朴的生活经验和鲜活的生活情感。但有别于学理化的民俗研究，郭文斌作品中融入的民俗是艺术化、生命化的，对文化与文学艺术的结合提供了有意义的探索和实践。杨扬认为郭文斌的创作主题并不是一成不变的，他的作品中存在一个完整的精神变迁轨迹。而这种主题变化一方面符合现代文学史上许多作家的精神成长历程，另一方面，又同时属于西部土地滋养出的、独特的人文关怀。无论是对“安详”的追寻还是对日常生活的细节把握、对西部世界的精神关怀，都无可避免地与东部地区所关注的城市精神存在差异，也因此成就了他独有的文学主题。郜元宝将郭文斌的写作置于中国现当代文学的主题结构中讨论。他认为，中国现当代文学是多元的，回归传统文化并不是主流，但同样值得关注。当代作家往往把西北定义为苦难的代表，而郭文斌的写作则着力在文学中安详的一面。苦难与安详并无优劣之分，同样是文学的审美样态，但是在当代小说文本中，苦难被充分关注、充分诠释的前提下，郭文斌的写作似乎是对“苦难化”的一次挑战。

郭文斌作品的艺术追求同样是与会专家的关注要点。在现代人内心的苍凉与亲近自然的期待之外，郭文斌的情感结构里具有哲学的思辨性，从而使他的创作具有了跨文体的特征。汪政认为，郭文斌是一个有信仰的写作者，中国当代文学作家群体中存在内心分裂、焦虑的现状，许多作家对自己笔下的精神世界存在疑虑，无法找到属于自己的文学主题。而郭文斌则对自己的文学理念坚定、执着，并不断以创作实践去践行他的文化理念，这也使得他的创作打通了文学内外，拓展了文学疆域。他认为，“文学在文学之外”，作家不应当将自己限定在固有的文学概念里，郭文斌的作品可以被称为“新世纪的变文”，以故事、现场和内心感受共同形成了有美学气质的文学文本。朱寿桐同样关注到了郭文斌作品的跨文体性，他从文体的角度分析了郭文斌对小说、散文、诗歌及民间文化资源的整合。他认为郭文斌的创作最终呈现出了人生体验的复杂性和丰富性，而这也要求他的创作不局限于特定的文体边界。中国现代新文学有一个“形类混杂”的浪漫趋势，郭文斌与之相似，将小说文体进行了柔性化的处理，对散文作品也有非典型化的处理，他的文体处理是有意识的、自觉的。刘艳认为，郭文斌的作品带有微写实主义特征。她以著名短篇小说《大年》为例，谈到有别于新写实主义小说的生活流，他更注重日常的细节，如果过于服从、服务于逼仄的现实，就会丢失小说作为文学艺术品的价值。而郭文斌在文学的现实性、理想性和审美性之间达成了一定的平衡，而这正是微写实主义在描述和分析上的双重品格。

与会专家普遍认为，郭文斌重议了“五四”以来被启蒙和现代性所压抑的传统话语，在一个相对封闭的体系内，试图重构属于民间的精神秩序。张新颖、李国平、杨剑龙、徐大隆、宋炳辉、姚晓雷、王宏图、金理、黄平、刘志荣、陈国和等批评家也从作品主题、创作渊源和叙事特征等多方面对郭文斌的作品展开讨论。郭文斌回应了与会专家的看法，并简要阐述了自己的创作经历和文学理念。

（载于《文艺报》2019 年 5 月 7 日）

农历不亡，民间传统就不会断

张黎姣

西北一户农家的日常生活，在郭文斌看来就是活在民间的传统。他更进一步相信，这种渗透在中国人生活习惯里的传统，其实是“民族的命根”。

用带着西北味儿的口音谈起他的长篇小说《农历》，这个宁夏男人表示：“作为人，完成孝道是第一功课，我把《农历》的写作视为一次行孝。”

历时 12 年创作完成的这部小说，以农历节气为序，集中用其中的 15 个节日来讲故事。而他选择用农历节日作为人们生活的节点的原因则是：“农历”是中华民族的根基，而“农历”中的节日，无疑是中华民族的脊椎，也是中华民族的生命力所在。

作为第四届“鲁迅文学奖”得主，郭文斌想透过《农历》来探究民间传统的重要之处。“我认为，中国文化主要由两部分组成，一部分是经典传统，一部分是民间传统。经典传统固然重要，但民间传统更重要。因为经典只有像水一样化在民间，才能成为大地的营养，否则就只是一些句段。”

郭文斌觉得，经典传统是可以断裂的，但是民间传统不会断裂。焚书坑儒时代，经典传统断裂了，但是民间传统没有断裂；“文革”十年，经典传统断裂了，但是民间传统没有断裂。

因此，郭文斌笔下的“农历”是一个民族的命脉，“农历精神”则是一个人的血脉。他希望借用《农历》这本书，让传统的种子变成庄稼，并自然成长，“看完《农历》，读者就会知道，其中的十五个节日，每个都有一个主题，它是古人为我们开发的十五种生命必不可少的营养素。”

在《农历》中，郭文斌将佛教故事《目连救母》整出戏搬进书里，他有他的考虑。“它太重要了。当初有许多朋友建议我把《中元》这节删掉，但我十分固执地留下了。书出来后，大家都说好。因为这个时代太需要目连精神了。”在郭文斌眼中，《目连救母》是一则寓言，它讲尽了我们老祖宗的心量。目连所救的，不单单是自己的母亲，更是大地母亲、人格母亲。郭文斌曾在一篇散文中把它称为中华民族的“救文化”。“救”的背后，是感恩，是敬畏，是大爱，是舍己为人，舍己为公。《目连救母》，作为一出戏，代代传唱，代代完善，却少有作者留下自己的名字，郭文斌认为这样的“作家”才让人崇敬。

郭文斌认为，和先祖相比，现代人的“营养”有点儿不平衡。“体质”很寒，动不动就“感冒”，就“生病”，究其原因，就是接不上“天气”和“地气”了，久而久之，“元气”大伤。

他并不反对外来文化，但他认为当下的问题是，中华文明本有的一些文化精华被淹没，主体营养在沉睡。看着发生在大地上的一桩桩病相，郭文斌作为一个作家，有了以文学的形式，尝试着培植“地气”，承接“天气”，恢复“元气”的心愿，《农历》也逐渐成形。

有评论家说，《农历》有些为乡土文明唱挽歌的意味。对此，郭文斌并不反对，他认为作者要尊重读者的所有解读。但在他心中，《农历》不是挽歌，因为“农历精神”不会死亡。

如此说来，我们还能不能回到“农历时代”？“我们可能无法回去，但是我们完全可以找回‘农历精神’。”郭文斌说，“我奢望着能够写这么一本书：它既是天下父母推荐给孩子读的书，也是天下孩子推荐给父母读的书，它既能给大地增益安详，又能给读者带来吉祥，进入眼帘它是花朵，进入心灵它是根。我不敢说《农历》就是这样一本书，但是我按照这个目标努力了。”

郭文斌把《农历》的写作视为一次对天地，对岁月的深深敬礼。“农历”的本质是天人合一。天人合一这个成语一向被人们讲得很玄，在郭文斌的理解中，其实就是回到母亲的怀抱。他用一个故事来表达自己对天人合一的理解：当年曾参在外打柴，心突然疼了一下，心想是母亲出事了，忙跑回家，不想娘没事，是朋友来了。原来母亲为了不让朋友久等，就咬了一下她的手指头，曾参就感觉到了。郭文斌说：“这个故事，人们常常用来讲孝，但在我看来，就是讲天人合一。天人合一本质上是儿子的频道和母亲的同步。”

春节期间，天南海北的人都要不顾一切地回家过年，郭文斌认为，事实上这就是一个人潜意识中的“返乡”情结，“归属”情结。有母亲在的地方就是故乡，有年在的地方就是老家。这个母亲，既是生我养我的母亲，也是“大年”，也是“农历”。

（载于《中国青年报》2011 年 1 月 25 日）

安详是快乐的方法论
——评郭文斌《寻找安详》

郝 雨

我曾说过这样的话：假如，只用一个字概括当代人的生活状况，我以为最准确的莫过于“忙”。有人曾经比喻，现代生活就像每个人身后都有一条无形的鞭子在驱赶着，让你无时无刻都不能不奔波甚至挣扎在没完没了的匆匆忙忙之中。这样的忙碌真的是生活所必需吗？我们能不能取得一点暂时的悠闲和安宁？假如只用一个字概括当代人的心理状态，我以为也莫过于一个字：“烦”——专业术语叫“焦虑”。焦虑如何疗治？不妨读读郭文斌的《寻找安详》。

据我了解，安详是郭文斌自身经历了一场严重的病痛之后，受人指点而达到的一种彻悟。彻悟后的郭文斌不仅病痛消失，而且生活、事业一帆风顺。更重要的是，他的整个心境都感到豁亮起来。最近他把这些心得扩展深入，整理成书，就是《寻找安详》。

在这本书中，安详不仅是一种心态；而且是一种哲学，一种信念。是人生的一种大境界。

“寻找安详”缘于现代人的“致命焦虑”。作家从现实中人们常会遇到的日常琐事谈起，概括出“现代人生活在一种巨大的茫然中，一种没有方向感造成的巨大茫然中。由此，方向感的选择成了现代人的集体焦虑，也是最大的焦虑。”生命的方向问题，成了人生的最为根本的问题，也是最为迫切需要解决的问题。

“生命方向”的概念，提出了人生哲学的一个重要命题。它把问题直接切入了人生最根本、最核心的部位。人作为一种最高级的生命体，尤其是作为一种有思想、有理性的存在物，无疑需要一个比较清楚明确的“生命方向”。

在郭文斌看来，对整天处于“致命焦虑”的芸芸众生来说，生命的方向，即，能够使得每天疲于奔命的人们尽快摆脱焦虑的救赎之路，归根结底，就是“寻找安详”。

究竟何为安详？

郭文斌告诉我们，回到快乐老家是可能的，回到全然的喜悦是可能的，只要我们找到那把钥匙。他让我们明白，快乐不在别处，快乐就在我们身上，快乐就是我们自己。当一个人能在“这里”“这一刻”“这一个”“这一步”“这一声”中找到最大的快乐，那么他就不会耗费大量的成本，千辛万苦地到远方去寻觅。我们自己本身就是快乐的矿藏，幸福的矿藏，财富的矿藏，但是我们却要舍近求远！这个“灯下黑”真是天下再大不过的冤枉。

安详不是别的，安详正是快乐的方法论。它让我们从伪快乐回到真实快乐，从寻找快乐回到在现场打开快乐，直接享受快乐；坦然地活着，健康地活着，唯美地活着，低成本甚至是零成本地活着；喜悦着，快乐着，幸福着，满足着；同时又是最高质量地活着。

郭文斌还告诉我们，安详本身就是喜悦。就像月光，无论照在谁家的屋顶上，它的清辉都是皎洁的；就像清泉，你用什么勺子舀出来，用什么杯子去喝，它的味道都是一样的，都是甘醇的。

请问，除了喜悦，我们还要实现什么？

我们追求财富，不就是追求财富带来的喜悦吗？

我们追求爱情，不就是追求爱情带来的喜悦吗？

我们追求荣誉，不就是追求荣誉带来的喜悦吗？

可是，如果我们在当下就能让喜悦充满，我们为什么还要舍近求远？

如果我们和安详错过，就是和喜悦错过，和时间错过，最终和生命错过。

现代人的共同体会是离幸福越来越远。却不知从欲望中寻找幸福犹如缘木求鱼，用物质解决心灵疾患犹如拿油灭火。刺激欲望不但不会解决我们的心灵饥渴，反而火上浇油，只有水一般纯净的安详才能真正浇灭燃烧在人们心头的火焰。

如果一个人在安详之外寻找幸福，生生世世也找不到幸福。

郭文斌最后告诉读者：安详是一条离家最近的路，又是家本身；安详是全然的喜悦，无条件的快乐；安详既是生命的方向，也是生命的目的。让我们对安详充满向往。

（载于《中国青年报》2010年11月30日）

《农历》：一种走进吉祥的方式

孟 迷

用一个农历年的时间讲述中华文明

《农历》像一条长河，出生于宁夏西海固的郭文斌将故事娓娓道来。这是大西北，一切都是古朴的，人物年龄需通过“坐车五月要买票，六月不用买票”的描述来判断；背景也是静谧的，犹如电影的长镜头，间或捕捉一些风景。

郭文斌说，《农历》中的十五个节日，是古人为我们开发的十五种生命必不可少的营养素，也是古人为后人精心设计的十五种“化育”课。五月和六月作为“化育”的载体，用一年的时间演示出中国农村原汁原味的日常生活，讲述他们生命的节奏、生活的原则、感情的寄托，以及他们的价值和根。

“从农历中可以看出，中华民族有着世界上最为科学的快乐生产术。”郭文斌说，“农历虽然是古人设计的，但是为现代人提供了一种走进吉祥、涵养幸福的方式。这就好比按照交通规则开车，本身就获得一份安全。”

郭文斌说，现在人们讲节日更多是在民俗角度，但真正走进农历你会发现，农历是让你关注时间和空间。“生命本质上是由不同的时空点组成的，只有关注时间和空间，才能对生命有敬畏感，才能有感恩之心。”

“比如说全国人民过大年都会守岁，守字是屋子下面一个寸，就是要让你一寸一寸地感受时间流逝；这种感觉妙不可言，是打开自己、走进自己的一种方式。”郭文斌解释，“所以我说，人最大的错过是和自己错过，人最大的浪费是和喜悦的浪费。”

郭文斌把《农历》的写作视为一次行孝。“在我看来，农历是中华民族的根基、底气、基因和暖床。昔日，列强可以摧毁中华大地上的建筑，但无法摧毁农历；时间可以让岩石风化，但无法风化农历。农历精神无疑是中华民族的生命力所在，凝聚力所在，也是魅力所在。”

历法不是迷信而是敬畏

在郭文斌的叙述中，农历本质上是生命力的“统觉”，它“与天地合其德，与日月合其明，与四时合其序，与鬼神合其吉凶”。这种“汇聚天地精华”的言语表达让不少人感觉，农历似乎被他上升到了信仰层面，对此郭文斌予以否认。

“确实有一种农历已经沦落为迷信，但我认为我们主要应该把握农历精神，而不是说初一该干什么，初二该干什么。”郭文斌说，“农历精神是一种感恩的精神、敬畏的精神、爱的精神，当人们能够带着敬畏、感恩与和谐的心走进自然，就能获得一份吉祥，因为目前我们太想战胜自然甚至把自然当成掠夺的对象了。”

郭文斌说，在春天的西海固，大人是不允许小孩折柳树的，因为春天是生发的季节，“这其实不是一种对行为的禁锢，更多的是对大自然的敬畏”。

如此拥护农历，也让郭文斌贴上了“守旧”的标签。但他认为，农历当然需要与时俱进，要回到农历时代是不可能的了。“正如我不反对西方文化，我也不赞成忽视自己的节日，因为目前中华文明的主体营养正在沉睡。”

“祝福”比“批判”更有效

对于郭文斌而言，《农历》的写作还是一次深深的忏悔。“农历如一面镜子，让我看到了自己的狭隘、自私、包括自恋。现代人的所作所为是带着冒犯性的，我们没有带着敬畏与尊重在生活。”郭文斌说，“在《农历》之《中元》一节中，我把《目连救母》一出戏全部搬了进来，因为它让我看到了古人的心量，也看到了古代文化人的心量。”

不过批判是对于个人的，祝福才是对外的。郭文斌说，《农历》首先是一个祝福，对岁月的，对大地的，对恩人的，对读者的。“农历是另一个大自然，在这个大自然里，有天然的世界，天然的岁月，天然的大地，天然的哲学，天然的美学，天然的文学，天然的教育，天然的传承，天然的祝福。”

“这种天然，也许就是天意。而天意在我看来，就是如意。农历是一条铁轨，它的左轨是吉祥，右轨是如意。”郭文斌说，“安详就是在最朴素的生活现场去体会最盛大的快乐。但是我们现在更多人是在开着幸福的车子满世界找幸福。”

在有关传统文化的书写中，不少作家选择了哗众取宠的方式，将牛鬼蛇神与吉祥如意混为一谈。但郭文斌却慢慢地开着车，他不寻找什么，只是享受开车的喜悦。在前几年青春文学、经济书籍畅销的浮躁氛围中，郭文斌的另一本娓娓道来的书《寻找安详》竟然在半年内重印了三次。

“我之所以用十二年时间，磨磨蹭蹭地写这部仅仅三十万字的长篇，就是想先让自己的心安下来。一个连自己的心都安不下来的作家，是无法写出让读者安心的文字的。这十二年，是写作的十二年，也是自己寻找安详的十二年，也是自己下决心改过的十二年。”

（载于《深圳特区报》2011 年 3 月 5 日）

印象郭文斌：从《论语》中走出来的人

常 檣

最早听说并认识郭文斌老师，是在2016年10月中旬的威海。在这个时间，首届东亚儒学威海论坛如期召开。最近几年，威海提出“君子之风，美德威海”的口号，因此这届论坛的主体便围绕着“君子”展开。郭文斌老师是宁夏作协主席，这次他受邀带着自己对“君子”的独特见解而来，发言受到好评。期间，记者对他的采访片段还上了央视新闻。

威海会议上，郭老师向每位参会嘉宾都赠送了一本他的著作——《醒来——回归生命的根本喜悦》。在那次会议上，领导把他的微信推给了我，我们之后就保持着联系。一个多月后，我代表单位邀请郭老师来到了济南，请他为全国孔子学堂研讨会参会代表做了一场专题讲座。

尽管与郭老师接触时间不长，交流并不算太多，但他给我留下极好的印象。在我对他的访谈中，他结合自身职业，再次重申了他的生命态度——“四观”，即安详生活观、安全阅读观、底线出版观、祝福性文学观。他主张文学应当具有祝福性，而作为文学家和传统文化歌者的他，言谈举止也无不显现出对周围人的那种祝福性——给人善意，给人尊重，给人温暖，给人吉祥。与郭老师相处，有如沐春风之感，他可谓是儒家所推崇的真君子，简直就是从《论语》中走出来的人。

君子是仰视世人而俯视人世的人。

君子，这个词在《论语》的二十篇中，每篇都出现过，据统计共有107处。但孔子并没有给出明确定义，许多时候是在阐释“小人”的对立时予以论述。君子本意为君王之子、贵族子弟，后来演化为有道德修养之人。有学者认为，儒家的教学目标就是君子，儒学其实就是“君子学”。这不无道理。在我看来，君子需要具备两种素质：一是仰视世人，把天下黎民百姓捧在手里、顶在头上、放在心里；二是俯视人世，以高境界高姿态来观察社会、洞悉时事，从而为治国平天下提供正确而理性的方略。

“君子务本，本立而道生。”郭文斌老师推崇中国优秀传统文化，并积极践行，他认为那是直通民族精神之“根”的东西。他曾说：“优秀传统文化正是高级智慧的开发说明书”；“传统之所以为传统，是因为它在讲关于根的常识，是一种根本学问。”更值得一提的是，他身上那种习习儒风，那种君子之风、士大夫之风，显现得尤为突出，《论语》中诸多语句都能与他的思想主张、举止形貌吻合起来。

“君子谋道不谋食。”“君子食无求饱，居无求安。”

郭老师不追求物质享受，在给我的邮件中，特别提出不住星级酒店，住处干净、安静即可；他一直以来倡导低碳生活，请我们只提供简餐便饭即可。当他来到济南，我们欲尽地主之谊时，他依然能够秉持原则，做到知行合一，大有“虽千万人吾往矣”之风范和气概。

这与儒门“复圣”颜回很相似，孔子得意门生颜回不追求物欲享受，“一箪食，一瓢饮”，身在陋巷，却依然以坚守道义而感到内心充满喜悦。与颜回相比，郭老师还多一层考虑，那便是以素食简餐而倡行低碳环保生活，这种姿态更令人起敬。从对全球环境改善的角度看，一个人之践行而产生的效力显然微乎其微，但这对一个自然人而言，却是需要莫大的毅力和恒心的，并且他树立起了一面旗帜，这个旗帜下面将会聚集越来越多的人。

“居处恭，执事敬，与人忠。”梁漱溟先生认为，儒家最重视的是“郑重”的精神。郭老师待事认真慎重，他的专题讲座我们安排在了23日，他21日下午飞至济南。到宾馆后，他不顾舟车劳顿，以疲惫之身悄悄走进会场，坐在会场最后一排，坚持参会直到结束。我想，他既想了解听众的相关情况，也想了解会议的主题和现场情况。

之前，我们举办过许多文化活动，我也参与了许多所谓学术大腕、知名学者的接待工作。有些应邀参会的主讲嘉宾，既不了解主题，更不接触受众，关心的只是课酬，课酬到位，不论到哪里，凭借所谓名气就可以“一招鲜吃遍天”了。郭老师作为一省的作协主席，无疑也是具有相当之分量的，但他却能把“执事敬”的态度落到实处。这才算真正的儒家，反观那些满口仁义道德的伪君子，纵是用尽华丽辞藻去阐释经典，也终究显得肤浅与虚伪。

郭老师外出他处，行李箱中还专门备有几个洗漱用的脸盆，以节约用水。宾馆内的洗刷用品他全部不动，自带肥皂用尽后，才会使用宾馆内的肥皂，并在退房时带走，直到用尽。在独自居处，仍然能以“慎独”做好自我约束，保持“居处恭”，不正是“反求诸己”这种君子文化、为己之学的内在要求吗!

“君子成人之美。”据郭老师讲，他很乐意帮别人。一场大活动之前，办会者往往会提前预约知名学者前去授课。但有时主讲人会因故难以到场。这时熟悉郭老师的办会者就会想到他。郭老师说，一般情况下，这项救场的工作他是要做的，他会推掉其他工作，欣然前往，因为此时的办会者最为难，最需要援助，这往往关乎一场大活动的成与败。

其实，很少有人乐意去做如此之“备胎”的，救场，毕竟是以次等选择之身前往，往往会给人留下不被尊重的印象。但郭老师并不在意，他更懂得“推己及人”，更乐意站在别人的角度看问题。他曾讲：“心量越大，能量越高。”如此之大心量，自然能积累高的生命能量、道德能量。

“人能弘道，非道弘人。”君子一项重要的文化使命就是传道授业，把传统文化发扬光大。郭老师本人具有浓厚的乡土情结和家国情怀，出版过一系列与中国传统文化相关的著作，应邀举办过许多与中国传统文化相关的讲座，其言论思想充满对传统的温情与敬意，受到广泛好评。他的思想，充满人文关怀色彩，本人不是文学评论家，对于郭老师的作品无权评价。但拜读他的作品，会发现其中浓浓的儒家味道，读来给人希望，沁人心脾，发人深省。如："谦德是生命的春风""喜悦是生命的宪法""心灯才是根本光明""八德的根本是孝道""五伦的根本是婚姻""只有正己才能化人""经典是找到了根本光明的人关于根本光明的描述"……

"夫君子之行，静以修身，俭以养德。非淡泊无以明志，非宁静无以致远。"诸葛亮这句千古名言为历代仁人志士所推崇。加拿大籍学者丹尼尔·贝尔先生的中文名字叫贝淡宁，正是由于他喜爱并钻研中国文化，其夫人才根据诸葛亮这句话为他取了"淡宁"之名。郭文斌老师淡泊明志，宁静致远，存仁义之心，践君子之行，扬堂正之气，是我们学习的榜样。

"道不远人。"君子，绝非遥不可及、高不可攀之神秘偶像，更非空洞玄虚之哲学概念，而是一种立身行道的道德化身、一种活泼的生命形态。君子，懂得哪里该低头俯视，哪里该抬头仰视，会在恰当的拿捏与理性的中庸中乐活知命、行稳致远。

君子，就在我们的身边。我们期待更多如郭文斌老师这样的君子从《论语》中走出来，他们将是民族文化的前景与希望、和谐社会的温度与良知。

（载于《齐鲁晚报》2017 年 5 月 4 日）

郭文斌和他的安详文化

舒晋瑜

在宁夏，郭文斌是一个独特的存在。他的随笔集《寻找安详》和长篇小说《农历》天籁般纯净安详，因为有一种天然的安妥灵魂的力量，而被读者口耳相传，一印再印；新近读他由中华书局推出的《〈弟子规〉到底说什么》，也如暗夜闪烁的星光，照亮人心。

郭文斌的文学起步不算早。1993年之前，他是一个公务员，在宁夏西吉教育局过着按部就班的生活，闲时写写散文诗歌，偶尔客串小说。1993年调入固原地区《六盘山》杂志做编辑，才把写作当回事来干。当时写了许多，却一直觉得不对路。1998年，当“大年”这个意象出现在脑海时，他一下子找到了感觉。“一个作家在没有找到自己的文学之核之前要么是训练，要么是梦游。虽然《大年》几经辗转，2003年才在《钟山》发出来，但这没有影响我沿着这个感觉打深井的信念。我仿佛能够看到我要打的那口深井里有什么在等着自己。”果然，接下来写的《吉祥如意》被《人民文学》的程绍武先生看中，送审后得到李敬泽先生的赞赏。发表后，先后获得人民文学奖、小说选刊奖、鲁迅文学奖，被翻译成多种文字。之后，在李敬泽先生的鞭策下，他相继发表了《点灯时分》《中秋》《清明》《寒衣》等，差不多是一年两部短篇小说。2010 年，当长篇小说《农历》由上海文艺出版社出版后，人们大吃一惊，原来，他近十年来陆续发表的短篇小说，竟然是此长篇小说的十五个章节。五月、六月，两个精灵般的孩子，将一种带着露珠的吉祥和如意传递给了读者，舒缓、诗意、温暖、纯净、祝福。十五个传统节日，十五种现代人急需的精神营养。鲜见的中华根脉、中国符号、祖宗基因。难怪会成为本届茅盾文学奖评选中的黑马，在最后一轮投票中排名第七。有人说，如果《农历》署名莫言，这次进入前五，当不成问题。

在四处喧哗、浮躁的文坛，郭文斌的出现，无疑给人们带来一股清新的气息。因此，他的写作非常被文坛看好。可是，越来越多的迹象表明，接下来，他要把主要精力放在推广安详文化上了，为什么？

“写《寻找安详》纯属客串。2006 年前后的一段日子，突然发现传媒上的主要位置多是天灾人祸，触目惊心。不由得想，这个地球到底怎么了？一天，一个念头冒了出来，天灾是因为大地失去了安详，人祸是因为人心失去了安详。”遂有了“寻找安详”的想法。并尝试着进行实践，但不久就发现给自己出了道难题。因为接着大家就问，安详是什么？

“在我看来，安详是一种不需要条件作保障的快乐，如果一种快乐需要条件，就不是安详。它是一种来自生命本身的快乐，一种只有向内求才能得到的快乐，它不同于我们通常意义上讲的来自欲望满足的快乐，来自外在的快乐。换句话说，它是一种根本快乐。打个比方，如果说生命是太阳，那么安详就是阳光；如果生命是月亮，那么安详就是月光。这种快乐是与生俱来的，只不过我们已经丧失了打量它的目光。”

郭文斌说，讲安详需要论据，于是他重新开始了诸如《论语》《弟子规》《了凡四训》等经典的研习，并结合亲身体会到一些地方宣讲，不想很受欢迎，已经重印四次的《寻找安详》就是中山图书馆的吕梅馆长在听完他的演讲后力荐给中华书局的。

“当一个人内心存有安详，仅仅从一餐一饮、半丝半缕中，就可以感受到世界上最大的幸福。否则，即使他拥有世界，也可能和幸福无缘。”郭文斌说，孔子的一生就是教人们如何找到安详。如果我们沿着“七十而从心所欲，不逾矩”反推，就会得出一个结论：“吾十有五而志于学”的这个“学”，就是安详；“三十而立”的这个“立”，就是找到了安详；然后十年“习之”，得到“不惑”；再经过十年，明白“天命”；又经过十年，达到“耳顺”；复经过十年，得大自在、大快乐、大自由、大安详。所谓“从心所欲，不逾矩”，即大安详。

在最近由中华出局推出的《〈弟子规〉到底说什么》一书中，也渗透着郭文斌对“安详”的理解。他认为，《弟子规》360句，

113件事，本质上是给我们提供了113个回到精神家园的入口。中华民族的传统是向“内”寻找幸福，因为幸福就是我们“本身”，只是我们已经习惯了向“外”看，那束天生的打量幸福的目光，已经永久睡眠。正因为这种向“内”寻找幸福的文化，造就了中华民族五千年的辉煌和灿烂，也造就了中华民族五千年基本的社会稳定和安宁。这，也许就是我们今天推行《弟子规》的意义所在。

“如果一个人向外寻找幸福，生生世世也找不到幸福。现代人犯的一个最大的错误是，本身开着幸福的车子却满世界寻找幸福，最后把车子都开爆了，最终却和幸福擦肩而过。”因此，强调“风调雨顺”就成了长篇小说《农历》的主题之一。他觉得人的心灵也应该“风调雨顺”。大自然风不调雨不顺就有天灾，人心风不调雨不顺就有人祸。

郭文斌提到一则消息给他的触动：有个孩子在背诵《弟子规》的现场偷窃别人的东西，让人很痛心。“种子只有落地才能发芽，无论是文学还是国学，如果不落进孩子的心田，永远只是知识或信息而已。”所以，郭文斌在《〈弟子规〉到底说什么》一书中以大半个篇幅讲践行《弟子规》的六个原则，其中特别强调“落地”，只有如此，才能和现代人的幸福发生关联，才能成为现代人实实在在的快乐源泉。“能否找到一种方式把优秀传统文化现代化？把古人的语言体系、语法体系、逻辑体系，解压成现代人能够接受的方式，方便接受的方式？使优秀传统文化走进寻常百姓？能不能使诸子典籍变成可口可乐？能不能把优秀传统文化中最精华的部分以最生活化的方式介绍给读者？”郭文斌在思考，并身体力行。

于是便有了他近年来以各种方式推广的“安详文化”。为此，他被邀请到包括北大、清华、中大在内的大学或单位演讲，学生们的欢迎出乎他的意料。“青少年不是不接受优秀传统文化，而是看你怎么讲，怎么进入学生的心灵。”见证了这一情境的宁夏文联副主席哈若蕙提出的问题引人深思。这不免令人担心，长此以往，作为作家的郭文斌还会存在吗？郭文斌说：“我何尝没有意识到这一点，但我无法拒绝，一看到大家渴望的目光，我就无法拒绝。一切随缘吧！”

（载于《中华读书报》2012 年 2 月 1 日）

郭文斌：以文学守岁

舒晋瑜

就像故乡的大地上天然生长五谷杂粮，在郭文斌的作品中，自始至终贯穿着对传统文化的热爱。有人问郭文斌："影响你最大的作家是谁？"郭文斌说："是我的父老乡亲。"再问他最重要的作品是什么？他说："是生我养我的那片土地。非常庆幸上苍把我投生在宁夏西吉县那个名叫粮食湾的小乡村，否则就没有长篇小说《农历》、散文集《守岁》。"

郭文斌把《农历》的写作视为一次"行孝"。"她的主体部分正是父老乡亲，还有他们身上承载的民间传统。对于故乡的变化，我既希望她富有起来，又害怕她'富有'起来，因为物质的富有往往会让人变'贫穷'。"

长篇小说《农历》不仅展现了丰富多彩的节日文化，还展现了各类民间故事、传说、戏曲、唱词、花儿、谚语等。诸如在《寻找安详》《农历》《守岁》等作品中，他主张安详的文学、宁静的文学、纯净的文学。中国作协副主席陈建功曾经评价说，在一个熙熙攘攘的商业时代，在一个人心浮动的时代，这种鲜明的文学主张本身就具有很强的挑战性。

郭文斌何以能够迎接这种挑战？他说：“因为是安详把我从地狱带到天堂，让我从致命的焦虑中解脱出来。在自己尝到安详、宁静、纯净的甜头之后，设法把这种甜头分享给读者，不但是感恩，而且是责任。”他把更多的时间和精力用于推广“安详”，创作必然受到一定的影响。那么，他希望自己留给读者的是“作家郭文斌”还是其他？郭文斌的回答清醒而透彻：“如果我们真正走进生命深处，就会发现推广‘安详’和文学创作其实是一件事。如果一部文学作品不能把读者带到根本性，它的存在有什么意义？”

在刚刚出版的《寻找安详》修订本的后记中，他写道：一个人如果找不到自己真正的“富贵”，即便是亿万富翁，也是贫穷的；如果找到他本原意义上的“富贵”，即便是一贫如洗，也是富有的。因为根本快乐在安详之中。而安详不会因贫而少，因富而多，它是一种超越贫富的存在。为此，他不断提醒人们思考一个问题：一个人拥有亿万财富，却是零喜悦，另一个人虽然贫穷，却拥有亿万喜悦，谁更成功？这也许是文学的使命之一。

对于安详的倡导，也是《黄河文学》的办刊理念之一。作为刊物主编，郭文斌早在2007年便提出办刊的“三个倡导”：倡导办一份能够首先拿回家让自己小孩看的杂志；倡导办一份能够给读者带来安详的杂志；倡导办一份能够唤醒读者内心温暖、善良、崇高和引人向上的杂志。他说，现代社会有许多危机困扰着人们，在我看来，一切危机追根溯源都来源于阅读危机。生命是由潜意识主导的。而阅读，是潜意识的主要成因。为此，倡导一种底线办刊写作，不但必须，而且迫切。

作为二十二届图博会的阅读大使，郭文斌此次有两本新书与读者见面。一本是散文集《守岁》（浙江文艺出版社2012年6月版），一本是随笔集《寻找安详》修订本（中华书局 2012年6月版）。他说：“唤醒、点亮、祝福，这是我对文学的理解；干净、温暖、安详，这是我对文字的追求。”

（载于《中华读书报》2012年5月30日）

批评的融合与真诚
——郭文斌小说评论论析

孙纪文，王佐红

郭文斌是近年来受到全国广泛关注的宁夏作家，其创作风貌渐进成熟，相对固定，已形成独特的个性特征。评论者对他创作的小说给予多方面的关注，尤其是对其小说集《大年》，长篇小说《农历》，短篇小说《吉祥如意》《水随天去》《陪木子李到平凉》等予以格外的批评青睐。批评内容关涉到小说的思想旨趣、艺术手法、叙事策略、审美价值等多个层面，在多元对话中开拓了批评的空间。诸多评论较深刻地触及郭文斌小说存在的价值、文学意义和创作维度的指向等理论深度问题，为阐释郭文斌小说提供了学术路径。这些评论或属于内部批评，或属于外部批评，或兼而有之，从而形成融合的批评态势。

一、多元阐释和三个聚焦

郭文斌小说自在和潜在的言说空间带给批评者广阔的批

评视域。举凡郭文斌小说性描写的独特视角，作品对苦难、乡土情怀的审美处理，对“文革”往事的追忆，叙事艺术的诗意化，传统文化及审美意蕴的领悟表达，对人类精神困惑的诗意探求，小说蕴含的消解现代性，等等，都曾是批评者津津乐道的批评话题。并有评论者对郭文斌小说童年视角的运用、语言的诗意化追求等艺术手法做了较为详尽的论述，从而构成多元阐释的批评话语。

熊修雨对郭文斌小说中较为成功的性描写有充分的肯定。他在《如何看待郭文斌小说中的性》一文中认为：“《雨水》《快乐的指头》体现了非常出众的艺术表现力，它们写性就能让人认识到性的美与合理，并且在阅读的过程中，伴随着作者的文字，体会到性感和性的快乐。”史佳丽、赵宏兴等评论者更多地阐释郭文斌小说对苦难的诗意化表现问题。如史佳丽在《郭文斌〈十年〉：含泪的微笑》一文中就《大年》说：“小说以贫穷为主题，但贫穷并非主角，强大的‘贫穷’被挤压在一隅，被形而上的精神富足消弭在虚空之间，在这个小村，富人（预备下较多的核桃）、穷人（给孩子分有限的几颗核桃）和更穷的人（一颗核桃也没有）坦然面对，无哀苦、无羞赧。悲悯的学者会说他们对贫穷已经麻木，但谁能否定他们其实在享受生活的‘彻悟’？在这个小村，泪的确存在，但微笑更真实。”李兴阳、李社教较多地关注郭文斌小说中“道”与“禅”的文化追求以及对人类心灵、精神之路的启迪意义。李兴阳针对郭文斌的小说《水随天去》曾发表争鸣文章，他在《生命真意与人间真情》一文中说：“在‘父亲’的生命哲学与人生观念中，以道家思想为底蕴的对生命真意的执意追问和以儒家思想为底蕴的对人间真情的珍重与眷恋，显然是其基本构架的两个方面。这两个方面有时是可以互补的，但在更多的时候充满了无法弥合的抵牾。”李社教在《生命的自适与对他者的关爱》一文中曾评论郭文斌的小说：“在高度物化的时代，在人们‘忘我’地追名逐利而对生命的异化失去自觉的时候，吁求关注生命存在的真实意义，倡扬生命的自由和精神的逍遥，是有其现实意义的。”还有评论者，如王清淮，关注到了郭文斌对“文革”的反思态度。他在《画外人》一文中说：“《大年》的细节当然真实可信，只是作者对这些事情的感受发生了位移，从前那些忧虑现在模糊了，不再痛切，更进一步，他追忆那一段似水流年，甚至觉察到一些温馨的愉快。病痛痊愈，病者只记得那场病的名目，至于病痛本身，大多记不起来了。”而更多的批评者则更多地阐释了郭文斌小说对西部落后乡村人群独有的生存精神的诗意探照与质朴表达，如李生滨在《乡土抒写的另一种审美传统》中谈道：“他的小说和散文具有非常明显的地域色彩，与其他西海固乡土作家的作品一样，西海固生活的苦难气息扑面而来，但他并不以此来直接呈现苦难的生存情景及其对人性的压抑和扭曲，而是触摸生活深层的温热与真实，抒写人性的淳朴和可贵、从容和坚韧，在生活的困顿里发现温情和诗意，在物质的贫乏中发现精神的富足，用深挚的情感和诗意的语言营造小说和散文的审美境界。”徐安辉在《人性本真的诗意描写和审美观照》一文中说：“他的乡土题材小说，以诗意的感动情怀，把汉语普通话和纯熟而贴切的乡土语言有机地结合，质朴、精炼、新奇，达意细腻而具内蕴……”这些评论充分利用历史经验和文学经验，以小说所蕴含的旨趣为基点，从不同层面阐发了郭文斌小说所具有的文学韵味。

短篇小说《吉祥如意》获鲁迅文学奖后，郭文斌的小说逐渐受到全国范围内评论界的关注，李建军、吴义勤、贺绍俊、白烨、汪政、谢有顺等评论家各有论题，各有所论。批评阐释的视角更为多样，言说方式也更为灵活，主要涉及郭文斌小说叙事艺术的诗意化、叙事儿童视角、小说与民俗文化的完整性呈现等问题。如李建军在《从混沌的理念到澄明的诗境》一文中谈道：“在我看来，郭文斌的‘诗意化叙事’特点有三：一曰美好的祝福感，二曰诗意的抒情性，三曰优雅的反讽性。”“虽然郭文斌也注意在文体形式上营造诗意的效果，但是，他的作品的诗意和感染力，却还是更多地来自孩子们的心情态度，来自小说所表达的充满道德意味的主题内容。”范晓棠、吴义勤在《诗性而唯美的“经验”》一文中说：“《吉祥如意》用散文化的抒情笔调将端午节采艾这个古朴的民俗叙写得绵密而温润，营造出一片祥和的诗意氛围。”“《大年》

《吉祥如意》等小说虽也涉及了‘苦难’与生活的疼痛，但是在表层的故事与人生背后，郭文斌把握到了诗性的‘核心’。”汪政在《乡村教育诗与慢的艺术》一文中谈道：“说郭文斌的写作是一种几近纯美的劳动，就是因为它不但是一种描写的小说修辞学，而且是一种焕发出文字的全部潜能的小说修辞学，它使小说成为散文，成为诗，成为东方文字诗学的体现。”贺绍俊在《在天高云淡的意境里阅读郭文斌》一文中谈道：“也许用‘天高云淡’这句诗来概括郭文斌小说的精神追求和风格特点是再贴切不过的了。天高云淡中，一切都是那么澄明，一切都是那么干净。”这些批评或立足《吉祥如意》等名篇的冲淡意境而立论，或针对郭文斌多部作品的语言风格、叙事技巧、乡土情怀而立论，在多维批评空间里闪烁着理论文字的火花。于此，有三个批评模式的聚焦点最为鲜明：一是审美批评，二是思想旨趣批评，三是叙事艺术的阐发。

审美批评着眼于文学作品的美的构成及其审美价值，着重强调作品的愉悦和移情效果。诸如评论郭文斌小说的意境之美，郭文斌小说冲淡之美与废名、汪曾祺小说清淡和谐之美的比较，郭文斌小说脱离世俗的喧哗而精心营造清新艺术世界，等等，都属于审美批评。《吉祥如意》的获奖评语可谓知音：“优美隽永的笔调描述乡村的优美隽永，净化着我们日益浮躁不安的心灵。”

思想旨趣批评着眼于作品思想内容的丰富意蕴而下笔，

着重探寻作品深层结构中所拥有的思想深度和人生的生存意义。诸如评论郭文斌小说的人性本真诉求、郭文斌小说有一种生存精神的探照感、郭文斌小说具有精神狂欢的趣味、郭文斌小说的历史沧桑深度、郭文斌小说的美善统一与和谐安详等，都承载着思想旨趣批评的力度。如同钟正平所说，在郭文斌的小说、散文和诗歌创作中，“都渗透着对青春生命，对黄土地上的生存图景，对人的精神世界和生命意义的现代思考”。

叙事艺术的阐发着重从叙事学的角度，探究叙事情境、叙述声音所带来的叙述效果和艺术品位。如评论郭文斌小说儿童视角的艺术魅力、叙事与“慢的艺术”、小说叙事的空灵感、小说叙事与古代小说伸缩有度笔法的关系等，都可视为是叙事艺术阐发的成果。有评论者说，郭文斌小说的叙述和描写是通过对话来推进的，这使他的小说充满了声音，而且，这声音是有个性的，有的还是童声。这样的评论很感性，也颇有灵气。

当然，也有评论者将这三个聚焦点结合起来论析郭文斌小说的韵味，如谢有顺所言：“郭文斌的《吉祥如意》，写了人情之美和人心中那些纤细、单纯的感受，承继的其实正是中国传统文学的写作底子，同时他的语言和叙事，又有一种现代感。他的短篇小说，是对中国民间生活的深切回应。”这段评论虽是直觉批评，然真切地切入郭文斌小说的内蕴之中，人世中的“情理”二字便跃然纸上。

二、批评的新视景

如果说前期的小说批评重在审美批评、思想旨趣批评和叙述艺术阐发的话，那么，当下对郭文斌小说的批评则重在文化批评方面。这是由于近来郭文斌的小说以丰富的文化意蕴见长。尤其是长篇小说《农历》出版后，评论主要集中在作品的消解现代性、民间传统文化和传统道德的体现、民俗形式的完整性呈现、现代人心灵安放栖息等批评要素上，从而构成郭文斌小说批评的另一个新视景。

从严格的现代意义上说，所谓的文化批评是在解读文学文本甚至审读文本的前提下联系文学外部诸文化现象的批评，尤其是联系权力—文化的批评，它所注重的文化对象，有着消解主流文化、对抗文化霸权的指向。本文所说的关于郭文斌小说的文化批评，核心点不在于联系权力—文化的批评，而在于通过联系民俗文化、传统文化、大众文化的精髓，来评论郭文斌小说的文化蕴涵和消解现代性之后的平民色彩。

2011 年，在北京的《农历》研讨会上，评论家集中围绕《农历》的文化意味谈了许多有见解的看法，讨论的内容也很多，批评话语汇集刊登在中国作家网“《农历》研讨会专题”上。

包明德、陈福民、李建军、邵燕君等人关注的是郭文斌小说的消解现代性，甚至反现代性的价值取向，同时也关注作品固守传统的文化色彩以及对当下人精神安放的意义。陈福民说："以《农历》为代表，包括他此前的写作，都表现出非常强烈的反现代性取向。"邵燕君谈道："读《农历》有一种退回去的安好，一种小世界的安稳吉祥，这种感觉经过时间的过滤再经由记忆的想象成为一种童谣般的安魂曲，为在现代都市中疲惫流浪的人建造精神的故乡，在这精神故乡的打造中，郭文斌表现一种偏居一隅的相守，固守乡土，固守乡俗，固守一切传统。"雷达、吴秉杰、成曾樾、王彬、秦万里等评论者着重从作家的传统文化根基与民间文化根基以及对民俗保留的完整性呈现等角度论述了郭文斌《农历》的意义、价值和特点。吴秉杰说："这本书在我看来它体现传统文化的根基，民间传统文化的根基。"成曾樾说："全景式展现民俗民风，是这本书最大的特点，最成功的地方无疑是对中华民族传统农历民俗全景式的展现。"这些评论家的言说透过作品来审视《农历》的文化意义，进而从思想深处进行"中国问题"的研究，从而带动了关于郭文斌小说文化批评新视景的形成。

从发表的相关评论文章看，对郭文斌《农历》的文化意蕴考察，颇像一场场传统文化本体论对话。如汪守德在《一部真正意义上的文化寻根小说》一文中说："《农历》描绘的只是一处乡村的风景，一种生活的场景，但它讲述的是生命的延续和文化的接力，是一种真正意义上的文化寻根小说，是作者在寻找自己的情感和心灵之根。”关注的是作家对中国传统文化之根的追寻。张黎姣在《农历不亡，民间传统就不会断》中说："因此，郭文斌笔下的'农历'是一个民族的命脉，'农历精神'则是一个人的血脉。他希望借用《农历》这本书，让传统的种子变成庄稼，并自然成长……”阐释的是郭文斌小说凸显着传统文化延续的问题，并使《农历》具有深广厚重的文化象征意义。

再如牛学智、尤晓刚在《〈农历〉：田园牧歌式的坐标》一文中谈道："因此，农历节日也是对现代性的深刻反思，旨在提醒人们不要陷入工具理性和功利主义的控制之中。”这样的评论比较深刻地论述到郭文斌小说的消解现代性趋向和对现代人心灵安放栖息的意义，从而引起读者关于传统文化所具有的本真存在价值和对现代生活背景下人性异化的深刻思考，有助于理解作品的深层含意。

由《农历》的文化批评可以看出，评论者格外关心的问题是：文学精神与文化精神的融通是构成《农历》艺术力量的载体；传统文化与现代文化既对立又统一，它同样可以具有批判色彩；关注历史经典、承传文化风俗，是保持文化生态健康发展的有效空间。建立在这样的学理之上，批评家的批评路径既要有现代意识，又要有历史意识。由此说明，《农历》

所包孕的丰富的文化蕴涵是其成功的标志之一，也由此说明，文化批评开辟了文学批评的全新视野。

当然，郭文斌此前发表的小说中，也不乏文化内涵，如小说《水随天去》就充斥着道家文化和儒家文化的思想因子。此种情形早已引起批评者的关注，以此立意也出现相关的文化批评的评论文章。如李兴阳在《生命真意与人间真情》中说："在'父亲'的生命哲学与人生观念中，以道家思想为底蕴的对生命真意的执意追问和以儒家思想为底蕴的对人间真情的珍重与眷恋，显然是其基本构架的两个方面。这两个方面有时是可以互补的，但在更多的时候充满了无法弥合的抵牾。"又如《陪木子李到平凉》也是一篇具有文化意味的小说，李社教在《历史的多样性与自我的深度》中认为："承载着斑驳历史信息而又归于宁静的官堡，与人生艰难、辛酸和自杀之因都被叙述者隐去的那玉红之间，是无法重叠或相互置换的。因此，叙述者近乎禅思的意联方式，也恰恰妨碍二者达到应有的深度。"注重解读小说中蕴含的深层文化内涵与思维方式的禅意。所以，郭文斌小说"文化输出"的韵味是可以被评论者所察觉、所体悟的，继而进行着深度阐释。

综上可以看出，文化批评的新视景立体地阐释了郭文斌小说内部所蕴含的文学文化问题。比之于审美批评、思想旨趣批评和叙事艺术的阐发这三种批评模式而言，文化批评同样对文学意义的复杂性和多元性有了独到的探求与阐释。我们主张评论家不仅仅从事文学作品的内部研究，还应该研读史学、哲学、社会学、宗教学、文化学等，从而与文学作品的外部研究相结合，如此，则批评视野更为开阔、多元和通达，则更会让你发现人和作品之间、人和生活之间存在着多重的微妙关系。

三、真诚原则

一般而言，面对作家作品，评论家的言说总是多视角的，评论是自由的，因为评论家习惯从自己的观点与感受出发谈论自己所能论及的问题，所以批评内容是丰富和多元的。然而，丰富性和多元性都离不开一个批评原则，即真诚原则。所谓真诚原则，讲求的是在批评活动中评论者秉持真诚的学术心态，着眼于文学精神的传承，进行着真诚的批评实践。在郭文斌小说评论中，这一原则为众家所践行，其构成内容约有三个方面。

首先，是真诚地感知郭文斌小说的真诚力量，也真诚地批评郭文斌小说的不足之处。关于感知郭文斌小说的真诚力量，莫过于汪政的言论："现在已经很少有人像郭文斌这样如同一个工匠对待手里的活计一样对待语言了，也很少有人像他这样，守着一盏灯如入无人之境地冥想，当然，更没有人耐心地去从童年的记忆中打捞乡村风俗的流年碎影。”关于批评郭文斌小说的不足之处，也同样真诚。有评论者以为，郭文斌的小说的意味是丰厚的，但他的小说也存在创作视野不够开阔、现代性色彩不浓、对传统文化无清晰辨别等局限。贺绍俊在谈郭文斌小说时曾谈道：“感到宁夏有些作家可能由于地域环境的影响而缺乏现代精神的洗礼，因此使得他们的视野不够开阔，使得他们沉迷在乡村的经验里面。以这样的观点来批评宁夏的创作，有一定的合理性。”在《农历》研讨会上，叶梅曾谈道：“我们走过一百多年反封建、反传统路程之后，我们全盘捧起来这些东西，我们要不要再加一些思索……”这些真诚的批评话语寄托了评论者对作家的厚望与关爱。

其次，是真诚地发出各自的批评声音，从而彰显批评者所应有的包容的批评情怀。2004 ~ 2005 年间，在《作品与争鸣》等重要刊物上，批评者曾就郭文斌的《大年》《水随天去》等小说的主旨和意蕴展开过争鸣和讨论，史佳丽、王清淮、王佐红与李兴阳、李社教的观点截然不同，甚至对立，然而，他们的说理判断均有实有据，有忧有思，娓娓道来。当观点交叉融合时，既充分地言说自己的话语，又不遮蔽别人于此方面的批评观点；当观点相异、冲突时，既明确各自的批评立场，又不攻讦对方的观点，体现出了评论家应有的自我坚守与彼此包容、尊重的学术品格与涵养。如在关于《大年》的争鸣中，史佳丽认为：“透过小说几近纯客观式的叙述，我们仍然读到了郭文斌对贫穷的独特的诠释：贫穷就是贫穷，它不可爱，但也不可怕，人们可以而且能够像享受富足一样享受贫穷。”而王清淮则认为：“把农村大面积的饥饿说成田园牧歌，把残缺的生活化作一幅风俗画，作家以画中人的身份充当画外解说员，我们不知道获得的是正确呢，还是对生活及其理念的歪曲。”双方对于作品表现出的对贫穷的书写态度看法完全不一致，但在争鸣的时候，都是从自我的感受与判断出发真诚地、谨慎地传达自己的声音。

再次，是批评者真诚地解读作品，从而使批评指向回归到作品本身，进而形成阐释的有效性。这在相关郭文斌批评的很多文章里，都有明显的体现。诸多评论文章从小说文本出发，就小说中的审美旨趣、思想内容等问题展开论述，批评者的理论体系与知识坐标沉潜于作品的实际批评中。也有部分批评者批评视野开阔，使理论批评与文本解析融洽为一体，比如牛学智在《美、善、和谐及小说的诗》一文中，先是对“正面肯定性力量”“弱势者”“介入现实结构”等小说理论进行独到的论述，然后对“美”“善”“和谐”这样的批评术语进行独立的学理发现与阐释，最后回归到郭文斌的小说时他谈道：“《吉祥如意》的种种迹象表明，郭文斌对文学、现实，对世界以及对人性的理解，或许具有某种本质性的怀疑气质。”这样的批评理路使得文本解读过程视野开阔而生成一定的阐释效果。

因之，真诚原则带来的是郭文斌小说批评的良性批评态势，2008年出版的李建军主编的《郭文斌论》就是真诚原则下的批评产品。正如李建军在《郭文斌论》序言中所说，在文学认知上，寻求一种普遍有效的“共同标准”乃是文学批评的重要内容。文学批评的一个任务，就是通过对伟大的经典作品的阐释，来确立这一标准。研究郭文斌的创作，既有助于我们了解写作的艰难和快乐，也有助于我们认识那些重要的“常识”和“标准”。批评家之所以对郭文斌的创作产生兴趣，其原因盖在于此。他的这些话一方面清晰地彰显了批评话语的魅力与意义，另一方面也说明郭文斌小说真诚写作所具有的真诚效应。文学批评的指向在于彰显批评话语的魅力与意义，借此显现作家作品的价值、审美内蕴及不足之处。这样的诉求自然离不开真诚原则。从当下批评语境看，批评家愈来愈关注郭文斌小说对传统文化审美精神的追求与自觉；关注作家对人性原欲、生命本真等这样一些命题的认识和表达；关注作家对人生困境与文化选择自觉或不自觉的拷问和思量等论题，也是与批评的融合与真诚分不开的。

四、结 语

客观地说，郭文斌小说评论是当下文学批评话语的支流部分，然而，批评的支流也能产生批评效力，带动批评界的活跃。温如敏曾说："如果承认文学的历史发展是由各种不同导向的力所构成的合力所支配，那么就没有理由否认某些通常被看作'支流'或'逆流'的批评。"所以，在多元互补的批评格局中，郭文斌小说批评应占据一个位置，至少可以说郭文斌小说批评话语的融合与真诚，对于西部当代文学批评史的建构而言是颇有启迪意义的。

（载于《宁夏社会科学》2012 年第 5 期）

附 录　郭文斌部分作品

图书类

[1] 郭文斌．空信封 [M]．中国华侨出版社，1998.08.

[2] 郭文斌．大年：郭文斌短篇小说精选 [M]．银川：宁夏人民出版社，2005.05.

[3] 郭文斌．点灯时分：郭文斌散文精选 [M]．银川：宁夏人民出版社，2006.06.

[4] 郭文斌．我被我的眼睛带坏：郭文斌诗集 [M]．银川：宁夏人民出版社，2007.05.

[5] 郭文斌．吉祥如意 [M]．银川：宁夏人民出版社，2008.05.

[6] 郭文斌．孔子到底离我们有多远 [M]．银川：宁夏人民出版社，2008.05.

[7] 郭文斌．郭文斌小说精选 [M]．银川：宁夏人民出版社，2008.12.

[8] 郭文斌．寻找安详 [M]．北京：中华书局，2010.01.

[9] 郭文斌．农历 [M]．上海：上海文艺出版社，2010.10.

[10] 郭文斌，韩银梅．西夏 [M]．北京：人民文学出版社，2010.01.

[11] 郭文斌．《弟子规》到底说什么 [M]．北京：中华书局，2011.07.

[12] 郭文斌．守岁 [M]．杭州：浙江文艺出版社，2012.06.

[13] 郭文斌．寻找安详（修订本）[M]．北京：中华书局，2012.06.

[14] 郭文斌．瑜伽 [M]．上海：上海文艺出版社，2012.11.

[15] 郭文斌．水随天去 [M]．兰州：敦煌文艺出版社，2014.08.

[16] 郭文斌．农历 [M]．北京：中华书局，2015.11.

[17] 郭文斌．回归喜悦 [M]．北京：中华书局，2015.11.
[18] 郭文斌．瑜伽 [M]．北京：中华书局，2015.11.
[19] 郭文斌．永远的乡愁 [M]．北京：中华书局，2015.11.
[20] 郭文斌．潮湿年代 [M]．北京：中华书局，2015.11.
[21] 郭文斌．以笔为渡 [M]．银川：宁夏人民教育出版社，2015.12.
[22] 郭文斌．醒来 [M]．北京：中华书局，2016.07.
[23] 郭文斌．农历 [M]．武汉：长江文艺出版社，2016.09.
[24] 郭文斌．永远的乡愁 [M]．武汉：长江文艺出版社，2016.09.
[25] 郭文斌．还乡 [M]．杭州：浙江文艺出版社，2018.05.
[26] 郭文斌．醒来 [M]．武汉：长江文艺出版社，2019.06.
[27] 郭文斌．写意宁夏 [M]．北京：华文出版社，2017.05.
[28] 郭文斌．如莲的心事 [M]．北京：中国工人出版社，2017.07.
[29] 郭文斌．博客里的郭文斌 [M]．银川：宁夏人民出版社，2017.10.
[30] 郭文斌．我们心中的雪 [M]．北京：作家出版社，2018.10.
[31] 郭文斌．寻找安详 [M]．武汉：长江文艺出版社，2020.08.
[32] 郭文斌．中国之中 [M]．天津：百花文艺出版社，2020.10.

期刊类文章

[1] 白军胜，郭文斌．论王庆小说的艺术秩序 [J]．银川师专学报（社会科学版）,1991，第四期．
[2] 郭文斌．郭家湾人物 [J]．朔方 ,1991,（第 5 期）．
[3] 郭文斌．剩下的骨头 [J]．朔方 ,1991,（第 8 期）．
[4] 郭文斌．生命之河 [J]．朔方 ,1992,（第 9 期）.
[5] 郭文斌，火仲昉，火会亮．你在想什么 [J]．朔方 ,1992,（第 10 期）.
[6] 郭文斌．人生三题 [J]．朔方 ,1993,（第 2 期）.
[7] 郭文斌．爱情没有药 [J]．朔方 ,1994,（第 2 期）.

[8] 郭文斌．谁同意[J]. 朔方，1994,(第 10 期).

[9] 郭文斌．没意思[J]. 六盘山，1995,(第 2 期).

[10] 郭文斌．空信封(外一章)[J]. 朔方，1995,(第 6 期).

[11] 郭文斌．爱情没有药[J]. 散文选刊，1995,(第 8 期).

[12] 郭文斌．微型二题[J]. 朔方，1996,(第 1 期).

[13] 郭文斌．哪是你的路[J]. 瀚海潮，1996,(第 1 期).

[14] 郭文斌．王振举[J]. 六盘山，1996,(第 2 期).

[15] 郭文斌．弥天大谎[J]. 朔方，1996,(第 3 期).

[16] 郭文斌．一路下着雨[J]. 瀚海潮，1996,(第 3 期).

[17] 郭文斌．蛋黄色的办公室[J]. 朔方，1996,(第 8 期).

[18] 郭文斌．埋伏[J]. 朔方，1997,(第 2 期).

[19] 郭文斌．不好走就飞[J]. 六盘山，1997,(第 6 期).

[20] 郭文斌．学习微笑 [J]. 朔方，1997,(第 7 期).

[21] 郭文斌．一片荞地 [J]. 朔方，1997,(第 7 期).

[22] 郭文斌．农村工作 [J]. 朔方，1997,(第 7 期).

[23] 郭文斌．猜出来算你赢[J]. 佛山文艺，1998,(第 4 期).

[24] 郭文斌．手术[J]. 朔方，1998,(第 4 期).

[25] 郭文斌．扶贫[J]. 朔方，1998,(第 6 期).

[26] 王漫西，王怀凌，郭文斌．西海固，梦想与希望同在[J]. 中华儿女(海外版),1998,(第 8 期).

[27] 郭文斌．想起了旧房子[J]. 雨花，1998,(第 9 期).

[28] 郭文斌．晃来晃去[J]. 朔方，1998,(第 10 期).

[29] 郭文斌．短篇二题[J]. 飞天，1998,(第 11 期).

[30] 郭文斌．永远的堡子[J]. 绿洲，1999,(第 2 期).

[31] 郭文斌．第三种阳光(上卷)[J]. 六盘山，1999,(第 6 期).

[32] 郭文斌．遍地诗意[J]. 飞天，1999,(第 8 期).

[33] 郭文斌．开花的牙[J]. 六盘山，2000,(第 1 期).

[34] 郭文斌．伤口，那爱的深度[J]. 春风，2000,(第 1 期).

[35] 郭文斌 . 谁的孩子 [J]. 佛山文艺 ,2000,(第 1 期).

[36] 郭文斌 . 虚舟 (组诗)[J]. 六盘山 ,2000,(第 2 期).

[37] 郭文斌 . 腊月怀念一种花 [J]. 散文天地 ,2000,(第 2 期).

[38] 郭文斌 . 语录 [J]. 佛山文艺 ,2000,(第 3 期).

[39] 郭文斌 . 夏天的原野 [J]. 星星诗刊 ,2000,(第 4 期).

[40] 郭文斌 . 惊蛰 [J]. 六盘山 ,2000,(第 5 期).

[41] 郭文斌 . 开春 [J]. 六盘山 ,2000,(第 5 期).

[42] 郭文斌 . 夏天的原野 [J]. 绿风 ,2000,(第 6 期).

[43] 郭文斌 . 算术 [J]. 星星 ,2000,(第 6 期).

[44] 郭文斌 . 最顶头的一个梨 [J]. 朔方 ,2000,(第 8 期).

[45] 郭文斌 . 关于《红楼梦》的几点说明 [J]. 佛山文艺 ,2000,(第 10 期).

[46] 郭文斌 . 小城故事 [J]. 朔方 ,2000,(第 12 期).

[47] 郭文斌 . 呼吸 [J]. 人民文学 ,2000,(第 12 期).

[48] 郭文斌 . 裸舞 [J]. 朔方 ,2001,(第 2 期).

[49] 郭文斌 . 惊蛰 [J]. 雨花 ,2001,(第 3 期).

[50] 郭文斌 . 一只手拍手的声音 [J]. 散文诗 ,2001,(第 5 期).

[51] 杨建虎 , 郭文斌 , 高若虹 , 等 . 青年诗人 [J]. 黄河文学 ,2001,(第 5 期).

[52] 郭文斌 . 忧伤的钥匙 [J]. 雪莲 ,2001,(第 6 期).

[53] 郭文斌 . 立夏 [J]. 中国作家 ,2001,(第 12 期).

[54] 郭文斌 . 一片荞地 [J]. 创作 ,2002,(第 1 期).

[55] 郭文斌 . 留言 [J]. 朔方 ,2002,(第 2 期).

[56] 郭文斌 . 晃来晃去 [J]. 延安文学 ,2002,(第 3 期).

[57] 郭文斌 . 像阳光一样盛开 [J]. 黄河文学 ,2002,(第 4 期).

[58] 郭文斌 . 开春 [J]. 中国作家 ,2002,(第 5 期).

[59] 郭文斌 . 雪 [J]. 诗刊 ,2002,(第 6 期).

[60] 郭文斌 . 爱情故事 [J]. 朔方 ,2002,(第 Z1 期).

[61] 郭文斌 . 清明是一笔债 [J]. 散文选刊 ,2002,(第 10 期).

[62] 郭文斌 . 我们是花朵 [J]. 朔方 ,2002,(第 10 期).

[63] 郭文斌 . 太阳洼 [J]. 中国铁路文学 ,2002,(第 10 期).

[64] 郭文斌 . 小城故事 [J]. 小说选刊 ,2002,(第 12 期).

[65] 郭文斌 . 茶馆 [J]. 朔方 ,2003,(第 1 期).

[66] 郭文斌 . 节日 [J]. 牡丹 ,2003,(第 1 期).

[67] 郭文斌 . 布施 [J]. 延安文学 ,2003,(第 1 期).

[68] 郭文斌 . 灵魂的鞋子 [J]. 中华文学选刊 ,2003,(第 2 期).

[69] 郭文斌 . 我被我的眼睛带坏 [J]. 散文诗 ,2003,(第 2 期).

[70] 郭文斌 . 正月 [J]. 黄河文学 ,2003,(第 2 期).

[71] 郭文斌 . 皮影戏 [J]. 雪莲 ,2003,(第 3 期).

[72] 郭文斌 . 牵挂是一种美丽 [J]. 西部人 ,2003,(第 3 期).

[73] 郭文斌 . 我被我的眼睛带坏 (组诗)[J]. 绿风 ,2003,(第 5 期).

[74] 郭文斌 . 雨水 [J]. 长城 ,2003,(第 5 期).

[75] 郭文斌 . 教子日记 [J]. 中华散文 ,2003,(第 5 期).

[76] 郭文斌 . 月亮山纪事 [J]. 延安文学 ,2003,(第 6 期).

[77] 郭文斌 . 牵挂是一种美丽 [J]. 散文选刊 ,2003,(第 8 期).

[78] 郭文斌 . 节日 [J]. 青海湖 ,2003,(第 8 期).

[79] 郭文斌 . 苹果 (外二首)[J]. 福建文学 ,2003,(第 9 期).

[80] 郭文斌 . 小院 (外二首)[J]. 飞天 ,2003,(第 10 期).

[81] 丁燕 , 郭文斌 , 波眠 , 等 . 青年诗坛 (16 首)[J]. 飞天 ,2003,(第 10 期).

[82] 郭文斌 . 邻居 [J]. 长江文艺 ,2003,(第 10 期).

[83] 郭文斌 . 月光下的一片豆地 [J]. 中华散文 ,2003,(第 11 期).

[84] 郭文斌 . 生命之河 [J]. 西部人 ,2003,(第 11 期).

[85] 郭文斌 . 月光下的一片豆地 [J]. 科学大观园 ,2003,(第 12 期).

[86] 郭文斌 . 腊月，怀念一种花 [J]. 青年文摘 (红版),2003,(第 12 期).

[87] 郭文斌 . 清明是一笔债 [J]. 语文教学通讯 ,2003,(第 15 期).

[88] 郭文斌 . 寻找丢失的眼睛 [J]. 朔方 ,2004,(第 C1 期).

[89] 郭文斌 . 甜根（短篇小说）[J]. 青年文学 ,2004,(第 1 期).

[90] 郭文斌 . 玉米 [J]. 雪莲 ,2004,(第 1 期).

[91] 郭文斌．大年 [J]. 钟山 ,2004,(第 2 期).
[92] 郭文斌．点灯时分 [J]. 天涯 ,2004,(第 2 期).
[93] 郭文斌．小城故事 [J]. 北京文学 ,2004,(第 2 期).
[94] 郭文斌．雨水 [J]. 新华文摘 ,2004,(第 2 期).
[95] 郭文斌．快乐的指头与幸福的纸 [J]. 滇池 ,2004,(第 3 期).
[96] 郭文斌．一个人在山头 (外二篇)[J]. 海燕 (都市美文),2004,(第 4 期).
[97] 郭文斌．在北京看雪 [J]. 诗选刊 ,2004,(第 4 期).
[98] 郭文斌．胡卫星．牵挂是一种美丽 [J]. 中学语文 ,2004,(第 4 期).
[99] 郭文斌．大年 [J]. 作品与争鸣 ,2004,(第 5 期).
[100] 郭文斌．忧伤的钥匙 [J]. 青春 ,2004,(第 7 期).
[101] 郭文斌．老大 [J]. 读者 (乡村版),2004,(第 7 期).
[102] 郭文斌．点灯时分 [J]. 新世纪文学选刊 ,2004,(第 9 期).
[103] 郭文斌．远去的课堂 [J]. 宁夏教育 ,2004,(第 9 期).
[104] 郭文斌．教子日记 [J]. 出版参考：新阅读 ,2004,(第 12 期).
[105] 郭文斌．剪刀 [J]. 上海文学 ,2004,(第 12 期).
[106] 郭文斌．瑜伽 [J]. 雨花 ,2005,(第 1 期).
[107] 郭文斌．厚土 [J]. 雪莲 ,2005,(第 1 期).
[108] 郭文斌．我们心中的雪 [J]. 钟山 ,2005,(第 2 期).
[109] 郭文斌．水随天去 [J]. 散文 (海外版),2005,(第 3 期).
[110] 郭文斌．牵挂是一种美丽 [J]. 语文世界 (初中版),2005,(第 5 期).
[111] 郭文斌．点灯时分 [J]. 岁月 ,2005,(第 7 期).
[112] 郭文斌．最上面的一颗梨 [J]. 小说选刊 ,2005,(第 8 期).
[113] 郭文斌．瑜伽 [J]. 复印报刊资料 (思想政治教育),2005,(第 9 期).
[114] 郭文斌．上岛 [J]. 雨花 ,2005,(第 11 期).
[115] 郭文斌．水随天去 [J]. 作品与争鸣 ,2005,(第 11 期).
[116] 郭文斌．儿子如书 [J]. 散文 ,2005,(第 12 期).
[117] 郭文斌．睡在我们怀里的茶 [J]. 文学教育 ,2005,(第 17 期).
[118] 郭文斌．陪木子李到平凉 [J]. 大涯 ,2006,(第 1 期).

[119] 郭文斌．我们心中的雪[J]. 散文(海外版),2006,(第 2 期).

[120] 郭文斌．娃娃教师[J]. 华章·教学探索 ,2006,(第 3 期).

[121] 郭文斌．陪木子李到平凉[J]. 小说月报 ,2006,(第 3 期).

[122] 郭文斌．一片荞地 [J]. 十月 ,2006,(第 4 期).

[123] 郭文斌．陪木子李到平凉[J]. 中华文学选刊 ,2006,(第 4 期).

[124] 郭文斌．陪木子李到平凉 [J]. 作品与争鸣 ,2006,(第 6 期).

[125] 郭文斌．一片荞地[J]. 小说选刊 ,2006,(第 8 期).

[126] 郭文斌．吉祥如意 [J]. 人民文学 ,2006,(第 10 期).

[127] 郭文斌．节日 [J]. 中国作家(小说版),2006,(第 10 期).

[128] 郭文斌．吉祥如意[J]. 小说选刊 ,2006,(第 11 期).

[129] 郭文斌．吉祥如意[J]. 小说月报 ,2006,(第 12 期).

[130] 郭文斌．从“一网打尽”到宁静致远[J]. 湖南文学 ,2007,(第 12 期).

[131] 郭文斌．小人鱼的故事[J]. 朔方 ,2007,(第 C1 期).

[132] 郭文斌．荞麦花开[J]. 三峡文学 ,2007,(第 1 期).

[133] 郭文斌．吉祥如意[J]. 文学教育(上),2007,(第 1 期).

[134] 郭文斌．门[J]. 上海文学 ,2007,(第 1 期).

[135] 郭文斌．吉祥如意 [J]. 新华文摘 ,2007,(第 2 期).

[136] 郭文斌．大生产[J]. 收获 ,2007,(第 3 期).

[137] 郭文斌．门[J]. 小说月报 ,2007,(第 3 期).

[138] 郭文斌．孔子为什么能够久处乐[J]. 天涯 ,2007,(第 4 期).

[139] 郭文斌．陪木子李到平凉[J]. 语文教学与研究：综合天地 ,2007,(第 4 期).

[140] 郭文斌．草场[J]. 花城 ,2007,(第 4 期).

[141] 郭文斌．吉祥如意[J]. 中华文学选刊(少年写作),2007,(第 5 期).

[142] 郭文斌．快乐的孔子[J]. 散文(海外版),2007,(第 5 期).

[143] 郭文斌．儿子如书[J]. 新一代 ,2007,(第 6 期).

[144] 郭文斌．恰似你的温柔[J]. 十月 ,2007,(第 6 期).

[145] 郭文斌．世界上最好看的手[J]. 西部 ,2007,(第 6 期).

[146] 郭文斌．大生产[J]. 中国作家(小说版),2007,(第6期).
[147] 郭文斌．孔子到底离我们有多远[J]. 散文选刊,2007,(第8期).
[148] 郭文斌．点灯时分 [J]. 人民文学,2007,(第8期).
[149] 郭文斌．儿子如书[J]. 读书文摘,2007,(第8期).
[150] 郭文斌．世界上最好看的手[J]. 小说月报,2007,(第8期).
[151] 郭文斌．吉祥如意[J]. 黄河文学,2007,(第11期).
[152] 郭文斌．把写作变成一种祝福——在第四届鲁迅文学奖获奖作家作品展剪彩的发言[J]. 朔方,2007,(第11期).
[153] 郭文斌．以写作感恩[J]. 朔方,2007,(第11期).
[154] 郭文斌．吉祥如意[J]. 北京文学·中篇小说月报,2007,(第12期).
[155] 郭文斌．把写作变成一种祝福——在第四届鲁迅文学奖获奖作家作品展剪彩仪式上的发言[J]. 黄河文学,2007,(第12期).
[156] 郭文斌．把写作变成一种祝福[J]. 黄河文学,2007,(第12期).
[157] 郭文斌．以写作感恩[J]. 黄河文学,2007,(第12期).
[158] 郭文斌．清晨[J]. 中国作家,2007,(第18期).
[159] 郭文斌．点灯时分 [J]. 新华文摘,2007,(第22期).
[160] 郭文斌．战战兢兢，如履薄冰[J]. 黄河文学,2008,(第2–3期).
[161] 郭文斌．五谷丰登[J]. 青年文学,2008,(第1期).
[162] 郭文斌．如莲的心事[J]. 文艺争鸣,2008,(第2期).
[163] 郭文斌．以笔为渡或者我们的“说”[J]. 当代文坛,2008,(第3期).
[164] 郭文斌．面向大海　春暖花开[J]. 黄河文学,2008,(第4期).
[165] 郭文斌．回家的路：我的文字 [J]. 朔方,2008,(第4期).
[166] 郭文斌．如莲的心事 [J]. 朔方,2008,(第4期).
[167] 郭文斌．以笔为渡或者我们的“说” [J]. 朔方,2008,(第4期).
[168] 郭文斌,韩银梅．白芨滩(电影剧本)[J]. 黄河文学,2008,(第5期).
[169] 郭文斌．中国,你为什么泪流满面[J]. 黄河文学,2008,(第6期).
[170] 郭文斌．中秋[J]. 人民文学,2008,(第7期).
[171] 郭文斌．中国，你为什么泪流满面[J]. 北京文学,2008,(第8期).

[172] 郭文斌．中秋 [J]. 小说月报 ,2008,(第 10 期).
[173] 郭文斌．唤醒诗教训蒙养正 [J]. 黄河文学 ,2008,(第 12 期).
[174] 郭文斌，哈若蕙，牛玉秋，等．“文学银军”丛书研讨言实录 [J]. 黄河文学 ,2008,(第 12 期).
[175] 郭文斌．再造之德（外一篇）[J]. 海燕 ,2009,(第 1 期).
[176] 郭文斌．重阳 [J]. 小说月报 ,2009,(第 2 期).
[177] 郭文斌．失踪的玉米 [J]. 红岩 ,2009,(第 3 期).
[178] 郭文斌．望断南飞雁:《六盘山文化丛书》(12 卷本) 中篇小说卷序 [J]. 六盘山 ,2009,(第 4 期).
[179] 郭文斌．奥运随想 [J]. 朔方 ,2009,(第 4 期).
[180] 郭文斌．清明 [J]. 人民文学 ,2009,(第 4 期).
[181] 郭文斌．清明不是节日 [J]. 散文选刊 ,2009,(第 5 期).
[182] 郭文斌．给《朔方》鞠躬 [J]. 朔方 ,2009,(第 5 期).
[183] 郭文斌．大年是一出中国文化的全本戏 [J]. 北京文学 ,2009,(第 5 期).
[184] 郭文斌，马小荔，常晋，等．我们正好把文学给弄反了 [J]. 黄河文学 ,2009,(第 5 期).
[185] 郭文斌．十本书 [J]. 诗选刊 (下半月),2009,(第 6 期).
[186] 郭文斌．清明 [J]. 小说月报 ,2009,(第 6 期).
[187] 郭文斌．阅读的高度 [J]. 语文教学与研究: 读写天地 ,2009,(第 9 期).
[188] 郭文斌．重阳 [J]. 黄河文学 ,2009,(第 10 期).
[189] 郭文斌．安详是一条离家最近的路 [J]. 海燕 (都市美文),2009,(第 11 期).
[190] 郭文斌．恭喜发财 [J]. 广州文艺 ,2009,(第 11 期).
[191] 郭文斌．重阳 [J]. 小说月报 ,2009,(第 12 期).
[192] 郭文斌．鉴死知生话清明 [J]. 新华文摘 ,2009,(第 17 期).
[193] 郭文斌．生命最大的快乐是什么 [J]. 中国作家 ,2009,(第 21 期).
[194] 郭文斌．提防不洁的文字与长命百岁的文学 [J]. 散文诗 ,2009,(第 23 期).

[195] 郭文斌 . 如莲的心事 (散文)[J]. 湖南文学 ,2010,(第 2 期).
[196] 郭文斌 . 随笔三则 [J]. 朔方 ,2010,(第 C1 期).
[197] 小荔 , 郭文斌 . 寻找文学存在的理由 [J]. 湖南文学 ,2010,(第 2 期).
[198] 郭文斌 . 文学应向太阳学习 (外一则)[J]. 文学自由谈 ,2010,(第 1 期).
[199] 郭文斌 . 安详是一条离家最近的路 [J]. 北京文学 · 原创版 ,2010,(第 2 期).
[200] 郭文斌 , 张磊 , 刘净 , 等 . 守岁是让我们学习进入时间：关于中国年文化 [J]. 黄河文学 ,2010,(第 2 期)
[201] 郭文斌 . 寒衣 [J]. 人民文学 ,2010,(第 2 期).
[202] 郭文斌 . 腊八 [J]. 中国作家 ,2010,(第 3 期).
[203] 郭文斌 . 节日四题 [J]. 红岩 ,2010,(第 4 期).
[204] 郭文斌 . 阅读的高度 [J]. 精神文明导刊 ,2010,(第 4 期).
[205] 郭文斌 . 鉴死知生话清明 [J]. 党政论坛 · 干部文摘 ,2010,(第 4 期).
[206] 郭文斌 . 正月二题 [J]. 海燕 ,2010,(第 4 期).
[207] 郭文斌 . 寒衣 [J]. 小说月报 ,2010,(第 4 期).
[208] 郭文斌 . 安详是一条离家最近的路 (外一篇)[J]. 散文选刊 ,2010,(第 5 期).
[209] 郭文斌 . 盂兰盆会 [J]. 作家 ,2010,(第 5 期).
[210] 郭文斌 . 七巧 [J]. 红豆 ,2010,(第 6 期).
[211] 郭文斌 . 风调雨顺 [J]. 山花：上半月 ,2010,(第 7 期).
[212] 郭文斌 . 从春晚说起：如果我是全国政协委员 [J]. 青海湖文学月刊 ,2010,(第 7 期).
[213] 郭文斌 . 冬至 [J]. 北京文学 · 原创版 ,2010,(第 11 期).
[214] 郭文斌 . 一回首，能看到灯的海洋 [J]. 散文选刊 ,2010,(第 11 期).
[215] 郭文斌 . 望 [J]. 海燕 ,2010,(第 12 期).
[216] 郭文斌 . 十全十美 [J]. 福建文学 ,2010,(第 12 期).
[217] 郭文斌 . 正果 [J]. 作品 ,2010,(第 12 期).
[218] 郭文斌 . 小满 [J]. 雨花 ,2011,(第 1 期).

[219] 郭文斌．把孝变成一种时尚 [J]. 精神文明导刊 ,2011,(第 2 期).
[220] 郭文斌．农历 [J]. 长篇小说选刊 ,2011,(第 2 期).
[221] 郭文斌．写能够把根留住的文字 [J]. 小说界 ,2011,(第 3 期).
[222] 郭文斌．想写一本吉祥之书 [J]. 扬子江评论 ,2011,(第 3 期).
[223] 郭文斌．药王品 [J]. 新华文摘 ,2011,(第 8 期).
[224] 郭文斌．快乐在道德里 [J]. 精神文明导刊 ,2011,(第 9 期).
[225] 郭文斌．过一半的生活 [J]. 党政论坛 (干部文摘),2011,(第 10 期).
[226] 郭文斌．最美的数字是"一"[J]. 朔方 ,2011,(第 11 期).
[227] 郭文斌．擦掉心灵的灰尘 [J]. 民族文学 ,2011,(第 12 期).
[228] 郭文斌．实践《弟子规》的几个原则 [J]. 山花 ,2011,(第 13 期).
[229] 郭文斌．找回我们的祝福力：郭文斌答问 [J]. 百家评论 ,2012,(第 1 期).
[230] 郭文斌．文学到底是什么？ [J]. 西部作家 ,2012,(第 1 期).
[231] 郭文斌，和歌．寻找我们本有的光明 [J]. 黄河文学 ,2012,(第 1 期).
[232] 郭文斌．走进安详：找回中国人的生存意义 [J]. 天涯 ,2012,(第 4 期).
[233] 郭文斌．静与安处 [J]. 散文海外版 ,2012,(第 5 期).
[234] 郭文斌．西部头题 · 小说家诗歌比思念轻 [J]. 西部 ,2012,(第 5 期).
[235] 郭文斌．启蒙恩师刘富荣 [J]. 教师博览 ,2012,(第 6 期).
[236] 郭文斌．敬畏时空，得大安详 [J]. 芳草 (经典阅读),2012,(第 6 期).
[237] 郭文斌．给，是天地精神 [J]. 中国中小企业 ,2012,(第 6 期).
[238] 郭文斌．安详答问 [J]. 山东文学 ,2012,(第 7 期).
[239] 郭文斌．大山行孝记 [J]. 黄河文学 ,2012,(第 10 期).
[240] 郭文斌．玉米 [J]. 朔方 ,2013,(第 C1 期).
[241] 郭文斌．经典的爱情 [J]. 精神文明导刊 ,2013,(第 2 期).
[242] 郭文斌，姜广平．"因为心灵不存在分别"[J]. 西湖 ,2013,(第 2 期).
[243] 郭文斌．瑜伽 [J]. 天涯 ,2013,(第 3 期).
[244] 郭文斌．用文学擦亮心灵 [J]. 美文 (下半月),2013,(第 10 期).
[245] 郭文斌．文学的祝福性 [J]. 芒种 ,2013,(第 11 期).

[246] 郭文斌 . 阅读：走进安详的重要路径——关于“安详”的演讲之一 [J]. 红豆 ,2013,(第 12 期).
[247] 韩美林 , 周国平 , 郭文斌 , 等 . 文学、文化与城市影响力 [J]. 黄河文学 ,2014,(第 2 期).
[248] 郭文斌 . 认识我们的心 [J]. 天涯 ,2014,(第 3 期).
[249] 郭文斌 . 如何找到自己的幸福 [J]. 散文选刊 (下半月),2014,(第 6 期).
[250] 郭文斌 . 让文化归位 [J]. 新一代 ,2014,(第 10 期).
[251] 郭文斌 . 一次关于中华民族的“护生”行动 [J]. 朔方 ,2014,(第 12 期).
[252] 郭文斌 . 春天三题 [J]. 黄河文学 ,2015,(第 2 期).
[253] 郭文斌 . 安详之路 [J]. 六盘山 ,2015,(第 4 期).
[254] 郭文斌 . 随笔五则 [J]. 广州文艺 ,2015,(第 8 期).
[255] 郭文斌 . 让教育和文化归位 [J]. 美文 (上半月),2015,(第 9 期).
[256] 郭文斌 . 从假象里出来 [J]. 青海湖 ,2015,(第 9 期).
[257] 周新民 , 郭文斌 . 探寻“安详文学”之路 [J]. 黄河文学 ,2015,(第 10 期).
[258] 郭文斌 . 根是花朵的吉祥如意 [J]. 北京文学 (精彩阅读),2015,(第 11 期).
[259] 郭文斌 . 这一刻 [J]. 山花 ,2015,(第 23 期).
[260] 张江 , 张平 , 郭文斌 , 等 . 唯有精品留其名 [J]. 中国文学年鉴 ,2016,(第 1 期).
[261] 郭文斌 . 写意黄河 [J]. 秘书工作 ,2016,(第 3 期).

[262] 郭文斌 . 从三个念头看中国文化 [J]. 芙蓉 ,2016,(第 3 期).
[263] 郭文斌 . 祝福与安详——自述 [J]. 小说评论 ,2016,(第 3 期).
[264] 郭文斌 . 安全和精彩谁更重要——《郭文斌精选集》创作谈 [J]. 博览群书 ,2016,(第 9 期).
[265] 郭文斌 . 好德的学问和表现 [J]. 月读 ,2016,(第 5 期).
[266] 郭文斌 . 教育的“无为”[J]. 江西教育 ,2016,(第 7 期).
[267] 郭文斌 . 教育是一种自我完善 [J]. 江西教育 ,2016,(第 10 期).

[268] 郭文斌 .“致知”的教育境界 [J]. 江西教育 ,2016,(第 13 期).

[269] 郭文斌 . 教育就是唤醒孩子的天性 [J]. 江西教育 ,2016,(第 16 期).

[270] 郭文斌 . 教育的觉悟 [J]. 江西教育 ,2016,(第 19 期).

[271] 郭文斌 . 教育就是点亮心灯 [J]. 江西教育 ,2016,(第 25 期).

[272] 郭文斌 . 教育的安静力 [J]. 江西教育 ,2016,(第 28 期).

[273] 郭文斌 . 教育切忌舍本逐末 [J]. 江西教育 ,2016,(第 31 期).

[274] 郭文斌 . 教育的本质就是爱 [J]. 江西教育 ,2016,(第 34 期).

[275] 郭文斌 . 中秋是归途 [J]. 散文 (海外版),2017,(第 2 期).

[276] 郭文斌 . 永远的乡愁——评大型纪录片《记住乡愁》第三季 [J]. 求是 ,2017,(第 7 期).

[277] 郭文斌 .《记住乡愁》文字统筹笔记（节选）[J]. 广州文艺 ,2017,(第 10 期).

[278] 郭文斌 . 丝绸之路上的敦煌印象 [J]. 黄河文学 ,2017,(第 10 期).

[279] 郭文斌 . 走向纵深:《记住乡愁》进入第四季 [J]. 党建 ,2018,(第 4 期).

[280] 郭文斌 . 宁夏写意 [J]. 国土资源科普与文化 ,2018,(第 4 期).

[281] 郭文斌 . 大年 [J]. 长江文艺 ,2019,(第 2 期).

[282] 郭文斌 . 一江相隔二十年 [J]. 长江文艺 ,2019,(第 2 期).

[283] 郭文斌 . 大阅读决定生命力 [J]. 长江文艺 ,2019,(第 2 期).

[284] 郭文斌 . 微记 [J]. 朔方 ,2019,(第 5 期).

[285] 郭文斌 .“父母呼，应勿缓”新说 [J]. 思维与智慧 ,2019,(第 8 期).

[286] 郭文斌 . 一部被严重价值低估的长篇 [J]. 长江文艺 ,2019,(第 23 期).

[287] 郭文斌 . 把文学变成祝福 [J]. 长城 ,2020,(第 1 期).

[288] 郭文斌 . 一样成长记 [J]. 红岩 ,2020,(第 3 期).

[289] 郭文斌 . 许多传统节日，本身就是防疫设计 [J]. 华声文萃 ,2020,(第 5 期).

[290] 郭文斌 . 徐州日记 [J]. 雨花 ,2020,(第 5 期).

[291] 郭文斌 . 如是我闻 . 北京文学 ,2020,(第 12 期).

[292] 郭文斌 . 保护黄河的人类学意义 . 黄河文学 ,2021,(第 1 期).

报纸类文章

[1] 郭文斌．在北京看雪．人民日报，2003–12–04.

[2] 郭文斌．剪刀．文艺报 ,2005–07–16.

[3] 郭文斌．写作可能是一个秘密．文艺报 ,2005–07–16.

[4] 徐春萍，郭文斌．有定力的文字．文学报 ,2006–01–05.

[5] 郭文斌．腊月，怀念一种花．宁夏大学报 ,2006–12–30.

[6] 郭文斌．中国，你为什么泪流满面．文艺报 ,2008–06–03.

[7] 郭文斌．孔子到底离我们有多远．文学报 ,2008–07–17.

[8] 郭文斌．开花的春节．宁夏大学报．

[9] 郭文斌．浪漫的尺度．羊城晚报 ,2009–01–27.

[10] 郭文斌．大年是一出中国文化的全本戏．光明日报 ,2009–01–30.

[11] 郭文斌．提防不洁的文字．文艺报 ,2009–03–24.

[12] 郭文斌．月光下的豌豆花．渤海早报 ,2010–01–02.

[13] 郭文斌．我看《孔子》．渤海早报 ,2010–02–05.

[14] 郭文斌．守岁．文汇报 ,2010–02–13.

[15] 郭文斌．生命就像一缸米．光明日报，2010–03–13.

[16] 郭文斌．在文学中传播安详．文艺报，2010–03–24.

[17] 郭文斌．一回首，能看到灯的海洋．文汇报，2010–10–12.

[18] 郭文斌．以安详的名义对待生命．南方电网报，2010–10–23.

[19] 郭文斌．想写一本吉祥之书．文艺报，2011–01–10.

[20] 郭文斌．时间果汁．光明日报，2011–01–21.

[21] 郭文斌．安详视野中的《弟子规》：回“家”——与华一欣先生对话．文艺报，2011–09–23.

[22] 郭文斌．孔子再解读．光明日报，2011–03–21.

[23] 郭文斌．我的三个“第一次”．文艺报，2011–04–04.

[24] 郭文斌．文学的使命．中国社会科学报，2011–08–23.

[25] 郭文斌．文学是一条回家的路．中国社会科学报，2011–11–15.

[26] 郭文斌．寻找回家的路．甘肃日报，2012-02-21.
[27] 郭文斌．农历精神．西安日报，2012-03-01.
[28] 郭文斌．给，是天地精神．人民日报，2012-05-09.
[29] 郭文斌．静与安处．广州日报，2012-07-12.
[30] 郭文斌．安详是一种根本快乐．中华读书报，2012-08-22.
[31] 郭文斌．天长地久．新民晚报，2012-11-12.
[32] 郭文斌．会心当下即是．新民晚报，2012-12-10.
[33] 郭文斌．生命的密度．新民晚报，2013-02-05.
[34] 郭文斌．过年是负担吗？新民晚报，2013-02-05.
[35] 郭文斌．文学的祝福性．甘肃日报，2013-04-23.
[36] 郭文斌．好散文当是生命必需品．文艺报，2013-08-14.
[37] 郭文斌．中国年，最浓重的乡愁．人民日报，2014-02-06.
[38] 郭文斌．徽商并未失败．宁夏日报，2014-08-05.
[39] 郭文斌．为历史存正气．宁夏日报，2014-10-20.
[40] 郭文斌．一次关于中华民族的护生行动．文艺报，2014-10-24.
[41] 郭文斌．记住乡愁，就是记住春天．人民日报，2015-01-08.
[42] 郭文斌．《记住乡愁》文字统筹笔记（之一）．文艺报，2015-02-04.
[43] 郭文斌．《记住乡愁》文字统筹笔记（之二）．文艺报，2015-02-11.
[44] 郭文斌．谈谈过年．光明日报，2015-02-12.
[45] 郭文斌．愿人人都能顺利还乡．文汇报，2015-2-18.
[46] 郭文斌．提升民族认同感和归属感．光明日报，2015-03-02.
[47] 郭文斌．写好作品当好作家．宁夏日报，2015-03-02.
[48] 郭文斌．《记住乡愁》文字统筹笔记（之三）．文艺报，2015-03-18.
[49] 郭文斌．《记住乡愁》文字统筹笔记（之四）．文艺报，2015-03-25.
[50] 郭文斌．《记住乡愁》文字统筹笔记（之五）．文艺报，2015-04-08.
[51] 郭文斌．宁夏写意（四则）．光明日报，2015-05-15.
[52] 郭文斌．所重全名节．中国财经报，2015-05-25.
[53] 郭文斌．出离假象辟谷小记．南方周末副刊，2015-06-04.

[54] 郭文斌．《记住乡愁》文字统筹笔记（之六）．文艺报，2015–06–05.
[55] 郭文斌．《记住乡愁》文字统筹笔记（之七）．文艺报，2015–06–17.
[56] 郭文斌．《记住乡愁》文字统筹笔记（之八）．文艺报，2015–06–24.
[57] 郭文斌．《记住乡愁》文字统筹笔记（之九）．文艺报，2015–07–01.
[58] 郭文斌．大阅读决定生命力．天水晚报 ，2015–08–14.
[59] 郭文斌．记住乡愁不忘本原．光明日报，2016–09–09.
[60] 郭文斌．中秋是归途．人民日报·观天下，2016–09–15.
[61] 郭文斌．心里有人民，肩头有责任，心里有乾坤．文艺报，2016–12–03.
[62] 郭文斌．召唤民族精神的高峰．宁夏日报，2016–12–08.
[63] 郭文斌．记住乡愁，就是记住生命的方向．人民日报，2016–12–22.
[64] 郭文斌．宁夏写意．重庆日报，2016–12–27.
[65] 郭文斌．走进《记住乡愁》第三季．文艺报，2017–01–04.
[66] 郭文斌．好大一个年．光明日报，2017–01–25.
[67] 郭文斌．用心守护中华文明的万家灯火．文学，2017–01–26.
[68] 郭文斌．中华文化史上一件具有划时代意义的大事．文艺报，2017–02–10.
[69] 郭文斌．大气的西吉人．宁夏日报，2017–03–01.
[70] 郭文斌．有一种创新叫“现代化传统”．文艺报，2017–03–27.
[71] 郭文斌．愿丝路文化丰润人类心灵．人民日报海外版，2017–08–15.
[72] 郭文斌．打捞“乡愁”的团队——纪录片《记住乡愁》创作的幕后故事．文艺报，2017–09–13.
[73] 郭文斌．将台堡我的故乡．宁夏日报第 14 版：六盘山，2017–10–18.
[74] 郭文斌．从中国梦到人类梦．文艺报，2017–11–15.
[75] 郭文斌．为什么不是乡音、乡情，而是乡愁？文艺报，2018–03–23.
[76] 郭文斌．走向纵深，为每个人拨亮心灯——央视大型纪录片《记住乡愁》第四季创作回眸．中国艺术报，2018–04–09.
[77] 郭文斌．城市五行．文汇报，2018–04–21.

[78] 郭文斌．文学照亮生活．宁夏日报，2018-08-14．

[79] 郭文斌．“大文学之乡”与“书香宁夏”．宁夏日报，2018-08-16．

[80] 郭文斌．文学之乡　文化之香．人民政协报，2018-09-17．

[81] 郭文斌．节日的安详．人民政协报，2019-01-07．

[82] 郭文斌．服务于心灵的作品注定永恒——《记住乡愁》第五季开播随想．文艺报，2019-01-07．

[83] 郭文斌．春节是中华民族的集体约会．中国艺术报，2019-02-15．

[84] 郭文斌．《守望家风》是为时代画像立传明德的佳作．宁夏日报，2019-04-02．

[85] 郭文斌．中国之中．甘肃日报，2019-05-15．

[86] 郭文斌．传统文化即能量管理．甘肃日报，2019-07-10．

[87] 郭文斌．安详宁夏．光明日报，2019-08-13．

[88] 郭文斌．《记住乡愁》第六季走进古城．文艺报，2020-01-22．

[89] 郭文斌．真正的力量藏在这里．人民日报，2020-1-23．

[90] 郭文斌．致敬．人民日报海外版，2020-02-20．

[91] 郭文斌．许多传统节日本身就是防疫设计．文汇报，2020-03-10．

[92] 郭文斌．《记住乡愁》何以成为常青树．中国艺术报，2020-03-23．

[93] 郭文斌．你就是我　我就是你．人民政协报，2020-03-23．

[94] 郭文斌．疫情全球化更需要平等对话思维．文学报，2020-3-27．

[95] 郭文斌．生命的第一关切．文艺报，2020-04-01．

[96] 郭文斌．阅读也是免疫力．文汇读书周报，2020-04-20．

[97] 郭文斌．《寻找安详》修订版后记．文艺报，2020-11-06．

[98] 郭文斌．《记住乡愁》“进城了”．文艺报，2021-01-25．

注：均为不完全统计

后 记

去年，应山东教育出版社邀请，到社里讲课，顺便参观了展陈室，很为他们的文化情怀感动，书架上品质上乘的《张炜文存》《秋雨合集》，还有许多工程性出版成果，让我眼前一亮，无论是设计，还是装帧，还是用纸，在国内都堪称一流，心想，如果自己的作品能够忝列其中，该是多么幸运的一件事情。没想到，半年之后，我的精选集出版事宜就摆上他们的议事日程。

接到社里的美意之后，心想，如何让这套精选集在中华书局版的基础上更进一步。在电脑上翻检，没有可补入的长篇，短篇也不多，诗就更少，倒是有不少对话和述评，特别是对话，一读，居然把自己给吸引住了。加之这些年研读经典，发现中国文化史，一定意义上，就是一部对话史，遂萌生了编一本对话集的想法，编定之后，很是满意，相信读者一定会喜欢。

第二本是《祝福》，主要是近些年我对央视大型纪录片《记住乡愁》的亲历性记录，还有一部分是重要时空节点的回应文章。

加上在中华书局出版的精选集基础上修订的书稿，一共八卷。

在把山东教育出版社设计的精选集封面发给同事闻玉霞看时，她说，如果再有一本《郭文斌研究》就好了。和单行本不同，精选集的发行，以研究和馆藏为主要方向。而为研究者提供方便，应该是其重要功能之一，如果能把评论家的声音汇集成书，配套发行，也是功德一桩。还有，不同于其他作家，郭文斌同志本身就是在争鸣声中走过来的，不少评论文章看起来，比作品本身都吸引人，有这么一本书，也会促进精选集的发行。

这真是一个好建议，可是，由谁来主编呢。我说。

她说，还是请李建军先生。她是说，2008 年，李建军先生为我主编了《郭文斌论》。

我说，这次再也不能劳烦李老师了，就你来吧。

她大概没有想到，担子居然落在她的肩上。为了减轻她的劳动量，我请这些年一直研究我的作品的江西师范大学王磊光博士协助她。

经过他们二人的努力，一部五十万字左右的书稿出现在我面前，让我好生感动。原来，有这么多的师友研究过我的作品，我居然都不知道。原来，有这么多的刊物在默默推举我，我居然都不知道。急切地走进这些文字，就像走进另一个世界，让人感叹“知”和“遇”的不可思议，茫茫人海，为什么就偏偏是他们，对你的文字发生兴趣。

高山流水，不过如此。

本来还有几部拟收入的书稿，但最后还是决定放弃了。我对出书比较苛刻，如果文字的精确度、节奏感、旋律感没有达到要求，就不愿意出版。还有，这次编选，和五年前给中华书局编选七卷本相比，精力明显不同，最后决定量力而行。加之，不少读者等着用书，让我无法慢条斯理。

读者诸君也许不会想到，和山东教育出版社的美丽缘分，缔结于二十多年前的一次演讲。那时，我的第一本书《空信封》上市，我带着它到宁夏彭阳县第二中学演讲，会场里，有一位叫张虎的同学，大学毕业后，居然到山东教育出版社工作。近年，不知他怎么找到我的电话，不舍不弃地联系。感动于他的诚意，我们约定在2019年西安书市见面。当他和副总编辑范增民先生出现在我面前时，一种没有来由的亲切感扑面而来。接下来，就有了后半年到社里讲课，就有了和总编辑孟旭虹女士的畅叙，就有了许多合作构想。

想想看，一套文集的出版缘分，居然在二十多年前就开始了，这是多么让人感动的一件事情。在社里讲课时，当张虎先生拿出那本黑皮绿叶的《空信封》时，一种来自岁月深处的感慨让我有种把什么交给他的冲动。不久，九卷拙著，一套光盘，就交给他了。接下来，我们就开始了热线期。

先是设计，我没想到，设计师王承利，他对文字的理解，对美的理解，可以知音相称，还有这个团队的效率，也是我合作过的出版社中最优秀的。在此，向所有为这套文集面世付出心血的朋友们，致以崇高的敬意。

2020 年 7 月 19 日